EL GRAN LIBRO
DE LOS
REMEDIOS NATURALES

El gran libro de los
de los
remedios naturales

Luis Tomás Melgar

LIBSA

© 2007, Editorial LIBSA

San Rafael, 4

28108 Alcobendas. Madrid

Tel. (34) 91 657 25 80

Fax (34) 91 657 25 83

e mail: libsa@libsa.es

www.libsa.es

ISBN: 978-84-662-1326-4

Depósito Legal: CO-40-07

Colaboración en textos: Luis Tomás Melgar

Edición: Equipo editorial Libsa

Diseño de cubierta: Equipo de diseño Libsa

Maquetación: Rosario María Díaz y Equipo de maquetación Libsa

Impreso en España/ *Printed in Spain*

CONTENIDO

INTRODUCCIÓN 9

PARTE 1: TERAPIAS
TERAPIAS ORIENTALES

ACUPUNTURA 15
    Cómo usar la Acupuntura 15
FITOTERAPIA CHINA 25
    Los 12 órganos 26
    Las fórmulas herborísticas chinas 27
MASAJE TERAPÉUTICO CHINO 36
MEDICINA AYURVÉDICA 37
SHIATSU 39
    Cómo funciona el Shiatsu 41
    Cómo se aplica el Shiatsu 45
YOGA 51
    Chakras 53
    Qué se necesita para la práctica del yoga 57
    Asanas o posturas físicas 58

TERAPIAS DE LA NUEVA ERA

AROMATERAPIA 69
CRISTALOTERAPIA Y GEMOTERAPIA 80
    Cristales de la A a la Z 86
CROMOTERAPIA 103
CURACIÓN ESPIRITUAL O REIKI 115
FLORES DE BACH 116
    Las 38 flores 120
MUSICOTERAPIA 146

MEDICINA NATURISTA

FITOTERAPIA OCCIDENTAL 156
    La recolección de las plantas medicinales 161

Secado y conservación de las plantas medicinales   163
Preparación y preparados   164
GEOTERAPIA   169
HELIOTERAPIA   170
HIDROTERAPIA   170
NATUROPATÍA   171
OLIGOTERAPIA   177
TERAPIA NUTRICIONAL   178
Macrobiótica   180

TERAPIAS HOMEOPÁTICAS

HOMEOPATÍA   181
SALES DE SCHÜESSLER   192

TERAPIAS DE MOVIMIENTO Y MANIPULACIÓN

MÉTODO PILATES   193
Ejercicios de Pilates   196
Cómo realizar un ejercicio de Pilates   200
OSTEOPATÍA   202
Técnicas de los tejidos blandos   204
Técnicas articulatorias   204
Empuje de alta velocidad   205
Técnicas de energía muscular   205
Técnicas indirectas   206
Técnicas osteopáticas   206
Ramas de la Osteopatía   208
QUIROMASAJE   211
Tendencias   212
Indicaciones y contraindicaciones del Quiromasaje   214
Maniobras para practicar el masaje   215
Tipos de masaje   218
Errores en la aplicación de los masajes   220
VYAYAM   221
Consejos para practicar el Vyayam   224
Mudras   225
Respiración   226
Ejercicios de Vyayam   226
Conclusión   229

PARTE 2: ENFERMEDADES

SISTEMA MÚSCULO-ESQUELÉTICO 233
    Cómo funciona 233
    Para qué sirve 234
    Enfermedades del sistema músculo-esquelético 234-268

SISTEMA CIRCULATORIO 268
    Componentes del sistema circulatorio 268
    Enfermedades del sistema circulatorio 271-307

SISTEMA RESPIRATORIO 307
    La nariz 308
    La faringe 308
    La laringe 308
    La tráquea y los bronquios 309
    Los pulmones 309
    Padecimientos 309
    Enfermedades del sistema respiratorio 311-331

SISTEMA DIGESTIVO 331
    Funcionamiento 332
    Puntos débiles 333
    Enfermedades del sistema digestivo 335-371

SISTEMA ENDOCRINO 371
    Patologías 371
    Enfermedades del sistema endocrino 373-378

SISTEMA INMUNOLÓGICO O LINFÁTICO 378
    Enfermedades del sistema inmunológico o linfático 378-385

SISTEMA REPRODUCTOR FEMENINO 385
    Enfermedades del sistema reproductor femenino 385-412

SISTEMA REPRODUCTOR MASCULINO 412
    Enfermedades del sistema reproductor masculino 413-422

SISTEMA URINARIO 422
    Enfermedades del sistema urinario 422-430

LA MENTE Y EL SISTEMA NERVIOSO   430
   En dónde se enferma   431
   Enfermedades del sistema nervioso 434-471

BOCA Y NARIZ   471
   Enfermedades de la boca y la nariz 472-490

OÍDOS   490
   Enfermedades de los oídos 490-496

OJOS   497
   Enfermedades de los ojos 497-505

CABELLO   505
   El cuidado del cabello   505
   La limpieza natural del cabello   506
   Acondicionador natural para el cabello   507
   Mascarillas para el cabello   508
   Enfermedades del cabello 508-511

PIEL   511
   El cuidado del rostro   511
   Los pasos básicos   512
   Los distintos tipos de piel   512
   Consejos naturales para el afeitado   516
   El cuidado de las manos   517
   El cuidado de los pies   519
   Enfermedades de la piel 520-538

APÉNDICES

ENFERMEDADES INFANTILES   541

PRIMEROS AUXILIOS   583

ÍNDICE DE ENFERMEDADES Y OTRAS PATOLOGÍAS   600

INTRODUCCIÓN

¿Qué son los remedios naturales? ¿En qué se diferencian de la medicina convencional? ¿Hasta qué punto pueden ser eficaces? ¿Los remedios naturales son alternativos o complementarios a la medicina tradicional?

Desde que el primer Homo Sapiens se puso de pie sobre dos piernas, se ha intentado por todos los medios luchar contra la muerte y la enfermedad. Cuando se comprobaba que en ocasiones el cuerpo humano dejaba de funcionar como debía, se han buscado remedios de las índoles más variadas que han ayudado a vivir más tiempo y con mejor calidad de vida a toda la humanidad. Estos remedios incluyen todos los campos del saber humano, y abarcan desde la religión a la ciencia más exacta. Esta lenta, pero imparable, evolución ha dado fruto lo que hoy conocemos como medicina convencional.

Los primeros homínidos ya empleaban hierbas para tratar sus enfermedades, y probablemente los brujos y chamanes de las tribus de la prehistoria prepararían cataplasmas con raíces exóticas y administrarían infusiones para curar todo tipo de fiebres. Algunos milenios después, los médicos egipcios utilizaron un gran número de especies botánicas, así como productos de naturaleza inorgánica como las sales de plomo y de cobre, y lograban con éxito llevar a cabo operaciones tan complicadas como las trepanaciones cerebrales. Es probablemente en la Grecia clásica donde la medicina moderna tuvo su origen: fue Hipócrates el que sistematizó los grupos de medicamentos, dividiéndolos en purgantes, narcóticos y febrífugos. Habrá que esperar hasta la época romana para que el estudio de las plantas medicinales experimente un auténtico avance. Claudio Galeno, que acabó siendo médico personal del emperador Marco Aurelio, dio un definitivo paso en la medicina y la farmacia, hasta el punto que se le considera como uno de los fundadores de ambas. El último de los grandes médicos y botánicos de la Antigüedad fue Pedanio Dioscórides, un griego que sirvió en los ejércitos de Nerón. Recogió plantas medicinales por toda la cuenca del Mediterráneo, y reunió toda la información que había compilado en los cinco tomos de su *Materia Médica*.

Siglos más tarde, los árabes recuperaron todas las obras de los médicos antiguos para utilizarlas como base de su enseñanza sobre las artes de curar: su principal mérito consistió en el adelanto que supieron imprimir a las operaciones de laboratorio, cuyo inmediato resultado fue la Alquimia, madre de la moderna Química. Resurgió con ellos el arte de la destilación, olvidado desde remotos tiempos, pues lo habían empleado los antiguos egipcios y los propios griegos.

Ya en el siglo XVI, y de vuelta a Occidente, es necesario detenerse en la figura de Paracelso, un médico y alquimista holandés que fue el primero en introducir la química en la terapéutica, desafiando la teoría de los humores de Hipócrates. A partir de ahí, el método científico aplicado a la medicina fue imparable, y ya en el siglo XXI la llamada medicina convencional ha conseguido curar enfermedades que eran necesariamente mortales para los terapeutas de la Antigüedad, ha multiplicado la esperanza de vida de los seres humanos de todo el planeta y proporcionado conceptos nuevos y revolucionarios como el de retrovirus, cáncer, mutación o genoma. No se debe, por tanto, menospreciar los avances y adelantos de la medicina convencional, que seguramente es una de las grandes responsables de la calidad de vida que disfrutamos en nuestra época.

Sin embargo, en el camino que hemos recorrido tan someramente desde los chamanes de la prehistoria hasta los cirujanos del siglo XXI, han ido quedando sin duda muchos flecos sueltos, caminos que no han llegado a desarrollarse hasta sus últimas consecuencias. Pongamos el ejemplo de la medicina tradicional china, que se basa en parámetros completamente distintos a los occidentales, con conceptos como los meridianos o la contraposición frío/calor. Sin embargo, consiguió la vacuna antivariólica siglos antes del nacimiento de Pasteur, y ha desarrollado terapias de tan probada eficacia como la acupuntura. Ocurre lo mismo con otras tradiciones que, como el Reiki o la gemoterapia, utilizan energías y métodos que la ciencia positiva aún no ha sido capaz de comprender.

En *El gran libro de los remedios naturales*, el lector encontrará en primer lugar un repaso por la mayoría de estas terapias. Comenzando como no podía ser menos por las terapias orientales como la medicina ayurvédica y el shiatsu, iremos recorriendo sucesivamente las terapias de la nueva era, la medicina naturista, la homeopática y las terapias de manipulación. De esta forma, el lector podrá tener una visión global de las llamadas terapias alternativas o naturales, cada una de las cuales tiene una característica específica que la hace útil para tratar un aspecto concreto de la enfermedad. Por ejemplo, la Aromaterapia y la Musicoterapia han demostrado una gran eficacia para mejorar los estados de ánimo que se asocian con las diversas patologías, mientras la Fitoterapia occidental es capaz de tratar con éxito la mayor parte de las infecciones.

En la segunda parte del libro se tratan las enfermedades más comunes. El lector encontrará un catálogo de síntomas ordenado en función de los distintos sistemas del cuerpo. Dentro de cada entrada, hemos incluido una breve descripción de la enfermedad así como las distintas terapias naturales propuestas, que variarán en cada caso en su número y extensión. Por ejemplo, el insomnio puede tratarse de una infinidad de maneras distintas y utilizando remedios naturales muy variados, mientras que la difteria se escapa en general del campo de acción de este tipo de medicina.

Para que la búsqueda e una dolencia o patología sea sencilla, al final del libro hay un índice alfabético de dichas enfermedades.

Por último, hay un apéndice dedicado a enfermedades específicamente infantiles. Aunque algunas también las padecen las personas adultas, los tratamientos y su aplicación no suelen coincidir.

En ningún caso hay que olvidar que el objetivo de este libro no es médico ni científico. El lector no debe por tanto autodiagnosticarse y automedicarse utilizando las instrucciones y referencias que contiene este volumen. Ante cualquier síntoma de enfermedad, deberá acudir en primera instancia al médico convencional. En caso de que el médico lo considere oportuno, el paciente acudirá a un especialista en alguna de las terapias naturales aquí propuestas. El presente volumen serviría por tanto para ayudar al lector a comprender las terapias aplicadas por el especialista, nunca para recetárselas por sí mismo.

Más allá del ámbito práctico, *El gran libro de los remedios naturales* tiene el objetivo de acercar al lector al amplísimo universo de la medicina alternativa, con el deseo de que le ayude a comprender algo mejor el mundo en que vivimos y la naturaleza del funcionamiento del cuerpo humano. Esperamos que el libro cumpla su objetivo: ser un volumen de consulta práctico y útil para cualquier lector que quiera saber más sobre una enfermedad concreta o sobre algún remedio natural determinado.

Parte 1

TERAPIAS

TERAPIAS ORIENTALES

ACUPUNTURA

Hoy en día pocas personas desconocen lo que es la Acupuntura. Literalmente significa «pinchar con agujas», pero detrás de esta definición y de las ideas preconcebidas que podemos tener en Occidente de esta técnica, existe uno de los movimientos filosóficos, médicos y de cosmovisión más antiguos del mundo. Desde hace más de 5.000 años, esta terapia es ejercida en China, donde el sistema nacional de salud provee a sus habitantes de sesiones para la curación con Acupuntura. Es muy difícil resumir en unas pocas páginas el verdadero concepto de la Acupuntura y toda la construcción filosófica que hay detrás de ella. A lo largo de este libro se tratan en más de una terapia conceptos tangentes a varias de ellas, como la teoría de los cinco elementos, los meridianos, el concepto de chi o la cosmovisión del orientalismo chino sobre los flujos de energía. En las siguientes páginas volveremos a hacer mención alguno de estos conceptos y explicaremos la vertiente de éstos que pueda ayudarnos a comprender mejor la Acupuntura.

Es preciso apuntar que si bien la Acupuntura tiene una base filosófica, ésta no es en ningún caso cercana a la magia, ocultismo u otras artes paranormales, sino que la Acupuntura es el resultado de siglos de investigación real y tangible, por lo que conviene no caer en la tentación de conceder un poder mágico a las agujas. El organismo realiza su propia curación. Las agujas, la presión digital o el impulso eléctrico producen el estímulo; entonces el cuerpo reacciona.

CÓMO USAR LA ACUPUNTURA

AGUJAS

Las agujas usadas en Acupuntura suelen ser de acero inoxidable con un manguito de cobre o aluminio. Deben ser lo suficientemente flexibles como para evitar que se rompan en caso de espasmo muscular producido por la inserción. El mango es importante tanto para facilitar la inserción como en las manipulaciones subsiguientes de las agujas una vez hincadas. La longitud de las agujas oscila entre 12 y 120 mm; la sección, entre 0,04 y 0,10 mm. Numerosos acupuntores que utilizan agujas hipodérmicas desechables de 0,12 mm de sección. Las agujas cortas sirven para las zonas superficiales de la cara y la cabeza; las más largas, para las partes más carnosas del cuerpo.

La profundidad de inserción viene dada en las fórmulas de tratamiento de cada punto; no obstante, puede variarse de acuerdo con los diferentes tipos corporales y a criterio del acupuntor. Por lo general, el paciente experimenta una sensación de plenitud y cálido bienestar cuando la aguja alcanza la profundidad deseada, sin que la ausencia de esta sensación sea óbice para el logro de resultados positivos. Las agujas deben ser esterilizadas y frotadas con alcohol antes de la inserción, y el área de tratamiento y las manos del acupuntor deben ser frotadas con alcohol u otro antiséptico como si se tratase de una inyección parenteral. Así mismo, las agujas deben hallarse exentas de cualquier defecto, desechándose aquellas que estuviesen torcidas o despuntadas.

El tratamiento de puntos vertebrales reviste especial cuidado; la inserción por error de la aguja en el sistema nervioso central podría producir una parálisis momentánea. Para evitar semejante inconveniente, tanto los puntos tratados como la profundidad de inserción de la aguja deben coincidir exactamente con los puntos y profundidades recomendadas.

Para localizar con precisión los puntos de Acupuntura usamos dos sistemas descriptivos. El primero define la posición anatómica exacta y es, por lo tanto, el método más simple. No obstante, existen numerosos puntos cuya posición no puede ser descrita de manera tan exacta, y otros cuya posición depende de la corpulencia del paciente. Con objeto de paliar las variaciones debidas a la corpulencia, los especialistas chinos utilizan la «pulgada humana» o «aum», unidad que no solamente se adapta a cada paciente, sino también a cada zona del cuerpo. Así, por ejemplo, el aum del antebrazo se obtiene dividiendo por 12 la distancia entre el pliegue de la muñeca y el pliegue cubital. Se explican a continuación las mediciones proporcionales.

El aum de la cabeza se calcula de una de las formas siguientes: línea medial desde la línea anterior del cuero cabelludo a la línea posterior del mismo = 12 aum; distancia entre la línea anterior del cuero cabelludo y la apófisis de la séptima vértebra cervical = 3 aum. (Si la línea del cuero cabelludo es imprecisa, se toma la distancia entre la glabela y la apófisis mencionada = 18 aum.) El aum de la espalda se calcula midiendo la distancia entre la línea medial y el borde medial de la escápula = 3 aum. El aum del tórax y del abdomen se calcula a partir de la distancia entre los pezones = 8 aum. La distancia entre el extremo inferior del esternón y el ombligo = 8 aum. Entre el ombligo y la sínfisis pubiana = 5 aum. El aum del brazo se calcula midiendo la distancia entre el pliegue de la axila y la flexura del codo = 9 aum. El aum del muslo se mide entre el punto proximal del trocánter mayor y la cara distal de la rótula = 19 aum. El aum de la pierna corresponde o bien a la distancia entre el centro de la rótula y la prominencia del maléolo externo = 16 aum o a la distancia entre el cóndilo interno de la tibia y la prominencia del maléolo interno = 13 aum. El método de cálculo de las dimensiones corporales se basa en la longitud del dedo del paciente. La distancia entre los dos pliegues de las uniones interfalángicas del dedo medio doblado equivale a 1 aum, mientras que la anchura total de los cuatro dedos vale 3 aum.

La precisión de estas técnicas es suficiente, en particular si se usan conjuntamente con la descripción anatómica, y permiten al acupuntor la localización exacta de puntos concretos.

La configuración de los puntos de Acupuntura de la superficie del cuerpo ha llevado a los acupuntores, a lo largo de los siglos, a representarlos gráficamente en forma de líneas (llamadas canales o meridianos) reuniendo todos aquellos puntos que comportan una acción común sobre un órgano o función fisiológica determinados. Además de los 12 pares de meridianos bilaterales, existen dos meridianos a lo largo de la línea medial anterior y posterior del tronco y de la cabeza y varios meridianos suplementarios que unen entre sí a los 14 pares principales. Fuera de este conjunto de meridianos existen igualmente otros puntos en el pabellón de la oreja y en la superficie de la cara y de las manos poseedores de efectos reflejos específicos. Las pruebas clínicas de la existencia de conexiones reflejas entre los puntos de Acupuntura y los órganos y las funciones específicas son abundantes. El proceso para equilibrar la energía vital que circula por los órganos internos se efectúa como hemos dicho en estos meridianos. Las definiciones de los afamados terapéuticos Denis y Joyce Lawsonwood en su famoso libro sobre Acupuntura y los cinco elementos nos sirven aquí para reseñar brevemente la situación de estos meridianos.

- EL MERIDIANO DEL CORAZÓN. Este meridiano comienza en el tórax, justo en el vértice de la axila. Para describirlo con una mayor exactitud, diremos que el primer punto se halla por debajo del borde exterior de la primera costilla, entre los músculos subescapular y coracobraquial y los tendones del dorsal ancho, donde pueden palparse las pulsaciones de la arteria axilar. El recorrido de este meridiano discurre a lo largo del brazo y antebrazo anteromedialmente para terminar en la raíz de la uña del dedo meñique. En total existen nueve puntos de Acupuntura en este meridiano.

- EL MERIDIANO DEL INTESTINO DELGADO. Posee su primer punto en la raíz de la uña del dedo meñique, recorre la parte interna posterior del brazo, pasa por encima del hombro y llega a la cara donde tiene su decimonoveno y último punto, justo por delante del trago. En total existen 19 puntos de Acupuntura en el meridiano del intestino delgado.

- EL MERIDIANO DE LA VEJIGA. Este meridiano tiene su primer punto en la cara, justo por dentro del ángulo interno del ojo. Desde el ojo discurre por la parte superior de la cabeza, hasta la nuca, desciende por la espalda, cara posterior de los muslos y pantorrillas y borde externo del pie, para terminar en la raíz de la uña del quinto dedo. En total existen 67 puntos de Acupuntura en este meridiano.

- EL MERIDIANO DE LOS RIÑONES. Este meridiano empieza en la planta del pie con su primer punto entre las dos amplias almohadillas que se forman en la base del dedo gordo y de los demás dedos. A continuación asciende por la cara interna de la pierna hasta la ingle y sigue por el abdomen y cara anterior del tórax, para terminar justo por debajo de la clavícula en el agujero triangular formado por la primera costilla, la clavícula y el esternón. En total existen 27 puntos de Acupuntura en el meridiano de los riñones.

- EL MERIDIANO DE LA CIRCULACIÓN. Este meridiano empieza en el tórax, justo por fuera del pezón, sube hasta el brazo, baja por la cara anterior del mismo y del antebrazo, y cruzando la palma de la mano, termina en la raíz de la uña del dedo medio. Debe notarse que este es el único meridiano que no posee puntos prohibidos. En total son nueve los puntos de Acupuntura en el meridiano de la circulación.

- EL MERIDIANO TRES CALENTADORES. Este meridiano, que a veces es llamado termorregulador, tiene su primer punto en la raíz de la uña del dedo anular. Su camino discurre por la cara posterior de la mano, antebrazo y brazo, por detrás del hombro hasta la cara lateral del cuello, y rodeando a la oreja llega a su 230 y último punto, muy cerca del extremo externo de la ceja. Existen en total 23 puntos de Acupuntura en el meridiano tres calentadores.

- EL MERIDIANO DE LA VESÍCULA BILIAR. Este meridiano tiene su primer punto justo por detrás del ángulo externo del ojo, verticalmente por debajo del último punto del meridiano tres calentadores. Su recorrido se dirige hacia atrás y adelante sobre el cráneo y de nuevo hacia atrás hasta la nuca, cruza por encima del hombro dirigiéndose hacia delante y baja por el costado del tórax y del abdomen y por la cara externa del muslo y pantorrilla, para terminar en la raíz de la uña del cuarto dedo. En total existen 44 puntos de Acupuntura en este meridiano.

- EL MERIDIANO DEL HÍGADO. El meridiano del hígado comienza cerca de la raíz de la uña del dedo gordo del pie (exactamente en el lado que mira el segundo dedo), asciende por la cara interna de la pierna, llega al abdomen y termina en el borde inferior de la parrilla costal en el punto de intersección de una línea imaginaria vertical que pasa por el pezón. En este meridiano tenemos en total 14 puntos de Acupuntura.

- EL MERIDIANO DE LOS PULMONES. Este meridiano comienza en el primer espacio intercostal, en la continuación de la línea paraxilar, donde tiene su primer punto. Luego desciende por la parte delantera del lateral del brazo hasta llegar al último punto situado en la raíz de la uña del dedo pulgar. En total existen 11 puntos de Acupuntura en el meridiano de los pulmones.

- EL MERIDIANO DEL INTESTINO GRUESO O DEL COLON. El camino que sigue este meridiano tiene su primer punto en la raíz de la uña del dedo índice, a continuación discurre por la parte posterior del lateral del antebrazo y brazo, y sigue por el hombro, cuello y cara hasta su último punto, situado junto a la ventana nasal. En total tenemos en este meridinio 20 puntos de Acupuntura.

- EL MERIDIANO DEL ESTÓMAGO. Casi todos los expertos europeos consideran que el meridiano del estómago comienza en la frente, en el que el doctor Wu Wei Ping llama el octavo punto. Él trata este meridiano considerando que tiene su primer punto en la cara, en el centro del borde inferior de la cavidad orbitaria, verticalmente por debajo del centro de la pupila. Desde la cara, el meridiano desciende a lo largo de la garganta hasta la cara anterior del tórax, abdomen y por la cara anterior del muslo y de la pantorrilla, terminando en la raíz de la uña del segundo dedo. Existen en total 45 puntos de Acupuntura en el meridiano del estómago.

- EL MERIDIANO DEL BAZO. Comienza en la raíz de la uña del dedo gordo del pie (cara medial). Asciende por la cara interna de la pierna, cruza la ingle y llega al abdomen y al tórax, para terminar en el sexto espacio intercostal en la línea axilar. En total existen 21 puntos de Acupuntura en este meridiano.

Además de los 12 órganos-meridiano, existen también dos vasos-meridiano que son clasificados a menudo como los meridianos XIII y XIV. Éstos se designan por un nombre y aunque son lo suficientemente distintos como para no ser mezclados con los meridianos, sí que forman parte de su mismo sistema. A estos dos vasos-meridiano se les conoce con los nombres de vaso de la concepción y vaso gobernador. El vaso de la concepción tiene su primer punto en el centro exacto del perineo. Su camino sigue la línea media anterior ascendiendo por el abdomen, tórax y garganta hasta justo por debajo del labio inferior. En total existen 24 puntos de Acupuntura en el vaso de la concepción. El vaso gobernador tiene su primer punto en la punta coxígea; recorre la línea media posterior en toda la longitud de la espina dorsal y pasa por encima de la bóveda craneal, para terminar dentro de la boca en la cara frontal de la encía superior, entre las raíces de los dos incisivos centrales. El circuito del sistema de los meridianos-órgano experimenta ciertos cambios polares: la energía que circula desde el tórax hacia la punta de los dedos de la mano tiene una predominancia yin. Al irse acercando la energía a la extremidad, la polaridad empieza a cambiar, y para cuando alcanza la punta de los dedos, el predominio yin para entonces se ha extinguido y comienza el predominio yang. La energía que circula desde la punta de los dedos hacia la cara y desde la cara hacia los dedos de los pies se caracteriza por ser una energía predominantemente yang. A medida que ésta se acerca a la extremidad inferior, la polaridad empieza a cambiar. Cuando llega a la punta de los dedos, el predominio yang ya se ha extinguido y en el trayecto que va desde los dedos hasta el tórax, el yin se hace predominante. Nótese que es en la punta de las extremidades superior e inferior donde la energía vital cambia de polaridad. En el área central, cabeza y tórax, aunque la energía pase de un meridiano a otro, no ocurren cambios de polaridad.

El cambio de polaridad no es repentino, sino que ocurre entre el codo y la punta de los dedos y entre la rodilla y los dedos del pie. Es en los puntos que están por debajo de la rodilla y por debajo del codo donde el cambio de polaridad puede ser más fácilmente retardado o acelerado; por consiguiente, es entre estos límites donde vamos a encontrar los más importantes puntos de control. En los puntos de los cinco elementos, éstos se encuentran en la rodilla o por debajo de ésta y en el codo o por debajo de éste.

Habitualmente se siguen una serie de instrucciones para la selección de los puntos. Éstos serán escogidos de forma que rodeen la zona dolorida. De no ser esto posible, se tratarán los puntos alineados sobre un miembro. Además del tratamiento de los puntos locales, la fórmula puede indicar que se traten puntos alejados de la zona dolorida; unos y otros pueden tratarse simultáneamente. Conviene no olvidar los efectos colaterales de la Acupuntura y tratar de aprovechar esta particularidad mediante una juiciosa selección de los puntos a tratar. Así, por ejemplo, el efecto analgésico del tratamiento del dolor del codo derecho queda reforzado por el tratamiento de puntos de ambos brazos. No conviene insertar las agujas en la zona dolorida cuando ésta se presenta hinchada o inflamada; la inserción se efectuará en los puntos próximos o inmediatos.

Los puntos blandos locales en una zona de molestia pueden ser considerados puntos espontáneos de Acupuntura. Los especialistas chinos los denominan puntos «ah ski», y los emplean de la misma manera que los puntos normales en el tratamiento de los casos dolorosos. Al plantearse el tratamiento, el acupuntor debe saber exactamente qué tejidos subyacen bajo los puntos a tratar. En el formulario se indica, mediante notas apropiadas, los casos en que conviene efectuar el tratamiento mediante puntos ah shi.

La aguja y la superficie de piel alrededor del punto tratado deben ser frotadas con una solución antiséptica. El paciente debe aguardar el tratamiento en posición reclinada y en estado de relajación. Para la inserción de agujas relativamente cortas, se observarán las siguientes indicaciones: con el índice o el pulgar de la mano izquierda (también puede aplicarse presión ungular), se oprime la superficie inmediatamente próxima al punto de inserción; la aguja, sujetada por el mango con el pulgar y el índice de la mano derecha, es hincada al tiempo que se le imprime un movimiento de torsión; puede sentirse un dolor pasajero cuando se perfora la piel, pero inmediatamente se nota una sensación de plenitud y radiante bienestar.

Las agujas más largas pueden sujetarse por el tallo, obteniéndose de esta forma una penetración rápida y controlada en la piel; mientras la mano izquierda estabiliza el tallo de la aguja, con la mano derecha se aplica al mango una combinación de presión y rotación y se introduce la aguja hasta la profundidad deseada. En zonas poco carnosas, como la cara o la cabeza, con los dedos de la mano izquierda se pellizca suavemente la piel alrededor del punto, mientras se procede a la inserción. En zonas que comportan tejidos flojos, o en presencia de pliegues y arrugas de la piel, como el abdomen, antes de proceder a la inserción, con los dedos de la mano izquierda se tensa la piel alrededor del punto.

Existe una técnica de inserción consistente en introducir la aguja en un tubo de metal, vidrio o plástico (por ejemplo una pajita de sorber bebidas) colocado perpendicularmente sobre el punto de Acupuntura, con el mango de la aguja sobrepasando ligeramente. Con una palmadita, se hace penetrar la aguja a través de la piel; se retira rápidamente el tubo y se completa la inserción, imprimiendo al mango el movimiento de torsión adecuado, hasta alcanzar la profundidad deseada. Este método es menos doloroso para el paciente, pero el punto de penetración no se alcanza con tanta precisión como en el método corriente de inserción. El ángulo de inserción puede ser oblicuo, perpendicular u horizontal. En las principales zonas musculares del cuerpo, que requieren una inserción profunda, suele usarse la inserción perpendicular. La inserción oblicua se efectúa bajo un ángulo de 30 a 45°. La inserción horizontal suele reservarse para el tratamiento de puntos de la cabeza y la cara.

Salvo indicación de lo contrario, las inserciones del formulario de tratamiento son perpendiculares. La profundidad que se debe alcanzar depende esencialmente de la corpulencia del paciente, y ésta debe ser tomada en consideración antes de empezar el tratamiento. Como ya se ha dicho, cuando la aguja alcanza la profundidad óptima, el paciente experimenta una sensación de hormigueo seguida de otra de plenitud y languidez. En el tratamiento de los puntos auriculares se emplean las agujas de 12,5 mm; la inserción alcanza el cartílago, y se manipula la aguja como en los tratamientos de las demás zonas del cuerpo. En el tratamiento del dolor hemos podido experimentar que la rotación periódica de la aguja, acompañada de cierta presión y tracción, ejercidas alternativamente, refuerza el efecto analgésico. Esta manipulación se repite a intervalos de unos cuantos minutos, por una duración total de inserción de media hora, como máximo. Las manipulaciones deben repetirse sin interrupción si se desea alcanzar un efecto anestésico, siendo éste más fácil de alcanzar si la aguja es estimulada eléctricamente. En el tratamiento de enfermedades crónicas, las agujas deben permanecer clavadas durante al menos 30 minutos, y más tiempo aún en los casos más graves, aunque, por regla general, el tratamiento de 15 a 30 minutos, dos veces al día, suele producir el efecto calmante deseado. Las sesiones tienen lugar cada dos o tres días hasta un total de 15 a 20 sesiones. Si el tratamiento debe repetirse, conviene dejar transcurrir un plazo de varias semanas antes de reanudar las sesiones.

El tratamiento analgésico de los puntos de Acupuntura del pabellón del oído lleva el nombre de auriculoterapia. Se trata de un método sumamente antiguo, con más de 2.000 años de existencia, cuya práctica clínica y experimental se ha extendido considerablemente por todo el territorio chino, en el curso de estos últimos años, gracias al descubrimiento de numerosos puntos inéditos de tratamiento. Sus aplicaciones son terapéuticas, analgésicas y anestésicas. La localización de un punto específico se verá facilitada mediante la observación de las siguientes normas complementarias: presionar la zona señalada en el formulario; el punto más sensible será la zona que deberemos tratar; medir la resistencia eléctrica de la piel que circunda el área indicada; el punto de menor resistencia será el punto que se deba tratar; un cambio físico local, como la decoloración de la piel dentro del área indicada, que coincida con un punto sensible a la presión, indica un punto de auriculoterapia.

El tratamiento de los puntos auriculares requiere esterilización local, al igual que en el tratamiento de los demás puntos del cuerpo. La longitud de las agujas utilizadas no excederá de 15 mm. Una vez perforada la piel, hay que poner especial cuidado en la presión ejercida, evitando que la aguja atraviese la oreja.

Bajo la acción de las agujas, el paciente experimenta un ligero malestar, seguido de una sensación de distensión local. En ausencia de ésta, se retira la aguja y se inserta de nuevo bajo un ángulo ligeramente modificado, repitiéndose la operación hasta que el paciente experimente los efectos normales descritos. La duración del tratamiento varía de 15 a 20 minutos, imprimiéndose durante este periodo repetidos movimientos de rotación a la aguja. Para la obtención de un efecto anestésico se aconseja el estímulo eléctrico de las agujas.

La selección de los puntos auriculares requiere una precisión excepcional sin la cual no puede esperarse un tratamiento efectivo. La manipulación de la aguja, una vez que

está insertada en el punto apropiado, es el complemento indispensable de un
tratamiento perfecto.

Por regla general, suele tratarse la oreja del lado correspondiente a la localización del
dolor; sin embargo, puede tratarse la oreja opuesta si se observa que la zona del
punto a tratar es más sensible en ésta que en aquélla, o ambas orejas
simultáneamente si no se aprecia mayor sensibilidad en ninguna de ellas. Mientras
dura el tratamiento, se aconsejará al paciente que mueva con precaución la zona
afectada por el dolor. Los puntos auriculares llevan, por norma general, el nombre
correspondiente a la zona sometida a la acción terapéutica de las agujas. Algunos de
ellos, sin embargo, se adornan con nombres genuinamente chinos. Los puntos
correspondientes al tratamiento de enfermedades y dolencias específicas vienen
descritos en el formulario.

MOXIBUSTIÓN

La Moxibustión es la aplicación del calor a los puntos de Acupuntura. En el
tratamiento del dolor recomendamos la técnica de calentamiento indirecto, que
consiste en quemar manojitos de moxa (hojas desecadas de *Artemisa vulgaris*)
colocados en el mango de las agujas. El calor es transmitido a los tejidos profundos a
través del cuerpo de la aguja. Determinados puntos no deben ser nunca tratados por
Moxibustión; a este respecto, las fórmulas de tratamiento deben ser rigurosamente
observadas. Las notas referentes al tratamiento de cada zona indican cuándo la
Moxibustión está recomendada o prohibida; el símbolo Q en una tabla o en una
ilustración de puntos de Acupuntura significa que no debe tratarse dicho punto por
Moxibustión. En muchos casos, ciertos puntos susceptibles de ser tratados por
Moxibustión no son tratables con las agujas. En tales supuestos, los montoncitos de
moxa son quemados directamente sobre la piel. Los puntos permitidos llevan el
símbolo O. La aguja puede retirarse, si no se haya agarrotada por contracción de los
tejidos circundantes. Si se ha torcido bajo el efecto de espasmos musculares, se
procede con lentitud y cuidado. En ningún caso conviene forzar la extracción;
si hay dificultades, la aguja permanecerá hincada por algún tiempo más mientras que
con un suave masaje y la lenta rotación de la aguja se produce la relajación de los
tejidos.

Recordemos que la Acupuntura puede practicarse igualmente sin agujas. El cuerpo
responde a la presión manual ejercida sobre los puntos de Acupuntura de la misma
manera que con las agujas. La intensidad de la presión digital debe ser suficiente
como para producir en el paciente una ligera sensación (pero soportable) de dolor. La
expresión «duele con gusto» nos parece muy apropiada para explicar la aparente
contradicción que envuelve la sensación experimentada durante el tratamiento. Así

mismo, si se observa que el paciente reacciona con un gesto esquivo o tenso, la presión es excesiva.

También es posible estimular varios puntos a la vez por presión digital; en tal circunstancia se aconseja variar la presión ejercida, disminuyéndola en un punto mientras se aumenta en otro. De tratarse un solo punto a la vez puede hacerse igualmente oscilar la presión aumentándola y reduciéndola, lentamente, con ciclos de 10 a 20 segundos para obtener la relajación del paciente. El tratamiento prosigue hasta que el paciente note una atenuación de la sensibilidad del punto. En este tipo de tratamiento es de suma importancia no exagerar el estímulo; la presión debe alcanzar solamente el grado de «dolor con gusto», evitando que se ocasionen magulladuras o que aumente la sensación de malestar.

En Acupuntura tradicional el tratamiento a seguir venía determinado sobre todo por el diagnóstico esfigmológico o diagnóstico basado en los pulsos, sin perjuicio de la observación, interrogatorio y examen físico efectuados personalmente por el acupuntor. Los especialistas chinos creían que tomando los pulsos radiales en tres puntos diferentes –primero superficialmente, después con una fuerte presión digital–, se podía medir el grado de energía («chi») de los meridianos. El diagnóstico surgía de la comparación de las variaciones de chi. Los 12 pulsos eran examinados desde el punto de vista de tensión, velocidad, ritmo, intensidad, carácter, amplitud, etc., y las observaciones, una vez contrastadas con otros factores –por ejemplo, edad, sexo, temperamento–, eran consideradas en función de la hora del día y de la estación del año. Se trataba, pues, de un procedimiento nada sencillo.

Si no fuera porque los acupuntores chinos modernos han descartado por completo el diagnóstico por pulsos y que, poco, por no decir nada, se habla del mismo en la literatura acupunturista china moderna, no veríamos ningún inconveniente en atribuir cierto grado de verosimilitud a los fundamentos del método tradicional. Creemos, en efecto, que el acupuntor, tanto si es de formación occidental como tradicional, debe usar de todos los medios que tenga a su alcance para tratar de descubrir la totalidad de los elementos de morbosidad presentes en el organismo de su paciente, y que la sensibilidad de sus manos debe poder captar, de forma intuitiva, los problemas de máxima complejidad que estén presentes en dicho organismo. Esta sensibilidad debe ir, sin embargo, acompañada de serios conocimientos fisiológicos y patológicos. No debemos perder de vista que la Acupuntura tradicional entroncaba en la filosofía taoísta, la cual, a su vez, dominaba el pensamiento chino en su totalidad, y que, por consiguiente, las ideas médicas evolucionarían a la par de las ideas taoístas. Por lo tanto, debemos esforzarnos en disgregar la validez de las pruebas clínicas de la Acupuntura y aquellas tesis, que con objeto de hallar explicaciones a los resultados clínicos observados, serían elaboradas, por razones evidentes, de conformidad con el código filosófico vigente.

A nuestro entender, la confianza puesta en el diagnóstico esfigmológico implica un claro desprecio de los conocimientos actuales sobre la estructura y las funciones del cuerpo humano. La prohibición hasta tiempos muy recientes de las prácticas de disección humana en China es una de las causas principales de la ignorancia en que la medicina china se ha mantenido respecto a la fisiología y a la patología de las enfermedades. La razón de esta actitud debe buscarse en el tradicional culto de los antepasados que impedía toda mutilación del difunto.

La Acupuntura debe usarse cuando el diagnóstico indica que el tratamiento será beneficioso. Su aplicación más espectacular en el tratamiento de la enfermedad y la supresión del dolor es su capacidad para aliviar el sufrimiento del enfermo.

FITOTERAPIA CHINA

La Fitoterapia china forma parte del antiguo sistema medicinal de esta cultura, que tiene más de 5.000 años de antigüedad. Se basa en el uso de hierbas para tratar a la persona como un conjunto, curando y previniendo la mala salud mental, física y emocional. La mayor parte de los terapeutas combinan la Fitoterapia con la Acupuntura, consiguiendo así un resultado óptimo. Por sí sola, la Fitoterapia suele utilizarse en personas demasiado débiles para la Acupuntura, ya que ésta trabaja con la propia energía del paciente, mientras que la Fitoterapia añade al cuerpo la energía de las plantas, restableciendo de este modo el equilibrio.

La Fitoterapia china se basa en la filosofía del yin y el yang: para que haya buena salud, es imprescindible un equilibrio entre ambas energías. Un fitoterapeuta chino analizará el equilibrio no sólo entre el yin y el yang en estado puro, sino también entre las ocho combinaciones posibles de estas energías, y que son las mismas que utiliza el I Ching para formar los trigramas.

En cuanto al «qi» (o ki), es también importante para la salud porque es la energía que une el yin y el yang: fluye por todo el cuerpo y permite que exista la armonía. Cuando el qi está bloqueado, es imposible que haya equilibrio energético en el cuerpo. El qi fluye por 12 meridianos que están relacionados con una serie de órganos: cuando un meridiano está atascado, los órganos relacionados con él son los primeros en resentirse, aunque debido al desequilibrio energético desencadenado acabará sufriendo todo el cuerpo.

Esta teoría del yin, el yang y el chi se completa con el concepto de los cinco elementos: metal, agua, madera, fuego y tierra. Cada elemento se relaciona con determinadas partes del cuerpo y con ciertos estados anímicos, y el qi tiene que fluir equilibradamente entre los cinco elementos para que el yin y el yang puedan encontrarse en armonía. Esto es aún más complicado porque, según el horóscopo chino, cada persona posee un elemento dominante que hay que contrarrestar para que no produzca un desequilibrio energético.

Las plantas medicinales encajan a la perfección en todo este complicado sistema. Cada planta posee unas determinadas energías yin/yang, así como un determinado elemento, de modo que se recetarán para contribuir al equilibrio. También hay plantas que están relacionadas con un órgano o con un meridiano en particular, o bien actúan directamente sobre el qi ayudando a que fluya.

LOS 12 ÓRGANOS

Los 12 órganos son: el corazón, el pericardio, los intestinos delgado y grueso, el san jiao (que es el espacio entre cabeza y pecho, que incluye el corazón), el bazo, el estómago, los pulmones, los riñones, la vejiga, el hígado y la vesícula biliar. Cada uno pertenece al yin o yang y se asocia a un determinado elemento, del mismo modo que cada uno de los 12 meridianos corresponde a un órgano concreto. El sistema podría resumirse en la siguiente tabla:

	ELEMENTO				
	TIERRA	METAL	AGUA	MADERA	FUEGO
ÓRGANOS YIN	Bazo	Pulmones	Riñones	Hígado	Intestino delgado
ÓRGANOS YANG	Estómago	Intestino grueso	Vejiga	Vesícula	San jiao

Cada uno de estos órganos tiene unas determinadas funciones, que no siempre se corresponden con las que les asigna la medicina convencional. Así, el corazón controla la sangre, pero también alberga el espíritu y está ligado a las emociones. El bazo controla la digestión junto con el estómago, pero también alberga el intelecto. El hígado, por su parte, almacena la sangre y controla el movimiento del qi.
Las enfermedades se deben a ciertos síntomas o causas:

• HUMEDAD. Los líquidos corporales habituales hidratan y lubrican la piel: membranas mucosas, tejidos sinoviales, etc. Si éstos se coagulan o espesan, se vuelven patológicos y se denominan humedad. Ésta se suele combinar con una influencia propia del cuerpo para convertirse en humedad-calor o humedad-frío.

- HUMEDAD-CALOR. La combinación de humedad y calor es habitual en Occidente. La humedad ambiental que se estanca genera calor. La combinación es venenosa; es uno de los elementos más comunes en enfermedades como el sida, la encefalomelitis miálgica y el cáncer. La humedad-calor se asocia además a erupciones cutáneas rojizas, ulceraciones y herpes.

- HUMEDAD-FRÍO. Cuando humedad y frío coinciden en el organismo, esto generalmente suele conllevar restricciones circulatorias, rigidez y dolor muscular y articulatorio, cansancio y aversión al frío. La vejiga puede sufrir una irritación de la uretra.

- FLEMA. Las mucosidades humedecen pulmones y nariz. Las patológicas se llaman flemas, que son aquellas que vemos al expectorar. Se forma por la humedad estancada y por la acción del calor o del frío en la mucosidad.

- FLEMA-FRÍO. En este caso, el esputo suele ser fino y espumoso; el paciente siente frío y se queja de dolor muscular y rigidez. La lengua está cubierta de una capa blanca y húmeda.

- FLEMA-CALOR. Al igual que la humedad, la flema suele asociarse con otras influencias imperantes en el organismo. Los síndromes flema-calor acostumbran a segregar esputo espeso y amarillo acompañado de fiebre, boca y labios secos y evacuación. La lengua está cubierta de una película amarilla y el paciente se muestra irritable y cansado.

Hay que indicar también que, en Fitoterapia china, el diagnóstico se hace en función de dos factores principales que se añaden a los síntomas: la lengua y el pulso. En cuanto a la lengua, hay que observar su color, forma, la saburra y la distribución de grietas y granos. En cuanto al pulso, habrá que determinar su profundidad, su velocidad y su intensidad.

LAS FÓRMULAS HERBORÍSTICAS CHINAS

Para el tratamiento de las diferentes enfermedades, hay una multitud de hierbas y de remedios patentados. Sin embargo, también existe toda una serie de fórmulas herborísticas muy eficaces que incluso pueden prepararse en casa, si se sabe cómo hacerlo.

Para elaborar una decocción, deberemos:

1. Poner las hierbas en un cazo, que no sea ni de aluminio ni tampoco de hierro. Añadir el agua fría justo para cubrirlas. Dejar en remojo durante al menos 15 minutos.
2. Poner el cazo en el hornillo. Esperar a que el agua hierva, y entonces taparlo y dejarlo a fuego lento durante 30 minutos. Hay que tener cuidado de que no se quemen las hierbas.
3. Colar el líquido y dejarlo en un recipiente. Las hierbas continúan en el cazo; añadir agua fría y dejar en el fuego durante 20 minutos más.
4. Colar el líquido y dejarlo en el mismo recipiente que antes. Si hay demasiado poso, se puede volver a colar la decocción entera con un colador fino.

Así, con la decocción se obtendrán entre dos y seis dosis:

- Dosis baja: divida el líquido en seis dosis.
- Dosis mediana: divida el líquido en cuatro dosis.
- Dosis alta: divida el líquido en dos dosis.

Las primeras veces que se utilice la Fitoterapia china, se emplearán dosis bajas, para poder ir aumentándolas poco a poco si no se ve que vayan haciendo efecto. Hay que tener en cuenta que hace falta algún tiempo para que las hierbas empiecen a funcionar.

En cuanto a la posología:

- Se beberá una dosis de la decocción, caliente o templada, dos veces al día.
- La decocción se ha de ingerir una hora después de comer, o unos 30 minutos antes de las comidas.
- No se debe beber el poso.

Las fórmulas herborísticas chinas son las siguientes:

- DECOCCIÓN FORTALECEDORA DE TIERRA
  Ren Shen, 9 g o Dang Shen, 15 g.
  Bai Zhu, 12 g.
  Fu Ling, 12 g.
  Zhi Gan Cao, 6 g.
  Yi Yi Ren, 9 g.
  Chen Pi, 6 g.

Sha Ren, 6 g.
Lian Zi, 9 g.
Sheng Jiang, 6 g

- DECOCCIÓN PARA NUTRIR EL ESTÓMAGO
Yu Zhu, 12 g.
Shan Yao, 12 g.
Fu Ling, 9 g.
Xi Yang Shen, 9 g o lang Shen, 10 g.
Huang Lian, 6 g.
Chen Pi, 6 g.
Zhi Gan Cao, 6 g.
Da Zao, 4 trozos.

- DECOCCIÓN ARMONIZADORA DE MADERA Y TIERRA
Dang Shen, 18 g.
Bai Zhu, 12 g.
Fu Ling, 9 g.
Zhi Gan Cao, 6 g.
Chai Hu, 6 g.
Xiang Fu, 9 g.
Bai Shao, 12 g.
Chen Pi, 6 g.
Sheng Jiang, 6 g.

- DECOCCIÓN PARA FORTALECER EL RIÑÓN
Shu Di Huang, 20 g.
Shan Yao, 12 g.
Shan Zhu Yu, 12 g.
Fu Ling, 12 g.
Ze Xie, 9 g.
Hu Lu Ba, 12 g.
Wu Yao, 9 g.
Gui Pi, 6 g.
Du Zhong, 9 g.
Mu Dan Pi, 9 g.

- DECOCCIÓN PARA NUTRIR EL RIÑÓN
Shu Di Huang, 20 g.
Gou Qi Zi, 12 g.

Shan Yao, 12 g.

Shan Zhu Yu, 12 g.

Fu Ling, 12 g.

Ze Xie, 9 g.

Dang Gui, 9 g.

Huang Bai, 6 g.

Mu Dan Pi, 9 g.

- DECOCCIÓN PARA DRENAR LA VEJIGA
  Wu Yao, 12 g.
  Yi Zhi Ren, 12 g.
  Shen Yao, 12 g.
  Fu Ling, 12 g.
  Yi Yi Ren, 12 g.

- DECOCCIÓN PARA LIMPIAR LA VEJIGA
  Shu Di Huang, 12 g.
  Ze Xie, 12 g.
  Chi Xiao Dou, 14 g.
  Fu Ling, 12 g.
  Huang Bai, 9 g
  Yi Yi Ren, 12 g.

- DECOCCIÓN PARA LIMPIAR EL BAZO
  Bai Zhu, 15 g.
  Cang Zhu, 12 g.
  Huo Xiang, 12 g.
  Chen Pi, 9 g.
  Fu Ling, 12 g.
  Mai Ya, 12 g.
  GuYa, 12 g.
  Sha Ren, 6 g.
  Lian Zi, 9 g.
  Yi Yi Ren, 12 g.
  Yi Zhi Ren, 9 g.
  Sheng Jiang, 6 g.
  Nota: en caso de exceso de flema blanca o líquida, añadir: Jie Geng, 9 g.

- DECOCCIÓN FORTALECEDORA DE TIERRA Y METALES
  Huang Qi, 12 g.

Ren Shen, 9 g o Dang Shen, 15 g.

Bai Zhu, 12 g.

Gui Zhi, 9 g.

Chen Pi, 6 g.

Fu Ling, 9 g.

Zhi Gan Cao, 6 g.

Sheng Jiang, 6 g.

Nota: para mejorar el sistema inmunológico, añadir: Ling Zhi, 9 g y Wu Wei Zi, 6 g.

En caso de respiración dificultosa, poner además: Xing Ren, 6 g.

Si el pecho está cargado debido a un catarro, añadir entonces: Jie Geng, 9 g.

Para los estornudos alérgicos, añadir: Cang Er Zi, 9 g.

- DECOCCIÓN PARA SECAR EL PULMÓN

Huang Qi, 9 g.

Bai Zhu, 14 g.

Cang Zhu, 14 g.

Jie Geng, 12 g.

Fu Ling, 12 g.

Bai Jie Zie, 6 g.

Chen Pi, 9 g.

Xing Ren, 6 g.

Cang Er Zi, 9 g.

Zhi Gan Cao, 6 g.

Sheng Jiang, 6 g.

- DECOCCIÓN PARA LIMPIAR EL PULMÓN

Huang Qin, 12 g.

Dei Mu, 9 g.

Cang Er Zi, 9 g.

Xing Ren, 9 g.

Chai Hu, 6 g.

Xi Yang Shen, 9 g.

Jie Gmg, 9 g.

Nota: en caso de irritación de garganta y fiebre, añádase: Jin Yin Hua, 9 g y Lian Qiao, 9 g.

- DECOCCIÓN HUMIDIFICADORA DE METALES

Mai Men Dong, 12 g.

Wu Wei Zi, 9 g.

Bai He, 9 g.

Xi Yang Shen, 9 g.
Bei Mu, 6 g.
Huang Qin, 6 g.
Shu Di Huang, 12 g.
Jie Geng, 9 g.
Zhi Gan Cao, 6 g.

- DECOCCIÓN PARA NUTRIR EL CORAZÓN
Ren Shen, 12 g.
Huang Qi, 12 g.
Dang Gui, 12 g.
Wu Wei Zi, 9 g.
Long Yan Rou, 9 g.
Zhi Gan Cao, 9 g.
Nota: en caso de presentarse también síntomas de insuficiencia de bazo, añadir: Lian Zi, 9 g, Bai Zhu, 12 g, Fu Ling, 9 g y Sban Zha, 9 g.

- DECOCCIÓN PARA NUTRIR Y CALMAR EL CORAZÓN
Xi Yang Shen, 12 g.
Mai Men Dong, 12 g.
Huang Qin, 9 g.
Wu Wei Zi, 6 g.
Shu Di Huang, 12 g.
Fu Ling, 9 g.
Dang Sben, 6 g.
Suan Zao Ren, 9 g.
Yuan Zbi, 6 g.
Bai Zi Ren, 6 g.

- DECOCCIÓN PARA REGULAR LA SANGRE
Shu Di Huang, 15 g.
Dang Gui, 15 g.
Bai Shao, 12 g.
Chuan Xiong, 9 g.
Dang Shen, 9 g.
Tao Ren, 6 g.
Hong Hua, 6 g.
Nota: esta misma decocción se puede usar para el tratamiento del corazón y el pecho si a lo anterior se le añade, en las cantidades que se indican, lo siguiente: Jie Geng, 9 g, Chai Hu, 6 g y Yu Jin, 6 g.

Para el tratamiento del abdomen y el útero, añádase: Mu Dan Pi, 12 g, Xiang Fu, 12 g y Ji Xue Teng, 12 g.

Si el dolor es intenso, añadir entonces: Yan Hu Suo, 9 g.

- DECOCCIÓN PARA NUTRIR LA SANGRE

  Sbu Di Huang, 15 g.

  Dang Gui, 15 g.

  Bai Shao, 12 g.

  Gou Qi Zi, 12 g.

  He Shou Wu, 12 g.

  Chuan Xiong, 9 g.

  Huang Qi, 12 g.

  Dang Shen, 12 g.

  Fu Ling, 9 g.

  Zhi Gan Cao, 6 g.

  Nota: tal y como venimos explicando, además puede servir para cabello seco, si se usa el doble de He Shou Wu.

  Así mismo puede usarse para tratar el problema de las uñas quebradizas, usando el doble de Bai Shao.

- DECOCCIÓN PARA NUTRIR Y REFRESCAR LA SANGRE

  Shu Di Huang, 20 g.

  Bai Sbao, 14 g.

  Mu Dan Pi, 12 g.

  He Shou Wu, 12 g.

  Dang Gui, 12 g.

  Huang Qin, 12 g.

  Dang Shen, 9 g.

  Fu Ling, 9 g.

  ZeXie, 9 g.

  Zhi Gan Cao, 6 g.

- DECOCCIÓN PARA ELIMINAR LAS TOXINAS DE LA PIEL

  Jin Yin Hua, 12 g.

  Lian Qiao, 12 g.

  Pu Gong Ying, 12 g.

  Huang Qin, 12 g.

  Mu Dan Pi, 12 g.

  Shu Di Huang, 14 g.

  Dang Shen, 12 g.

Bai Shao, 12 g.
Ze Xie, 9 g.
Yi Yi Ren, 9 g.
Fu Ling, 9 g.
Zhi Gan Cao, 4 g.

- DECOCCIÓN PARA LIBERAR EL HÍGADO
Dang Gui, 12 g.
Bai Sbao, 12 g.
Gou Qi Zi, 9 g.
Bai Zhu, 12 g.
Fu Ling, 9 g.
Chai Hu, 6 g.
Xiang Fu, 9 g.
Bo He (menta), 6 g.
Zhi can Cao, 6 g.
Sheng Jiang, 6 g.
Nota: para la tensión premenstrual puede usarse esta misma decocción si a la misma le añadimos: Mei Gui Hua, 6 g.
Para el acné previo al periodo, añadir a la anterior: Jin Yin Hua, 12 g y Dang Shen, 9 g.
Para el dolor de pechos antes del periodo, entonces añadir: Yu Jin, 9 g y Pu Gong Yin, 12 g.

- DECOCCIÓN PARA CALDEAR LOS MERIDIANOS
Ren Shen, 12 g.
Gui Zhi, 9 g.
Du Zhong, 9 g.
Qin Jiao, 9 g.
Du Huo, 9 g.
Dang Gui, 12 g.
Guam Xiong, 9 g.
Fu Ling, 9 g.
Yi Yi Ren, 9 g.
Zhi Gan Cao, 6 g.
Sheng Jiang, 6 g.

- DECOCCIÓN PARA FORTALECER LOS MERIDIANOS
Ren Shen, 12 g o Dang Shen, 20 g.
Huang Qi, 12 g.

Dang Gui, 12 g.

Qin Jiao, 9 g.

Du Huo, 9 g.

Du Zhong, 9 g.

Dang Shen, 9 g.

Chuan Xiong, 9 g.

Fu Ling, 9 g.

Yi Yi Ren, 9 g.

Zhi Gan Cao, 6 g.

Sheng Jian 6 g.

- Decocción para ayudar a los niños a hacer la digestión

Dang Shen, 9 g.

Bai Zhu, 9 g.

Fu Ling, 9 g.

Zhi Gan Cao, 6 g.

Chen Pi, 4 g.

Jie Geng, 6 g.

Yi Yi Ren, 6 g.

Shan Zha, 6 g.

Mai Ya, 6 g.

Gu Ya, 6 g.

Shen Qu, 6 g.

Sheng Jiang, 4 g.

Nota: esta posología de «adultos» es a partir de unos 14 años; para niños de menor edad y bebés, se debe reducir.

- Decocción para fortalecer el qi de los niños

Dan g Shen, 12 g.

Bai Zhu, 9 g.

Huang Qi, 12 g.

Fu Ling, 9 g.

Sha Ren, 3 g.

Gui Zhi, 6 g.

Wu Wei Zi, 6 g.

Mai Ya, 6 g.

GuYa,6 g.

Shen Qu, 6 g.

Shan Zha, 6 g.

Zhi Gan Cao, 6 g.

Nota: Esta posología de «adultos» es a partir de unos 14 años; para niños de menor edad y bebés, se debe reducir.

MASAJE TERAPÉUTICO CHINO

La técnica conocida como masaje terapéutico chino forma también parte de la medicina tradicional china, y se basa en los mismos principios que la Fitoterapia y que la Acupuntura. En general, el masaje terapéutico chino tiene los siguientes objetivos:

- Regulación de la función nerviosa, equilibrando el flujo de qi así como las energías yin y yang.
- Fortalecimiento de la resistencia del cuerpo a la enfermedad, movilizando las defensas internas del cuerpo.
- Limpieza de los tejidos, aceleración de la circulación de la sangre y flexibilización de las articulaciones.

Las técnicas de uso más frecuente son:

- Técnicas de presión: consiste en presionar con la palma de la mano o los dedos sobre determinadas zonas del cuerpo.
- Método de fricción: se utilizan los dedos o la palma de la mano y puede aplicarse con una o con ambas manos. Consiste en friccionar la superficie de la piel con un movimiento circular.
- Método de empuje: se usan los dedos o la palma de la mano para empujar vertical o lateralmente la piel.
- Método del agarrón: recurre al uso de los dedos para asir y levantar el músculo.
- Método del rodillo: el dorso de la mano se desliza rodando por el cuerpo. Puede ejecutarse con una mano, con ambas alternativamente o con ambas simultáneamente.
- Método de hurgamiento, también llamado «método de aguja digital»: consiste en hincar profundamente uno o varios dedos en una parte del cuerpo o en un punto meridiano. Se trata de una técnica exclusiva y de una de las más usadas del masaje terapéutico.
- Método del tirón, denominado también «método de tracción»: en este caso la mano se utiliza para tirar de los músculos. Este método se efectúa con una sola mano.
- Método de amasamiento: se utilizan los dedos o la palma de la mano para efectuar un movimiento de amasamiento sobre la piel. La palma de la mano y los

dedos estarán siempre en contacto con la piel, y el tejido subcutáneo de la zona que se trata se desplazará con el movimiento que éstos efectúen.

- Método de vibración: consiste en aplicar con la yema de los dedos o con la palma de la mano una vibración a una parte del cuerpo o a un acupunto o punto de Acupuntura.
- Método de deslizamiento: consiste en ejercer una presión continua sobre la piel, deslizando los dedos lateralmente sobre la superficie del cuerpo.
- Método de estregamiento: es un tipo de fricción de la piel aplicado con los dedos o la palma de la mano.
- Método de fricción-rodillo: el miembro afectado se toma con las dos manos y se fricciona con un movimiento de rodillo.
- Método del pellizco: los dedos comprimen y pellizcan el músculo y el tejido ligamentoso.
- Método del torniscón, denominado también «método de torsión»: consiste en tirar de una porción de piel y de tejido subcutáneo con el pulgar y el índice y soltarla rápidamente.
- Método de golpeteo con la uña: consiste en golpear el área afectada con un dedo.
- Método de percusión: consiste en golpear el tejido con las puntas de los dedos.
- Método de palmoteo: se utilizan los dedos o la palma de la mano para dar palmadas suaves sobre el cuerpo.
- Método del martillo: será el puño el que golpeará el cuerpo.
- Método de extensión: se aplicará para tratar un mal funcionamiento articulatorio y servirá para devolverle la extensión normal.
- Método de doblamiento: este método ayuda a flexionar un miembro que tenga defectos articulatorios. Puede clasificarse como un método de manipulación pasiva.
- Método de rotación: interviene la rotación de una articulación. Está clasificado como una manipulación pasiva.
- Método de agitación: consiste en agitar los miembros y se clasifica como una manipulación pasiva.
- Método de estiramiento: se trata de una clase especial de manipulación pasiva con la que se consigue el estiramiento de las articulaciones.

MEDICINA AYURVÉDICA

El Ayurveda es la medicina tradicional de la India, que se halla inserta en el Veda y el funcionamiento del cosmos. Ayurveda significa «la ciencia de la vida», y contiene elementos de ciencia y de filosofía que detallan los componentes físicos, mentales, emocionales y espirituales necesarios para la salud del ser humano como conjunto.

La medicina ayurvédica es ciertamente sorprendente. Con más de 3.000 años de antigüedad, ya habla de células y de organismos microscópicos que pueden causar enfermedades.

La creencia fundamental del Ayurveda es que todo el cosmos, incluidos los seres humanos, está formado por energía o prana. El prana es único, pero puede presentarse de distintas formas según su estado de vibración... lo cual se acerca mucho a las teorías astrofísicas que aseguran que materia y energía son lo mismo. Como el ser humano es en sí un conjunto de prana interrelacionado, todos los aspectos humanos se relacionan entre sí y pueden afectarse unos a otros.

La medicina ayurvédica intenta conseguir un equilibrio del prana para que todos los aspectos del ser humano funcionen correctamente. La misma enfermedad, en distintas personas, puede ser un síntoma de desequilibrios diferentes, por lo que cada paciente debe ser tratado de forma individual.

El prana de cada ser humano determina su constitución, que está formada por tres tipos de energías o doshas:

- VATHA (éter y aire). Controla el movimiento, la respiración, la circulación de la sangre, la digestión y el sistema nervioso central.

- PITHA (fuego y agua). Controla el metabolismo, la asimilación de los alimentos y del agua.

- KAPHA (tierra y agua). Controla la estructura y formación de los músculos, la grasa, los huesos y las articulaciones.

Según el dosha dominante, se poseerá una u otra constitución. El objetivo del Ayurveda no es cambiar la constitución del ser humano, sino trabajar junto a ella para potenciarla y ayudarla a alcanzar el equilibrio.

La constitución de una persona depende de los doshas de sus padres en el momento de la concepción. En el preciso instante de nacer, el equilibrio entre las energías es óptimo (estado de prakruthi), pero los distintos factores van variándolo, produciendo las enfermedades.

Los desequilibrios de los doshas afectan a los restantes factores corporales, esto es: los cinco elementos son el éter, el aire, el fuego, la tierra y el agua. Como hemos visto, cada elemento se relaciona con un dosha, pero también con determinadas funciones corporales o mentales y con ciertos órganos. Así, los cinco elementos deben encontrarse en perfecta armonía dentro del cuerpo humano para que sea posible la buena salud.

La buena digestión es una de las piedras angulares de la salud. La mala digestión produce una sustancia tóxica llamada ama, que impide que el cuerpo funcione como es debido.

El agni es un fuego que mantiene todas las funciones y que, como cualquier motor, no debe ni funcionar demasiado rápido ni demasiado lento.

Los tres malas son las formas de eliminar residuos del cuerpo, a saber: sudor, orina y heces. Tienen que funcionar correctamente para que no haya riesgo de envenenamiento. Las emociones reprimidas se convierten en toxinas que desequilibran los doshas.

En el Ayurveda, hay dos tipos principales de tratamiento que son el shodana y el samana. El shodana es básicamente un tratamiento de desintoxicación previo a cualquier proceso de restauración, el cual se basa fundamentalmente en masajes con aceites esenciales, enemas de aceite o de hierbas, el uso de plantas laxantes, los vómitos terapéuticos o la terapia de inhalación de hierbas. Y el samana es la terapia orientada a restablecer el equilibrio energético, la cual se llevará acabo por medio de hierbas medicinales, cambios en la dieta o mediante la práctica del yoga.

SHIATSU

«Shiatsu» se traduce literalmente por «presión con los dedos» y es una técnica que combina el tacto, la presión con las palmas, antebrazos, codos, pulgares y otras partes del cuerpo con el conocimiento de los canales de flujo de energía del cuerpo, para aliviar dolores, favorecer la eliminación de toxinas, liberar tensión de los grupos musculares…

Los orígenes del Shiatsu los encontramos hace más de 5.000 años. En esa época, en las montañas del norte de China, los sacerdotes taoístas practicaban el Do-In Ankyo, una forma de manipulación corporal y de meditación que revelaba y armonizaba la fuerza vital. De esta técnica, además de otras disciplinas como el Qi-Gong, también surgieron algunas de las artes marciales. El espíritu de todas ellas reside en tratar de influir sobre el qi (llamado chi en China, ki en Japón y prana en la India), que es la fuerza inseparable de la vida misma y se piensa en ella como la energía responsable de todo lo que ocurre en el universo, y que se hace presente cuando se manifiestan los dos principios conocidos como el yin y el yang, opuestos pero complementarios.

Lo que hoy conocemos como medicina tradicional china tiene básicamente su punto de partida en esa filosofía orientada a preservar la salud basándose en la comprensión y armonización de la energía universal. Dentro de este marco conceptual posteriormente se desarrollaron distintos métodos curativos, todos orientados directamente a mejorar la salud buscando el equilibrio en el intercambio del fluir de esta fuerza y nuestro cuerpo.

Así nacieron artes como la Acupuntura, el Tui-Na, la Moxibustión y prácticas que hoy son más familiares para nuestra cultura, como por ejemplo el Tai-Chi. Todas ellas, junto con los remedios basados en hierbas, constituyeron, y en muchos casos son todavía, los principales métodos curativos utilizados en China durante siglos.

En los primeros siglos de nuestra era y a través del intercambio cultural, monjes japoneses estudiantes del Budismo en China observaron estos métodos curativos y los llevaron a su país natal al regresar. Como allí la práctica de la medicina consistía básicamente en diagnóstico, tratamientos basados en hierbas y prácticas similares a los masajes, los japoneses adoptaron rápidamente estas ideas. Y más tarde añadieron sus propios puntos de vista, que otorgaron otra identidad, y se configuraron métodos terapéuticos japoneses basados en la prescripción de hierbas como el Kanpo.

El esplendor que durante siglos acompañó a estas técnicas entró en clara decadencia en el siglo XIX por el avance de la moderna medicina occidental y muchos de estos conocimientos tradicionales fueron relegados al folclore. No fue hasta mediados del siglo XX cuando su cotización de nuevo se puso al alza al revelarse numerosos estudios que buscaban una vuelta a las fuentes de las antiguas formas curativas naturales. De esta forma, parte de esas técnicas manipulativas originales e ideas filosóficas fueron sistematizadas bajo el nombre genérico de Shiatsu. La primera referencia moderna que tenemos llegó a través de un maestro llamado Tamai Tempaku, quien en 1919 publicó un libro llamado *Shiatsu Ho*, en donde se combinan conocimientos tradicionales de Anma, Ampuku y Do-In junto con Anatomía y Fisiología occidentales.

A mediados de siglo, el Shiatsu volvió a despertar gran interés y se difundió a través de dos corrientes o estilos principales: la del maestro Tokujiro Namikoshi y la del maestro Shizuto Masunaga. Mientras que la primera hace mayor hincapié en las técnicas de digitopresión y toma muchas referencias de la Anatomía occidental para ubicar los puntos energéticos, la concepción de Masunaga devuelve al Shiatsu a sus raíces al retomar como base los meridianos y la «Teoría de las Cinco Transformaciones de la Medicina Tradicional China», agregándole técnicas tradicionales como el diagnóstico abdominal o de Hara y nuevos conceptos como los de estados kyo y jitsu aplicados a la descripción de la calidad energética de los meridianos. De esta concepción global surge el Zen Shiatsu como método de «meditación en movimiento». No hay que olvidar el hecho de que ya desde 1955, el Ministerio de Salud japonés reconoce al Shiatsu como terapia individual susceptible de ser financiada por el sistema público de sanidad. Allí lo definen médicamente de la siguiente forma: «La terapia Shiatsu es una forma de manipulación administrada con los pulgares, dedos y palmas de las manos, sin la utilización de instrumentos mecánicos o similares, para aplicar presión sobre la piel humana, corregir disfunciones internas, promover y mantener la salud y tratar enfermedades específicas».

CÓMO FUNCIONA EL SHIATSU

Ya sabemos que, independientemente de la forma en la que se practique, podemos decir que se trata de un modo de influir en el estado general de una persona incidiendo en el equilibrio y reparto de las energías internas, cuyo nombre es «ki». El ki del Shiatsu es similar al «chi» chino o al «grana» hindú. Son nombres o descripciones que pueden parecernos vagas pero que, una vez que comienzan a identificarse y se puede controlar su descripción, son mucho más tangibles. Hemos de tener claro el concepto básico de que los dolores o enfermedades se manifiestan en nuestro cuerpo porque existe alguna anomalía en nuestro flujo de ki.

La medicina oriental hemos visto cómo ha desarrollado unos sistemas concretos de análisis de las energías que hay en nuestro cuerpo, y a su vez unos métodos de diagnóstico: el modelo chino de los sistemas orgánicos, el sistema clásico de meridianos y puntos, las leyes del yin y yang y los cinco elementos. El primero de ellos, los sistemas orgánicos, varía sustancialmente de la idea occidental que de los órganos y sus funciones tenemos. La visión oriental del cuerpo se ocupa de las distintas cualidades energéticas de cada sistema, y de cómo esas energías trabajan para formar un todo, y complementarse unas con otras interactuando de manera armónica. Para entender esta filosofía hay que saber que cada sistema orgánico incluye un meridiano; esto es, un canal por el que su ki fluye en un sentido concreto. Nuestra atención se focalizará en ellos, pues tanto para el diagnóstico como para la curación, podemos decir con rotundidad que estos meridianos son más importantes que los propios órganos. La forma de interactuar de los órganos también es considerada de manera diferente en la tradición oriental; vemos cómo su división no se realiza atendiendo a la funcionalidad, sino en pares de órganos que se complementan y poseen un equilibrio energético entre ellos. A su vez, los pares se ordenan, siguiendo una secuencia lógica del flujo del ki. El conocimiento de los meridianos, canales de energía del ki, va a ser de vital importancia, pues nos aportan la mejor orientación acerca de cómo y dónde aplicar un tratamiento, y el efecto que éste tendrá. Para simplificar la explicación, podemos entender los meridianos como una red de canales de energía que discurren a través del cuerpo, conectando cada sistema orgánico con las extremidades del cuerpo: la cabeza, las manos y los pies. Es lo que en algunos escritos se ha definido como «la tela sin tejedor». Por eso hemos de fijarnos en estos canales energéticos, pues en los lugares en los que discurran cerca de la parte superior de la piel se nos permite realizar un tratamiento que afectará básicamente al sistema orgánico correspondiente.

Existen 14 meridianos principales de los que diez de ellos se asocian con los órganos físicos principales; recordemos que éstos se encuentran emparejados, de acuerdo con las asociaciones de órganos a través de sus funciones «energéticas» complementarias: pulmón con intestino grueso, estómago con bazo, corazón con intestino delgado, vejiga con riñón e hígado con vesícula biliar. A estos pares «orgánicos» se le suman los dos pares-meridianos del gobernador del corazón y triple calentadazo, vaso gobernador y vaso de la concepción. Todos ellos (a excepción del vaso gobernador que discurre en posición central por la parte trasera del cuerpo, y el vaso de la concepción, que lo hace en posición central por la parte delantera) son canales simétricos en el cuerpo, aparecen a ambos lados.

El sentido de flujo del ki por cada meridiano de forma general se realiza así: el flujo baja por la parte posterior del cuerpo y la exterior de las extremidades, y sube por la parte anterior del cuerpo y la interior de las extremidades (excepto el meridiano del estómago, que lo hace en sentido descendente por la parte anterior de las piernas).

LAS FUNCIONES DE LOS SISTEMAS ORGÁNICOS

A continuación, realizaremos un pequeño análisis sobre los sistemas orgánicos desde el punto de vista oriental. En la relación siguiente, junto al nombre del órgano-meridiano, está anotada la abreviatura por la que es conocido:

- Pulmones (Pu): toman aire y el ki que contiene, los convierten en ki para el uso del cuerpo y lo hacen circular por los demás canales; este meridiano sustenta también el positivismo mental.
- Intestino grueso (IG): se refiere principalmente al colon; elimina los líquidos del alimento y excreta materiales sólidos indeseables; también tiene que ver con cuestiones de «represión» y de autoconfianza.
- Estómago (E): aquí el alimento es preparado, se extrae el ki y los nutrientes para dirigirlos al bazo o al intestino delgado; también está relacionado con el funcionamiento del intelecto.

- Bazo (B): toma algunas energías del alimento en forma de ki para el cuerpo, elimina las células viejas de la sangre y además juega un importante papel en el sistema inmunitario. En el orientalismo va unido al páncreas, que es lugar de producción hormonal; también gobierna la capacidad de poder concentrarse y analizar mentalmente.
- Corazón (C): hace circular la sangre y controla los vasos sanguíneos. Es considerado como el lugar donde reside la conciencia y los sentimientos.
- Intestino delgado (ID): recibe alimento del estómago, separa y absorbe los nutrientes antes de pasar el resto al intestino grueso y la vejiga; influye también en el discernimiento mental.
- Vejiga (V): almacena provisionalmente y excreta líquidos residuales; está asociada también con el valor.
- Riñones (R): almacenan y suministran ki a los órganos y a los procesos vitales fundamentales de la concepción, el crecimiento y la reproducción; también mantienen los niveles de líquido y eliminan productos residuales tóxicos. Los riñones afectan además a la fuerza de voluntad.
- Gobernador del corazón (GC): rige todas las funciones del corazón, incluyendo la circulación sanguínea; su ascendencia es de vital importancia para las relaciones humanas.
- Triple calentador (TC): distribuye el ki por todo el cuerpo y regula el calor; permite la interacción emocional con los demás.
- Vesícula biliar (VB): almacena la bilis que produce el hígado y rige las funciones de éste; también tiene que ver con la toma de decisiones, seguir adelante y emprender acciones.
- Hígado (H): almacena sangre y facilita todo el flujo de ki en el cuerpo; elimina sustancias tóxicas del intestino delgado; también está asociado con la creatividad, el humor y la planificación.
- Vaso gobernador (VG): controla los meridianos de la parte anterior del cuerpo y de la parte interior de las extremidades.
- Vaso de la concepción (VC): controla los meridianos de la parte posterior del cuerpo y de la parte exterior de las extremidades.

Yin y yang

El concepto más reconocible de toda la Filosofía oriental es el yin y el yang. Realmente es un concepto fundamental de la cosmovisión oriental y se hace necesaria una explicación para entender los flujos de energías en el cuerpo. Su origen se pierde en el principio de los tiempos, y aparece citado en el texto clásico chino *I Ching* o *Libro de los Cambios*. Para entender este concepto tenemos que recordar que todas las energías y todos los fenómenos del universo son susceptibles de encuadrarse como predominante de yin o yang, pero a la vez cada fenómeno contiene un elemento de cada signo. No hay nada absolutamente yin o yang, sino que su clasificación resulta de una comparación o del contexto en el que la fuerza se encuentre. Yin y yang son «contrarios complementarios», y tienden siempre a funcionar juntos para llevar cualquier situación a un estado de equilibrio. Así, un fenómeno de carácter extremadamente yin se volverá menos extremo al atraer a un elemento de energía de carácter yang, y viceversa. Es más, la manifestación de los dos tipos de energía es dinámica, cambia constantemente, siguiendo ciclos naturales y progresivos como día y noche, verano e invierno, concepción y muerte. Por eso el yin y el yang suelen describirse en términos de pares correspondientes de adjetivos contrarios: claro y oscuro, masculino y femenino. El yang es reconocido por ser la parte más dinámica, de las cosas que exteriorizamos, más activa; el yin, por el contrario, es más pasividad y representa la energía que llevamos en el interior, la que no es notada a primera vista.

En lo que se refiere al Shiatsu, los meridianos se dividen en yin y yang. Los canales yang bajan por la parte posterior del cuerpo y las partes exteriores de las extremidades, y están asociados con: intestino grueso, estómago, intestino delgado, vejiga, triple calentador y vesícula biliar. Los órganos más yin son el bazo, el corazón y los riñones y sus canales se encuentran en la parte anterior y más blanda del cuerpo.

El yin/yang es también un concepto fascinante por sí mismo del que existe extensa bibliografía; si es estudiado con más intensidad y profundidad, se se pueden encontrar múltiples aplicaciones para adaptar a la vida diaria.

LOS CINCO ELEMENTOS

El concepto del yin y el yang nos conduce a otro de los hitos del pensamiento oriental: los cinco elementos. El nombre que podemos usar con mayor corrección para esta teoría, aunque popularmente se conoce como cinco elementos, es cinco fases de transformación de la energía, pues los «elementos» no son más que los símbolos que representan a estas fases.

A la inversa que el ciclo del año natural, el ciclo progresivo de la energía de yin y yang podemos representarlo dibujado como un círculo y subdividirlo en cinco fases distintas que interactúan entre sí. La fase conocida como agua representa la quietud y el invierno, que van antes del ascenso de energía, que comienza su expansión con la primavera y cuyo símbolo es la madera. El punto álgido de la energía terrestre se alcanza durante el verano, que es el fuego. De aquí pasamos a la estabilización y al recogimiento, una condensación, el símbolo es el metal, que nos lleva de nuevo al inverno-agua. Este ciclo ha sido representado de muy diferentes formas, pero recogemos aquí la más clásica y didáctica explicación de este fenómeno que toma como ejemplo la vida de las plantas: «La inactividad de las plantas, con toda la energía almacenada pasivamente en las raíces mientras la nieve recubre el suelo, es la imagen clásica del agua. Externamente parece como si no sucediera nada, pero en realidad se está produciendo una sutil preparación para la siguiente fase, la de la madera. La energía de la madera es imparable, rebosante, la fuerza de crecimiento ascendente y externo de las plantas brota del suelo, o se difunde en forma de ramas. Esto, a su vez, alcanza el pleno desarrollo y florecimiento, que es la fase del fuego; llegada a este punto, la energía de crecimiento se vuelve más irregular y empieza a fallar, como llamas individuales que ascienden enérgicamente, pero cada una de ellas se extingue de inmediato. La energía siguiente, la de la tierra, se acumula internamente para hacer crecer el fruto y posee, por naturaleza, una cualidad más estable. La fase del metal es la formación de la semilla, la manifestación más contraída de la energía de las plantas, que entonces se vuelve inactiva al llegar de nuevo la época del agua».

Esta metáfora nos dibuja de manera muy clara la organización de las energías en nuestro cuerpo, así cada elemento o fase de energía controla uno o dos pares concretos de órganos. La energía del agua gobierna los riñones y la vejiga; la madera caracteriza el hígado y la vesícula biliar; la energía del fuego es la naturaleza dominante del corazón y el intestino delgado, así como del gobernador del corazón y el triple calentador. El estómago y el bazo son regidos por la energía de la tierra, y los pulmones y el intestino grueso por el metal. De modo que podemos utilizar un conocimiento de cada elemento, ver cómo se relacionan con las estaciones e identificar estados emocionales que se asocian con las fases energéticas y sus órganos correspondientes.

Los sistemas orgánicos interactúan en dos configuraciones diferenciadas. Primero se establecen relaciones con los adyacentes a él, es el denominado «ciclo de apoyo», y denota el carácter complementario de éstos. En segundo lugar la interacción se realiza con los opuestos; es el llamado «ciclo de control» que poéticamente es explicado así: «El agua sofoca el fuego, el fuego funde el metal, el metal corta la madera, la madera penetra en la tierra, y la tierra canaliza el agua».

CÓMO SE APLICA EL SHIATSU

El objetivo del Shiatsu es hacer que el receptor armonice con la energía del entorno y de la vida, y contribuye a normalizar las situaciones energéticas de tres maneras: reduciendo los desequilibrios del ki, estabilizando los excesos o defectos del ki, descubriendo y reparando los bloqueos que existan en el flujo del ki. Llegados a este punto hay que recordar, como haremos a lo largo de todo el libro, que todas estas terapias han de ser dirigidas por un especialista, y que lo que aquí relatamos es un acercamiento a este tipo de medicinas no covencionales.

Con el Shiatsu vamos a encontrar que la presión sobre determinados puntos donde la energía está desequilibrada puede causar una cierta molestia, que no tiene que ser producida por una mala aplicación de la terapia, sino que es producto de la propia tensión que en esos puntos se acumula. Así pues para delimitar estas circunstancias incómodas o que producen riesgos, exponemos una serie de recomendaciones comunes y limitaciones a la hora de querer aplicar técnicas de Shiatsu. Hay que adecuar el tono general del tratamiento a la edad, constitución física y estado de salud del receptor, de manera que modularemos la presión ejercida de acuerdo a las capacidades del receptor. Siempre hay que saber si el receptor presenta lesiones, varices o cicatrices quirúrgicas parcialmente curadas, y hay que evitar ejercer presión directa sobre las zonas afectadas. Nunca se realizarán tratamientos cuando el receptor acabe de tomar una copiosa comida, presente síntomas de fiebre o si tienen alta la presión sanguínea.

Las técnicas de Shiatsu que en este libro relatamos son para enfermedades comunes o leves. Las personas aquejadas de problemas de salud graves, como cáncer, un corazón delicado o artritis avanzada, deben ser tratadas por personal cualificado. A las embarazadas no deberá aplicárseles tratamientos de Shiatsu en los tres primeros meses de embarazo y en los meses siguientes se procederá con mayor vigilancia y cuidado que con otros pacientes, realizando presiones más leves y evitando las siguientes zonas: debajo de la rodilla, el hombro, cerca del cuello, justo encima de la parte interior del tobillo y en la mano, entre el pulgar y el índice.

Hay que evitar la presión profunda en el abdomen o la manipulación de la pelvis durante la menstruación. Una vez que se haya iniciado el tratamiento, hay que dejar de trabajar inmediatamente si el receptor experimenta cualquier dolor repentino o intenso cuando presiona sobre un punto concreto; siga evitando esa zona durante el resto del tratamiento.

Cuando se vaya a realizar alguna sesión de Shiatsu, hay que tener en cuenta los siguientes preparativos: la habitación dispondrá de suficiente espacio como para tener a una persona tendida y para que otra pueda moverse libremente a su alrededor. El mejor lugar para tenderse será en el suelo, en una esterilla o colchón fino. La habitación estará silenciosa; si nos es posible, tomaremos las medidas oportunas para quedar libres de interrupciones como timbres o teléfonos, incluidos los móviles. Hay gente a la que le gusta poner música tranquila mientras aplica un tratamiento. Encender un fuego o unas velas o quemar incienso son otras formas muy útiles de preparar el ambiente. La temperatura debe ser ligeramente más alta de lo normal. Es recomendable una breve sesión preparatoria de relajación o meditación y el uso de ropa holgada y cómoda que permita la total libertad de movimientos, preferiblemente de fibras naturales. Es prudente no haber comido en exceso. Cerciórese de tener las manos limpias y las uñas no demasiado largas; las uñas de los pulgares son especialmente importantes.

La preparación con respecto al receptor ha de seguir los siguientes consejos: el tratamiento suele recibirse vestido, por cuanto esto facilita el contacto con la energía subyacente sin la distracción de los efectos en la piel. La ropa del receptor debe permitir la libertad de movimientos y ser cómoda. Ha de quitarse los complementos como relojes, gafas, joyas, cinturones, zapatos y objetos metálicos. Ha de advertir al receptor que notará algunos puntos un tanto sensibles, y que debe avisarle inmediatamente en caso de que algún estiramiento o presión le resulte demasiado doloroso o molesto. Hay que indicar que no es infrecuente que tras una sesión de Shiatsu, especialmente si ha sido enérgico, se experimenten reacciones hasta 24 horas después, tales como cansancio extremo, síntomas parecidos al resfriado o, a veces, una diarrea benigna. La reacción es la consecuencia del vertido de toxinas a la corriente sanguínea antes de ser eliminadas, lo cual se debe explicar al receptor en caso de que ocurra. Esta reacción puede ser incluso a nivel emocional, como una extraña irritabilidad temporal.

El Shiatsu utiliza la presión para activar la energía interna del cuerpo. Los distintos métodos incluyen presión, estiramiento, masaje, frotamiento, vibración, golpeteo y oscilación. Además, existen varias maneras de aplicar presión: con los pulgares, las palmas, los dedos, los codos o los pies. La combinación de métodos y herramientas más utilizada es la formada por: estiramientos generales, presión con la palma y trabajo de presión puntual con el pulgar. Utilice la parte superior de la almohadilla del pulgar en vez de la punta propiamente dicha; ha de mantenerse el pulgar siempre recto al aplicar la presión. Cuidado con la articulación del pulgar, pues al principio puede estar débil para practicar Shiatsu pero rápidamente, y con estos ejercicios, se fortalece. Al aplicar presión con la palma o el pulgar, estará trabajando con un método que emplea las dos manos de formas distintas: así primero la que llamaremos «mano activa» presiona, y avanza por la trayectoria requerida, a la par que la «mano de apoyo» descansa en un lugar ejerciendo una simple presión moderada.

Otra cuestión interesante es la de localizar los puntos clave de aplicación del Shiatsu. Como en todas las acciones de esta vida, la práctica irá otorgando un mayor nivel de efectividad, y rápidamente podremos, simplemente con el tacto, saber si el lugar en el que estamos realizando la presión es el adecuado. Los puntos principales están situados a lo largo de los meridianos. Estos puntos suelen estar ubicados en «cavidades» localizadas dentro o entre prominencias óseas y grupos de músculos. No obstante, puede administrar un tratamiento de Shiatsu eficaz aunque no incida en un «punto de presión» convencional. Hasta que adquiera la suficiente experiencia como para poder juzgar por sí mismo, hay una serie de orientaciones útiles para saber cuánta presión realizar: lo mejor es pedir al receptor que le diga qué siente en cada momento. La presión no debe provocar un dolor intenso, tan sólo un cierto grado de sensibilidad aceptable en algunas zonas sensibles. Por otro lado, cuando el receptor apenas siente nada, es probable que el nivel de presión sea demasiado bajo y se estén adoptando excesivas precauciones. No se debe aplicar una presión muy intensa y directa sobre las articulaciones: tobillos, rodillas, caderas, codos ni hombros.

Existe un «libro de estilo» de la aplicación del Shiatsu para que los iniciados puedan seguir una rutina que les ayude en su práctica. Éste comienza con estas indicaciones: utilice su peso corporal, no haga esfuerzo muscular; mantenga su cuerpo, incluidos los brazos, en un estado de relajación mientras trabaja; concentre la atención en su abdomen, pero preste atención también a la respuesta de su compañero a lo que usted está haciendo, por ejemplo mirándole la cara; la respiración abdominal profunda ayuda a mantener su centro de gravedad bajo, lo que le hace más estable y le permite aplicar presión de un modo más efectivo; puede adquirir conciencia física de esta cualidad dejando caer el vientre y separando las rodillas mientras trabaja en posición sentada; mantenga el brazo activo recto, pero no rígido; para cada situación, deberá colocarse lo bastante separado de la superficie sobre la que trabaje para hacerlo; aplique presión apoyándose en el movimiento, al mismo tiempo que usted y su compañero espiran, sosteniendo esta posición durante toda la espiración; sitúese de modo que pueda trabajar en ángulo recto respecto a la superficie que está tratando; cultive una sensación de serenidad y un ritmo regular: la idea, de hecho, consiste en alcanzar una sensación de penetración más que de empuje; no debe experimentar nunca una sensación de fuerza: el Shiatsu bien hecho no requiere esfuerzo; en términos generales, la práctica del Shiatsu estimula al donante, en vez de fatigarle. Si son seguidas, estas recomendaciones y técnicas ayudan a ponerse en contacto con el ki del receptor.

El cultivo de la concentración en el hara o abdomen puede efectuarse como un ejercicio muy simple, así como durante la práctica del Shiatsu. Sitúese en una postura cómoda y erguida; la posición arrodillada (abajo), conocida con el nombre de seiza, es idónea, pero puede adoptar cualquier otra posición sentado. Colocar un cojín sobre los pies en la posición arrodillada puede hacerle la postura erguida más cómoda. Hay que dejar que todas las partes del cuerpo se relajen por completo. Concentre la atención en el hara, y siéntase respirar hacia el Tan Den, profundamente pero sin forzar, y con un ritmo natural. Sienta hincharse el abdomen al inspirar y alisarse al espirar (colocar las manos sobre el vientre, por debajo del ombligo, facilita esta percepción). Si comprueba que su atención se desvía de la respiración, devuélvala suavemente a este ejercicio. Si no está acostumbrado a la respiración abdominal, siga durante un par de minutos. Para desarrollar este ejercicio, puede tratar de sentir el aire, y con él el ki, descendiendo hacia el hara mientras inspira. Sostenga la respiración y concéntrese en la energía allí presente durante unos segundos. Luego espire lentamente, manteniendo todavía la atención en el ki contenido en el hara. Al inspirar de nuevo, perciba el flujo de más energía y siga así, experimentando la energía acumulándose y concentrándose en el Tan Den, durante unos minutos más. El ejercicio completo puede efectuarse durante unos 5 minutos diarios, preferiblemente cuando no esté demasiado cansado. Es fácil descubrir que también puede cultivar la percepción del hara mientras efectúa actividades de cualquier otra naturaleza, sobre todo durante acciones simples y rítmicas, como andar.

Conviene añadir que el Tan Den no es más que uno de los chakras o centros de energía localizados en el cuerpo que pueden utilizarse como foco; algunos practicantes emplean el centro del corazón de forma similar. Éste se encuentra en el centro de la parte superior del pecho, a medio camino entre la parte anterior y posterior del cuerpo.

Las cualidades y ámbitos de la vida afectados por este chakra incluyen las emociones, la compasión y las relaciones con los demás. Después de habituarse a trabajar concentrándose en el hara, puede intentar acumular el ki en el centro del corazón de la misma manera, y sobre todo cultivar el trabajo con una intención altruista o curación emocional. Como ejercicio personal, respirar hacia esta zona le ayudará a establecer contacto con sus emociones, y puede contribuir a sanear relaciones difíciles o dolorosas.

Por otro lado, está el chakra de la frente, o «tercer ojo», situado detrás del punto intermedio entre las cejas. La concentración en este centro, ya sea como ejercicio propiamente dicho o durante un tratamiento, contribuirá a desarrollar el potencial para la perspicacia, la intuición y la percepción psíquica.

Cuando siga practicando su técnica de Shiatsu empezará a comprobar que encuentra distintas «calidades» de energía o ki en los puntos a los que aplica presión en el transcurso del tratamiento.

El tejido corporal que reviste la zona con la que está trabajando puede presentar cualidades muy diversas al tacto; entre las impresiones comunes se incluyen tirantez, accesibilidad, dureza o, a veces, falta de vigor. Éstas son expresiones de la situación del ki en esa parte del cuerpo en relación con otras partes. Hay siempre un cierto grado de desequilibrio relativo o desigualdad en la distribución del ki, por muy leve que sea. El tejido corporal se percibirá de un modo distinto de una zona a otra, y es por ello que utilizamos el Shiatsu. Inevitablemente habrá algunas zonas faltas de ki y otras que lo contengan en exceso. Tras la práctica, y con la experiencia en incidir sobre una zona o sobre un punto con la palma o el pulgar, muy pronto podrá franquear la superficie de esa persona y tomar contacto con la energía subyacente, de la que podrá obtener una sensación más específica de lo que ocurre allí en lo que se refiere al ki.

Los puntos donde presionar en Shiatsu se conocen con el nombre de «tsubos», palabra japonesa que significa «vaso», esto se debe a que la impresión que se tiene al presionar sobre un tsubo es, de entrada, una cierta resistencia, que cede a medida que se sujeta el punto, de lo que se deriva una sensación de apertura bajo el pulgar, antes de establecer contacto con el «fondo» del punto. Es posible que no se experimenten estas percepciones inmediatamente, terminará por hacerlo si practica lo suficiente y aprende a localizar los puntos con mayor precisión. Lo que usted hace, en efecto, al presionar y sujetar un tsubo de esta manera es entrar en contacto con el ki subyacente a la superficie del punto, por cuanto muchos tsubos son «puertas de acceso» a un canal o meridiano del ki. El modo en que se experimenta el ki en puntos específicos se conoce como el efecto tsubo.

Una de las mayores diferencias entre la Acupresión o Acupuntura y el Shiatsu, y una de las grandes ventajas de éste, reside en que se puede tratar cualquier punto del cuerpo, y no sólo aquellos que se encuentran en los canales clásicos. No obstante, los puntos clásicos son más fáciles de localizar y de tratar, y resulta más sencillo aprender sus efectos; así pues, probablemente hará bien en concentrarse en ellos al principio.

Cuando localice un punto y presione sobre él, entrando en contacto con la energía que yace bajo la superficie, percibirá su cualidad particular. Los términos kyo y jitsu se emplean para describir o clasificar los dos extremos de cualidades. Kyo es la cualidad del vacío, que indica agotamiento, hipoactividad o falta de energía local; y jitsu describe una sensación de plenitud, exceso, hiperactividad o excedencia de ki. Son valores relativos en lugar de absolutos, y al igual que el yin y el yang se utilizan comparativamente. Distinguir entre si la energía es kyo o jitsu resulta muy útil. Kyo y jitsu, como expresiones de «contenido» de energía relativo, no se aplican solamente entre puntos individuales, sino también entre distintos canales y los sistemas orgánicos asociados a ellos, así como entre diferentes partes o zonas del cuerpo, e incluso entre una persona y otra. Así, en una persona concreta, puede observarse que el meridiano del riñón es más kyo; la mitad inferior del cuerpo podría ser más jitsu que la mitad superior; y podría considerarse que la persona en su totalidad es relativamente kyo en comparación con la mayoría de la gente. Todos estos factores influirán en la forma de tratamiento que usted elija.

YOGA

El yoga es una de las terapias naturales más conocidas por los occidentales. Es una técnica que ha ido creciendo en número de adeptos y que gracias a las modas ha permitido que muchas personas que lo han practicado por curiosidad hayan quedado «prendadas» de esta terapia milenaria que tan cultivada es en Oriente.

Los orígenes del Yoga, a falta de otros datos que lo ubicasen en épocas todavía anteriores, se remontan a la prueba arqueológica más antigua encontrada, que data aproximadamente del año 3000 a.C., y se trata de sellos de piedras con figuras de posiciones yóguicas pertenecientes a las civilizaciones de los Valles del Indo y Saraswati. Ya en la antigua escritura hindú se hace referencia al Yoga. La cultura hindú, y en general todo el acervo religioso-filosófico de la India, tiene su origen en los Vedas, textos sagrados que originalmente provienen del sánscrito. Constituye todo un acopio de sabiduría en el campo del conocimiento del ser humano a nivel físico, metafísico y puramente espiritual. Este conocimiento védico se conservó de generación en generación por tradición oral, mediante la recitación de su contenido en forma de aforismos. Fueron recogidos por escrito, por primera vez, hace unos cinco mil años. Las primeras pruebas escritas se encuentran en las escrituras védicas, de los cuatro Vedas, particularmente en el Rig-veda y en el Atharva-veda, las cuales se remontan al año 2500 a.C. En Occidente la parte más conocida de los Vedas son los Upanisads, tratados y poemas filosóficos y místicos que exploran la naturaleza del alma humana. Es en los Upanisads, la última parte de los Vedas (1500 a.C.), donde se encuentra la base de las enseñanzas yóguicas. Surge la filosofía vedanta sobre la realidad o conciencia absoluta. Hacia el 500 a.C. aparecen dos grandes poemas épicos, el Ramayana de Valmiki y el Mahabharata de Vyasa, que narran las encarnaciones de Dios. Entre la narración se tratan temas morales y filosóficos. Una parte importante del Mahabharata es el Bhagavad Gita, que consta de 18 capítulos, en los que se discuten distintos aspectos del Yoga. Hacia el año 500 a.C., Patanjali recopiló todo el conocimiento existente sobre el Yoga en los *Yoga Sutras*, texto básico reconocido unánimemente por todas las escuelas yóguicas. Patanjali es conocido a través de leyendas y en la mitología es considerado como una encarnación del dios serpiente. Los *Yoga Sutras* son la base del Raja Yoga, pero trata todas las ramas del Yoga. Constituye lo que podríamos llamar el yoga clásico. Es el resultado de un detallado y sistemático recorrido por los caminos del Yoga, de principio a fin.

Numerosos autores han comentado los *Yoga Sutras* de Patanjali, en los cuales están clasificados los ocho pasos progresivos (Ashtanga Yoga) hacia la realización personal, en el Raja Yoga, el yoga más desarrollado en Occidente. Los Raja Yoga Sutras constan de 195 aforismos. Tratan fundamentalmente de dos aspectos; la descripción de las funciones de la vida mental y la enumeración de los medios mediante los cuales puede lograrse el Yoga (unión en sánscrito). El Ashtanga Yoga, o yoga de los ocho pasos, por su parte, incluye un conjunto de técnicas complementarias entre sí que constituyen toda la práctica del yogui. El Yoga contemporáneo se inicia hacia 1900, cuando numerosos maestros llegaron a Occidente, que fue el origen de las diferentes escuelas conocidas actualmente. La cultura occidental ha desconocido la filosofía india hasta hace poco más de 100 años; prácticamente, hasta que algunos filólogos europeos comenzaron a estudiar el sánscrito en el siglo XIX.

El texto de Patanjali se divide en cuatro partes:

- Parte primera: «Samadhi Pada». Consta de 51 aforismos y trata sobre la naturaleza del Yoga. Presenta el Yoga como medio para calmar y poder dominar la mente, y además describe los estados mentales y los distintos niveles de conciencia.
- Parte segunda: «Sadhana Pada». Consta de 55 aforismos y trata del porqué de la práctica del Yoga, y de los medios para realizarla. Medios para dirigir la mente desde la dispersión hasta un alto estado de concentración. En cuanto a la enumeración de los medios a través de los cuales se alcanza el Yoga, se señalan ocho principales: abstención del mal, fomento del bien, realización de posturas corporales en reposo, regulación respiratoria, control sensorial, concentración, contemplación y completa absorción.
- Parte tercera: «Vibhuti Pada». Consta de 55 aforismos y trata de los poderes, percepciones extrasensoriales o siddhis que se adquieren con la práctica avanzada del Yoga. Estos poderes no son un objetivo en sí mismos y el apego a ellos puede suponer una gran trampa que provoca la pérdida de los logros obtenidos previamente.
- Parte cuarta: «Kaivalya Pada». Consta de 34 aforismos y trata filosóficamente de la naturaleza del conocimiento. Describe la emancipación de la mente, la realidad espiritual última del universo.

Los *Yoga Sutras* son difíciles de entender, por el tema que ocupan, por los conceptos filosóficos que aparecen y porque la vida y el pensamiento contemporáneo parecen muy lejanos de estas enseñanzas clásicas.

Muchos autores a lo largo de la historia han comentado los *Yoga Sutras*. Los aforismos encierran en pocas palabras un gran significado, son una guía a descifrar. Debemos ser conscientes de que los comentarios realizados a lo largo de la historia van unidos a un autor, pero están condicionados a la escuela y a la época histórica a la que pertecenece el autor.

El Yoga ha sido considerado la primera «medicina» natural del mundo con métodos preventivos, terapéuticos y de recuperación. Aun en la búsqueda de la elevación espiritual, los yoguis siempre han considerado el cuerpo muy importante, puesto que si además de las dificultades que entraña la búsqueda de lo absoluto, el cuerpo no opera armónicamente, se convertirá en un obstáculo añadido. Pero si, por el contrario, el cuerpo y sus energías y funciones cursan armónicamente, la envoltura física se convertirá en un aliado beneficioso en la senda hacia lo inefable. Ello no quiere decir, en cualquier caso, que deba rendirse culto al cuerpo o que éste deba despertar en el individuo apego u obsesión, sino que el cuerpo, que es la base y el aspecto más tosco de la pirámide humana, merece una adecuada atención.

Si hay un concepto que el Yoga y el orientalismo han conseguido transmitir al mundo es el de los chakras. Su historia y el porqué de su existencia es una de las claves para el entendimiento de muchas terapias. En el instante del impulso de la creación, una pequeña vibración, un spanda, causó una leve diferencia que provocó una cascada ilimitada de diferencias e hizo el universo tal cual lo conocemos ahora. Esa división original, semejante a una gran explosión o expansión cuyo origen fue un punto que está más allá de las dimensiones conocidas, vibró y se manifestó en el mundo físico. La semilla del universo se abrió y expulsó energía de todos los tipos y frecuencias hacia todos los lados simultáneamente. Al principio, cada forma de energía podía comunicarse, transformarse y conectarse con las demás.

En la extensa red de energías universales, los seres humanos somos un organismo complejo capaz de interactuar y comunicarse con muchos niveles de energía. En el ámbito físico, tenemos las mismas limitaciones que los objetos físicos pero, a diferencia de las cosas, los humanos somos capaces de comprender los niveles más sutiles del universo. Podemos existir, conectarnos, comunicarnos, obtener fuerza, manifestarnos y pensar en esos niveles más allá de lo físico. Somos como un chakra, un círculo o vórtice de energía que penetra varios niveles de existencia. El vórtice de energía que somos contiene subvórtices, centros de energía que cruzan e interconectan los niveles de la existencia. La aparente separación que percibimos con todo lo que nos rodea está equilibrada por la íntima unidad que compartimos con todo. Ambas afirmaciones son verdaderas y ninguna es completa como un pensamiento acabado. Las prácticas espirituales nos permiten ver esa conexión y nos guían para relacionarnos con todos los niveles de nuestra existencia.

CHAKRAS

Los chakras o centros de energía son un elemento central para regular cuánto y con cuánta fuerza pueden cerrarse o abrirse esos velos que separan nuestras energías.

Determinan cuán robótica o libremente podemos actuar; cambian el rango de nuestra percepción, nuestros sentimientos y nuestras elecciones. Al abrir y equilibrar los chakras, nuestros sentidos se expanden y se integran a una red sensible que puede vincularnos con el gran campo de energía del cual venimos y al cual volvemos.

El primer chakra: fundamentos, seguridad y hábitos

El primer chakra está ubicado en la base de la espina dorsal. Uno de sus principales aspectos es la calidad y funciones de la tierra. Aquí «tierra» significa la etapa final de la manifestación en el campo de los sentidos, las áreas más públicas de la vida. Es también la zona más velada al espíritu, lo que se encuentra más profundamente envuelto por la ilusión de la separación, la soledad y lo tangible. Representa el funcionamiento de la mente y las emociones más inconscientes. Esta inconsciencia no es mala; es necesaria. Cuando desplegamos nuestro mejor esfuerzo en cualquier actividad, gran parte de esa actividad es automática e inconsciente. Es un recipiente de los patrones instintivos más profundos que usamos para sobrevivir. La función del primer chakra es «reducir todo a su punto base». El primer chakra está asociado con la eliminación, el ano y el intestino grueso. Las funciones del primer chakra son muy importantes en nuestra vida moderna. La habilidad para crear y actuar a partir de hábitos regulares es en gran parte una función terrenal de este chakra. La planificación puede venir del sexto chakra, la proyección del quinto y el orden del tercero, pero las acciones finales que los sostienen y los vuelven disponibles requieren del primer chakra.

Segundo chakra: sentir, desear, crear

Cada chakra es una visión del mundo. Es un darshan. Es una perspectiva que organiza nuestros sentimientos, pensamientos y valores para relacionarnos con el mundo y actuar en él. La visión del segundo chakra está asociada con la imaginación, el deseo, la pasión, la dualidad y las polaridades, con el movimiento y el cambio, y, fundamentalmente, con la creatividad.

El elemento asociado con el segundo chakra es el agua. Consideremos las cualidades del agua. El agua fluye y se mueve libremente, pero no corre hacia arriba de las colinas; por la fuerza de la gravedad, busca el punto más bajo, así como las sensaciones; bajo la presión del deseo, buscan una situación de empatía entre los opuestos, un nivel común en que los sentimientos similares pueden ser satisfechos. Alguien dominado por la visión del segundo chakra ve el mundo en función de sus sensaciones, de sus deseos, sus impulsos, y busca satisfacer sus pasiones. La clave para caracterizar a alguien que vive desde el segundo chakra es que esa persona ve cualquier objeto que sea más largo que ancho como un objeto sexual. Ve todo como objeto sexual, porque el sexo, desde el segundo chakra, representa la búsqueda de una polaridad que la persona necesita para salir de sí misma, aunque en principio la desequilibre, y dé la satisfacción que consiste en soltar la energía almacenada en esa polarización. A diferencia del primer chakra, cuya visión del mundo es singular, segura, aislada, el segundo chakra requiere de los otros.

La sexualidad del segundo chakra no es la autoestimulación, sino la estimulación que se siente en relación con los otros. Cuando el segundo chakra está bien desarrollado, la persona tiene opiniones, sabe hacer distinciones, le gusta el rojo pero no el azul, prefiere el calor al frío; a su vida no le faltan los contrastes y contornos. Un segundo chakra que funciona bien pinta el mundo con pasión, motivación y opiniones. Prepara el camino para la compasión del cuarto chakra, porque a la persona le importan ciertas cosas y las quiere.

Desde el punto de vista del Yoga, las experiencias del segundo chakra dan una mínima muestra de lo que es la unión, el ir más allá del ser aislado y disolverse con, a través de y en el otro. El olvido momentáneo que ocurre en el éxtasis, en el punto culminante de la relación sexual, es prueba de un mayor estado de éxtasis, disponible cuando te sueltas y te sumerges en tu polaridad infinita, cuando tu parte finita e infinita tienen una relación cuyo resultado es un sentido creativo de conciencia. Esto se parece a lo que se dice en el Tantra, que usa la sexualidad como una forma de experimentar el espíritu.

El símbolo clásico del segundo chakra tiene en su centro un animal que es un cocodrilo y una serpiente, llamado Makra. Representa un tipo de monstruo o serpiente que viaja en las profundidades del océano, como los que trataban de evitar los marineros para que sus barcos no encallaran. Nuestra mente viaja en una pequeña barca sobre el océano inconsciente de nuestras sensaciones y emociones. Puede encallar en cualquier momento por el poder de una ola de emociones. Este símbolo nos advierte de que, a pesar de todos nuestros pensamientos racionales e intelectuales, o nuestros planes sistemáticos, si no tenemos destreza y una buena relación con nuestras pasiones, nuestro barco puede voltearse.

TERCER CHAKRA: LA VOLUNTAD DEL GUERRERO ESPIRITUAL

El tercer chakra es el centro de la energía, del poder de la voluntad, del sentido de control y coordinación. Está asociado con la región que rodea el ombligo. Es alimentado por el fuego del plexo solar y se asocia con las glándulas suprarrenales y los riñones. Está regido por el elemento fuego. Coordina y desarrolla el sentido de la vista. Es el más sutil de los tres primeros chakras, que conforman el triángulo inferior. Es la fuerza que te impulsa a actuar y completar la conceptualización, las visualizaciones que tienes en la vida. El centro del ombligo es nuestro principio. Es el primer punto a través del cual un ser humano recibe alimento y energía para vivir como feto en el vientre de su madre. Una vez que termina la conexión física con la madre, el centro del ombligo continúa su función en un plano más sutil: es el área que recolecta la energía del cosmos. Al caminar y alternar el movimiento de piernas y brazos, ejerces una función del cuerpo y de los vellos del cuerpo que acumula energía en el punto del ombligo. El tercer chakra es la fuente de reserva de energía del cuerpo. Observa que el tercer chakra regula la vista, el cuarto chakra nos da la apertura al reino de las sensaciones a través del tacto y el quinto chakra nos da el poder de la creatividad a través del sonido sutil.

La vista y la visión están asociados con la estimulación del sistema nervioso parasimpático. La vista y la visión nos dan el sentido del control. Muchas personas de éxito que constantemente formulan planes y proyectos, suelen visualizar sus objetivos y así crean una imagen concreta. Lo tangible de la imagen, la concreción de cada una de sus partes, aumenta el sentido de enfoque y de la voluntad asociados con el tercer chakra.

Cuarto chakra: amor y despertar

El chakra del corazón está regido por el elemento aire. A diferencia de los otros elementos, el aire no se ve, su influencia es sutil. Los tres chakras inferiores contienen la capacidad de cultivar la destreza sobre los impulsos. Cuando se equilibra y se abre el cuarto chakra, llegas al verdadero primer nivel de la conciencia autorreflexiva, desde donde puedes verte a ti mismo a través de los ojos de los otros y entiendes que los demás son tan importantes como tú. En los primeros tres chakras estás regido por el «yo», en el cuarto empiezas a tener sentido de «nosotros». Cuando tienes dominio sobre tus pasiones, desde los tres primeros chakras, puedes dirigir esas pasiones hacia los otros. El chakra del corazón te infunde una gran fuerza, un gran poder de convicción para expresar cualquier sentimiento y contextualizar lo que dices. Yogui Bhajan advierte que cuando dices una verdad con miedo, es una mentira; este es un comentario sobre el chakra del corazón, pues hablar con verdad y amabilidad es el distintivo del cuarto chakra.

Quinto chakra: habla y crea

El quinto chakra, asociado con la garganta y con las glándulas tiroides y paratiroides, es la verdadera entrada a lo milagroso y misterioso, ya que está regido por el elemento éter, que es la condición del espacio y del tiempo para que algo pueda existir. Es el inicio del proceso de manifestación. Si piensas en la secuencia de los elementos: éter, aire, fuego, agua y tierra, como si fueran fases o etapas del proceso de manifestación, entonces reconocerás que el éter es el más sutil de todos. Cuando se activa el quinto chakra, adquiere la percepción de lo sutil. Sabe estar alerta al principio de la causa y el efecto.

Sexto, séptimo y octavo chakras, los superiores: intuición, ser, infinito

Cuando pasamos del quinto al sexto chakra estamos más allá de los elementos naturales. Hemos atravesado todas las transformaciones de nuestra experiencia ordinaria que están codificadas por la tierra, el agua, el fuego, el aire y el éter. No hay ningún elemento vinculado a la tierra asociado a los chakras superiores. El sexto chakra está situado en el entrecejo. Se asocia con la glándula pituitaria y se representa con sólo dos pétalos. Ajna significa «mando» (obtener maestría sobre algo). Éste es el chakra del dominio. Aquí es donde alcanzas la integración de la personalidad por encima del dualismo de la psicología humana. Es aquí donde se juntan los principales canales de energía ida, pingala y shushumna, donde los tres ríos de tu energía interna se integran en uno. Es el chakra asociado con el tercer ojo, con el cual ves más que con dos ojos. Los dos ojos dan dimensión en el mundo normal; el tercer ojo da la visión, la profundidad y la dimensión de los mundos sutiles. Su función es ver lo invisible y conocer lo desconocido. Es el centro de la intuición y de nuestra conexión directa con la fuente infinita de sabiduría. Es diferente del poder psíquico que usa energía del tercer chakra y trabaja en él, y por ende, puede ser subjetivo en su apreciación. La apertura del sexto chakra proviene de la maestría obtenida sobre el flujo de la mente. La glándula pineal está asociada con el séptimo chakra, también conocido como el «chakra de la coronilla», el «loto de mil pétalos» o la «décima puerta». Así como el sexto chakra está asociado con la luz sutil, el séptimo chakra está asociado con el sonido cósmico. La apertura del séptimo chakra tiene una condición clave: la humildad, la entrega, la capacidad de postrarse ante el infinito. Por esto, en muchas tradiciones, las personas suelen inclinarse o postrarse ante la divinidad. Cuando alguien no abre adecuadamente el séptimo chakra, la función psíquica que puede haber surgido ya de su tercer o sexto chakra, podría meterlo en problemas. Sin humildad, disponer de información desconocida puede dar como resultado un ego espiritual. Esta es una de las razones por las que Yogui Bhajan suele decir: «Que Dios me proteja de los psíquicos. Ellos contaminan y diluyen mi fe», refiriéndose al mal uso del nivel más alto que podemos alcanzar para percibir y funcionar por medio de la intuición, con todos los chakras abiertos.

QUÉ SE NECESITA PARA LA PRÁCTICA DEL YOGA

Para hacer Yoga necesitaremos una habitación limpia y ventilada y una o dos mantas dobladas a lo largo para aislarse de la dureza y frialdad del suelo. Las sesiones de ejercicios durarán media hora o una hora, según las posibilidades de tiempo de cada persona. El mejor momento para practicar los ejercicios es al levantarse por la mañana, al mediodía, media hora antes de comer o media hora antes de cenar. Sus aplicaciones, como hemos visto, son múltiples: aumenta la fortaleza, resistencia y agilidad del cuerpo; como higiene preventiva de los trastornos hacia los que uno esté más predispuesto: estreñimiento, obesidad, digestiones defectuosas, insomnio, nerviosismo, etc.; para adquirir un mayor dominio sobre los propios impulsos y estados emocionales; para estabilizar la mente y aumentar la capacidad de concentración; para aprender a tranquilizarse interiormente, contrarrestando así un ritmo de vida demasiado tenso y agitado, como excelente preparación para una más auténtica vida espiritual.

La ropa que usaremos será un jersey amplio y un pantalón largo o corto, según sea invierno o verano. Los ejercicios a practicar se seleccionarán teniendo siempre cuidado de no omitir en ninguna sesión los ejercicios que son fundamentales, y cambiando periódicamente de ejercicios complementarios a gusto del interesado. En la práctica de los ejercicios fundamentales, puede seguirse el mismo orden con el que se describen más adelante.

Se recomienda a todos los principiantes que se inicien en la práctica del Yoga que en ningún momento se excedan ni en violencia ni en duración en los ejercicios que ejecuten, puesto que ello retrasaría los efectos que se desean alcanzar. El Yoga no depende del esfuerzo, sino de la habilidad e inteligencia con que se hacen los ejercicios.

ASANAS O POSTURAS FÍSICAS

Asana es el nombre que recibe cada una de las posturas que adopta el cuerpo en la práctica del Yoga. A veces, va seguido de algún movimiento para pasar de una a otra fase del mismo asana. Cada asana forma una unidad completa por sí mismo y además está estudiado para que produzca, de forma simultánea, los siguientes efectos: pone en acción unos determinados músculos, huesos y articulaciones de un modo diferente a como se utilizan en la vida corriente; ejerce una acción mecánica sobre diversas vísceras y glándulas, estimulando su mejor funcionamiento gracias a la compresión o masaje efectuado de este modo natural; favorece la actividad de determinados nervios y plexos nerviosos, lo cual produce, además del efecto físico destacable, una modificación de la sensibilidad interna en profundidad y amplitud; por unos instantes modifica el curso de la circulación sanguínea de todo o parte del cuerpo, dando como resultado su revitalización: produce, de un modo natural, un determinado tipo de respiración, un particular estado de conciencia vegetativa y un característico estado mental.

Según los maestros hindúes, cada asana produce, además, los efectos siguientes: pone en contacto distintas corrientes pránicas (energía sutil) a determinados niveles, lo cual produce una definida acción estimuladora de la circulación pránica en general y su particular acumulación en determinados chakras (centros pránicos de conciencia); aísla al cuerpo físico y psíquico de ciertas corrientes de energía procedentes de la tierra y del ambiente, o modifica la forma de su entrada, lo cual facilita el trabajo de meditación o la obtención de determinados estados mentales; cada asana fundamental reproduce simbólicamente en el microcosmos (el hombre) una fase de la creación cósmica, lo cual induce, por resonancia o consonancia de formas, o un específico estado de conciencia espiritual. Constituye una puerta por donde la conciencia del hombre, debidamente despierta e integrada, puede profundizar y extenderse hasta más allá de su habitual limitación personal.

Cada asana, para estar correctamente ejecutado, debe reunir además de la exactitud de la postura, las siguientes condiciones: permanencia progresivamente prolongada (así como en la gimnasia occidental los ejercicios, a medida que se progresa, aumentan en número o en esfuerzo, en el Yoga se repiten muy pocas veces y algunos ejercicios se hacen sólo una vez, pero en cambio se va aumentando el tiempo de permanencia en la misma postura; por esto, se ha llamado al Yoga «gimnasia estática»), gracias a la cual se producen los notables efectos sobre el cuerpo y sobre la mente, típicos del Yoga; extrema suavidad y lentitud de ejecución (siempre que sea posible conseguir un resultado sin forzar nada, con suavidad, el Yoga lo prefiere, porque la idea que preside sus ejercicios es la de crear y almacenar nuevas energías y conviene evitar, por lo tanto, todo gasto energético inútil.

Además la suavidad y la precisión en el movimiento estimulan la inteligencia y obligan a la mente a integrarse más estrechamente con el cuerpo); la mente ha de estar en todo momento concentrada en el ejercicio, pues la atención en todo ejercicio, es fundamental para conseguir los magníficos resultados que el Yoga produce en el aspecto psicológico (la mente ha de estar dirigiendo el movimiento mientras éste se ejecuta y ha de contemplar, dentro de la cabeza, la sensación y el estado mental que producen automáticamente las posturas en su fase estática o de permanencia; esto, además de ser un excelente ejercicio para la mente, con la práctica la aclara y tranquiliza hasta un grado extraordinario).

ASANAS DE DESCANSO, RESPIRACIÓN Y MEDITACIÓN

- «Vajrasana» o postura diamantina (descanso). Es el paso preliminar del Supta-vajrasana, que describiremos más adelante. *Ejecución*: arrodíllese, cuidando que las piernas toquen al suelo desde las rodillas hasta los dedos de los pies y éstos dirigidos hacia dentro, de modo que las puntas de los dedos casi se toquen. Siéntese lentamente, de modo que las nalgas se apoyen sobre el borde interno y las plantas de los pies, y los muslos sobre las pantorrillas. Conserve tronco, cuello y cabeza erguidos. Las palmas de las manos descansan de un modo natural sobre las rodillas. La respiración es lenta y completa.

- «Sukhasana» o postura fácil (meditación). Útil para hacer ejercicios de Pranayama, especialmente cuando aún no se dominan bien el Padmasana y el Siddhasana que son las más utilizadas para aquellas prácticas. *Ejecución*: sentado en el suelo con las piernas juntas y extendidas, doble la pierna derecha y coloque el pie debajo del muslo izquierdo. Doble entonces la pierna izquierda y coloque el pie izquierdo debajo del muslo derecho. Procure que las rodillas queden lo más cerca posible del suelo.

- «Padmasana» o postura del loto (concentración y meditación). Es el paso preliminar para otras posturas o asanas. *Ejecución*: sentado en el suelo con las piernas juntas y extendidas, doble la pierna derecha y coloque el pie sobre el muslo izquierdo, lo más cerca posible del abdomen, de modo que la planta del pie quede hacia arriba y la rodilla permanezca en contacto con el suelo. Doble ahora la pierna izquierda y coloque el pie sobre el muslo derecho, de modo simétrico, como se ha colocado el otro pie. Mantenga la columna vertebral recta. Las manos pueden colocarse sobre las rodillas, una encima de la otra sobre ambos talones, o bien mantener los brazos extendidos apoyando la muñeca en la rodilla, dedos índice y pulgar unidos por sus extremos y los restantes dedos extendidos.

- «Siddhasana» o postura perfecta (meditación). Las personas cuyas piernas sean gruesas y cortas encontrarán este asana mucho más fácil de hacer que el anterior. *Ejecución*: sentado en el suelo con las piernas juntas y extendidas, doble la pierna derecha y coloque el talón en el perineo, exactamente entre el ano y los genitales. La planta del pie ha de quedar tocando la cara interna del muslo izquierdo. Doble ahora la pierna izquierda y coloque el talón en el hueso pubiano, de modo que el borde inferior del pie se inserte entre el muslo y la pantorrilla derecha. Las manos están como en el anterior.

ASANAS DE ACCIÓN FÍSICA Y PSÍQUICA

- «Sarvangasana» o postura de todo el cuerpo. *Ejecución*: extiéndase boca arriba, en el suelo, los brazos están junto al cuerpo y las palmas de las manos contra el suelo. Inspire. Levante poco a poco las piernas del suelo hasta que formen un ángulo recto con el tronco. Apoyándose ahora más firmemente con las manos en el suelo, eleve poco a poco el tronco, conservando más o menos el mismo ángulo recto formado por las piernas y el tronco, hasta que los pies sobrepasen la línea de la cabeza.

Apóyese ahora con los codos y, doblando los antebrazos, aplique las manos a las costillas, en la espalda, para sostener el equilibrio. Acto seguido eleve por completo el tronco y también las piernas, de modo que queden en perfecta línea recta, vertical sobre el suelo y formando ángulo recto con la cabeza.

En este momento deberá rectificar la posición de las manos, acercándolas a los omóplatos para facilitar el mejor mantenimiento del equilibrio. Procure que todo el cuerpo y las piernas estén realmente en posición vertical. Una vez lograda la posición correcta, relaje todos los músculos que le sea posible, sin perjudicar el mantenimiento del asana. Para deshacer la postura, proceda exactamente en sentido inverso. *Observaciones*: este ejercicio debe hacerse una sola vez. Su duración será de 30 segundos los primeros días y puede ir aumentándose hasta que a los dos o tres meses se consiga estar, sin que experimente fatiga alguna, 12 minutos. *Efectos*: mejora la circulación de las piernas; alivia el trabajo normal de corazón; estimula la glándula tiroides. Facilita el dominio del impulso sexual por absorción de la secreción intersticial. Aumenta la vivacidad intelectual, afectiva y motora.

- «Matayasana» o postura del pez. Este es el ejercicio complementario del anterior, por lo que debe hacerse inmediatamente después de éste para mayor aprovechamiento. *Ejecución*: siéntese en la postura de loto. Ayudándose con las manos y los codos, inclínese hacia atrás hasta que el vértice superior de la cabeza se apoye en el suelo. La cabeza ha de quedar doblada hacia atrás en ángulo recto y toda la espalda describiendo un arco. Cójase los pies con las manos. Deshaga lentamente la postura y, extendiendo en el suelo el cuerpo, descanse. *Observaciones*: si todavía no puede hacer la postura del loto, haga provisionalmente el Matayasana a partir del Sukhasana. Para ello apoye las manos en la parte superior de los muslos. *Duración*: aproximadamente la mitad del tiempo que pueda mantener el Sarvangasana. *Efectos*: estimula la glándula tiroides y la paratiroides; los vértices superiores de los pulmones reciben suficiente cantidad de aire; se estimulan también los nervios cervicales y las glándulas situadas en el cerebro. El aire entra libremente en los pulmones y se experimenta una agradable sensación de descanso. Produce tranquilidad emocional a la vez que es capaz de aumentar la confianza en sí mismo.

- «Paschimottasana» o postura de extensión posterior. *Ejecución*: acostado de espaldas al suelo, separe lateralmente los brazos hasta que queden en línea recta con el cuerpo más allá de la cabeza. Entonces, mientras va exhalando suavemente, levante el tronco junto con los brazos hasta llegar a la posición de sentado. Sin parar, continúe doblando el tronco, mediante la contracción de los músculos abdominales, hasta que las manos toquen los pies, de los cuales cogerá el dedo gordo con el índice de la mano correspondiente, y apoye la frente en la rodilla. Permanezca en esta posición de 3 a 15 minutos. Acto seguido, mientras inspira de nuevo, levante primero la cabeza y después del tronco, hasta volver a la posición de acostado en el suelo, con los brazos extendidos más allá de la cabeza. Exhale y vuelva a colocar los brazos al lado del tronco, como los tenía en la posición de partida. *Efectos*: estimula los movimientos de evacuación del intestino por lo que es un excelente remedio para el estreñimiento; combate la obesidad; estimula el funcionamiento de todos los órganos situados en el abdomen y de los nervios que tienen su origen en el extremo inferior de la columna. En el orden psíquico, produce sensación de ligereza y «limpieza» en el abdomen; aumenta el dominio sobre el cuerpo y la confianza en sí mismo. *Observaciones*: este ejercicio puede hacerse de tres a siete veces.

- «Bhujangasana» o postura de la cobra. *Ejecución*: extendido en el suelo boca abajo, coloque las palmas de las manos en el piso, debajo de las axilas. Inspire. Entonces, poco a poco, vaya levantando la cabeza y después la parte superior del tronco sin apenas apoyarse con las manos, sino haciendo tracción con los músculos de la espalda. Cuando éstos no den más de sí, ayúdese entonces con las manos para acabar de levantar la mitad superior del tronco. Procure no levantar al mismo tiempo la parte inferior, o sea, desde el ombligo hacia abajo. Después de permanecer así unos instantes, espire lentamente a la vez que perfecciona la postura, doblándose un poco más hacia atrás. Mantenga esta postura inicialmente 5 segundos y aumente hasta llegar progresivamente a 60 segundos. Mientras mantenga el asana, haga respiración superficial. Para descender, ejecute, siempre con la máxima lentitud, exactamente el proceso inverso. *Observaciones*: este ejercicio puede repetirse de tres a cinco veces. Lo importante en cualquier caso no es levantarse mucho, sino curvar bien, sin lastimarse, la columna vertebral desde la cabeza hasta la región lumbar. *Efectos*: aporta total flexibilidad a la columna vertebral y además corrige las ligeras deformaciones que pueda tener. Estimula los riñones. Disminuye la obesidad, incluso la de origen endocrino. Aumenta la confianza en sí mismo y el dominio neuromuscular.

- «Shalabhasana» o postura del saltamontes. *Ejecución*: extendido boca abajo en el suelo. Los brazos estarán a lo largo del cuerpo con las palmas de las manos apoyadas en el suelo. La cabeza irá apoyada sobre el mentón o sobre la frente, según se prefiera. Haga una inspiración completa y después, con un vigoroso impulso, levante a la vez ambas piernas hacia arriba, sin doblar las rodillas, manteniéndolas lo más alto posible, de 2 a 10 segundos aproximadamente. Descienda después las piernas lentamente y exhale. Descanse unos momentos. *Observaciones*: este ejercicio puede repetirse de tres a cinco veces. Este es uno de los pocos ejercicios que requiere hacer un movimiento brusco y rápido. Procure no separar las piernas mientras están levantadas. *Efectos*: por la fuerte presión que ejerce sobre los intestinos y las vísceras del abdomen, evita o corrige la constipación y tonifica el hígado y los riñones. Fortalece los músculos del abdomen y de las regiones lumbar y sacra. Aumenta la sensación de vigor y energía.

- «Dhanurasana» o postura del arco. *Ejecución*: extendido de bruces en el suelo, con los brazos a lo largo del cuerpo, doble las piernas y cójase los tobillos. Inspire. Levante el tronco del suelo y, al mismo tiempo, tire de las piernas con las manos, para elevarlas lo más alto posible, a la vez que dobla la espalda. Espire. Mantenga la posición todo el rato que le sea confortablemente posible, haciendo una respiración superficial. Cuando note fatiga, deshaga poco a poco el asana y relájese durante unos instantes. *Observaciones*: repita el ejercicio de tres a cinco veces y procure mantener la cabeza bien alta todo el tiempo que dura la posición. *Efectos*: se trata de un buen ejercicio para la columna vertebral, pero su acción más notable es la estimulación de las glándulas endocrinas y en especial tiroides y suprarrenales. En el aspecto psíquico, con este ejercicio se aumenta la vivacidad de la mente y la energía del carácter.

- «Ardha-Matsyendrasana» o torsión de la columna vertebral. *Ejecución*: sentado en el suelo con las piernas juntas y extendidas. Coloque el talón derecho debajo del muslo izquierdo. A continuación, haga pasar el pie izquierdo por encima del muslo derecho, apoyando la planta en el suelo. Gire el hombro derecho de modo que la rodilla izquierda pase por debajo de la axila derecha. Extienda el brazo izquierdo de modo que el tríceps se apoye en la cara interna de la rodilla y con la mano coja el dedo gordo del pie; de esta manera, queda en torsión la parte inferior de la columna vertebral. Ahora doble el brazo izquierdo y llévelo detrás de la espalda de modo que con los dedos de esta mano pueda coger el cinto del pantalón o prenda de ropa que use. De esta forma se logra la torsión completa de la región dorsal. Por último, gire el cuello y la cabeza hacia la derecha cuanto le sea posible. Con esto se consigue la torsión de la parte cervical de la columna. Toda la columna vertebral queda ahora dibujando una espiral. Mantenga la postura completa unos cuantos segundos, hasta que sienta la conveniencia de deshacerla. Entonces repítala por el otro lado. *Observaciones*: mantenga el tronco lo más erguido posible. Este asana se hace una sola vez por cada lado, pero procurando alargar la permanencia gradualmente. *Efectos*: es uno de los mejores ejercicios que existen para curar los trastornos de las vísceras abdominales. Tonifica extraordinariamente todos los nervios espinales y los de la cadena simpática, proveyéndolos de abundante riego sanguíneo. Fortalece el espíritu aumentando vigorosamente la energía y el dominio de sí mismo.

- «Halasana» o postura del arado. *Ejecución*: extendido sobre la espalda en el suelo, con los brazos a lo largo del cuerpo, las palmas de las manos hacia abajo. Inspire. Eleve ahora las piernas lentamente y sin doblarlas, hacia arriba. Cuando estén formando ángulo recto con el cuerpo, al tiempo que apoya las manos con fuerza en el suelo, siga doblando el cuerpo hacia atrás hasta que la punta de los pies toque el suelo por encima, es decir, más allá de la cabeza. Permanezca en esta posición de 5 a 15 segundos respirando tranquila y regularmente. A continuación, doble el tronco algo más, de modo que los pies lleguen un poco más lejos, manteniendo siempre las piernas rectas. Permanezca así de 5 a 10 segundos. Entonces, si le es posible, procure alejar todavía más los pies de la cabeza, de modo que el cuerpo se apoye ahora sobre las vértebras cervicales. Conserve esta posición el tiempo que le sea posible, sin hacer un esfuerzo excesivo. Después, para deshacer la postura, desenróllese suavemente hasta volver a la posición inicial. Relájese. *Observaciones*: la duración total del ejercicio deberá ser de 1 a 4 minutos, evitando en la medida de lo posible el rebasar este tiempo. Se ejecuta una sola vez. *Efectos*: efecto extraordinariamente saludable para toda la columna vertebral juntamente con la médula y los numerosos centros nerviosos que están en ella. Fuerte estímulo de la circulación sanguínea del cerebro. Incremente la actividad psíquica global y la agilidad física.

- «Uddiyana-Bandha» o contracción abdominal. *Ejecución*: de pie, con las piernas separadas y ligeramente dobladas, ponga las manos apoyadas en la parte superior de los muslos y el tronco ligeramente arqueado. Haga una inspiración completa y, acto seguido, mediante una exhalación forzada y rápida, vacíe por completo los pulmones. En este momento se contraen con fuerza los músculos del abdomen y se eleva el diafragma, de modo que el ombligo esté lo más cerca posible de la columna vertebral. Habiendo llevado todos los músculos lo más adentro y arriba posible, se realiza una contracción imitando el gesto de vómito, con lo cual las vísceras tienden a subir aún más hacia arriba; por ello es conveniente apoyarse firmemente con las manos en los muslos. Queda entonces una notable cavidad abdominal que se extiende desde el arco inferior de las costillas hasta la pelvis. Los músculos del cuello quedan también con este ejercicio automáticamente contracturados. Mantenga esta posición, sin aire, el tiempo que le sea posible sin tener que hacer un excesivo esfuerzo. Relaje entonces de golpe todos los músculos del abdomen, de la espalda y del cuello. Inhale despacio y, al exhalar, acabe de aflojar por completo todos los músculos abdominales. Para terminar, haga unas cuantas respiraciones normales para que le sirvan de descanso. *Observaciones*: este ejercicio puede repetirse de tres a siete veces por sesión. *Efectos*: así se estimula la acción peristáltica del intestino. Este ejercicio actúa como estimulante de las ramas simpáticas del sistema nervioso vegetativo. Estimula, asimismo, las secreciones gástricas y el funcionamiento del hígado. Tiene el efecto vitalizador psíquico notable; eleva el tono afectivo y el dinamismo mental.

- «Padahastasana» o postura de la cigüeña. *Ejecución*: es semejante al Paschimottanasana, pero ejecutado de pie. A los efectos del Paschimottanasana añade el de un fuerte estímulo cerebral.

- «Yoga-Mudra» o símbolo del Yoga. *Ejecución*: siéntese en Padmasana. Haga una inspiración completa. Ponga los brazos a la espalda, cogiendo la muñeca derecha con la mano izquierda. Mientras espira lentamente, inclínese hacia adelante hasta que la frente toque el suelo. Permanezca así, sin respirar, el tiempo que le sea posible. Entonces incorpore el tronco poco a poco al mismo tiempo que hace una inspiración. Espire y descanse.

- «Nauli» o aislamiento de los rectos abdominales. Este ejercicio se puede emprender solamente después de dominar bastante bien la ejecución del Uddiyana, ya que se trata de una ulterior elaboración de éste. El Nauli es un ejercicio que requiere llevar bastante tiempo de práctica en el Uddiyana, así es que el principiante hará muy bien en no perder tiempo intentándolo dominar en los tres primeros meses de prácticas. *Ejecución*: Haga el Uddiyana. Conservando la contracción abdominal, trate ahora de aislar los dos músculos rectos abdominales y empújelos hacia delante. Al principio puede que le parezca imposible conseguir esta acción independiente de dichos músculos centrales, pero no hay que descorazonarse. Prosiga, pacientemente, las pruebas. Después de mantener la postura todo el tiempo que le sea confortablemente posible, relaje los músculos y haga inmediatamente una vigorosa inspiración. Cuando domine con facilidad el Nauli, tal como se ha descrito, intente adelantar únicamente uno de los rectos abdominales. Para conseguirlo junto a la acción de la mente y de la voluntad, incline ligeramente el cuerpo hacia la derecha y la mano del mismo lado apóyela, con más fuerza, en el muslo y empuje el recto abdominal derecho. Después haga lo mismo con la mano izquierda. Cuando consiga realizar con facilidad estas variaciones, por separado, puede pasar a ejecutarlas alternando una con otra. En el momento en que no pueda ya continuar manteniendo el impulso a respirar, relaje todo el abdomen y haga una inspiración vigorosa. Antes de volver a empezar, descanse. El aislamiento de los dos rectos a la vez se denomina «Madhyama-nauli»; el aislamiento de sólo el derecho, «Daksina-nauli»; el del izquierdo, «Vama-nauli»; y cuando se hacen de un modo alternante y seguido, «Nauli-kriya». *Observaciones*: este ejercicio puede inicarse con tres veces e ir aumentando una vez por semana, hasta llegar a alcanzar el número de siete veces por sesión. *Efectos*: el Nauli y el Uddiyana son los mejores ejercicios que se conocen para regular el funcionamiento de todo el aparato digestivo, en especial de los intestinos, corrigiendo todos sus trastornos de carácter funcional. Son además notablemente estimulantes en los casos de estados depresivos y, a la vez, sedantes en los casos de sobreexcitación psíquica.

- «Shirshasana» o vertical sobre la cabeza. Es uno de los asanas fundamentales, considerado por los maestros del Yoga como el más importante. Recomendamos su cuidadoso estudio y ejecución. *Ejecución*: de rodillas, entrecruce los dedos de las manos y apoye los antebrazos en el suelo. Coloque ahora la cabeza en el suelo, de modo que se apoye sobre el vértice superior, y encajada entre las manos. Levante las rodillas, apoyándose sobre los dedos de los pies, y acérquelas al tronco, que también pondrá en forma vertical. Transfiera ahora el peso del cuerpo sobre la cabeza y los antebrazos, que forman el ángulo básico del soporte, eleve los pies del suelo, conservando las piernas juntas y dobladas; las rodillas siguen tocando el pecho. Aprenda a guardar de esta forma el equilibrio. Le servirá de gran ayuda recordar que los puntos de apoyo para elevar los pies y para mantener el equilibrio son los codos, además de la cabeza. Cuando consiga mantener bien el equilibrio en la forma descrita, lo que no es tan difícil como parece, eleve entonces lentamente los muslos hacia arriba conservando las rodillas algo flexionadas, y al llegar este ángulo formado por las piernas, al punto más elevado, estire por completo las piernas de modo que todo el cuerpo quede en perfecta línea vertical sobre el suelo. La respiración ha de ser tranquila durante todo el proceso de ejecución. El Shirshasana es bastante más fácil de hacer de lo que su forma espectacular puede hacernos suponer, pero es preciso que todos los pasos que hemos descrito se hagan con mucha lentitud, tranquilidad y continuidad. Para deshacer la postura, únicamente tiene que seguir de forma exacta el proceso inverso, siempre con la misma lentitud y suavidad que indicábamos. *Observaciones*: no se ponga nunca de pie inmediatamente después de hacer el Shirshasana. El cambio brusco de presión dentro del organismo podría causarle molestias. Una vez deshecha la postura, permanezca extendido por lo menos de 2 a 3 minutos. Este ejercicio se ha de hacer una sola vez. Su duración puede ser de 5 segundos en los primeros ensayos, para ir aumentándola progresivamente hasta llegar a 12 minutos como máximo. *Efectos*: no cabe aquí la descripción de todos los saludables efectos, tanto de orden físico como mental, que produce este maravilloso ejercicio. Sólo diremos que ejecutado con inteligencia y perseverancia produce una total transformación de la personalidad, en sus vertientes física y espiritual.

- «Savasana» o postura del cadáver. *Ejecución*: extendido boca arriba, en el suelo, con los pies algo separados entre sí; posición perfectamente natural con los brazos también algo separados del tronco y los dedos un poco doblados, todo ello, como decíamos, con total naturalidad. Haga dos o tres respiraciones completas con la

clara idea en la mente de que ahora usted se va a relajar por completo. Acto
seguido, afloje todo el cuerpo, anulando la fuerza de todos los músculos; empiece
por los brazos y las piernas; prosiga con el vientre y el pecho, la cabeza, el cuello y
la lengua, y finalmente afloje el interior de la cabeza. Vaya haciendo este
relajamiento progresivo con calma, en el momento de las exhalaciones. Procure que
su conciencia quede en todo momento bien despierta, dándose perfecta cuenta de
lo que está haciendo. Una vez haya logrado esta relajación muscular, lo que puede
requerir bastantes días de prácticas, procure, entonces y no antes, disminuir el flujo
de ideas e imágenes que vienen a la mente, sustituyéndolas por la noción general de
calma, tranquilidad y descanso. Después de repetidos ensayos, si persevera
pacientemente, verá cómo consigue este especial estado de profunda tranquilidad y
de serena alegría, que es la indicación perfecta de que ha llegado a un grado muy
apreciable de relajación integral. Aunque no hay inconveniente en prolongar la
duración del Savasana, al principio es mejor no pasar de los 10 o los 15 minutos.
Después, poco a poco, puede ir aumentando el tiempo hasta los 30 minutos. Se
practica siempre al final de los demás asanas. Esta postura es considerada por los
maestros del Yoga como el más difícil de los asanas. Para poder relajar consciente y
voluntariamente toda la musculatura, es preciso haber adquirido antes el completo
dominio del cuerpo y también el de la mente. Hay muchas personas que intentan en
vano conseguir relajar la mente y permanecer tranquilas durante unos minutos,
hasta que al fin, cansadas de los repetidos intentos, abandonan la prueba dándola
por imposible. Efectivamente, no se puede llegar sin más preparación que la buena
voluntad a calmar la mente y a relajar profundamente el cuerpo. Es preciso un
adiestramiento progresivo y constante. Las posturas del Yoga por el hecho de hacer
tomar conciencia, poco a poco, de los grupos musculares, que normalmente
permanecen en el plano subconsciente, facilitan el poderlos aflojar con más facilidad
en el momento de practicar este asana de relajación general.

- «Supta-Vajrasana» o postura del ensueño diamantino. *Ejecución*: siéntese en
Vajrasana con las rodillas algo separadas. Ahora, ayudándose con los brazos y los
codos, arquee el tronco hacia atrás hasta que la parte posterior de la cabeza, y a
continuación, también la espalda, toque el suelo. Coloque las manos detrás de la
nuca o debajo del hueco que forma la curvatura lumbar. Respire sin esfuerzo y
conserve la posición todo el tiempo que le sea confortablemente posible.

- El arbolito. *Ejecución*: de pie con los brazos junto al cuerpo, haga que todo el peso
del cuerpo se apoye sobre la pierna derecha. Levante el pie izquierdo, haciéndolo
resbalar a lo largo de la parte interna de la pierna derecha. Apoye fuertemente los
dedos del pie sobre la parte abombada que se halla encima de la rótula. Será
conveniente que se ayude con las manos para que pueda colocar debidamente el

pie en esta posición. Junte las manos delante del pecho como si estuviera orando. Después de algunos segundos, elévelas poco a poco manteniéndolas unidas. Mientras hace este movimiento, inspire lentamente, de modo que el final coincida con el punto de máxima elevación de las manos. Permanezca en esta posición unos segundos. Ahora, sin mover los brazos y al tiempo que espira, flexione el tronco hacia delante hasta que las manos toquen el suelo. Permanezca en esta posición unos breves segundos. Poco a poco levante el tronco y vuelva a la posición anterior con los brazos igualmente rectos y las palmas de las manos juntas. Mientras, inspire. Descienda los brazos y coloque las manos de nuevo frente al pecho, conservando en todo momento las palmas juntas. Espire y vuelva el pie izquierdo a la posición inicial. Descanse. Repita seguidamente el ejercicio del mismo modo con la pierna izquierda.

- «Viparita-Karani» o postura pélvica. *Ejecución*: extendido en el suelo boca arriba, brazos a lo largo del cuerpo y palmas apoyadas en el piso. Haga una inspiración completa. Levante poco a poco con suavidad las piernas del suelo, sin doblarlas, hasta que formen un ángulo recto con el tronco. Ahora, apoyándose con las manos en el suelo, eleve suavemente el tronco hacia arriba, conservando en la medida de lo posible el mismo ángulo recto formado por las piernas y el tronco, hasta que los pies sobrepasen la cabeza. Apóyese entonces con los codos y, doblando los antebrazos, aplique las manos en la región pélvica posterior, para sostener el equilibrio. Haga respiración abdominal lenta. Cuando tenga práctica en este ejercicio, entonces podrá ejecutar la otra variación que existe. Para ello, una vez en la postura indicada, eleve las piernas hasta que queden en perfecta línea vertical sobre el suelo, formando así con el tronco un ángulo obtuso. *Duración*: el asana se ejecuta una sola vez. Se puede empezar manteniendo la postura 30 segundos e ir aumentando a 60 segundos cada semana, hasta llegar a una duración máxima del ejercicio de 10 minutos.

- «Mayurasana» o postura del pavo real. *Ejecución*: para empezar, arrodíllese en el suelo con las rodillas separadas. Apoye las manos en el suelo con los dedos mirando hacia adentro; siéntese sobre los talones y apoye los codos en el abdomen. Entonces, inclínese hacia adelante, hasta que la frente se apoye en el suelo. Transfiera ahora todo el peso del cuerpo sobre estos tres puntos: los dos codos y la frente. A continuación, levante muy lentamente las piernas y extiéndalas hacia atrás. Equilibre el peso de su cuerpo de modo que pueda levantar también la cabeza y se sostenga, exclusivamente, sobre las dos manos, dejando el resto del cuerpo en un plano horizontal. Mantenga la posición el tiempo que le sea posible; para deshacerla, proceda exactamente en sentido inverso, siempre con mucha lentitud, ya que nunca debe dejarse caer de golpe. *Duración*: empiece manteniendo la postura sólo 10 segundos. Aumente progresivamente la duración hasta llegar al límite de 2 minutos.

TERAPIAS DE LA NUEVA ERA

AROMATERAPIA

Los sentidos, además de proveernos información sobre el mundo que nos rodea, son una importante fuente de placer. Aunque muchas veces no le prestamos gran atención, el sentido del olfato es particularmente poderoso. Sabemos que el sentido del olfato está conectado directamente al sistema límbico, que es la parte del cerebro humano que controla las emociones y que posee importantes funciones relacionadas con la memoria. Percibimos un olor cuando unas moléculas aromáticas penetran la cavidad nasal y estimulan los terminales nerviosos encargados de detectar olores. Estos terminales convierten el influjo de moléculas aromáticas en impulsos nerviosos y los envían al sistema límbico donde, dependiendo de qué tipo de aroma se trate, provocan diferentes reacciones emotivas y estimulan recuerdos. Estudios recientes confirman que los olores que percibimos tienen un impacto significativo sobre nuestro estado anímico.

Las investigaciones hechas por el neurólogo estadounidense Alan Hirsch han descubierto cómo los pacientes que habían perdido el sentido del olfato también presentaban un alza significativa en problemas tales como depresión y ansiedad. Se han llevado a cabo diversos estudios en los que se ha encontrado y confirmado que algunos aromas pueden calmar, por ejemplo, la sensación claustrofóbica que sienten algunas personas cuando cogen el ascensor o cuando son sometidas a tratamientos médicos en los que tienen que permanecer un buen rato en el interior de una máquina.

La Aromaterapia moderna no sólo contempla el sentido del olfato, sino que se fundamenta en el uso de lo que se conoce como aceites esenciales. Éstos son esencias aromáticas sumamente concentradas que se extraen de las flores, hojas, raíces o ramas de numerosas plantas. Estos aceites contienen una gran variedad de sustancias que poseen propiedades útiles para combatir bacterias, virus y hongos. También contienen hormonas y numerosos nutrientes. Las propiedades terapéuticas de los aceites esenciales se conocen desde la antigüedad. En el sistema de medicina de la India conocido como Ayurveda, se utilizaron desde tiempos remotos una gran variedad de aceites esenciales. Los egipcios, por su parte, utilizaban aceites aromáticos como medicina al igual que para el masaje y los baños. Los griegos y romanos también empleaban aceites aromáticos para sanar heridas, lubricar la piel, repeler insectos, purificar el aire y embalsamar cadáveres. Fue en el siglo X cuando se descubrió en Arabia un proceso de destilación que dio fama a lo que se llegó a conocer como los «perfumes de Arabia». Durante la época de las cruzadas, este proceso fue llevado a Europa por los cruzados. Desde entonces, los aceites esenciales han formado parte de la herbología occidental. A partir de finales del siglo XVIII comienzó el desarrollo de medicamentos sintéticos con lo que el uso de aceites esenciales fue eclipsado. Sin embargo, un accidente en un laboratorio químico a comienzos de la década de los veinte del pasado siglo revivió el uso de estas sustancias y lanzó una nueva era de investigaciones y aplicaciones de la Aromaterapia moderna. En esa época, el químico francés René Maurice Gatefossé trabajaba en su laboratorio en el desarrollo de un nuevo perfume. De momento se produjo una explosión que le quemó un brazo. Cercano al él había un envase con aceite de lavanda y allí Gatefossé, presa del dolor, sumergió su brazo. Rápidamente sintió alivio a su dolor, pero más sorprendente fue que posteriormente y comparado con otras quemaduras que había sufrido con anterioridad, ésta sanó con rapidez, no dejó cicatrices y ocasionó muy poco dolor. Gatefossé se sintió intrigado y decidió estudiar sobre las propiedades de la lavanda y otros aceites esenciales. En 1928 publicó en francés un libro titulado *Aromatherapie,* acuñando así este término, del cual se deriva nuestro término Aromaterapia. En aquella época, el trabajo de Gatefossé no despertó mucho interés entre los científicos y los médicos. Sin embargo, durante la Segunda Guerra Mundial, el médico francés Jean Valnet utilizó con éxito varios aceites esenciales para tratar las heridas sufridas en el campo de batalla por los soldados. Una vez terminada la guerra, Valnet siguió experimentando con la Aromaterapia, extendiendo su uso al tratamiento de problemas emocionales. En 1964, Valnet escribió un libro con el mismo título que el anterior de Gatefossé. Este volumen se convirtió en el libro de texto fundamental de la nueva disciplina.

La implantación de esta terapia natural es muy irregular en Europa. Por ejemplo, en España es, de momento, una gran desconocida, hecho que dista mucho de lo que sucede en Francia, donde más del 75 por ciento de la población (según datos de la Organización Mundial de la Salud) la utiliza; incluso varias universidades imparten cátedras sobre medicinas alternativas, entre las que se incluye la disciplina que nos ocupa. Los expertos en esta materia aseguran que en los próximos años se extenderá aún más su utilización, basta ver cómo hasta hace relativamente poco la Homeopatía también era una gran desconocida y su práctica es ahora muy común. Desde el mundo médico, la Aromaterapia está reconocida como una medicina alternativa y perfectamente compatible con la medicina tradicional. Sin ir más lejos, la Organización Mundial de la Salud está impulsando su control e implantación en países del Tercer Mundo. Allí, gran parte de la población no tiene acceso a la medicina moderna, por ello las terapias naturales como la Aromaterapia y muchas otras se utilizan de forma habitual (entre el 40 y el 80 por ciento de la población según las zonas), por lo que esta organización ha decidido, lejos de eliminarlas, seguir manteniéndolas, aunque con un mayor control.

La obtención de los compuestos aromáticos de las plantas vendrá determinada por los métodos de extracción. La mayoría de estos métodos, no todos, se basan en procesos físicos, es decir, no se suelen producir reacciones químicas significativas durante las extracciones. Se distinguen fundamentalmente tres tipos de métodos físicos de extracción: por arrastre, por disolución y por expresión. El aparato de extracción más antiguo conocido es un mortero asirio, destinado a destilar sustancias aromáticas. En la preparación de algunos de sus perfumes, los egipcios utilizaban una vasija de barro tapada con un trapo de lino, llena de agua y sustancias aromáticas, que calentaban hasta que los vapores impregnaban la tela y quedaba saturada de esencia. Recientes excavaciones arqueológicas confirman el hecho de que los romanos utilizaban también vasijas especiales de barro para realizar extracciones aromáticas. Se sabe que el Imperio lavaba la ropa con lavanda (de ahí el nombre de esta planta aromática y medicinal). Parece ser que fue el alquimista y médico árabe Avicena, el primero en destilar. Pero la invención del alambique se atribuye al catalán Arnould de Villanueve, que en la baja Edad Media describió perfectamente un aparato para destilar, el alambique (que en árabe significa vaso). Una infusión de «té» en agua caliente, un enflorado de jazmín en glicerina o un absoluto de rosa en alcohol (rosa de Bulgaria) son extracciones por disolución. Evidentemente en cada caso el disolvente es distinto. La expresión es el método más intuitivo de extracción: cuando vamos por el campo, la montaña, el bosque o estamos en el jardín con la intención de toparnos con alguna planta aromática y olerla, en el simple hecho de tomar una muestra y frotarla, estamos realizando una extracción por expresión. Otro ejemplo es el de exprimir las cáscaras de los cítricos con altos contenidos de esencia. La destilación por arrastre de vapor de agua da como resultado la obtención de los aceites esenciales naturales, es decir, la «esencia líquida». En el hecho de quemar ciertas sustancias, como por ejemplo el incienso, se realiza lo que podríamos denominar una extracción por combustión (se produce una reacción química con consumo de oxígeno).

Existen otros métodos de extracción: aquellos en los que se producen reacciones bioquímicas a través de procesos biotecnológicos, tales como la fermentación de la cerveza o el cava. Aunque en estos casos el fin último no sea la extracción aromática sino una transformación, los elementos aromáticos son muy importantes en el resultado final. En el caso del vino, los enólogos se interesan por el aroma, que vendrá determinado por el tipo de uva y el proceso de fermentación, entre otros factores.

Los modos de uso de la Aromaterapia son varios:

- VÍA INTERNA. Es a través de la vía oral. Se desaconseja la ingestión oral sin control médico, puesto que el contacto de las esencias con las delicadas mucosas digestivas puede ser irritante; además, las dosis deben administrarse con atención para evitar el riesgo de intoxicaciones agudas y crónicas. La dosis de las esencias por vía interna es, como media, de tres gotas por cada toma, con un máximo diario que oscila entre las 5 y las 20 gotas, dependiendo de las dosis utilizadas. Hay que tomarlas antes de las comidas o durante estas. La ingestión por vía oral es una opción que sólo hay que tener en cuenta cuando sea necesario, es decir, en caso de requerir una curación propiamente dicha de determinadas enfermedades. En cambio, la estimulación energética y la vitalidad del cuerpo se obtendrán aplicando los aceites por vía externa, a través de baños, fricciones y masajes, con la difusión en el aire y con la estimulación olfativa, modalidades que también son muy eficaces.

- VÍA EXTERNA. La vía externa es preferible debido a su mayor facilidad de aplicación y seguridad. Además, con la aplicación local, las esencias penetran inmediatamente a través de la piel y actúan de forma directa en los órganos que se encuentran debajo de ésta, sin sobrecargar inútilmente los órganos internos, como el hígado y las mucosas digestivas, como sucede por vía oral. No obstante, no hay que superar las diez gotas diarias.

- MASAJE. Los aceites esenciales puros son substancias concentradas y potentes. Para el masaje, las esencias (una o varias) se añaden, antes de entrar en contacto con la piel, a un aceite básico que, actuando como vehículo, diluye las esencias para evitar reacciones cutáneas y fenómenos irritantes, y permitir el deslizamiento correcto para efectuar el masaje. Los aceites de base que se utilizan deben tener una alta afinidad con la piel. Por ello se aconsejan los aceites vegetales como el aceite de germen de trigo, de almendras dulces, de avellana, de girasol, de sésamo, de oliva, de pepitas de uva, de maíz, de soja o de cacahuete. Una precisión importante que hay que tener en cuenta es que estén exprimidos en frío, ya que no deben contener residuos de disolventes, derivados del proceso de refinado y de presión, que destruyen las vitaminas liposolubles como las E y F. Se desaconsejan los aceites de origen mineral para hacer masajes, como el aceite de vaselina, que tiene poca afinidad con la piel y tiende a obstruir los poros. Entre los aceites mencionados el de pepitas de uva y el de girasol resultan particularmente ligeros y, por lo tanto, de más fácil extensión por el cuerpo. Los aceites de germen de trigo, de oliva o de almendras dulces son más viscosos y por ello más adecuados para el tratamiento de las pieles secas. Los porcentajes de dilución son los siguientes: el contenido de aceite esencial de una mezcla debe oscilar entre el uno y el tres por ciento, según el tipo de problema. Los problemas físicos en general requieren una concentración mayor que los estados de naturaleza emotiva y nerviosa. Veamos en la práctica cómo se procede a la dilución. El uno o tres por ciento se traduce en estas proporciones: para una cucharada sopera de aceite básico (que equivale a unas 100 gotas), deberemos añadir de una a tres gotas de esencia; para un masaje global de todo el cuerpo, la concentración de esencia será como se ha indicado antes; para intervenciones en puntos más precisos, el número de gotas por cucharada podrá ser superior. La temperatura ambiente del lugar donde se practicará el masaje deberá ser agradable, la mano de quien efectúa el masaje deberá estar caliente y el aceite se calentará con el calor de las manos antes de aplicarlo sobre el cuerpo. Hay que tener presente que cuanto mayor sea el calor de la piel, mayor es la dilatación y, con ello, mayor es la absorción de la esencia. Esto puede verse favorecido con un baño caliente antes de proceder al masaje.

- BAÑO. Para un baño aromático, la temperatura del agua debe ser elevada, pero no en exceso. Las esencias se añadirán inmediatamente antes de entrar en la bañera, para poder aprovechar al máximo el efecto producido por la evaporación de los componentes volátiles. Se añaden cuatro o cinco gotas de la esencia elegida; si se trata de un combinado, no hay que superar las ocho gotas. La duración del baño será de unos 10 minutos.

- DUCHA. Se vierten de tres a cuatro gotas de esencia en el guante de espuma mojado y se fricciona el cuerpo.

- COMPRESAS Y EMPLASTES. En una taza de agua caliente o fría, según las necesidades, se vierten de cinco a ocho gotas de esencia. Se sumerge una gasa en agua, se escurre con suavidad y se aplica en la zona afectada. Se utilizará agua caliente para los dolores musculares, y agua fría para torceduras, esguinces, fiebre o cefaleas. La compresa se renovará en el momento en que se caliente o se enfríe, según sea el caso. Las compresas de esencias pueden aliviar los dolores, las distorsiones o las hinchazones.

- EVAPORACIÓN. Se vierten de tres a cuatro gotas de esencia en un difusor para esencias, formado por una fuente de calor (lámpara o vela) sobre la que haya un recipiente de cristal con un poco de agua. Con la acción del calor, el agua se evapora y la esencia se volatiliza. No debe verterse directamente la esencia sobre la fuente de calor porque es un producto inflamable. También pueden echarse unas gotas de esencia en un pañuelo, una almohada, en especial las esencias balsámicas, en el recipiente de agua de la calefacción, en un humidificador preparado para el uso de esencias o incluso en un nebulizador. Esta práctica de nebulización de esencias en el ambiente tiene un elevado poder antiséptico y es muy útil para purificar el aire de las habitaciones de los enfermos.

- INHALACIONES. Se añaden de cinco a ocho gotas de esencia en un recipiente pequeño con agua hirviendo y se respiran los vapores con un paño sobre la cabeza. Este método es particularmente útil para tratar las afecciones de las vías respiratorias.

- FRICCIONES. Se utilizarán dos o tres gotas de esencia diluidas en una base alcohólica para fricciones en la región cutánea correspondiente al órgano afectado (por ejemplo, en el tórax para la tos o la bronquitis) hasta calentar dicha zona.

- PEDILUVIOS, MANILUVIOS Y SEMICUPIOS. Se añaden de cuatro a cinco gotas de esencia en un recipiente con agua fría o caliente, dependiendo de las necesidades, y se mantienen los pies sumergidos durante unos 10 minutos. Hay que seguir el mismo tratamiento en el caso de las manos o para el bidé.

- IRRIGACIONES INTERNAS. Se añaden de cuatro a cinco gotas de esencia en agua muy caliente, dejándola enfriar durante unos minutos. Se utilizará para lavados vaginales o lavativas.

- ENJUAGUES Y GARGARISMOS. Se añaden de dos a tres gotas de esencia en un vaso de agua hervida para enjuagues o gargarismos en caso de inflamación de las mucosas de la boca y de la garganta.

- VELAS. Las velas con aceites esenciales también pueden influenciar en el ambiente y las personas. Las velas perfumadas al arder propagan su fragancia rápidamente en el ambiente, llenando con su aroma todo el lugar donde se encuentran, para crear una atmósfera placentera de tranquilidad, y el que llega a ese lugar inmediatamente sentirá una sensación de agrado. Por ello se han empleado en Aromaterapia. También los aceites esenciales naturales colocados en recipientes especiales se emplean con la misma finalidad.

La enorme variedad de aceites esenciales en el mercado puede confundir a quienes se inician en la Aromaterapia. Existe también la dificultad de que algunos aceites esenciales son extremadamente caros, lo que se debe en buena medida a la cantidad de materia prima que se necesita para producirlos, aunque sea una muy pequeña cantidad. Por ejemplo, se necesitan alrededor de 60.000 rosas para producir una onza de aceite de rosa y 250.000 jazmines para una onza de aceite de jazmín. Sin embargo, también es cierto que podemos comenzar a explorar la Aromaterapia y recibir muchos de sus beneficios con tan sólo unos pocos aceites esenciales de costo relativamente módico como lavanda, melaleuca, menta, rosemary, cítricos (limón, toronja, lima, naranja) y geranio. He aquí una somera descripción de algunas de las esencias y aceites más utilizados:

- VERBENA. *Propiedades*: antiséptica, antiespasmódica, sedante nervioso, digestiva, estimulante y depurativa. *Precauciones*: evitarse en casos de hipersensibilidad cutánea. La verbena reequilibra el estado de humor, aclara la mente, aumenta la comunicación y la comprensión, siendo ideal para encuentros e intercambios, incrementa la emotividad en las relaciones, ayuda a desbloquear energía estancada, es depurativa, anitespasmódica y calmante para la crisis de la pubertad o menopausia, facilita la digestión y estimula la función del hígado.

- CANELA. *Propiedades*: tónica, estimulante, térmica, afrodisíaca, antiséptica, astringente, antidiarréica, estimulante, antiparasitaria y digestiva. *Precauciones*: puede irritar las pieles delicadas. La canela estimula la circulación sanguínea, ayuda a hacer desaparecer las contracturas musculares, actúa sobre la celulitis, combate el cansancio gripal. Tradicionalmente se usaba para acelerar las contracciones en el momento del parto y en caso de infecciones intestinales. Comunica fuerza y energía y es útil en casos de disminución del vigor sexual y de frigidez.

- NARANJA. *Propiedades*: antiespasmódica, sedante, astringente, antiséptica, tónico del corazón y depurativa. *Indicaciones*: agotamiento, insomnio, alteraciones nerviosas, estreñimiento, problemas digestivos, dermatitis, arrugas, gingivitis y estomatitis. En los cítricos la luz se vuelve perfume, y esto explica la acción vitalizante al tiempo que ayuda a eliminar la melancolía y el estrés sin excitar, sino calmando la tensión nerviosa.

- AZAHAR. *Propiedades*: antidepresivo, afrodisíaco, digestivo, depurativo, hipnótico suave, tónico cardíaco y circulatorio, antiespasmódico, antiséptico y bactericida. El aceite de azahar es muy preciado no sólo por su inimitable aroma (usado eternamente en perfumería), sino también por su versatilidad. Es calmante en caso de alteraciones emotivas, nerviosismo, espasmos, malas digestiones, meteorismo, palpitaciones e hipertensión. Ayuda a conciliar el sueño y es muy útil para los niños en caso de sobreexcitación y con dificultades para dormir.

- LIMÓN. *Propiedades*: antiséptico, antitóxico, astringente, estimulante, antirreumático, antianémico, antifebril, cicatrizante, depurativo, diurético, vermífugo, hipotensivo, fluidifica la sangre, estimula los glóbulos blancos. *Precauciones*: puede irritar las pieles sensibles. La esencia de limón forma parte de la categoría de las que hay que tener siempre en casa.

- EUCALIPTO. *Propiedades*: antiséptico (sobre todo de las vías respiratorias y urinarias), balsámico, anticatarral, desodorante, cicatrizante, antiparasitario, fluidificante, antirreumático, antifebril y estimulante. *Precauciones*: usar con moderación si hay niños pequeños. La esencia de eucalipto tiene un notable poder microbicida y antivírico. Es un excelente antibiótico natural y contribuye a purificar el aire en caso de epidemias.

- JAZMÍN. *Propiedades*: antidepresivo, afrodisíaco, relajante, sedante, cicatrizante, tónico uterino y antiespasmódico. El jazmín despliega su acción en el sistema nervioso y en el aparato genital. En estados depresivos, mejora el tono del estado de ánimo reforzando la voluntad y ayudando a superar la apatía.

- LAVANDA. *Propiedades*: analgésica, antidepresiva, antiespasmódica, antirreumática, cicatrizante, antiséptica, calmante, antitóxica, diurética y desodorante. La lavanda goza de numerosísimas propiedades y esta considerada la esencia más versatil. Por sus múltiples utilizaciones conviene tenerla siempre a mano.

- MENTA. *Propiedades*: antiespasmódica, analgésica, antiséptica, hepática, digestiva, astringente, cefálica, expectorante, antiinflamatoria, tónica del sistema nervioso, antifebril y repelente de insectos. Se dice que la menta hace olvidar los males, reconcilia con la vida y aleja el pensamiento de la muerte. El perfume de la menta mantiene despierta la mente, restituye la concentración y la memoria en caso de sobreesfuerzo intelectual, y se recomienda a quien come en exceso o de forma desordenada y luego tiene dificultades para concentrarse debido a una digestión lenta. Es la planta del amor y de la salud.

- PACHULÍ. *Propiedades*: afrodisíaco, antidepresivo, estimulante, sedante, antipolillas, antiséptico, antiparasitario, cicatrizante, ahuyentador de insectos, antiinflamatorio y desodorante. Su olor, denso y persistente, activa reacciones personales: para los amantes el pachulí tiene algo de salvaje, de agradable aturdimiento, es sensual y estimulante, enciende la imaginación y trae a la memoria los ambientes orientales densos y cargados de perfumes, de especias, de misterios y de emociones. El aroma del pachulí no tiene término medio: es muy apreciado o provoca rechazo. Es fuertemente afrodisíaco.

- ROSA. *Propiedades*: antiinflamatoria, antidepresiva, astringente, ligeramente sedante, afrodisíaca, cicatrizante, depurativa, hemostática, antiespasmódica, cefálica, digestiva, tónica cardíaca, tónica para el útero y para el aparato digestivo, laxante, hepática y antiséptica. La rosa es la flor de los dioses, nacida, según la mitología griega, de una gota de sangre procedente de Venus, y para los árabes viene del sudor de Mahoma.

- ROMERO. *Propiedades*: estimulante general, energético, tónico, antiséptico, hepático, antirreumático, analgésico, digestivo, sudorífero, diurético, antiespasmódico, cicatrizante, estimulante de la menstruación, antidiarréico, astringente, afrodisíaco. *Precauciones*: evítese en caso de epilepsia, hepatitis y durante el embarazo. El romero suscita el recuerdo del amor, su aroma exultante alivia el alma de los melancólicos, refuerza el ego del individuo volviéndolo más resistente a las vicisitudes de la vida, aumenta la fuerza espiritual, contribuye en situaciones de gran tensión a fortalecer el ánimo. Restituye las ganas de hacer cosas.

- PINO. *Propiedades*: antiséptico, estimulante, balsámico, expectorante, antineurálgico, antirreumático, térmico e insecticida. Descansar o dormir bajo un pino devuelve la alegría de vivir y aporta equilibrio entre materia y espíritu. Este árbol restituye con su energía la esperanza de quien ha perdido la motivación y la alegría de vivir.

- SÁNDALO. *Propiedades*: antiséptico pulmonar y urinario, tónico, afrodisíaco, antiinflamatorio, diurético, expectorante, cicatrizante, fungicida, bactericida, antiespasmódico y sedante. El sándalo es un árbol originario de la India conocido y empleado desde tiempos muy remotos por su preciada madera perfumada. El aroma del sándalo eleva el espíritu y favorece la concentración y el recogimiento.

- VAINILLA. *Propiedades*: aromatizante, endulzante, antidepresiva y calmante. El aroma de la vainilla nos transporta a los momentos dulces de la infancia, suaviza la atmósfera de tensión, relaja y sorprende agradablemente porque estimula sensaciones y emociones antiguas.

- VIOLETA. *Propiedades*: antiinflamatoria, antirreumática, descongestionante, antiséptica, estimulante de la circulación, sedante, expectorante y afrodisíaca. La violeta, delicada y sensible, puede utilizarse siempre que se pretenda aumentar la sensibilidad, la receptividad, la creatividad del pensamiento, para curar las heridas de la existencia y, en particular, en los desengaños amorosos, ya que se considera que su perfume reconforta y refuerza el corazón.

Como con muchas de las terapias que se tratan en este libro, con la Aromaterapia también hemos de guardar una serie de precauciones y atender a una serie de normas que los expertos recomiendan: las mujeres embarazadas deben evitar aceites como el de albahaca, ciprés, hisopo, mejorana, pirola, toronjil, salvia y tomillo. Nunca ingiera aceites esenciales sin la supervisión de un profesional de la salud cualificado. Pruebe los aceites esenciales en un área pequeña de la piel antes de aplicarlos extensamente (esto es especialmente importante en el caso de personas que poseen una piel muy sensitiva o que padecen de alergias en la piel). No sature con aceites esenciales, ya sea por medio de un difusor o por cualquier otro método, el aire de una habitación en la que haya niños pequeños a menos que utilice aceites sumamente diluidos. Mantenga los aceites esenciales fuera del alcance de los niños. Evítese el contacto con los ojos y con las mucosas (en caso de contacto accidental, enjuagar enseguida la parte afectada con abundante agua). No debe tomarse el Sol tras la aplicación de esencias, puesto que podría desencadenar reacciones cutáneas de tipo fotoalérgico; esta precaución tiene un valor particular para las esencias derivadas de los cítricos (bergamota, naranja, mandarina y limón), la verbena y el comino.

Para las personas que sufren alergias, se aconseja probar el aceite aplicando una gota de esencia diluida en la superficie interna del antebrazo (delante de la muñeca) y esperar 24 horas; si en el lugar de la aplicación aparecen manifestaciones como prurito, enrojecimiento o irritación, hay que evitar el uso. Conviene prestar particular atención a los niños, para los que siempre hay que diluir las esencias y utilizar las más delicadas como: manzanilla, lavanda, naranja, mandarina, rosa, benjuí, melaleuca o mirto. Para niños mayores de tres años úsese la mitad de la dosis recomendada para los adultos; para los menores de tres años, un cuarto de la dosis para adultos, y para los menores de un año y medio se utilizará sólo en los baños y se verterá una sola gota de esencia. Se desaconseja el uso en edad pediátrica de los siguientes aceites: tomillo, eucalipto, salvia, anís y todos aquellos que se consideren tóxicos o ligeramente tóxicos. En caso de epilepsia, evitar las siguientes esencias: hisopo, hinojo, salvia, tomillo y romero. Además, determinadas esencias (anís e hisopo) pueden presentar riesgo de toxicidad si son utilizadas en cantidades elevadas (por cantidades elevadas se entiende 10-20 ml de esencia; hay que tener presente que 1 ml de esencia equivale a 20 gotas). En dosis elevadas, ciertas esencias se consideran ligeramente tóxicas para personas sensibles: alcanfor, enebro, incienso, eucalipto y romero. Otras, a pesar de que no se consideran tóxicas, pueden ser irritantes si se aplican sobre la piel (albahaca, limón, melisa, menta, tomillo e hinojo).

En la siguiente lista repasamos los usos peligrosos de determinados aceites y/o para los que no están indicados. También se relatan determinados efectos secundarios, que si bien no son absolutos ni afectan a todas las personas, sí es bueno señalarlos y conocerlos, pues los expertos, como la doctora Patricia Davis en su diccionario de Aromaterapia, así lo han indicado.

- Abedul dulce (*Betula lenta*): no se debe confundir con el abedul (*Betula alba*), el cual no es tóxico.
- Abrótano hembra: tóxico.
- Ajedra (*Satureja montana*): irrita mucho la piel.
- Ajenjo: tóxico.
- Albahaca exótica (*Ocinimum basilicum* var. *basilicum*): no se debe utilizar en absoluto. Es muy tóxico para la piel. En su lugar podemos utilizar la albahaca francesa o europea (*Ocimum basilicum* var. *album*): Se recomienda su uso exclusivamente como ambientador.
- Alcanfor marrón o amarillo: su inhalación prolongada produce jaqueca. Es cancerígeno y no debe confundirse con el alcanfor blanco o alcanfor rectificado que suele ser más seguro. Ambos aceites proceden de la destilación de cristales de alcanfor puro.
- Almendras amargas: mucho cuidado, pues contiene ácidoprúsico, o sea, cianuro.
- Ámbar: hay que desconfiar de la venta de este aceite como puro. El verdadero aceite de ámbar no se encuentra en el mercado y se obtiene de resinas fosilizadas. Se suele adulterar con compuestos sintéticos o una mezcla de amaro y benjuí. El ámbar gris es una sustancia que se extrae de las ballenas. Es muy costoso y se utiliza en perfumerías.
- Artemisa: el aceite esencial es peligroso y no se debe usar.
- Bálsamo del Perú: muy irritante de la piel. Usarlo sólo como ambientador.
- Bergamota: es fototóxica. Si la piel que ha sido untada con aceite esencial de bergamota es expuesta al Sol, es más que probable que tenga serias quemaduras.
- Boldo (hojas): es muy tóxico.
- Canela en rama y molida: irrita la piel y las mucosas. No hay que untarla ni usarla en el agua del baño.
- Comino: es fototóxico. Puede causar dermatitis si después de aplicarlo se expone la piel al Sol.
- Enebro: no deben utilizarlo los enfermos de nefritis.
- Esclarea: no se debe usar con alcohol. Su inhalación prolongada puede producir jaqueca.
- Hinojo amargo: es irritante. Produce ataques epilépticos. No deben usarlo las mujeres embarazadas.
- Hisopo: produce ataques epilépticos y otros problemas. Las mujeres embarazada no lo deben usar.
- Incienso: puede irritar la piel.
- Jaborandi: es muy tóxico.
- Limón: es irritante. No untar ni utilizar en el agua de baño.
- Mejorana: abstenerse de su uso las embarazadas.

– Melisa: el verdadero aceite esencial de melisa es extremadamente difícil de obtener y su producción es muy reducida. Es un producto caro. Se adultera en el mercado con mezclas de aceite de hierba limonera, limón y citronela. Si ha de utilizar el aceite de melisa, debe fijarse bien, pues existe mucha adulteración y engaño.

– Menta piperita: irrita la piel. No hay que untarlo ni usarlo en el agua de baño.

– Mirra: puede irritar la piel si es untado o utilizado en el agua del baño. No usar durante el embarazo.

– Narciso: como ambientador causa dolores de cabeza y algunas veces vómitos.

– Orégano: es irritante. No hay que untarlo ni usarlo en el agua del baño.

– Poleo: es tóxico. ¡No se debe utilizar en absoluto! Evitarlo, sobre todo las embarazadas.

– Quenodopio o té de México (*Chenopodium ambrosioides*): es muy tóxico.

– Retama de olor (*Spartium junceum*): es un aceite muy tóxico.

– Ruda: resulta peligroso. ¡No se debe utilizar en absoluto!

– Salvia: es tóxico. Produce ataques epilépticos. No usar con la tensión alta.

– Sabina: es muy tóxico y peligroso para embarazadas.

– Tanaceto: es tóxico.

CRISTALOTERAPIA Y GEMOTERAPIA

El cristal y las piedras preciosas han sido objeto de deseo, adoración y devoción de todas las culturas que han habitado el planeta. Los griegos les realizaban elogios en su cuidada poética, los monjes budistas tallaban esferas de cristal de cuarzo y hoy en día la posesión de gemas, piedras preciosas o cristales puros es signo de distinción e incluso una forma de «ahorro». Pero lo que aquí nos ocupa es la posibilidad de sanación por las características energéticas especiales que tienen. Se cree que los cristales y gemas ejercen como energías curadoras positivas, que reequilibran nuestro aura y que usando los meridianos son capaces de influir en las energías de los órganos del cuerpo. La utilización de esta terapia se usa como un todo, no para tratar enfermedades específicas de manera habitual. Para adentrarnos en este fantástico mundo, vamos a comenzar por lo que se conoce como clasificación de los minerales:

• ELEMENTOS NATIVOS. Son los que se encuentran libres como minerales, en estado nativo. No quiere decir que se hallen en estado puro, suelen estar mezclados con impurezas a veces difíciles de separar, pero no están combinados formando sales u óxidos. Entre ellos están: oro, cobre nativo, azufre, diamante, grafito.

• MINERALES DE LA ALUMINA. Aunque el aluminio es el mineral más abundante en la corteza terrestre, no se encuentra en estado nativo ni ha sido obtenido en grandes cantidades hasta el siglo xx. El rubí y el zafiro son variedades preciosas del corindón, un óxido natural del aluminio.

- MINERALES DE COBRE. Se cree que el cobre fue el primer metal usado por el hombre. Se sabe que por lo menos 240 minerales contienen cobre, como la calcopirita y la malaquita.

- MINERALES DE HIERRO. El hierro puro es demasiado blando, por lo que el hombre tuvo que aprender a endurecerlo añadiéndole carbono. Entre los minerales de hierro están: magnetita y hematite roja.

- MINERALES DE BERILIO. El berilio es sumamente ligero y tiene valiosas propiedades. Las aguas marinas y esmeraldas son variedades de composición similar.

- MINERALES DE CARBONO. Los carbones están constituidos fundamentalmente de carbono no cristalino. Entre los minerales de carbono están: diamante, carbón mineral y grafito.

- MINERALES DE SíLICE: El silicio no se presenta en estado nativo, pero sus compuestos son extraordinariamente abundantes: el óxido, el cuarzo y el gran grupo de los silicatos. También está el ópalo que es una forma hidratada, no cristalina, de la sílice; la calcedonia es una variedad criptocristalina del cuarzo, íntimamente mezclada con el ópalo y otros constituyentes; el pedernal es una variedad de sílice calcedónica; el ónice blanco, la crisoprasa, la cornalina y el ágata, son variedades preciosas.

- MINERALES DE URANIO. No se encuentra al estado nativo, pero forma parte de más de 100 minerales. Entre los minerales está la pecblenda, que es óxido de uranio con otros componentes, y la torbernita, que es fosfato hidratado de cobre y uranio.

De los minerales, la talla y el color de la luz tras pasar por ellos son las dos características más llamativas a simple vista, pero este proceso no ocurre de manera aleatoria; así, cuando la luz incide sobre un mineral, una parte de ella se refleja y otra parte se refracta, o sea que penetra el mineral. La luz refractada a su vez se descompone en los diferentes colores del espectro. Cada color tiene una longitud de onda y una velocidad característica; según el tipo de material, ciertas longitudes de onda pueden ser absorbidas y otras se mezclan entre sí, originando de esta manera el color del objeto. Algunos minerales exhiben diferentes colores, esto ocurre porque la luz es transmitida en diferentes direcciones cristalográficas; esta absorción selectiva recibe el nombre de pleocroísmo, y cuando sólo hay dos direcciones de transmisión, como es el caso de la turmalina, el rubí, etc., se denomina dicroísmo. La talla de las piedras preciosas que presentan esta propiedad debe ser cuidadosamente estudiada, para destacar el color más puro y llamativo a través de la corona, relegando los otros colores hacia el cinturón o pabellón de la gema: es así como se logra el bello azul de la turmalina en la corona, haciéndose casi imperceptible el tinte verdoso, por hallarse hacia el cinturón o pabellón de ella.

Llegados a este punto podemos comenzar con una primera clasificación de las piedras desde el punto de vista energético:

- Piedras de la felicidad: son las que por su coloración, posición planetaria y situación con respecto al universo influyen sobre nuestro estado de ánimo. Se relacionan con el corazón, la piel y los ojos, y su evolución logra frecuencias fuertes en donde emana la felicidad interior. Agrupamos el siguiente orden: rubí, ámbar, granate.
- Piedras de la alegría: son aquellas que por su posición planetaria y la alta frecuencia vibratoria con respecto a la tierra, estimulan la risa, la voz, la garganta, las manos y los pies. Entre ellas encontramos el cuarzo citrino, cuarzo rosado, cuarzo cristal transparente.
- Piedras de la tranquilidad: poseen una frecuencia baja y de lenta evolución, de coloración oscura y actúan sobre los hombros, las piernas, la frente y el páncreas. Encontramos sólo la hematita o acerina.
- Piedras de la paciencia: son las lejanas a la revolución solar del sistema. De gran evolución dentro de todo el sistema planetario. Llamadas piedras orgánicas, actúan sobre huesos, dientes, pantorrillas y codos. Son perlas y corales.
- Piedras de la bondad: por su capacidad expansiva, albergan diferentes coloraciones dentro de su etapa evolutiva, dando espacio a integrar variadas frecuencias planetarias. Actúan sobre el sistema circulatorio y motriz. Las ágatas son consideradas piedras de la bondad.
- Piedras de la afectividad: son aquellas que desarrollan un alto poder de trasnmutador; su etapa evolutiva está dentro de la medición infinita. Pueden alterar su coloración por el uso y desgaste. Actúan sobre nuestro sistema nervioso, olfato y gusto. Las amatistas son las más características de este grupo; también está el cuarzo citrino y la turmalina.
- Piedras de la pureza: de coloración blanca y de una alta frecuencia universal. Se las conoce en la tierra como piezas orgánicas y frecuencian el ombligo, los dedos, las manos y el tacto. Entre estas piedras están el ónix blanco, el mármol y otras piedras ornamentales.

– Piedras del trabajo o servicio: son llamadas energéticas, capaces de lograr energía natural y universal. Están relacionadas con todas las etapas del hombre. Actúan sobre el aparato digestivo, columna vertebral, sistema respiratorio y músculos. Éstas son el ópalo, el jade y la pirita, que otorga una gran prosperidad en el trabajo o en el servicio.

– Piedras de la espiritualidad: son las que mantienen altas frecuencias con el Sol central del sistema. Son piedras que logran sublimar los aspectos más nobles del ser en desarrollo interior, activan la intuición y deseos de metas elevadas. Actúan sobre el tercer ojo (contienen una gran luminosidad al buscador espiritual o persona en su etapa de crecimiento) y sobre la glándula tiroides, pituitaria y el timo. Éstas son la esmeralda, la turquesa y el lapislázuli.

– Piedras de la sabiduría: las que logran frecuencia al Sol, siendo depositarias de grandes informaciones. Son capaces de almacenar conocimientos por cientos de millones de años y generan el equilibrio entre el sistema y el universo. Actúan sobre el cerebro. Es el diamante.

Los monjes tibetanos tienen cinco materias sagradas: cristal de roca, símbolo de la luz; la turquesa, que representa la infinitud del mar y del cielo; el coral, la vida y la aparición de la forma; el oro, la luz del Sol; la plata, la luz de la Luna. El ámbar y la cornalina se han utilizado también como joyas y amuletos. Existen piedras que se utilizan igualmente brutas que talladas, pero hay otras que es necesario tallarlas y pulirlas para que puedan desempeñar su función. El granate tiene necesidad de ser tallado, pulido y, quizá, también facetado. La amatista, por el contrario, es más eficaz en su forma bruta cristalizada. Podemos sustituir las piedras para ser utilizadas por otras similares más fáciles de obtener, por ejemplo: cristal de roca en lugar de diamante, granate en lugar de rubí, lapislázuli o sodalita en lugar de zafiro azul, turquesa o crisolita en lugar de aguamarina, cuarzo citrino en lugar de topacio.

Las piedras las podemos catalogar como:

– Piedras solares, las que se relacionan mejor con los elementos fuego y aire.
– Piedras lunares, las que se relacionan mejor con los elementos agua y tierra.

Cada signo posee una piedra solar y una lunar, dividiéndose a su vez en:

– Piedras iniciáticas solares, que son las que estimulan la devoción, la iluminación, el conocimiento y la autorrealización.
– Piedras evolutivas lunares, las cuales tienen que ver con la reencarnación, la salud mental y emocional de esta vida, las transmutaciones, así como con la educación integral.

Existe un tercer grupo de piedras:

- Piedras karmáticas, que son las que otorgan el equilibrio, el deseo de la
  renovación y se relacionan con la espiritualidad del cotidiano vivir.

Estos tres grupos de piedras conforman la llamada «trilogía de las piedras». Cuando
las tres se relacionan, elevan su frecuencia material y la del hombre produciéndose una
comunión de energías al unísono en el mismo momento.

Vamos a ocuparnos del uso de los cristales. Se empieza por cómo llevar el cristal, en
anillos, para aumentar la destreza manual. En brazaletes, para transmitir mejor las
energías curadoras a través de las manos. Como collares, ayudan a estabilizar el centro
energético de la laringe dando poder a la palabra hablada. En ciertos círculos
esotéricos se habla también de la magia de los anillos, y dicen que el dedo más
importante para colocarse el anillo es el anular de la mano izquierda, luego el anular
de la mano derecha. No debe colocarse en el dedo del centro porque en el mundo
cabalístico este dedo connota vibraciones negativas.

Existen dos tipos de anillos:

- Anillo de la amistad: protege la amistad haciéndola indisoluble. Debe ser de oro o
  de plata, un aro del que se desprende otro partido por el centro, con una mano
  tallada. El anillo de la amistad, para que sea eficaz, debe ser regalado.
- Anillo de pez: protege a los viajeros. Consiste en que todo el anillo sea un pez
  mordiéndose la cola o bien una alianza de la que cuelgue un pez en
  movimiento. Llevarlo puesto nos salvará de cualquier contingencia imprevista en
  los viajes.

Cuando usemos cristales de cuarzo lo podemos hacer de muy diversas maneras, como
por ejemplo bañarse con cristales; para ello, hay que colocar una amatista, un cristal
transparente, un cuarzo rosado y uno verde dentro de la bañera. Se pueden colocar
todas juntas o una a una, con intervalos de tiempo mientras se visualiza que toda
negatividad desaparece de tu vida.

Con cuarzo rosado (piedra del amor) podemos: lavar los cristales en agua de río,
manantial o en el agua del grifo, colócalos durante 10 minutos bajo el Sol y 24 horas
bajo la Luna para cargarlos con energía yin (receptiva). Esto calma las emociones y
ayuda a armonizarse con uno mismo y con el universo. No es necesario programarlo,
sino que se le habla como a un amigo. Se le puede colocar en el agua para promover
el amor incondicional a uno mismo y propiciar la autoestima. Se puede llevar encima

con iguales propósitos. Colocarlo bajo la almohada para lograr dulces sueños. O colocarlo en la bañera para cargarse con energía amorosa.

Con las ágatas, por su parte, podemos: colocar un disco de ágata, programado y activado, sobre el área afectada y poner la mano sobre el disco, lo que amplifica la energía sanadora. Es excelente para balancear centros energéticos, para contrarrestar el dolor y para reforzar el sistema inmunológico y combatir alergias.

Las turmalinas negras transmutan la energía negativa de las personas que se acercan. Si se siente pesado y cansado, pásese una turmalina negra por todo el cuerpo para clarificarse y restablecer el flujo de energía.

Las amatistas, para terminar, son piedras psíquicas que ayudan a sintonizarse con el ser real y desarrollar la percepción extrasensorial. Además, es auxiliar de la meditación, colocándola sobre en entrecejo o sosteniéndola sobre la mano mientras se medita.

Otro grupo de acción son los cristales sanadores. Usaremos para sanar el cuerpo físico: cristal de cuarzo transparente, ahumado y el verde. Para el cuerpo emocional el cuarzo rosado y citrino de color anaranjado claro tirando a marrón-dorado. Para el cuerpo mental se usa el lapislázuli, ya que su color azul promueve claridad mental y profundidad de pensamiento. Para reducir el dolor, coloque el cristal en su mano izquierda mientras pone su mano derecha donde le duele. Mantenga la posición durante media hora. La energía fluirá por la mano izquierda y saldrá por la derecha, desbloqueando los canales y promoviendo la sanación.

Los cristales han de ser previamente preparados si es que queremos que nos ayuden en los procesos de sanación; para ello, deberemos de seguir los pasos que se enumeran a continuación:

– Activación del cristal: se puede realizar de cualquiera de las siguientes formas: Exponerlo a la luz del Sol y de la Luna durante 48 horas para cargarlo con energías positivas y negativas; exponerlo a tormentas eléctricas o a torrenciales donde la atmósfera está cargada de energías dinámicas; colocarlo en el congelador durante 48 horas o exponerlo a calor intenso ese mismo tiempo; cargarlo con colores durante tres horas; colocar el cristal en un lugar considerado sagrado o en un vértice energético durante 48 horas; llevarlo encima 33 días para convertirlo en una extensión de la persona.
– Programación del cristal: sosténgalo entre los dedos, apuntando hacia el tercer ojo. Mentalmente hay que decirle al cristal cuál es su función. Reforzar la programación del cristal durante siete días diciendo: «este es mi cristal para...»;

dejar que la presencia de Dios en uno mismo nos guíe al utilizar el cristal con amor y sabiduría y descubriremos maravillas.

– Limpieza del cristal: debe hacerse cuando nos han dado un cristal, encontramos alguno o creemos que el nuestro ha sido mancillado. Para ello, se coloca en agua de mar o en una solución de agua con sal marina durante 24 horas. O puede enterrarse en barro de tres a cinco días. También podemos enterrarlo en tierra de dos a siete días. Ponerlo en agua corriente de arroyos, ríos o cascadas de cinco a siete días. Otra opción sería ponerlo bajo agua fría corriente sosteniéndolo con ambas manos durante un minuto mientras se visualiza bañado de luz: se sostiene con ambas manos y se respira profundamente; se retiene la respiración y se exhala rápidamente sobre el cristal visualizando y sintiendo que se limpia; se repite el procedimiento varias veces. Para preparar cada cuarzo y usarlo como protector debe ser limpiado. En un recipiente de cristal o plástico, colocar el cuarzo y cubrirlo con agua destilada y espolvorear una cucharada de sal marina, sin revolverlo, y dejar toda la noche al sereno; por la mañana, sacarlo y secarlo con una toallita. Esta operación debe repetirse cada quince días, para eliminar las energías negativas que ellos reciben.

– Clarificación del cristal: cuando queramos clarificar el cristal, tenemos que colocar en un incensario ramitos de cedro o cortezas de coco seco, sándalo u otro, encender el fuego hasta que humee y pasar el cristal por el humo.

Una vez que ya tenemos un cristal y hemos realizado los pasos anteriores, tenemos que tener en cuenta los siguientes consejos a la hora de tratarlo: el cristal es como un amigo querido y apreciado; debemos guardarlo en una cajita de madera, un saquito de cuero, de algodón o lana, o una pequeña vasija de barro; no se debe prestar nunca; si el cristal se rompe es porque ha recogido alguna corriente negativa dirigida a uno o ha servido de escudo protector (si esto sucede, debe enterrar los cristales durante 33 días y tendrá dos nuevos cristales).

CRISTALES DE LA A A LA Z

- ACERINA o HEMATITA. Es de color negro, gris negro, pardo rojo, pátina abigarrada. Tiene brillo metálico opaco. Cristaliza en el sistema trigonal (o hexagonal), piramidal, cuboides, romboédricos, tubulares. La variedad compacta llamada piedras sanguinarias se tallan con fines ornamentales.

- ÁGATA. La variedad grisácea en la cual las bandas irregulares se adaptan a la forma de la cavidad original. Se tiñe fácilmente. Tiene brillo vítreo, opaco, y en láminas delgadas es traslúcido. Cristaliza en el sistema trigonal. El dibujo en bandas se origina por una cristalización rítmica. Representa al planeta Tierra en el cosmos.

Usos: aleja el miedo, protege de enfermedades y es niveladora del sistema circulatorio. Excelente para evadir obstáculos. Propicia una alta espiritualidad. Promueve la alta estima de uno mismo. Obsequia larga vida y prosperidad. Usados en sanación afectan positivamente el cuerpo etérico. Calman, relajan y equilibran el funcionamiento nervioso. Restablecen la temperatura normal, absorbiendo el calor excesivo (fiebre). Excelentes auxiliadores para contrarrestar dolores físicos. Refuerzan el sistema inmunológico y combaten las alergias. Ayudan contra la diabetes. Los chakras se trabajan de acuerdo al color de cada ágata. *Regencia*: Venus y Júpiter. Algunas variedades representan el tercer ojo. *Correlación*: con todos los signos del zodiaco. Octava piedra en el pectoral de Aarón.

- AGUAMARINA. Es un mineral de berilio. Color azul claro, azul, azul verde (verde mar). Tiene brillo vítreo, transparente a opaco. Cristaliza en el sistema hexagonal. Es una bella piedra de los océanos, aunque terrena. Es el talismán de los matrimonios felices. Se presenta en cristales de gran tamaño, generalmente libres de inclusiones (se han encontrado piezas de 100 kg y superiores). Las inclusiones más comunes en esta gema son plumas líquidas, tienen semejanza con las flores de crisantemo. Tubos capilares transparentes u oscuros llenos de óxidos metálicos (hierro) o de líquidos. Cristales negativos e inclusiones en forma de huellas digitales. El color del aguamarina va desde el azul o azul claro verdoso hasta el verde azulado. El color más común es el azul verdoso. La talla más empleada es la talla estilo esmeralda, con algunas variaciones. Como el colorido del aguamarina tiene direcciones diferentes y opuestas (presenta el fenómeno de dicroísmo), el tallista debe hacer uso de su habilidad y pericia para destacar el color azul en la corona, relegando el tinte verdoso hacia el pabellón de la gema. Se trata de una mutación del berilo esmeralda. *Usos*: positiva contra las infecciones, quemaduras, dolor de cabeza y espasmos. Piedra de toque sereno, relajante y purificador. Conecta bien con los chakras laríngea, base y plexo solar. Como el cuarzo rosado tiene un trato especial en su limpieza, debe estar por lo menos expuesta al Sol durante ocho horas, preferentemente en un plato de cobre. *Regencia*: Neptuno y Venus. *Correlación*: Piscis, Tauro y Libra.

- AMATISTA. Su color puede ser violeta pálido a violeta rojo. Tiene brillo vítreo, transparente. Cristaliza en el sistema trigonal. Los cristales morados pálidos al recalentarlos (300 a 400 °C), se tornan amarillos o rojos. *Usos*: aumenta la inteligencia, preservando de las enfermedades contagiosas y la gota. Es adecuada para los sistemas nervioso y endocrino. Ayuda a la diabetes y fortalece los glóbulos rojos. Purifica y armoniza el ambiente en que se vive o trabaja, transmutando las energías negativas en positivas. Es una piedra de poder, energía, pureza y justicia. Sirve de protección, paz y espiritualidad, pues no permite la tristeza ni la injusticia.

Desarrolla el poder psíquico y aporta buena suerte. Es la puerta de las fuerzas espirituales superiores. Las neuralgias y dolores de cabeza se curan frotando la piedra en el lugar afectado. La máxima protección que se puede llevar es una cruz de Malta en oro, rodeada por un círculo, también de oro, con una amatista en el centro. Por su proyección de luz ultravioleta es muy empleada por médicos y sanadores. Relacionada con los chakras coronario y tercer ojo. Antiguos alquimistas decían que la piedra se oscurecía si se encontraba o enfrentaba con poderes negativos. *Regencia*: Júpiter, Urano, Plutón, Marte. *Correlación*: signos Sagitario, Acuario, Aries, Libra, Piscis y Capricornio. *Números asociados a las amatistas y a su fuerza trasmutadora*: 8 y 11. *Números correlacionados*: 7, 9, 12 y 33.

- ÁMBAR. Es de color amarillo claro a pardo, rojo, blancuzco, raramente azul, negro o verdoso. Tiene brillo graso, de transparente a opaco y miles de años en su haber. *Usos*: aleja males negativos y es un amuleto de buena suerte. Su energía es grandemente curativa y ayuda a los niños contra dolores dentales, así como también sana cólicos hepáticos, caries, sordera y problemas del aparato digestivo, bazo, corazón y columna vertebral. Es portadora de energías cósmicas y quien la usa siente atracción por todo lo divino y superior. Armoniza con el yin y yang y es clave para la estabilidad emocional, espiritual y terrenal. La primera manifestación de electricidad conocida fue a través del ámbar. *Regencia*: Plutón, Saturno y Mercurio. *Correlación*: signos Capricornio, Virgo y Leo.

- APATITA. Es un cristal formado por fosfato de cal natural que contiene pequeñas cantidades de fluoruro o de cloruro de calcio. Se vincula al chakra coronario y garganta. *Regencia*: Mercurio. *Correlación*: signos Leo, Virgo y Cáncer.

- AVE DEL PARAÍSO. Es afín con la pirita. Las distintas inclusiones que tiene esta piedra le da una belleza muy especial. Ayuda, protege, sana procesos mentales deficientes y físicos. Excelente para meditar y encontrar nuevos caminos de luz interna. Proyecta sensaciones de paz y armonía. Aleja y diluye negatividades. *Correlación*: todos los signos zodiacales.

- AZURITE o AZURITA (azul de cobre). Es un mineral de cobre. *Usos*: ayuda a relajar las tensiones emocionales y nerviosas. Es admirable en personas con estrés alto. Médicos, sanadores y terapeutas podrán tener en esta piedra un gran aliado y un éxito seguro en tratamientos para la evolución humana. *Regencia*: Saturno, Urano, Vulcano. *Correlación*: con todos los signos.

- BERILO. Su color más conocido es el verde, aunque también se encuentra en color amarillo, azul y rosado. *Usos*: es un instrumento puro y benéfico especialmente para enfermedades asmáticas o de angustia. Proporciona poderes a los videntes y personas que trabajan en Astrología. Es un talismán de buena suerte y de éxito que utilizan los artistas y escritores (intelectuales). Trabaja sobre el intelecto del individuo para darle un desarrollo acorde entre sus energías mentales e intuitivas como el despertar del sexto sentido. Útil en el chakra cardíaco. *Regencia*: Venus, Mercurio y Júpiter. *Correlación*: signos Acuario, Géminis, Cáncer y Virgo.

- CORNALINA Es de color blanco, gris, azulado. Tiene brillo céreo o mate, translúcido, turbio a opaco. Cristaliza en el sistema trigonal. *Usos*: estimula la curación de fiebres y epilepsias. Activa la disolución de cálculos renales y la recuperación de enfermedades mentales y estados melancólicos.

- CALCITA. Es incoloro o blanco, gris, amarillo, rojizo, pardo, verde... en diversas tonalidades. Tiene brillo vítreo, transparente a opaco. *Usos*: es muy buena para tratar los trastornos nerviosos, así como las debilidades del sistema inmunológico. Nivela las energías.

- CALOMELA. Se presenta en color blanco, grisáceo, con matices negruzcos según la refracción de la luz, pero sobre todo de color miel oscura. *Usos*: mineral que se recomienda para la serenidad y la búsqueda de la paz interior. Se usa en relación al chakra garganta. *Regencia*: bajo la influencia de Neptuno y Plutón. *Correlación*: Capricornio, Leo y Virgo.

- CASITERITA. Este cristal es frágil. *Usos*: adecuada para el tercer y séptimo chakra, posee energía homogénea aunque poco perceptible. Puede usarse para los mismos fines que el rutilo o como complemento de diamantes y topacios. Al igual que las calcitas, actúa a favor de la memoria. *Regencia*: recibe la influencia del Sol y de Urano. *Correlación*: Aries, Géminis y Leo.

- CINABRIO. Es un cristal compuesto de azufre y mercurio, muy pesado. Debe su nombre a razones que se pierden en el tiempo, aunque es probable que la palabra latina *cinnabaris* que lo define provenga de antiguos términos hindúes que signifiquen «sangre de dragón». Su bello color rojo no es muy frecuente. *Usos*: Estimula el flujo sanguíneo, otorga coraje a los indecisos. Es un cristal relacionado con lo que se expande, con lo que crece. *Regencia*: se halla bajo la influencia de Plutón. *Correlación*: Escorpio, Aries y Leo.

- CORAL. Es un organismo calcificado, joya de los mares. Existen en colores como rojo, blanco y rosado. *Usos*: aleja las envidias y el egoísmo de las gentes. Al venir del mar tiene vibraciones positivas y es fuente de vida y acción. Aleja las enfermedades.

En sanación, estimula la corriente sanguínea, en articulaciones endurecidas y dolor en los huesos. Hay un coral negro, muy difícil de conseguir. La mayoría de los corales negros no son de este color, sino quemados con fuego o ácidos especiales. No deben ser usados como amuletos, porque mantiene la negatividad acumulada y la proyecta a quien lo usa. El coral blanco simboliza la modestia; el rosa, el pudor; el rojo, el valor; el negro, la fuerza. *Regencia*: Neptuno y Saturno. *Correlación*: signos Tauro, Libra y Piscis.

- CRISOCOLLA. Es de color azul y azul verde. Tiene brillo vítreo graso, opaco, a veces débilmente translúcido. *Usos*: ayuda en asuntos del sistema circulatorio, contrarresta calcificaciones, dureza en los huesos, artritis, alivia los males de úlceras, digestivos, así como aspectos cancerosos. Llevarla consigo es bueno porque es capaz de diferir problemas personales y profesionales, y alejar los síntomas de culpa y temor. Promueve la concentración y es símbolo de amistad y confiabilidad. En meditación, facilita la elevación de conciencia. Es afín a la aguamarina. *Regencia*: Urano. *Correlación*: Aries, Géminis y Leo.

- CRISOPRASA. Es una variedad de calcedonia (mineral de sílice). Hay una variedad verde manzana, coloreada por óxido de níquel.

- CUARZOS. Es un cristal de roca, como diamante de Alaska o de Arkansas, de Bohemia, alemán o mexicano o diamante mármora. Cristaliza en el sistema hexagonal, cristales hexagonales, trapezoidales o tetraédricos con terminaciones piramidales; también en prismas estriados horizontalmente, en drusas radiadas de superficie cristalina, maciza y granulada. Es incoloro y blanco cuando es puro; las impurezas le comunican infinidad de colores diferentes. Tiene brillo vítreo, a veces craso. Es uno de los minerales más frecuentes. El cristal de roca de gran pureza se utiliza en óptica, en electricidad y en la fabricación de piezas de cuarzo fundido. Los cristales de cuarzo tienen formas naturales. *Usos*: la juntura de sus partes vibra intensamente y al mismo tiempo sintoniza una armonía cósmica. Tales armonías sirven para terapias de sanación y elevación espiritual. El cuarzo es de sílice, incoloro, transparente, las variedades de color se debe a sus impurezas. El cristal es producto de un enfriamiento natural. *Tipos de cuarzos*: cuarzo cristalizado: cristal de cuarzo, cuarzo ahumado, amatista, citrine, cuarzo rosado, cuarzo zafiro, ojo de tigre, ojo de gato; cuarzo compacto: crisoprasa, jaspe, venturina; calcedonia: cornalina, ágata, calcedonia común, sanguinaria, heliotropo, ónix; cuarzo ahumado: falso topacio ahumado. *Regencia*: Plutón y Saturno. *Correlación*: todos los signos del Zodiaco. *Cuarzo citrino*: de color amarillo-dorado. *Usos*: excelente gema de curación ilimitada. Algunas personas la conocen como topacio de Brasil. Es conductor del rayo dorado de sanación o rayo crístico. Excelente para el sistema nervioso y digestivo. Desarrolla la intuición y armoniza el cuerpo mental inferior para elevarlo a un nivel superior. Reduce la tendencia autodestructiva y aumenta la autoestima. Obsequia alegría, estimulación, esperanza y abundancia. La energía del citrino es como el Sol: penetrante y confortante. Ayuda a combatir la diabetes. También se usa en los chakras frontal y esplénica. La actividad intelectual se beneficia porque ayuda a resolver problemas y tomar decisiones sabias y rápidas. Actúa positivamente en males que atacan el hígado, colon y vesícula biliar. Es un punto valeroso de supra energía, pero cuando se le requiere, emite también una frecuencia sedativa y relajante que mejora y rejuvenece. Con el cuarzo verde y rosado, o con el cuarzo rosado y amatista, forma la perfecta trilogía para sentir tranquilidad, serenidad y paz, usando los cuarzos de diferentes maneras: con agua para beber, bañándose con ellos o usando perfumes. *Regencia*: Sol y Mercurio. *Correlación*: Virgo, Leo y Géminis.

Cuarzo cristal: sílice, también llamado cristal de roca, es conductor natural de la energía electromagnética. En su más pura condición es incoloro y transparente. *Usos*: el más versátil e ilimitado de todos los cristales. Usados para sanación a todo nivel, meditación, reprogramación, transformación y protección. Son los mejores transmisores y generadores energéticos. Detectan y remueve bloqueos energéticos apartando las frecuencias negativas. Aumentan los poderes psíquicos y pueden cruzar de una dimensión a otra. Tienen poderosas cualidades curativas, atraen y transmiten energía, y se utilizan para armonizar el aura. Son beneficiosos en el chakra cardíaco. Aumentan los poderes psíquicos y son elementos magníficos para concentrarse, meditar y comunicarse telepáticamente con otras personas. Son poderosos en la protección personal. Para efectos de curación es importante el tamaño del cristal. Tiene tonos, sonidos, vibraciones y energías que dan protección y luz contra toda negatividad. Afinidad con el diamante. *Regencia*: Urano. *Correlación*: todos los signos del Zodiaco.

Cuarzo nevado: piedra telepática. *Usos*: refuerza el sistema inmunológico. Bloquea la depresión, alivia el estrés y la angustia. Dicen que es la piedra «rejuvenecedora». Representa el loto crístico. Sus cualidades piezoeléctricas la convierten en agente de sanación y transformación. Ejerce especial efecto en personas clarividentes. Su efecto es importante sobre el chakra laríngeo, evitando males relacionados con esa región del cuerpo humano. Es excelente para ayudar en momentos de confusión, temor o miedo ante situaciones difíciles. Es equilibrante entre la materia y el espíritu. *Correlación*: todos los signos del Zodiaco.

Cuarzo rosado: de color rosa, violeta débil (su color se debe al contenido de manganeso) generalmente algo turbio. Tiene brillo graso, transparente, translúcido. Cristaliza en el sistema trigonal. *Usos*: para aumentar la concentración. Es considerada la piedra del amor (piedra del amor sagrado en el antiguo Egipto). Sana heridas sentimentales, aplaca dolores por pérdidas o lejanía de seres amados, fortalece el vórtice energético cardíaco, en el chakra del corazón. Previene trastornos cardiacos renales. Promueve el amor incondicional hacia nosotros mismos y hacia otros. Corrige problemas sexuales y emocionales. Ayuda a sanar relaciones difíciles entre parejas. Elimina tensiones y equilibra problemas de neurosis. Estimula la creatividad y la intuición. Ejerce un efecto sedante en quien la usa y su frecuencia calmante tiene gran poder cuando se lleva encima sobre el centro cardíaco. *Regencia*: Plutón y Urano. *Correlación*: todos los signos zodiacales.

Cuarzo rutilado: es transparente con pequeños filamentos de oro o hilos de titanio dióxido en su interior. *Usos*: ayuda al cuerpo a asimilar nutrientes, fortifica el sistema inmunológico, previene la depresión y retarda el envejecimiento. Fortalece los pensamientos positivos, eleva las frecuencias vibratorias y activa las facultades intuitivas y clarividentes de todo ser humano. Alivia el miedo y el estrés. Limpia y armoniza el aura. Sus propiedades curativas son muy poderosas, transmutando males corporales y reconstituyendo las partes afectadas. Combinando su fuerza con la turmalina negra, ayuda a desechar drásticamente los patrones de conducta destructivos de otras personas y que no nos conciernen. Trabaja muy bien en todos los chakras.

Cuarzo verde: promueve la estabilidad mental y emocional. *Usos*: excelente para equilibrar el sistema nervioso, así como también el sistema sanguíneo. Es una piedra ideal para fomentar la prosperidad espiritual y material. Ofrece a quien la usa tranquilidad interna y una actitud positiva hacia la vida y su entorno. Símbolo de esperanza y fertilidad. Su correlación es la esmeralda. Ofrece sanación y armonía para diversas alteraciones circulatorias y endocrinas. Es positiva en el chakra esplénico. Factor calmante de gran poder y que se recomienda también utilizarlo con el cuarzo citrino y rosado (o con amatista) para cristalizar el agua. Beber este suero transmite serenidad, sosiego, valor.

- CUPRITA. Este óxido natural de cobre contiene un 88 por ciento de óxido cuproso y un 12 por ciento de oxígeno, y cristaliza en el sistema cúbico en forma de cubos, octaedros y dodecaedros. Es un cristal frágil y brillante, del mismo origen que la calcopirita. *Usos*: su energía es revitalizante y llena de estímulos los procesos creativos. *Regencia*: Marte y Vulcano. *Correlación*: Tauro, Escorpión y Sagitario.

- CORINDÓN. Es un mineral de la alúmina. Cristales prismáticos o piramidales. A menudo en forma de barril con estrías horizontales profundas. Los cristales suelen estar maclados. Existen en azul, amarillo, rojo, verde, rosa o gris. Tiene brillo vítreo a adamantino. Su dureza es sólo superada por el diamante.

- DIAMANTE. Carbono cristalizado, pertenece al sistema regular, frecuentemente en octaedros o en formas octaédricas redondeadas; raramente en cubos. Incoloro o blanco; puede presentar tonalidades pálidas de amarillo, rojo, azul, verde pardo y hasta negro. Cristalizado en zonas muy profundas, bajo condiciones de alta temperatura y presión, es después llevado hasta zonas más superficiales en las chimeneas volcánicas de kimberlita llamadas «pipes». Debe su nombre al vocablo griego *adamas*, que puede traducirse como «indomable» o «invencible» y seguramente hace alusión a que es la sustancia más dura que se conoce. El diamante posee una dureza superior a cualquier otro mineral conocido. No debe confundirse la dureza con la fragilidad: el diamante es frágil y puede romperse en caso de recibir un golpe. Al hablar del color de los diamantes es necesario mencionar la fluorescencia de algunos de ellos. Esta propiedad se pone de manifiesto cuando un rayo de luz ultravioleta incide sobre la gema; el color de la fluorescencia para la mayoría de los diamantes es azul. Algunos diamantes al encontrarse con la luz solar se vuelven fluorescentes y esto les da un tinte algo azuloso que altera su verdadero color, el cual vuelve a presentarse si se observa la gema a través de la luz artificial, mostrando a veces un marcado tinte amarillo. Como el valor de una piedra con tinte azuloso es superior, podría influir en el verdadero valor de la gema. Los diamantes con coloración reciben el nombre de fantasía; sus precios son superiores a los incoloros en calidades similares. Hoy en día nos encontramos con diamantes coloreados mediante radiaciones atómicas. El color de un diamante debe asignársele con luz natural frente al norte geográfico o con un instrumento denominado diamondlite, con el cual se determina el color exacto. Un diamante se considera puro cuando al observarse con una lupa de aumento, con corrección cromática y esférica, no presenta ninguna imperfección. *Usos*: posee propiedades de dominar pero al mismo tiempo de dar amor y felicidad. Es amuleto para prevenir ataques de enemigos y calumnias. Su naturaleza positiva ayuda a aumentar la energía vital, previniendo además cualquier tipo de enfermedad por difícil que sea. Purifica la sangre y se relaciona con el chakra coronario. Su energía es tan potente que resuelve problemas psíquicos. Las personas con deseos de superación espiritual y de elevar el yo interno encuentran en esta piedra preciosa a una gran aliada. Es ideal para meditar. Es afín al cristal de cuarzo transparente. *Regencia*: Sol, Venus y Saturno. *Correlación*: Acuario, Leo, Capricornio y Sagitario.

- ESMERALDA. Es silicato de aluminio y berilo, silicato de alúmina y glucina, que pertenece al grupo del Berilo. Puede ser color verde claro, verde amarillento y verde oscuro. *Usos*: piedra de maravillosa belleza y quien la usa esotéricamente consigue prosperidad, buenos negocios y profundos conocimientos. Es muy completa en sus poderes y regala valor, audacia, memoria, amor sincero, seguridad, confianza, energía y orden. Si la persona trabaja con esmeraldas, puede lograr clarividencia y visualización de hechos positivos. Ayuda en trastornos cardíacos, presión arterial, neuralgias y asma. Los colores son magníficos para trabajos de sanación y meditación. Es afín al cuarzo verde y otras piedras de este color. Nos defiende de las artes mágicas o de los maleficios. Lucha contra el mal lunático (alferecía) hasta romperlo. Aporta buena memoria, acrecentándola. La esmeralda simboliza la abundancia. Neutraliza campos de fuerza negativos. Es afín al chakra entrecejo, garganta y plexo solar. *Regencia*: Venus y Neptuno. *Correlación*: todos los signos, con mayor influencia en Tauro, Virgo y Libra.

- ESFENA. También es llamada titanita, de color amarillo, anaranjado, marrón, verdoso o con tonalidades negras. *Usos*: es afín a todos los signos zodiacales y a todos los chakras, aunque sus características lo hacen especialmente indicado en el cuarto chakra, fundamentalmente porque combina con la malaquita y porque su fuerza es básicamente renovadora. Alienta las transformaciones positivas, ayuda a cambiar sin que se pierda el equilibrio. Por eso se dice que es el cristal que más se adecua a los espíritus viajeros. *Regencia*: Urano. *Correlación*: todos los signos zodiacales.

- ESPINELA. Pueden ser negros, rosados, rojos o azules, aunque también los hay en tonos verdosos. *Usos*: se emplean para meditación, para incentivar la energía de los chakras, aunque es más eficaz con el chakra sacral. Impulsa todo proceso de profundización, su energía es focalizadora y revitalizadora. *Regencia*: Neptuno y Urano. *Correlación*: Libra, Cáncer, Acuario y Piscis.

- FLUORITA. Puede ser incoloro de color violeta, verde, amarillo, azul, gris, rojo, blanco. Tiene un brillo de vítreo a mate. *Usos*: piedra ornamental que estuvo de moda en la época victoriana. Ofrece conocimiento y mística a quienes deseen introducirse en la sabiduría y verdad cósmica, a través del tercer ojo. Es imprescindible por sus cualidades en la meditación. Efecto equilibrante entre lo negativo y lo positivo, creando sensaciones de serenidad en el entorno de las personas. Se dice que fue sembrada en la tierra por seres extraterrestres. Afín a la amatista por sus poderes de transmutación. Su vibración sanadora es muy potente, trabajando con éxito en cuadros cerebrales como delirio de persecución, irritabilidades, neurosis, epilepsia y mal de Parkinson. En la tonalidad verde, calma y relaja situaciones difíciles. Pocas son las piedras que, como ella, contribuyen a la creación de un estado interno de paz y silencio en el que todo se inmoviliza y el tiempo parece detenerse. También las hay en tonalidades verde amarillento, rojo oscuro, rosadas y cristalinas. Es perfecta para los chakras frontal y plexo solar. *Correlación*: todos los signos del Zodiaco.

- GRANATE. Es un silicato de aluminio y hierro, que se llama almandino. Se usa como abrasivo. *Regencia*: Marte en los granates de color rojo oscuro y anaranjados. Saturno y Plutón en los rojos casi negros; y Júpiter y Neptuno en los tonos más suaves como rosados y violetas. *Correlación*: Aries, Escorpión, Capricornio, Géminis y Leo.

- JADE. Es silicato de magnesio y cal. *Usos*: piedra de poder superior con cualidades curativas mágicas, demostrando su fuerza y monumentalidad especialmente en el antiguo Egipto. El jade está íntimamente relacionado con la civilización china, lo relacionan con las épocas de crecimiento y reposo de la naturaleza. Se dice que el jade es la reina de todas las gemas, pues reúne las cinco virtudes cardinales: el amor al prójimo, la modestia, el valor, la justicia y la sabiduría. Simboliza belleza, virtud y tenaz autoridad. Regala paz y tranquilidad. Quien se identifica con ella recibe fuerza magnética. Prolonga la vida, mantiene la fertilidad. Para quienes usan esta piedra, aumenta el nivel de conciencia. Se usa para curar enfermedades del riñón y epilepsia, así como infecciones contagiosas. Sus vibraciones son limpiadoras, pues no absorben, sino que repelen cualquier tipo de negatividad. Está representada con varios colores: verde, blanco, amarillo, morado, marrón, etc. *Regencia*: Saturno, Venus y Neptuno. *Correlación*: todos los signos del Zodiaco.

- JASPE. Variedad del cuarzo en los colores rojo, verde, azul, gris y amarillo. Tiene brillo céreo, opaco. *Usos*: piedra de valor y fortaleza de ánimo. Promueve la energía mental y espiritual. Ideal para iniciar nuevos proyectos. En sanación es muy buena para trastornos estomacales y afecciones hepáticas. Su polaridad es positiva-proyectiva. En los sanadores nivela el aura. Pese a tener varios colores, el más conocido es el rojo, familia del rubí. Es propiciador abierto para negocios y personas con deseos de triunfar. Actúa positivamente en los chakras plexo solar y base. *Regencia*: Marte y Vulcano. *Correlación*: todos los signos zodiacales.

- LABRADORITA. Es una piedra pequeña, nacarada con colores que fluctúan entre transparentes, grises oscuros, gris negro, rosados, morados y rojos. Tiene brillo metálico (llamado labradorescencia), preferentemente efectos azules y verdes, pero a veces abarca también todo el espectro. *Usos*: regala amistad, amor y armonía, especialmente entre las parejas, manteniéndolas unidas. Promueve a entender la propia realidad entre las personas y es positiva para ejercicios en la apertura del tercer ojo. Es facilitadora a nivel físico de las intuiciones y la inspiración, por lo tanto quien la use sentirá nuevas percepciones, especialmente los que trabajan en esas áreas. Equilibra el aura y es un escudo protector cuando se trabaja en tales dimensiones. Positiva en los chakras plexo solar y base, y en la coronaria y tercer ojo. *Regencia*: Urano, Neptuno, Vulcano y Plutón. *Correlación*: todos los signos del Zodiaco.

- LAPISLÁZULI. Es de color azul ultramar, con brillo vítreo a graso, opaco. Conocida también como la piedra de Isis en Egipto. Es la piedra de los antiguos alquimistas. La piedra de Venus, la diosa del amor. Los hindúes aseguran que ayuda a quemar el Karma o el fruto de acciones negativas del ser humano. Tradicionalmente se ha considerado un símbolo del poder y la realeza, desde la época de los egipcios, que lo han utilizado en abundancia, ya que se pensaba que era la gema de los dioses. Lo empleaban en polvo, para neutralizar el efecto de venenos y curar algunas enfermedades. *Usos*: en meditación se usa colocándola sobre el tercer ojo para desbloquear el funcionamiento de la mente y liberar las fuerzas intuitivas. Marca el camino de la iluminación, dando claridad mental y capacidad psíquica. Aumenta el poder espiritual del individuo, hace el cuerpo más sensitivo y eleva la tasa vibratoria a altos niveles. Provee vitalidad. Desbloquea los chakras. Es símbolo de poder interno y externo. Con la amatista, cuarzo verde y cuarzo rosado se logra un camino al conocimiento y paliar profundamente los estados de temor, incertidumbre, opresión, amargura y depresión. Es luz absoluta y se ha escrito que es la intercomunicación con otros planetas, además de haber sido fundamental para la existencia de la Atlántida. Es muy útil para quienes la buscan y la aman. La persona que use lapislázuli debe estar conectada armoniosamente con la pirita. Ayuda en problemas de tiroides, pulmones y bazo. *Regencia*: Venus y Urano. *Correlación*: Acuario, Tauro y Sagitario.

• LAZULITA. Tiene brillo moderado a translúcido, de color azul cielo o azul noche. *Usos*: la azulita es frágil y su irradiación de energía es moderada, por lo que, en general, se usa en curación como complemento del lapislázuli. *Regencia*: Luna y Saturno. *Correlación*: Tauro, Libra y Piscis.

• LLUVIA DE ORO. Hermosa piedra de color marrón con minúsculos rayos dorados. *Usos*: su vibración es positiva, especialmente en aspectos de trabajo, dando prosperidad. Se dice que, como sus reflejos vienen del oro, esparce riqueza y divinidad, no sólo en la parte material, sino en la espiritual y mental. Es relajante y provee sueños apacibles a quien la posea, así como equilibrio en los pensamientos y acciones. Actúa sobre el chakra frontal. *Correlación*: todos los signos zodiacales.

• MAGNETITA. Con polaridad magnética, fue utilizada en las brújulas primitivas. El color va de pardo rojizo a negro. Tiene brillo metálico. *Usos*: piedra imantada de gran valor para quien la use personalmente o para otras personas, ya sea en el aspecto de alejar negatividades como en casos de curación. Da energía, tres veces más que otras piedras, si especialmente se la trabaja con las fuerzas de la pirámide. Las personas o sanadores que la tengan para curación pueden llevarla intuitivamente a todos los chakras. Es una piedra que detiene muchas afecciones, disipándolas. Ha sido muy útil en manifestaciones cancerosas. Se aviene muy bien con otras piedras para trabajar o llevarla encima, pero no es conveniente juntarla con el granate o el rubí. Su poder es muy superior al mineral óxido de hierro. Hay dos variedades, el rojo y el gris oscuro. *Correlación*: todos los signos del Zodiaco.

- MALAQUITA. Es de color verde esmeralda brillante, verde claro, verde negro, con brillo sedoso u opaco. *Usos*: es una de las gemas más antiguas que se conoce. Existe, prácticamente, desde que nació el mundo. Como el lapislázuli, también la malaquita fue piedra predilecta de reyes y faraones. Es símbolo de cambio y creatividad. Su densidad no transparente absorbe fácilmente la energía y éste es el secreto de su poder y eficacia en las experiencias de meditación para facilitar la concentración. Puente de equilibrio entre los chakras, sirve por igual a todas las partes del cuerpo, resulta beneficiosa si se usa conjuntamente con azurita o crisocolla. Por su facilidad de absorción magnética, la malaquita debe ser cuidadosamente limpiada después de su uso para que mantenga su capacidad vibratoria benéfica. El agua y el Sol son insustituibles en este proceso. Su vibración equilibrante restaura el sistema nervioso y armoniza los problemas de índole emocional. Es también espejo psíquico que absorbe energías negativas; por lo tanto, se debe limpiar diariamente. Calma los dolores físicos, especialmente en los que afectan al bazo y al páncreas. Es magnífica para concentrarse y meditar, llevando al individuo a estados de gran belleza interna. Aleja las influencias psíquicas negativas, calma y relaja los procesos mentales, estimula el nervio óptico y mejora la visión. *Regencia*: Plutón y Urano. *Correlación*: Tauro, Virgo, Sagitario, Aries y Escorpio.

- MARCASITA. Existe en tonos amarillos o verdosos, brillo metálico. *Usos*: es afín al sexto y séptimo chakras y combina muy bien con la piedra lunar. Sus irradiaciones son focalizadoras; en meditación contribuye a todo proceso de ascesis y elevación.

- OBSIDIANA. Las hay desde gris oscuro a negro, pardo, verdoso. Es una roca volcánica. Se llama pedernal a una obsidiana de tiempos geológicos. *Usos*: piedra de madurez para personas también maduras y con experiencias en conocimientos superiores. Relacionada con la vida, la supervivencia, el yo, esta gema actúa como un magneto que atrae a las fuerzas físicas para dirigirlas hacia el espíritu, magnificando las capacidades inconscientes. Su color negro representa lo oscuro y desconocido, es símbolo opuesto de la claridad y el conocimiento. La fuerza transformadora de la obsidiana resulta extremadamente poderosa para la meditación, abriendo el tercer ojo hacia el conocimiento de la vedad. Poderosa en las prácticas de la meditación, da a conocer, sin ambages, lo que es bueno y lo que es malo en el individuo, por eso se le llama «la piedra de la verdad». Al abrir estas perspectivas, se abre la luz, el entendimiento, la real justicia de lo que nos rodea. Ayuda a conocer las debilidades e ilusiones fatuas del ego personal, a reflejarlas, para luego transmutarlas. Para usarla contra estados de depresión y angustia, es mejor unirla con el cuarzo rosado y el verde. Así se balancean las emociones. Muy positiva en el chakra base. También se conoce como lágrimas de apache y para los indios americanos, poseer una obsidiana era símbolo de poder, riqueza y éxito. *Correlación*: Cáncer, Capricornio y Escorpio.

- OJO DE TIGRE. De tonalidades de color marrón oscuro y estrías doradas, tiene brillo sedoso. *Usos*: piedra positiva que se asocia al Sol. Protege al que la lleva. Incrementa la autoestima y promueve la iluminación interna. Ayuda a la comprensión propia y relacionada con los demás. Reduce la ansiedad. Recomendada para personas que desean abrirse a nuevos horizontes espirituales y aumentar o iniciar experiencias internas. Es ideal para meditar. Ayuda en la sanación y es afín con el chakra coronario. Es útil en problemas sanguíneos y viscerales. *Correlación*: Escorpio, Aries y Leo.

- OLIVINO. Color verde oliva, amarillento, pardusco, rara vez incoloro o gris, tiene brillo vítreo, transparente a translúcido. Como piedra preciosa se le llama peridoto. *Usos*: ayuda a desarrollar la capacidad mental y es ideal para quienes buscan la paz, serenidad y control sobre sus emociones. Desvanece el terror a la noche y a la soledad. Actúa sobre el chakra del bazo, estimulándolo. Fue muy usada por los chamanes y sacerdotes mayas, aztecas y egipcios por sus propiedades curativas, especialmente en casos digestivos, ulcerosos o inflamaciones intestinales. Por lo tanto es positiva si se trabaja en los chakras esplénica y plexo solar. *Regencia*: Venus. *Correlación*: Tauro y Piscis.

- ÓNIX u ÓNICE. Es una variedad de calcedonia (mineral de sílice). Es un ágata con bandas regulares de colores fuertemente contrastados y dura como el mármol. De varios y hermosos colores: amarillo, verde, marrón, negro, blanco con vetas, rojo, etc. *Usos*: proporciona y regala alegría, simpatía, encanto personal y seducción. La magia del pasado trabajó mucho con ella en forma positiva, pues servía para disipar el malhumor y dar paso a la tranquilidad, calmando el nerviosismo y relajando las tensiones. Ofrece un fuerte poder en quien las usa, médicos, sanadores, etc., especialmente por su capacidad estabilizante que ayuda en los chakras para sus desbloqueos energéticos. Para tales desbloqueos son ideales los discos de ónix. *Regencia*: Urano, Neptuno y Plutón. *Correlación*: Cáncer, Piscis, Capricornio, Virgo y Géminis.

- ÓPALO. Pertenece al grupo del cuarzo, con color muy variable, a menudo en dibujos ondulados. Puede ser de color blanco, gris, azul, verde, naranja, rojo o negro, con brillo céreo a mate, transparente a opaco. Un bello ejemplar de la variedad llamada «ópalo de fuego», con un abigarrado juego de colores. También están los ópalos comunes y los opalescentes. Existen ópalo negro, verde, de fuego, arlequinado, azul o violeta, lechoso u opaco. Envejece al perder el agua de cristalización, de ahí que se guarde en algodones húmedos para evitar o retardar el envejecimiento. Su nombre ha bautizado el fenómeno de la opalescencia, que consiste en la reflexión de la luz que modifica la iridiscencia según el punto de observación. *Usos*: a esta gema porosa y frágil, la superstición le ha declarado piedra de mal agüero, ya que cambia de color cuando se presenta alguna situación negativa; el campo negativo no lo posee la piedra, sino que lo establece quien la lleva. Ayuda a incrementar la fe en Dios. Conecta con todos los chakras. Hay ópalos de color negro, fuego, azul, verde y opaco. *Regencia*: Urano y Sol. *Correlación*: Acuario, Géminis y Libra.

- PIEDRA LUNAR. Hermosa piedra de gran significado espiritual e interno. *Usos*: sirve de equilibrio frente a situaciones externas y emocionales muy fuertes. A esta familia pertenece la labradorita y la amazonita. Se dice que su fuerza viene de la Luna. Su evolución es muy poderosa y ayuda a quienes desean un crecimiento esencial entre cuerpo y alma. Especialmente en meditación, abre posibilidades a personas tímidas e inhibidas. Se trabaja en los chakras plexo solar y base. Se recomienda que aquellas personas con signos de fuego la utilicen junto a piedras de color azul (ágatas, lapislázuli, azurita, ónix, etc.). Conecta con el plexo solar y sacral. *Regencia*: Neptuno, Venus, Vulcano y la Luna. *Correlación*: todos los signos, con más afinidad hacia Escorpio, Capricornio y Cáncer.

- PIRITA. Es de color amarillo latón, también amarillo oro. Tiene brillo metálico, opaco. Cristaliza en el sistema cúbico. En Estados Unidos se denomina el «oro de los tontos». *Usos*: es un mineral de valor espiritual y corporal, pues oxigena la sangre y ayuda en los trastornos circulatorios y en indigestiones. Representa el fuego y los sueños positivos. Atrae buenos negocios, dinero, así como trabajo, estabilidad y buenas oportunidades. Meditando con ella se puede pasar de un estado a otro, logrando proyecciones a esferas superiores. Resulta excelente para ponerla en el hogar o sitio de trabajo, en contacto con el aire, pues atrae y recibe saludables influencias. *Correlación*: signo Aries.

- RODOCROSITA. Es una piedra de bellos colores y formas. Aunque el color más conocido es el rosado, existe del rosa al blanco, rara vez incoloro; al aire empalidece parcialmente. *Usos*: tiene gran contenido de cobre por lo que es magnífica conductora de energía y fuego, ayudando a una positiva interrelación en los aspectos físicos, emocionales y mentales. Desarrolla la intuición y las fases creativas en el individuo. Como el cuarzo rosado, suaviza los aspectos del corazón, dando amor y comprensión. Si la piedra tiene vetas blancas, ayuda en el chakra coronario y expande su salud a todo el cuerpo. Activante del sistema circulatorio. Se enfrenta a problemas respiratorios, asmáticos, oculares, tejidos heridos. Eleva y clarifica ideas. En la mano cerrada colocada sobre el tercer ojo, transmite su fuerza para producir un efecto de elevación que permite clarificar las ideas. *Regencia*: Júpiter y Plutón. *Correlación*: Aries y Escorpio.

- RUBELITA: Es roja, rosada o púrpura. *Usos*: posee una intensa carga vibratoria que afecta favorablemente el campo de las emociones. Es afín al chakra corazón, y uno de los mejores caminos para activarlo consiste, precisamente, en la utilización combinada de cuarzo rosa y rubelita.

- RUBÍ. Es un cristal más duro que el acero. Es un piedra muy apreciada y en algunos sitios, más costosa que el diamante. *Usos*: representa el amor puro, fuerte, apasionado. Ofrece inteligencia, benevolencia y piedad. Su energía es positiva y en las emociones da seguridad interna. Trabaja generosamente todos los chakras. Se debe ser sincero con esta piedra al pedir su utilidad, de lo contrario sus efectos son negativos. Ayuda en la meditación. Afín a todos los chakras. *Regencia*: Venus para colores rosado oscuro; Júpiter, para rosa suave; Plutón para el rojo oscuro; Marte para el rojo claro. *Correlación*: Leo, Escorpión y Sagitario.

- RUTILO. Cristaliza en el sistema trigonal, prismas alargados, en bipirámides o en masas. Puede ser de color amarillo, rojo, plateado y también focos negros. Cuando cristaliza en agujas se le llama «cabello de Venus», pero su nombre proviene del latín *rutilus*, que significa «rojo». Tiene brillo vítreo, tallado brillo adamantino, opaco a transparente. *Usos*: su energía trabaja para desentrañar situaciones cerradas, tanto espirituales como mentales. Abre las puertas y ofrece claridad, luz, nuevas perspectivas. Rompe esquemas por largo tiempo mantenidos y borra obstáculos. Su equilibrio es curativo y trabaja en los chakras base, esplénico y frontal. Es piedra protectora para quienes hacen viajes, excursiones, paseos, etc. Su hermana es la turmalina negra. *Correlación*: todos los signos zodiacales.

- SANGUINARIA. La sanguinaria es una especie de ágata, aunque también se la califica dentro de la familia de los jaspes. La tonalidad de su color es verde con estrías rojas. *Usos*: se considera muy útil y poderosa para curar males, especialmente los referentes a la sangre. Posee facultades equilibrantes para lo físico y mental. En meditación es muy apropiada, pues conecta adecuadamente a la persona y la lleva a nuevos y valiosos conocimientos. Afín a los chakras coronario y plexo solar. Se dice que fue la piedra que por primera vez usaron los atlantes para sanaciones. *Regencia*: Saturno y Plutón. *Correlación*: todos los signos del Zodiaco.

- SARDÓNICA. Es ágata de color rojo, a veces con vetas blancas o negras. *Usos*: proporciona valentía y fuerza. Abre las perspectivas para que las personas creativas encuentren nuevos y diferentes rumbos, tanto en negocios como en planos intelectuales. Posee «magia» vibratoria que favorece a sus dueños, promoviendo la dicha por vivir. Ayuda en el mal de la diabetes. Positiva en la meditación. Trabaja en los chakras coronario y frontal. *Correlación*: todos los signos zodiacales.

- SODALITA. Es una piedra de color azul, gris, también blanco amarillento, rojizo, verdoso o incoloro. Tiene brillo vítreo, de transparente a opaco. *Usos*: es sedante y tranquilizante. Calma los nervios y las acciones dispersas de la mente. Ayuda a encontrar la verdad y claridad de las cosas. Es buena comunicante y propensa a expresiones creativas. Actúa en forma positiva en todos los chakras, logrando un perfecto equilibrio. Despierta el tercer ojo y permite la capacidad para analizar racionalmente y llegar a conclusiones lógicas. Es afín al lapislázuli y otras piedras azules. *Correlación*: todos los signos del Zodiaco.

- TOPACIO. Es fluosilicato de aluminio. Puede ser de colores amarillo, verde, azul, rosado, pardo, rojo, incoloro. Tiene brillo vítreo, transparente a opaco. Cristaliza en el sistema rómbico. Como a la amatista recalentada se le denomina a veces topacio oro, y al verdadero topacio se le llama topacio noble. *Usos*: cada color tiene propiedades favorables y determinantes para el individuo, pero toda en sí, es una piedra con campos magnéticos de fuerza que van hacia la mente, aumentando su fortaleza en aspectos nuevos de creatividad y comprensión. Actúa en el sistema circulatorio e hígado. Es muy positiva para los artistas, especialmente plásticos, escritores, investigadores y para todos aquellos que tengan algo novedoso en sus mentes y quieran proyectarlo. Ayuda a la estabilidad y felicidad entre las parejas. Es una piedra eléctrica, estimulante, magnética, útil para levantar el ánimo a personas cansadas y agotadas, física y mentalmente. El topacio azul conecta con el chakra garganta. El amarillo es afín al chakra plexo solar. *Regencia*: Urano, Mercurio y Saturno. *Correlación*: Aries, Leo, Escorpio y Virgo.

- TURQUESA. Es una calaíta. Tiene fosfato básico de alúmina con cobre. Los colores van desde el azul celeste, azul verde, verde manzana. Posee brillo céreo a vítreo a opaco. *Usos*: piedra sagrada de Egipto, Persia, Tíbet y de las culturas amerindias. Cuando tiene adherencias de plata es positiva para dar felicidad, salud y vibraciones alegres de bienestar. Con inclusiones de cobre es fuertemente curativa, especialmente en afecciones del sistema respiratorio y pulmonar. Absorbe sentimientos negativos y atrae suerte y armonía. Regala tranquilidad, reposo mental y protección para el alma y el cuerpo. Actúa sobre el chakra coronaria. Quien posea una turquesa jamás tendrá necesidades ni apremios económicos. Simboliza el azul de los mares y el fuego celestial. Su color suele cambiar cuando su poseedor enferma o algo imprevisto le puede pasar. Igual que la turmalina, puede estallar para protegernos si recibe mucha carga negativa. Proporciona gran vitalidad física y psíquica. Estimula la regeneración de los tejidos dañados, actuando de manera general para mejorar cualquier tipo de dolencia. Está indicada especialmente para las enfermedades circulatorias y las varices. Se vincula al plexo solar. *Regencia*: Venus y Luna. *Correlación*: todos los signos zodiacales.

- ZAFIRO. Una leyenda persa imaginaba a la tierra reposando sobre un zafiro gigantesco y sus reflejos conferían el color azul al cielo. El corindón se presenta en una extensa gama de colores exóticos: todos ello reciben el nombre de zafiro, excepto el corindón de color rojo medio al rojo púrpura de tono intenso, al cual se le denomina rubí. Cuando se habla de corindones con coloraciones diferentes al azul, se le acompaña con un adjetivo, por ejemplo: zafiro amarillo, zafiro naranja, etc., llamándose zafiro sólo al de color azul. Los yacimientos más importantes son los de Birmania, Camboya, Tailandia, Sri Lanka, Cachemira, Montana (EE.UU.) y Australia. Los zafiros de Birmania son gemas de buena calidad con un color ligeramente violeta; los de Sri Lanka son azul pálido y con mucho brillo; los de Cachemira eran gemas de óptima calidad de un color azul violeta aterciopelados y no completamente transparentes; esta falta de transparencia les daba una apariencia adormecida (aunque las minas de esta región llevan años fuera de producción, todavía hoy se le da ese nombre a toda gema con características similares); los de Montana poseen un color azul pálido y tinte metálico; los de África son de colores pasteles; los de Australia son de color azul casi negro y de tinte verdoso (son los menos apreciados); los zafiros fantasía son marillos: entre amarillo intenso, amarillo tenue y amarillo café el más apreciado es amarillo intenso; el zafiro naranja y naranja rojizo se considera una de las piedras preciosas más bellas (son muy raros), siendo el más preciado el naranja rojizo de tonalidad intensa, conocido con el nombre de Padpardscha; el zafiro verde tiene poca demanda; el zafiro rosado es de tonos claros muy hermosos; el color café, cuando es transparente es poco común y generalmente es opaco, y cuando tiene suficiente seda (inclusiones en forma de aguja) se talla en forma de cabuchón, para producir el efecto de estrella en la gema (asterismo: formación de una estrella en la superficie de la piedra y que se puede apreciar cuando la gema ha sido tallada en forma de cabuchón y se hace incidir sobre ella un rayo de luz; se utilizan piedras preciosas translúcidas u opacas. En la talla cabujón o cabuchón, la parte superior de la gema es curva con cierta altura y la base puede ser plana. El asterismo es común tanto en el zafiro como en el rubí). *Inclusiones de los zafiros*: los zafiros de Birmania presentan como inclusiones agujas de rutilo, las cuales se cortan en ángulos de 60° y 120°, octaedros de espinelas, cristales de circón, etc.; los de Cachemira muestran como inclusiones tubos capilares rellenos de líquidos, los cuales se cortan en ángulos de 60° y 120°; y los de Sri Lanka presentan inclusiones líquidas conocidas con el nombre de «huellas dactilares». *Usos*: da buen color al rostro y quita el dolor de cabeza. Limpia los ojos. Promueve el levantamiento de la intuición, así como el encuentro de la sabiduría para perfeccionar el yo interior. Simboliza felicidad, verdad, justicia. Se le atribuyen poderes mágicos divinos. Es un aliado inmejorable para conseguir conocimientos superiores. Trabaja bien en el chakra frontal (entrecejo). *Otros colores*: zafiro índigo, con gran energía cósmica; zafiro estrella, para el cuerpo mental; zafiro claro cristalino, piedra de transición; zafiro amarillo, limpiador de impurezas. *Regencia*: Mercurio y Saturno. *Correlación*: Géminis, Piscis, Libra, Virgo, Capricornio y Sagitario.

CROMOTERAPIA

¿Sabía usted que contemplar una luz azul disminuye la presión sanguínea? ¿O que la luz roja hace que se eleve y por tanto favorece la excitación? Estos datos proceden de las investigaciones que a lo largo de la historia, y especialmente en el siglo xx, se han hecho sobre la importancia de los colores y la influencia que tienen en el flujo de energías de nuestro cuerpo. Podríamos definir la Cromoterapia (también conocida con los nombres de Biofotónica, Fototerapia, Polarización inducida por estimulación lumínica [PIEL]), como una de las ramas de la medicina natural que se encarga de tratar al hombre por medio de los colores en los que se divide la luz del espectro solar. Es muy considerada hoy en día por tratarse de una terapia suave, no agresiva, que no produce en quien la recibe ningún tipo de efecto secundario ni intoxica; otra de sus multiples ventajas se debe a que por su nula toxicidad puede ser aplicada en cualquier edad y no se han demostrado interacciones con otro tipo de terapias que pudiesen obstaculizar el buen nivel de eficacia de éstas. Por eso, en las siguientes líneas explicaremos de una manera resumida pero clara y directa las propiedades que tienen los colores y cómo por medio de sus vibraciones y con una buena técnica para combinarlos podemos conseguir armonía y equilibrio.

Si echamos la vista atrás, podemos comprobar cómo los colores no han sido ajenos a ninguna de las civilizaciones, de hecho, hechiceros y chamanes poseían y distribuían objetos a modo de talismanes en los que siempre había un color único o al menos preponderante: este color adquiría así un importante significado para la persona a la que era entregado el fetiche. Según las investigaciones y publicaciones de naturistas como Pilar Lozano Pradilla o Elena de la Osa Nieto, podemos adentrarnos en este curioso método de sanación y descubrir que ya desde el año 1200 a.C. hasta el año 4000 a.C., en las antiguas culturas de Sumeria en Mesopotamia, los pacientes eran tratados con hierbas, regímenes alimentarios, masajes y colores. Al igual que en

Persia, donde se practicaba el culto a la luz conocido con el nombre de Ahura Mazda, en el antiguo Egipto, el templo de Heliópolis o de la Luz dedicado al Sol, los sacerdotes curaban con la ayuda de piedras preciosas, las cuales eran utilizadas por éstos como lentes que filtraban la luz solar. Las curaciones se llevaban a cabo según los colores espectrales presentes a las distintas horas del día. Se consideraba que el Sol era el dador de la salud y prolongaba la vida. Es en este tiempo cuando médicos persas viajaron hacia la India y allí comenzaron la extensión de la medicina ayurvédica.

En el *Libro tibetano de los muertos* se puede leer: «la esencia del hombre, su ser interior, está relacionado con el color». No hay dua de que fue en las culturas orientales, y en China concretamente, donde comenzó el uso del color para la curación de enfermedades y también es en este país y contexto donde encontramos los primeros simbolismos de los colores asociados a las nuevas necesidades de los hombres. Es en la China imperial donde los médicos comienzan a realizar diagnósticos por medio de la observación del color de la piel de los pacientes, llegando incluso a detectar el efecto de ciertos colores sobre algunas enfermedades; como ejemplo basta citar que a las personas epilépticas las tumbaban sobre alfombras de color violeta y cubrían las ventanas con telas del mismo color para aliviar así los síntomas de su enfermedad. Si la enfermedad tenía algo que ver con el tránsito intestinal, el color que usaban era el amarillo. El rojo lo reservaban para enfermedades tan curiosas como la escarlatina. Se ha teorizado sobre cómo la técnica de curación mediante el color se transmitió de los persas y su culto a Ahura Mazda a Israel por medio de los esenios, comunidad que existió desde el año 150 a.C. al 70 d.C. y a la que se supone pertenecía Jesús de Nazaret. Otra reminiscencia de esta intención de transmitir pensamientos con los colores podemos encontrarla en las grandes catedrales de Europa, donde tras el Románico surge una explosión de color en retablos y en vidrieras cuyo fin era serenar las mentes de los creyentes, transmitir paz y así poder conducirlos hacia pensamientos más elevados. Ya desde la época gótica, la Iglesia se sintió atraída por los colores más vistosos. Cuando nos fijamos en la heráldica, que aparece en Europa alrededor del siglo XIII, el escudo ostenta varias piezas o figuras, representadas en esmaltes o colores. Los dos metales de uso común son el oro y la plata, el primero se representa por pintura amarilla y el segundo por pintura blanca. Los principales colores son: rojo, azul, negro, verde y púrpura. En el Renacimiento pintores, escritores, filósofos y científicos, considerados de los más grandes e influyentes artistas de todos los tiempos, explotaron las sensaciones experimentadas por los colores (entre ellos podemos mencionar a Miguel Ángel, Rafael o Leonardo da Vinci). Según Carl G. Jung, ilustre psiquiatra suizo, los alquimistas estaban interesados en el desarrollo de la psique y ya daban a los colores un significado relacionado con las etapas de la vida. Isaac Newton publicó en 1704 su obra *Óptica*, donde explica la forma en que aparecen los colores según la cual la luz del Sol es una mezcla heterogénea de rayos diferentes, dividiéndose en colores independientes con las reflexiones y las refracciones de la luz al atravesar un prisma. Además, Johann Wolfgang von Goethe, popular poeta, dramaturgo y científico alemán, publicó en 1810 su obra *El tratado de los colores*, para que las personas comprendieran los aspectos metafísicos de los colores.

En 1878, Edwin D. Babitt publicó *Principio de la luz y de los colores*, sobre la aplicación de las vibraciones de los colores en la medicina. Desarrolló el «termolume», una cabina con luces de colores donde la persona se sentaba para recibir tratamiento y también el disco de cromo. Fue ya a finales del siglo xix cuando el doctor. Foveau de Courmelles publicó la obra *Cromoterapia,* y casi al mismo tiempo Johann Jacob Balmer desarrolló una fórmula basada en el espectro de colores del hidrógeno. Sin duda uno de los avances más importanes se produjo en el siglo *xx* de la mano de Bohr, que en 1922, reveló la arquitectura del átomo y el origen de la luz con su espectro curativo de colores. Pero si nos referimos a las bases de la Cromoterapia contemporánea, las encontramos en el doctor. Dinshah Ghadiali, un investigador, médico, químico y físico que afirma rotundamente que mediante los colores se curan enfermedades. Su famosa obra de 1933 *Spectro Chrome Metry Encyclopedia*, indica los tratamientos de 316 enfermedades por combinaciones de luces de colores. Según él, el organismo humano se comporta como un prisma viviente que disociando la luz en sus componentes fundamentales, extrae de ellos las energías necesarias para su equilibrio. En 1940 se da un paso más en las investigaciones y Hector Melli, en su libro *El secreto de los colores*, establece su diagnóstico por radiestesia y asocia los colores, los perfumes, las piedras preciosas y los signos astrológicos.

Tras todas estas investigaciones se ha desarrollado una serie de terapias y de protocolos de actuación que a día de hoy nos permite usar la Cromoterapia en muchos de los aspectos más habituales de nuestra vida como la decoración, la iluminación, Acupuntura cromática, los tratamientos con filtros, la Gemoterapia, los elixires de colores, el uso del color desde los alimentos, la cosmética, la ropa, etc. Hemos de recordar que nuestro equilibrio energético depende de la capacidad del organismo para absorber todos los colores del arco iris. Para ello, nuestros chakras han de estar abiertos y girando en el sentido correcto. Si alguno de estos centros pierde temporalmente su capacidad de absorción, total o parcialmente, nos encontramos frente a alteraciones que pueden afectarnos a cualquier nivel, tanto espiritual como mental o físico. Pero contrariamente a lo que se puede pensar en un primer momento, no sólo percibimos los colores por medio de la vista, pues numerosas investigaciones han descubierto cómo personas invidentes son capaces de diferenciar mediante el tacto y la energía un color determinado.

Las técnicas que se usan en Cromoterapia son: los rayos de luz coloreada, el agua solarizada, la elección de alimentos según su color, la coloración ambiental, los vestidos, la meditación con un color, etc. Todas ellas pueden ser usadas de manera individual o pueden combinarse entre sí para obtener mejores resultados.

Una de las técnicas es la luz coloreada, y es que los cromoterapeutas disponen de diversos dispositivos ópticos provistos de filtros especiales con los que es posible utilizar las distintas longitudes de onda de los diferentes colores del espectro luminoso visible, para tratar problemas estéticos o relacionados con el estrés y las deficiencias energéticas. En el campo de la medicina estética se obtienen efectos óptimos sobre acné, estrías, piel grasa, arrugas, eritrosis, etc. En el caso de la celulitis, el masaje bajo luz azul resulta menos doloroso y se obtienen resultados inmediatos y controlables desde la primera aplicación. También se ha comprobado cómo los bebés prematuros prosperan de manera más satisfactoria, cuando son mantenidos en una incubadora iluminada con color rojo-morado, es decir, el color del medio prenatal.

Cuando queramos fijarnos en un chakra determinado, para tratar esa disfunción energética, tenemos que tener presentes el color que cada uno tiene asociado: Muladhara el rojo, Svadishtana el naranja, Man Ipura el amarillo, Anahata el verde, Vishuddha el azul, Ajna el morado, Sahasrara el violeta.

Otra de las técnicas es el agua solarizada, que consiste en exponer a la luz directa del Sol, un recipiente lleno de agua; este recipiente será del color que se quiera que el agua adquiera sus propiedades, y así, por ejemplo, para perder peso se usará el color rojo, para ganar peso, el color azul. Hay que hablar también del color de los alimentos, que al igual que los rayos solares sobre un recipiente de un color determinado, aportan las propiedades de la longitud de onda de ese color sobre el líquido contenido, los alimentos según su color también adquieren unas características propias, de manera que, por ejemplo alimentos ricos en rayos rojos del espectro serían: remolacha, cerezas, fresas, tomates, sandía..., y alimentos ricos en rayos azules del espectro serían: frutas y verduras de piel azul, arándanos, ciruelas, uvas, berenjena...

Las cualidades básicas de cada color en las que se basa la Cromoterapia han sido recopiladas por Pilar Lozano Pradilla y Elena de la Osa Nieto, y de ellas se debe conocer:

• ROJO. El rojo ha sido llamado el «gran energetizador», el «padre de la vitalidad», por su inmenso efecto elemental sobre la constitución física del hombre. Se dice que el color rojo hace trabajar a la gente perezosa. El rojo estimula la acción física para superar la inercia o la contracción. El rojo es calorífico, calienta la sangre arterial y así incrementa la circulación. Bajo su acción, los corpúsculos de hemoglobina se multiplican en la sangre y, con el incremento de energía liberada, la temperatura del cuerpo se eleva, la circulación se extiende y vigoriza, dispersando la laxitud y las enfermedades productoras de moco, tales como catarros crónicos. Enfermedades típicas de los individuos dominados por el color rojo son las alteraciones circulatorias, anemia, debilidad física, laxitud, resfriados, parálisis, etc. Se utiliza para tratar la anemia, ya que al incidir la luz roja sobre nuestro cuerpo, los rayos rojos forman iones portadores de energía electromagnética. Cuando ese destello rojo golpea el cristal de sal férrica, una partícula que esté formada por sal y hierro, entonces divide al cristal en sus partes componentes, que son el hierro y la sal, y entonces el hierro es asimilado por la sangre mientras que la sal es arrojada del cuerpo. También es el color del corazón, los pulmones, los riñones, los músculos y los huesos. Además se adjudica a ciertas enfermedades de la piel, a heridas mal curadas, especialmente una vez libres de pus. En la Universidad de Kalserslauten (Alemania) se ha comprobado que al irradiar una célula con el color rojo, ésta responde con azul. Esto es debido a que existen dos tipos de complementariedad en los colores: una es el área de vibración complementaria (en este caso el complementario del rojo sería el verde) y la otra el área de temperamento complementario: rojo = colérico; verde = flemático; azul = melancólico. De esta manera, cuando alguien «grita» con rojo (agresión) tendrá como respuesta azul (melancolía). Espiritualmente, el rojo fortalece el poder de la voluntad y el valor para superar la cobardía y la falta de una fe en particular (todas las banderas revolucionarias son rojas). Todo juega su parte en la batalla del alma para lograr la libertad de las limitaciones del cuerpo. Puesto que impulsa a la acción, el rojo está indicado en todo tipo de parálisis. Metafísicamente, la parálisis comienza con una confusión emocional y mental, un no saber cuál es el siguiente paso a tomar. Gradualmente el miedo y la perplejidad llegan a agravarse tanto, que el sujeto teme tomar alguna iniciativa en cualquier dirección: se queda paralizado. El color rojo, color cálido, debe ser utilizado cuando hay atonía del organismo; es excitante y estimula la circulación sanguínea. Puede ser beneficiosamente empleado para activar el aparato digestivo y contra depresión nerviosa, hipocondría, melancolía, neurastenia y parálisis parciales o totales. En cambio, agravaría las enfermedades contraídas por mala aplicación del color azul.

- NARANJA. El naranja es una mezcla de rojo y amarillo y simboliza al Sol naciente, la aurora, el alba. El dar color naranja implica soltar, relajar, abandonar. Por eso es el color más importante para la depresión. Las personas dormilonas deberían llevar gafas con cristales de color naranja durante un cuarto de hora cada mañana. La tensión arterial también se elevará. Enfermedades típicas de los individuos dominados por el color naranja son el asma crónica, fiebre flemática, bronquitis, tos húmeda, gota y reumatismo crónico. Enfermedades que se pueden tratar mediante este color, además de todas las anteriores, son la inflamación de los riñones, piedras en la vesícula biliar, prolapso, interrupción de la menstruación, fiebre reumática, problemas de hígado, intestino, estreñimiento debido a vida sedentaria y hemorroides. El color naranja posee una acción liberadora sobre las funciones mentales y corporales; remedia depresiones, combina la energía física con la sabiduría mental, induce a la transmutación entre la naturaleza inferior y la superior, agota las tendencias mórbidas ayudando a desenvolver y desarrollar la mentalidad, por eso se le suele llamar «rayo de sabiduría». El efecto del naranja sobre la mentalidad es agregar la asimilación de nuevas ideas, para inducir la iluminación mental con un sentimiento de libertad de las limitaciones. La luz naranja ayuda a inducir tolerancia y al mismo tiempo fortalece la voluntad. El color naranja se atribuye a terapias específicamente cardíacas, arteriosclerosis, prolapsos, asma crónica, litiasis biliar, inflamación de los riñones, bronquitis, tos húmeda, epilepsia, parálisis... pero, particularmente, las enfermedades psicológicas, depresiones, agotamiento, y todo lo relacionado con esto. La transmutación de las fuerzas sexuales se lleva a efecto en el rayo naranja.

- AMARILLO. Simboliza la agilidad, el cerebro izquierdo; despiertan, dan inspiración y estimulan una mentalidad superior. Por ello, se utiliza el color amarillo en niños con deficiencias de aprendizaje, niños disléxicos. En medicina es muy útil para todo aquello en relación con la linfa, con la toxicidad, el intestino, la vesícula biliar y el hígado. Enfermedades típicas de los individuos dominados por el color amarillo son los problemas estomacales, flatulencia de estómago, indigestión, problemas de hígado, intestino, asma, bronquitis crónica, estreñimiento debido a vida sedentaria, hemorroides, gota, reumatismo crónico, diabetes, eczema, problemas de piel, lepra, extenuación nerviosa, dispepsia, diabetes, acidez, pirosis, parálisis.

- VERDE. El verde hace que todo sea fluido, relajante. Produce armonía, poseyendo una influencia calmante sobre el sistema nervioso. Elimina las sustancias tóxicas y los venenos que produce el organismo. Junto con el rojo, que es su color complementario, también es importante para los huesos. Esto significa que es el color para el dolor de las articulaciones. Si hay inflamaciones, quistes, tumores, cualquier cosa de este tipo, anomalías en los tejidos, podemos radiar con verde. Enfermedades típicas de los individuos dominados por el color verde son los problemas de corazón, alteraciones de la presión sanguínea, úlceras, cáncer, dolores de cabeza, neuralgias, sífilis y erisipela. Su color terapéutico complementario es el rojo y su color psicológico complementario, el amarillo. Un hombre apresurado, estresado, que trabaja muchísimo, que siempre empieza algo nuevo, que ve la televisión y al mismo tiempo habla con su mujer, etc., es un tipo amarillo puro y es más propenso a los ataques cardíacos. Por ello necesita un poco de flema, es decir, de color verde. No es casual que en la medicina moderna se prescriban tabletas de clorofila para sostener la acción del corazón. El verde es un color analgésico, que se puede utilizar para calmar todo tipo de dolores y neuralgias. Ayuda a tratar la hipertensión, la gripe y las inflamaciones genitales. Ha logrado notables efectos en ciertas psicopatías, así como en la furunculosis, la incontinencia de orina y la sífilis.

- AZUL. Es un color muy importante para calmar a las personas; se trata de un color frío que produce paz y sueño. Se dice que tiene cualidades antibacterianas. Por ejemplo, si una parte del establo se pinta de color azul, las moscas no pululan alrededor del caballo o de la vaca. Así mismo, cuando un dentista saca un diente que está infectado de pus, si tras la extracción irradia la herida con una luz azul de 10 a 15 minutos, no aparecerá inflamación. Del mismo modo, al tratarse de un color para aliviar el dolor, podemos utilizarlo en las odontalgias. Enfermedades típicas de los individuos dominados por el color azul son todos los problemas de garganta, laringitis, paperas, inflamaciones de la garganta, ronquera, dentición, fiebre, cólera, plaga bubónica, viruela, varicela, sarampión, aftas, apoplejía, histeria, epilepsia, palpitaciones, espasmos, reumatismo agudo, vómitos, disentería, diarrea, ictericia, biliosidad, cólicos, inflamación intestinal, ojos inflamados, picaduras, sarna, dolor de muelas, cefalea, desórdenes nerviosos, insomnio, menstruación dolorosa y choques. Es un poderoso antiséptico, trata la laringitis, la ronquera, la inflamación de garganta, las aftas, los problemas de dentición, la inflamación del cerebro, las paperas, las fiebres en general, la plaga bubónica, ataques biliares, golpes, quemaduras, picaduras de todas clases, hidrofobia y enfermedades de la mujer. En terapéutica, el color azul corresponde a la pituitaria y psicológicamente para los estados de malestar, zozobra e inquietud. El azul, color frío, refrigerante, sedante, antibiótico y astringente es preconizado en los estados febriles e inflamaciones producidas por gérmenes, así como para combatir el insomnio, terrores nocturnos en la infancia y neuralgias intercostales.

- ÍNDIGO. Se trata de una mezcla de azul y rojo, y es un color que está indicado en los problemas respiratorios. Se recomienda en la neumonía, las bronquitis con tos seca, asma y dispepsia crónica.

- VIOLETA. Es un color de corta vibración y místico, especialmente importante en la meditación, la inspiración y la intuición. Médicamente se utiliza para la linfa (complementario del amarillo). Es un reconstituyente del bazo, muy importante para las mujeres con menopausia. Cuando se estimula el bazo, también se estimula la gonadotropina, una hormona de la pituitaria, muy importante en el área genital. Enfermedades que se pueden tratar mediante el color violeta son la epilepsia, meningitis, conmoción, retortijones, reumatismo, tumores, debilidad de los riñones y de la vejiga. Purifica la sangre intoxicada. Estimula la intuición y la inspiración. Trata la conmoción, el insomnio, la locura, la ciática, la meningitis, la caspa, el escorbuto, las cataratas, la diuresis y la leucorrea. Problemas de los ojos, dolencias de los oídos y de la nariz, parálisis facial, dolencias nerviosas como el Parkinson, convulsiones infantiles y también las dolencias mentales, delirium tremens, obsesión, purifica la corriente sanguínea física y es un agente liberador mental. Trata también las cataratas, la sordera, la pérdida del olfato, la hemorragia nasal, la parálisis progresiva, la obsesión, la dispepsia, la tos irritante, la fiebre mucosa, la neumonía, las alucinaciones, la melancolía, la manía, la hipocondría, la demencia senil, la histeria, la epilepsia, los abusos sexuales, etc. También tiene efecto anestésico. Además es eficaz contra la anemia.

- ULTRAVIOLETA. De reconocidas propiedades antimicrobianas, es utilizado para la esterilización de algunos alimentos y del agua. Puede ser útil en hiperexcitabilidad nerviosa.

- PÚRPURA. Tiene su principal acción sobre los riñones y pulmones.

Otro punto a considerar es el de la intensidad de la fuente luminosa, al mismo tiempo que el color, y esto es particularmente importante en el tratamiento de los tumores. El color azul es el que posee un mayor poder de inhibición. En la oscuridad, aplicando luz azul, los tejidos normales se desarrollan moderadamente, mientras que los tejidos neoplásicos dejan de desarrollarse. En el campo de la medicina estética se obtienen efectos óptimos sobre acné, estrías, piel grasa, arrugas, eritrosis, etc. En el caso de la celulitis, el masaje bajo luz azul resulta menos doloroso y se obtienen resultados inmediatos y controlables desde la primera aplicación. Sin embargo, según Goethe, solamente existen tres colores primarios: rojo, amarillo y azul, ya que de ellos surgen todos los demás. Al mezclar amarillo y azul se obtiene verde, con el rojo y el amarillo se saca el naranja y con el rojo y el azul, el violeta. De esta manera se obtiene un modelo complementario, la relación positivo/negativo de los colores: amarillo/violeta, naranja/azul y rojo/verde. Siempre que se aplica un tratamiento, indiferentemente de la vibración complementaria, se están utilizando los tres colores básicos; por ejemplo, si se trata con el rojo/verde, el rojo es un color básico y el verde está constituido por amarillo y azul, con lo cual ya tenemos los tres básicos.

Los colores en el hogar es una de las técnicas más desarrolladas dentro de la Cromoterapia, cuyas bondades son alabadas tanto por médicos naturistas como por psicólogos y psiquiatras, pues están claramente demostrados los efectos que producen en la mente humana determinados colores que decoran nuestros centros de trabajo o nuestros hogares. Los colores no son únicamente importantes para la decoración de un lugar: son esenciales para el estado de ánimo de las personas. Percibimos el color a través de los sentidos, por lo tanto, son una influencia en la conducta del ser humano. El color es una elaboración de nuestra mente, por lo que tiene un gran efecto en nuestro estado de ánimo mental, físico y emocional. Es importante saber utilizar esto en nuestro favor para lograr una mayor tranquilidad, mejor salud y eficiencia en las acciones diarias, ya que el color ejerce en cada una de las personas un efecto subliminal al cual reaccionamos automáticamente debido a que está fuera del control de la consciencia.

Generalmente aplicamos cualquier color a nuestro entorno sin pensar en que ciertos colores pueden estar afectando positiva o negativamente nuestra calidad de vida. Saber qué ambiente deseamos transmitir en nuestros espacios es tan importante como saber aplicar los colores indicados. De aquí la importancia de conocer y llevar a cabo las reglas de la Cromoterapia. Lograr una armonía en el medio ambiente también es importante para tener una buena salud. Para solucionar pequeños problemas con las energías de nuestro entorno gracias a la Cromoterapia, las doctoras Pradilla y De la Osa recomiendan algunos consejos. En el hogar, lo primero que debemos tomar en cuenta es que los colores se dividen en cálidos y fríos, los cuales son opuestos y complementarios entre sí: amarillo y azul ultramar; naranja y azul turquesa; rojo y verde esmeralda; violeta y verde vegetal.

En decoración es imprescindible no olvidar este efecto: el amarillo adquiere más intensidad al ser colocado junto al azul y el rojo adquiere más intensidad al ser colocado junto al verde. Es por esto que no debemos tomar un color considerándolo aisladamente, sino estudiando la intensidad que adquirirá según tenga que ir junto a una u otra tonalidad. También es importante tener en cuenta el espacio en el que vamos a colocar el color, ya que de ello depende la orientación y el uso que se vaya a hacer dentro de ese espacio:

- Pasillos: deben predominar los colores cálidos.
- Comedor: lo mejor es que exista una mezcla y buena combinación de colores cálidos y fríos.
- Estancia: deben predominar los colores cálidos.
- Dormitorios: deben predominar los colores fríos.
- Cocina: mezcla de colores cálidos y fríos. Existe una tendencia general de utilizar el color blanco en la cocina, debido a que el blanco evoca orden y limpieza, pero es un color frío, monótono y desmoralizador, por lo tanto la sugerencia es mezclar este color con tonos cálidos que le den una mayor armonía ambiental. Esto no quiere decir que debamos utilizar colores demasiado excitantes, ya que pueden

provocar a la larga fatiga nerviosa, que en ocasiones puede afectar la salud. Lo mejor es una combinación armónica de tonos claros, luminosos y suaves.

En el salón y el comedor si las paredes son blancas o de color crema, el mobiliario podría tener matices pastel (verde, amarillo y azul). Inversamente, si las paredes son de color pastel, el mobiliario podría ser blanco. No es aconsejable que las baldosas de las paredes tengan contraste de colores, como por ejemplo blanco y rojo o blanco y negro; la persistencia de estos dos valores opuestos se traduce en fatiga ocular. Por lo que respecta a las habitaciones, algo que hay que tener muy en cuenta es la personalidad de quienes vayan a utilizarlas. Si se trata de personas nerviosas o irritables, deberá darse preferencia a matices pálidos y colores calmantes; si por el contrario tienen que habitarlas personas indolentes y melancólicas, un exuberante rojo o una mezcla de colores brillantes podrá animar su espíritu y contribuir a su salud. Las habitaciones en blanco suelen ser frías y tranquilas, y hace que el espacio parezca más amplio y la luz del día se incrementa. La iluminación que otorga el color blanco aumenta la capacidad de pensar con claridad, aunque puede provocar aislamiento, alivia el estrés, la fiebre alta, el dolor, la negatividad y la confusión mental, pero puede empeorar resfriados y gripes, mala circulación, el aislamiento y la soledad, la inactividad y la falta de energía. La elección del color para el cuarto de baño es particularmente delicada. El tono del maquillaje puede ser alterado por el reflejo de unas paredes de color demasiado vivo. Si el suelo es de color claro, las paredes y puertas podrían ser de color rosa y dejar los colores vivos para cortinas, toallas y demás accesorios. Si el suelo es de color oscuro, las paredes y puertas podrían ser de color amarillo, y blancos los aparatos sanitarios y demás accesorios. En el caso del lugar de estudio de los niños es importante tomar en cuenta que los colores frescos (azul, verde o combinación), poco saturados, favorecen para fijar la concentración debido a que transmiten un ambiente de tranquilidad y relajación. La armonía en el hogar es de suma importancia tanto para la convivencia de las personas que habitan en él como para la salud y el estado de ánimo de las personas. Los colores tienen el poder de restaurar la energía y el bienestar de la casa y de nuestra vida. Por eso no sólo debemos poner atención a la aplicación de tonos y distribución de los elementos, sino que también debemos tomar en cuenta la calidad de los materiales que utilizamos.

En la Universidad de Viena se han realizado diversos experimentos mediante la exposición de muchas personas, con los ojos vendados o ciegas, a la acción de luces de diversa longitud de onda, o lo que es lo mismo, a diversos colores. Todos reaccionaron igual. No hubo respuesta a la luz blanca, la amarilla los hizo mover los brazos inconscientemente, la roja los atrajo y la azul los repelió. De estas investigaciones se deduce que las sensaciones cromáticas no sólo entran en el organismo humano por los ojos y que debe existir otro aparato receptor situado en la piel. Como ya hemos indicado, es sabido que los ciegos detectan las vibraciones de la luz mejor que quienes disfrutan de buena vista, lo que hace suponer que tales vibraciones actúan no sólo sobre la sensibilidad, el ritmo respiratorio y la presión sanguínea, como ya es sabido, sino en muchas más facetas de las que generalmente imaginamos. La psicología experimental le atribuye un determinado simbolismo.

El blanco, síntesis de todos los colores, en sentido positivo significa perfección, pureza, verdad, inocencia, gloria, integridad, firmeza, obediencia, elocuencia, iniciación y perdón; en sentido negativo, puede representar frialdad, poca vitalidad, vacío o ausencia. El algunos países orientales el blanco es color de luto. En la naturaleza, el blanco es el color de la nieve, de los lirios, de los pulcros cisnes. Es el color preferido por los decoradores porque da luminosidad y favorece la integración de cosas muy diversas.

El violeta abarca los matices conocidos como añil, índigo, violeta, lila y morado. Significa humildad, retiro, recogimiento, religiosidad, tolerancia, intuición, sabiduría, pero también nostalgia, melancolía, conformismo y soledad extrema. Es el color propio de los arrepentidos, penitentes, deprimidos, así como de personas de débil vitalidad, frioleras, viejas antes de tiempo. En el extremo de esta gama se halla el ultravioleta, cuyo significado es el misticismo y desenvolvimiento de facultades parapsíquicas. El escarlata, que va desde los matices conocidos como carmín, carmesí, escarlata y púrpura, significa grandeza, dignidad, sabiduría, pero también indignación, dogmatismo, y egoísmo.

El rojo es el más cálido de los colores, estimula y dinamiza. Significa fortaleza, amor, sacrificio, audacia, optimismo, victoria. Pero también sangre, fuego, agresividad, pasiones violentas.

El naraja el más generoso de los colores y punto de equilibrio entre la libido y el espíritu. Significa confianza en sí mismo, vigor, estímulo vital. Pero también puede significar tentación lujuriosa, orgullo, ambición.

El amarillo, el color del Sol y del oro, significa luz, inteligencia, constancia, nobleza. Pero también envidia, avaricia, hipocresía.

Con el verde nos adentramos en la naturaleza en primavera. Significa esperanza, fe, respeto, servicio, amistad, pero también angustia y ansiedad. Al veneno se le acostumbra a representar de color verde.

El azul es el más frío e inmaterial de los colores. Color del infinito, del cielo y del mar, significa fidelidad, justicia, verdad, caridad. Pero también miedo, desvarío. En Siria, el azul celeste es el color del luto, significando el cielo que se desea para las almas de los difuntos.

El gris es el color del plomo, del tiempo lluvioso, de las rocas; como el beige y el marrón, es un color neutro que evoca un poder suave y sutil, el recuerdo de la infancia. Su significado es mucho más favorable cuando aparece limpio y claro que cuando es sucio y oscuro. Significa sensatez, experiencia, sentido común, justa medida entre mentalidad y emotividad, entre actividad y pasividad. Pero puede significar depresión, indiferencia, astucia y engaño. Las hojas secas al marchitarse adquieren el color beige.

El negro es la negación de todos los colores y simboliza la noche, la nada, el abismo, las tinieblas. Significa rigor, prudencia, honestidad, seriedad, elegancia, pero también tristeza, luto, inconsciencia, odio.

Otro de los aspectos importantes que resumen en su trabajo De la Osa y Lozano Pradilla es el del color de los vestidos. La Psicología de los colores prescribe vestimentas teñidas con materiales naturales y con colores que jueguen su papel para el bienestar físico y moral. Deberían evitarse las contradicciones. Así, los colores vivos y cálidos (rojo, anaranjado y amarillo), en lugar de utilizarlos en verano, como es moda, deberían ser preferidos en invierno, por su acción antifatiga, estimulante y tónica. Del mismo modo los colores muy llamativos, que suelen llevar las personas extrovertidas, deberían ser llevados por las introvertidas y algo melancólicas, a fin de que levantaran su temperamento. En síntesis, los colores de las prendas de vestir podrían elegirse, en cada caso particular, según los siguientes efectos:

- Rojo: ejerce un efecto tonificante, estimula las células cerebrales, acelera la circulación y además excita el apetito y la combatividad. Por ello, únicamente debería llevarse este color en cortos periodos de competiciones deportivas o de grandes esfuerzos.
- Rosado: crea un clima festivo.
- Anaranjado: para sentirse bien, optimista y aumentar el tono sexual.
- Amarillo: estimula la energía, predispone al humor jovial, procura sensación de bienestar. Fortificando nervios y cerebro, es aconsejable en caso de pruebas intelectuales y afectivas. Algunos amarillos pálidos carecen de efecto, pero basta realzar un poco su tono para obtener una atmósfera cálida que evoca el oro y el Sol.
- Verde: color de la Naturaleza, es calmante de los nervios, tranquilizador.

– Gris: color neutro que debilita las reacciones psicológicas. Para llevar durante periodos de grandes trastornos emocionales. No debe usarse durante mucho tiempo.
– Azul: produce un sentimiento de serenidad y tranquilidad.
– Violeta: concilia los dos extremos del espectro (azul y rojo). Para hallar la calma y abrirse a los demás. Pero presenta un lado enigmático. Llevar permanentemente este color engendra fatiga, estreñimiento e indigestión crónica.
– Blanco: hace a quien lo usa transparente a los ojos de los demás.

Todo color situado al lado de otro, ya contraste o se armonice con él, se ve transformado de manera increíble. Ciertos verdes pueden acentuar el enrojecimiento de la tez (porque el verde tiende a resaltar parcialmente su complementario, el rojo) o, por el contrario, subrayar la palidez. Si bien el rosa es generalmente considerado como un color que sienta bien, un rosa de color carne acentuará el color terroso del rostro. Algunos rojos vivos, en cambio, van sorprendentemente bien a este tipo de piel. Y una mujer de tez brillante cuyos cabellos contrastan intensamente con el color de la piel, puede llevar un conjunto verde esmeralda o rojo bermellón. El negro, negación de todos los colores, y el blanco, combinación de todos ellos, forman una categoría aparte que puede ir bien en toda ocasión. Sin embargo, cuando por la edad los cabellos se vuelven grises, hay que tener en cuenta que el negro hace palidecer el rostro.

CURACIÓN ESPIRITUAL O REIKI

La curación espiritual consiste en la canalización de una energía de origen místico o espiritual hacia una persona que lo necesita. Es un arte tan antiguo como la propia historia de la humanidad, ya que hace milenios que se sabe de sanadores que eran capaces de curar diversas enfermedades imponiendo las manos.

Existen numerosas escuelas de curación espiritual que se diferencian en sus conceptos y en sus técnicas, pero la norma general es siempre la misma: el sanador es capaz de canalizar un tipo de energía curativa que ayuda al paciente a recuperarse de sus enfermedades. Hablamos de autocuración espiritual cuando una persona atrae esas mismas energías sobre sí misma. En cuanto al Reiki, es una escuela de curación espiritual de origen japonés, que se basa en la falta de necesidad de realizar diagnósticos para llegar a la curación espiritual: el sanador se limitará a proyectar su energía sobre el enfermo, logrando que las energías de éste se reequilibren.

Existen algunos conceptos básicos muy importantes para entender la curación espiritual. El primero de ellos es de aura. Según esta terapia, todos los seres, desde las rocas hasta los seres humanos, poseen unos envoltorios de energía que se dividen en distintos niveles. El aura humana es la más compleja que se conoce y, al observarla, se pueden detectar las enfermedades físicas, los defectos de carácter, los problemas emocionales o las variaciones en el estado de ánimo. Algunos sanadores incluyen la observación del aura en sus tratamientos, para ver cuál es exactamente el problema energético de su paciente. Existen técnicas para aprender a ver el aura, y según los expertos, no es necesario poseer ningún tipo de habilidad paranormal para lograrlo.

Otro concepto fundamental es el de chakra. Llamamos chakra a cualquiera de los plexos nerviosos o centros de fuerza y conciencia localizados dentro de los cuerpos internos de la persona. En el cuerpo físico se corresponden con plexos nerviosos, ganglios y glándulas. Los siete chakras principales pueden ser vistos psíquicamente como coloreadas ruedas de muchos pétalos o flores de loto. Están situados a lo largo de la médula espinal desde la base hasta la cámara craneal. Son los siguientes: chakra base o raíz, sacro, plexo solar, corazón, garganta, frente y corona. Por último, la curación espiritual suele compartir el concepto de karma de las religiones orientales. El karma es una fuerza del destino que se genera en las sucesivas reencarnaciones, y suele conllevar una lección que hay que aprender en una determinada existencia física. En muchas ocasiones, las enfermedades pueden tener su origen en el karma, y por tanto habrá que aprender la lección concreta que nos quiera dar la vida antes de lograr una auténtica curación.

FLORES DE BACH

El doctor Edgard Bach, un médico bacteriólogo que más tarde se adentró en el camino de la Homeopatía, desarrolló en la primera mitad del siglo xx un sistema de curación completo dirigido fundamentalmente a establecer la paz mental y modificar nuestra actitud emocional. Fueron desarrollados como un sistema completo y, antes de su muerte, Bach dio instrucciones acerca de que no había que añadir más remedios. Su objetivo era mantener el sistema simple, y aunque algunos terapeutas puede que hallen el sistema restrictivo, los remedios fueron diseñados para la autoayuda, y la mayoría de sus usuarios valoran su simplicidad. Bach clasificó todos los problemas emocionales en siete grupos mayores (que más adelante analizaremos con mayor detenimiento): miedo, incertidumbre e indecisión, insuficiente interés en las circunstancias actuales, soledad, hipersensibilidad, desaliento o desesperación y exceso de preocupación por el bienestar de los demás. Bach descubrió como a través de la energía vibratoria, los remedios consiguen desarrollar un poder de acción que tiene la capacidad de curar cada uno de los aspectos negativos de los «tipos de enfermedad emocional» que él describió, y se conseguía restablecer ese equilibro emocional necesario para el hombre. Estos remedios fueron desarrollados cuando, en su acercamiento a la Homeopatía, buscaba elementos de la naturaleza que pudiesen funcionar igual que los nosodes homeopáticos. Sus biógrafos cuentan cómo todas las mañanas salía a pasear y observaba el rocío sobre las flores; uno de esos días se quedó absorto mirando el rocío y pensó que mientras el rocío descansaba sobre la planta debía de absorber algunas de sus propiedades. Sin mayor dilación se decidió a probar esta intuición que había aparecido en su cabeza, recogió y examinó el rocío de algunas flores, y descubrió que podía tener un efecto positivo sobre la mente. Probó varias flores y plantas, al parecer por instinto, y llegó a 38 remedios. Se sabe que él mismo probaba sus remedios. Cuando experimentaba un estado mental negativo en particular y unos determinados síntomas físicos, salía en busca de la flor que restablecería su paz de mente y cuerpo. Probaba cada flor colocando un pétalo sobre su lengua o en su mano e inmediatamente sentía los beneficios de la que funcionaba. Primero notaba los beneficios mentales, y luego los síntomas físicos desaparecían. En sus investigaciones se dio cuenta de que el rocío de las flores expuestas a la luz del Sol era más potente y que la energía de la planta era más concentrada cuando la flor se hallaba en plena floración. Tras sentirse seguro de que las flores podían transmitir su energía al rocío calentado por el Sol, decidió idear un método más práctico de extracción. De hecho, desarrolló dos métodos: el método del Sol y el método del hervir, que más adelante analizaremos y explicaremos.

El método de las flores de Bach es asequible a cualquier persona porque, con un poco de práctica, se puede determinar qué esencia es la que se necesita tomar. Como ya hemos apuntado, existen 38 remedios de las flores de Bach desarrollados para apoyar todas las personalidades, actitudes y estados mentales negativos concebibles. Al igual que otras muchas de las terapias naturales que estamos analizando en esta obra, y especialmente ésta por su gran parecido con la Homeopatía, no tiene ningún tipo de efecto secundario o de implicaciones tóxicas para las personas que lo toman, es más, los remedios de las flores de Bach son tan simples que a menudo son considerados placebos. No actúan de ninguna forma bioquímica, y puesto que ninguna parte física de la planta permanece en el remedio, sus propiedades y acciones no pueden detectarse o analizarse como un medicamento o una preparación herbal. Los terapeutas creen que los remedios contienen la energía o huella de la planta de la cual están hechos y actúan de una forma similar a los remedios homeopáticos, es decir, proporcionan el estímulo necesario para que el cuerpo active sus propios mecanismos de curación. Algunos de los remedios son conocidos como «remedios tipo». El remedio tipo de una persona es a todos los efectos el remedio más compatible con su personalidad o carácter básico, y usted lo toma cuando el lado negativo de su carácter amenaza al positivo. La mayor dificultad está en cómo cada persona halla su remedio tipo, pues de la lista que en las líneas siguientes proporcionamos, encontrará una breve descripción de las personas que encajan en cada uno, y es fácil que se sienta descrito en más de uno: por eso puede que no sea usted la mejor persona para decidir sobre esto. Le aconsejamos que pida ayuda o consejo y si decide hacerlo por sí mismo, le recomendamos que para descubrir su remedio tipo, repase los elementos más importantes de su vida y anote cómo reaccionó usted ante ellos.

No hay reglas acerca de tomar los remedios. Cuatro gotas al menos cuatro veces al día es lo sugerido, pero no la regla. Déjese guiar por su instinto. Todos los remedios se hallan disponibles en preparaciones listas para usar, que dejará caer sobre su lengua o mezclará en agua. Si decide prepararlos por sí mismo, el método de preparación de la tintura madre para los remedios es el siguiente: preparar la tintura madre de las esencias de Bach es fácil, únicamente hay que distinguir perfectamente la especie que hay que seleccionar para proceder a la elaboración de las tinturas. Como indicamos anteriormente, los métodos de elaboración son dos: cocción y solarización. Para ambos métodos seleccionaremos las flores a tratar, siempre en un día soleado y que nos sintamos relajados y en paz, en armonía con la naturaleza. Es importante saber que la recolección de las flores hay que hacerla a primera hora de la mañana, hasta las 9 (hora solar).

- Método de cocción: pondremos las flores y los tallos (de menos de 10 cm), en un recipiente. Lo ideal es llenar las tres cuartas partes del recipiente con las flores y los tallos y el cuarto restante de agua de manantial (si no tuviéramos agua de manantial, podemos utilizar agua envasada y a poder ser en envase de vidrio). El tiempo de cocción es de 30 minutos y en caso de tener que remover el contenido, se debe utilizar una ramita de la misma planta.
- Método de solarización: llenaremos un recipiente de vidrio con agua y dispondremos en él las flores con un poco del tallo para que de esta forma no se esparzan las hojas de las flores. Las flores no deben tocarse con las manos, así es que se deben cortar de manera que caigan directamente al recipiente con agua. Una vez que la superficie del recipiente queda cubierta por una capa de flores, se ponen al Sol por un periodo que va desde tres a cinco horas, dependiendo de la flor (el tiempo estipulado lo marcará lo que tarde la flor en marchitarse encontrándose dentro del agua). Una vez marchitas las flores, se retiran del recipiente con una ramita.

Cuando se ha efectuado el proceso de cocción o de solarización, se filtra el líquido y se mezcla en cantidad igual de brandy. A esta mezcla se le denomina tintura madre. Para conseguir la tintura madre de *rock water* o agua de roca, se mezclará a partes iguales el agua de algún manantial que se sepa que tenga propiedades curativas, con igual cantidad de brandy. La tintura original se consigue con el agua proveniente de un antiguo manantial de Gales. De la tintura madre se obtiene el *stock*, que consiste en añadir una gota de tintura madre por cada 10 ml de coñac. Es del *stock* de donde se preparan los remedios florales, teniendo éste una duración indefinida.

He aquí una serie de recomendaciones e indicaciones de cómo administrar las dosis de las flores de Bach:

- Tomar cuatro gotas cuatro veces por día: al levantarse, antes de la comida, antes de la cena y la última antes de dormir.
- Bajo ningún concepto aumentar el número de gotas; si fuese necesario, aumentar el número de dosis.
- No mezclar con bebidas alcohólicas.
- No tomar cuando inmediatamente después vayamos a lavarnos los dientes.
- Poner las gotas bajo la lengua y retener en la boca unos segundos un poco antes de tragar.
- No dejar que el cuentagotas toque la lengua.
- No dejar el frasco de la fórmula a la luz, cerca de una fuente de calor, cerca de perfumes o de medicamentos.
- A la hora del tratamiento hay que subrayar que las flores no tienen contraindicaciones, no causan sobredosis o efectos colaterales; pueden ser recetadas hasta para bebés, siendo disueltas en una cucharita de agua o en el biberón (la misma dosis), ahora bien, a la hora de realizar mezclas para bebés, colocar dos flores como máximo.
- La duración del tratamiento varía con cada caso concreto: si fuese emergente, es rápido; si fuese crónico, es a largo plazo; y si fuese circunstancial, depende de los acontecimientos. Es conveniente mantener el tratamiento con el mismo remedio durante al menos dos meses.
- Después del tratamiento (en general de cinco a ocho meses), la persona puede dejar de tomarlo y únicamente volver a tomar flores en condiciones muy concretas y especiales.

Todos los remedios que más adelante mencionaremos se preparan de la siguiente forma: se pondrán dos gotas de la solución del *stock* en un vaso de agua que deberá beberse a sorbitos. Esto deberá tomarse al menos dos veces al día. Una al levantarse y otra antes de acostarse. También puede hacerse el preparado en un frasco gotero de 30 ó 60 cc, llenando el frasco con agua y añadiendo dos gotas de cada una de las esencias escogidas y un poco de brandy a modo de conservante. Si se elige esta opción, deberán tomarse cuatro gotas cuatro veces al día poniéndolas debajo de la lengua. También es posible aplicar las esencias por vía tópica mediante compresas, geles o pomadas en las zonas con dolor o granos.

LAS 38 FLORES

Para nombrar las flores de Bach, se usa a menudo el término en inglés, por eso se indica entre paréntesis:

- Agrimonia (*Agrimony*). Es el ansiolítico del sistema Bach. Indicado para ansiedad, sirve para la obesidad y el alcoholismo, miedos físicos, miedo de estar solo, neurosis de la ansiedad, síndrome del pánico, personas que se preocupan mucho de antemano. Siempre hará aparecer algo durante y después del tratamiento. Es muy necesario acompañar el tratamiento con otro, pues probablemente será necesario el tratamiento con otra flor.

- Álamo (*Aspen*). Para miedos ligados al esoterismo, miedos asociados a religión y miedo a dormir.

- Haya (*Beech*). Para personas intolerantes, críticas y arrogantes, que consideran a los otros estúpidos e ignorantes, perfeccionistas. Ayuda a adoptar una postura más comprensiva y tolerante.

- Centaura (*Centaury*). Para personas que son usadas, sumisas y serviles, para personas que no pueden decir que no. Por detrás de una centaura normalmente hay una persona insegura (*larch*). También llamado *centaurium umbellatum* (centaura). Tallo recto que alcanza entre 5 y 35 centímetros de altura. Crece en campos secos, al borde de los caminos o en lugares yermos. Las pequeñas flores rosadas, muy inhiestas, están insertadas en la punta de las ramas. Florecen durante el verano y únicamente se abren cuando hace buen tiempo. Está relacionada con la capacidad anímica de la autodeterminación y la propia realización. En el estado centaura negativo queda interrumpida la relación con la propia voluntad. A los niños con acentuados rasgos centaura a menudo se les considera simples, de buena voluntad, obedientes y complacientes. En ellos fructifica el elogio y la censura. Cuando son adultos, son proclives a caer bajo la influencia de una personalidad más fuerte, que aprovecha su innata servicialidad para propósitos egoístas.

Las personas que padecen el estado centaura se quejan más a menudo de fatiga y extenuación porque en su servicialidad le exigen demasiado a sus propias fuerzas. En el estado centaura negativo las magnas virtudes de querer ayudar y la entrega a una misión están distorsionadas negativamente. Esta confusión hace que el individuo se subordine como un niño menor de edad, sin albedrío, a otra persona y a sus debilidades humanas, en lugar de servir a través de la propia alma a principios más elevados. Algunos terapeutas califican a la persona centaura como a la más sensitiva de los 38 estados anímicos.

Síntomas claves del estado centaura: debilidad de la propia voluntad, reacción exagerada ante los deseos de los demás, la bondad es fácilmente explotada, no puede decir no.

Síntomas de estado de bloqueo: dificultad para imponerse, pasividad, pérdida de voluntad, facilidad de ser influido, voluntariedad, servicialidad hasta la sumisión. La persona reacciona antes a los deseos de los demás que a los propios. Presiente enseguida lo que otros esperan de ella y no puede evitar complacerles. Se deja llevar equivocadamente por el deseo de caer bien a los demás; y en casos extremos llega hasta la abnegación. Se convierte en esclavo más que en ayudante. Se ve fatigado, pálido, macilento. No defiende sus propios intereses. A menudo da más de lo que tiene. Corre el peligro de no cumplir su propio cometido en la vida. Los niños se rigen en gran medida por el elogio y la censura.

- Ceratostigmo (*Cerato*). Para personas indecisas que buscan la opinión de los otros para absolutamente todo, que siempre piden consejos y no tienen confianza para tomar sus propias decisiones.

- Cerasifera (*Cherry Plum*). Para personas que tienen impulso de hacer cosas horribles. Está indicado siempre que haya falta de control emocional o neurosis obsesiva. Las tiernas ramas sin espinas de este árbol o arbusto de cerasifera que alcanza una altura de tres a cuatro metros, se emplean en Inglaterra para proteger del viento las plantaciones de árboles frutales. Las flores de alba blancura son algo más grandes que las del endrino y el espino y se abren entre el final del invierno y el principio de la primavera, antes de que brote el follaje.

Cerasifera está relacionado con el principio de la franqueza y a serenidad. En estado cerasifera negativo se trata de sofocar obsesivamente un proceso evolutivo psíquicomental. Es un estado muy crítico. Se percibe con plena conciencia o bien en planos semiconscientes. En estado cerasifera negativo se teme perder la razón, el autocontrol. Los nervios están tensos a punto de estallar; se siente el tic-tac de una bomba de tiempo interior. La persona teme hacer en cualquier momento algo terrible que modifique el resto de su vida. Siente liberarse en su propio interior fuerzas destructivas que ya no puede dominar. Considerado desde el punto de vista psicológico, la causa de este desequilibrio reside en el miedo a claudicar interiormente. La persona quisiera evitar que aflorasen imágenes del subconsciente que no puede dominar. Los esotéricos señalan a este respecto la posibilidad de que existan cargas kármicas por el abuso de los poderes en otras existencias anteriores. En el transcurso del desarrollo mental se puede llegar a estados cerasifera negativos antes de dar importantes pasos de decisión. Ideas disolutivas e imágenes destructivas pugnan por invadir la conciencia sin que tengan que estar ligadas a ellas los sentimientos críticos arriba descritos.

En el estado cerasifera negativo la personalidad se ha apartado del todo de la vía marcada por el yo superior. En el estado cerasifera positivo podemos sumergirnos profundamente en nuestra subconsciencia y expresar y trasplantar a la realidad las ideas y conocimientos allí obtenidos. Podemos manejar de manera espontánea y serena grandes fuerzas y dejar atrás enormes etapas evolutivas.

Esta flor demostró su eficacia con los niños que padecían enuresis. Estos niños se someten a sí mismos a un control tan severo durante el día, que de noche, cuando el control consciente del cuerpo cesa, pueden dar libre curso a sus miedos interiores a través de una micción espontánea.

Cerasifera está indicado para personas que, a raíz de ideas obsesivas, alucinaciones y la amenaza de psicosis, ya estuvieron internadas en un sanatorio y temen volver a pasar por la misma experiencia, así como también para aquellas que juegan con la idea del suicidio. Antes de recomendar cerasifera a estas personas, es necesario asegurarse de que en calidad de enfermos están bajo el control de un especialista.

Delimitación de los estados de miedo de heliantemo y cerasifera. Heliantemo o jarilla, extrema sensación de miedo en una situación concreta; se manifiesta exteriormente. Cerasifera es el miedo a los propios conflictos subconscientes que se disimulan todo lo posible. Se deja traslucir poco o nada al exterior.

Síntomas claves del estado cerasifera: miedo a ceder interiormente, a perder la razón; miedo a que falle la mente; arrebatos temperamentales incontrolables.

- Brote de castaño (*Chestnut bud*). Para ayudar a los que no aprenden las lecciones de la vida y cometen siempre los mismos errores. Ayuda a observar más las experiencias. Muy bueno para la fase de estudio, pues facilita el aprendizaje. Indicado para el síndrome de Down. Sus otros nombres son: *Aesculus hippocastanum*, brote de castaño de Indias. Del mismo árbol se obtiene la esencia de castaño de Indias, para la cual se emplean las flores. En este caso sólo se utilizan los brillantes capullos que bajo una capa viscosa de 14 tegumentos que alojan por igual las flores y las hojas.

El brote de castaño está relacionado con la capacidad del alma para el aprendizaje y la materialización. En el estado negativo nos resulta difícil coordinar de forma correcta las ideas interiores con la realidad material; en el negativo a la persona le resulta difícil hacer un balance intermedio y aprovechar las experiencias de modo tal que rindan beneficios en el futuro. Como espectadores, a veces se tiene la impresión de que las personas del tipo brote de castaño huyen de sí mismas y se resisten tercamente a reconciliarse con su pasado, más aún, con su vida. Como de este modo no pueden ganar de las experiencias de su pasado, siempre aparecen con las manos vacías. No tienen nada en qué apoyar sus decisiones presentes, ni principios reconocidos sobre los cuales construir algo en el futuro. Comparativamente, brote de castaño parece ser un estado energético muy juvenil. De hecho, es muy indicado en el tratamiento pediátrico. En los niños, este estado se reconoce porque siempre dan la impresión de estar algo distraídos y poco atentos, sin detenerse con sus pensamientos en sueños o fantasías. Simplemente parecen no registrar muchas cosas. El brote de castaño ayuda a coordinar mejor las actividades mentales interiores con las realidades materiales.

Síntomas claves del estado brote de castaño: se cometen siempre los mismos errores, porque se asimilan realmente las propias experiencias y no se aprende lo suficiente de ellas.

• Achicoria (*Chicory*). Para los egoístas y posesivos, los que siempre quieren agradar a los demás por el reconocimiento. Es un tipo material, sobreprotector, que se siente rechazado, incomprendido, y se ofende cuando las personas no reconocen lo que él hace bien. Ayuda a amar y aconseja sin exigir a cambio amor o atención. Es conocida también como *Cichorium intybus*. Esta planta, muy ramificada, alcanza hasta 90 metros de altura. Crece en suelos pedregosos, campos improductivos y caminos abiertos. Sus flores estrelladas de un color azul brillante no se abren todas al mismo tiempo, son muy sensibles y se marchitan enseguida tras haber sido arrancadas.

La achicoria está relacionada con la capacidad anímica del sentimiento maternal y el amor abnegado. En el estado negativo estas cualidades se dirigen a lo negativo y se truecan en egoísmo. Muchos niños necesitan achicoria. Desde la cuna se advierte que reclaman la continua atención de los miembros de la familia y reaccionan con malhumorados berridos cuando se les deja solos. De mayores, ya no logran nada con el llanto, apelan a otras tretas, a todos los recursos, desde la zalamería a enfermar e intentar pequeñas coacciones.

Achicoria es un estado anímico negativo que no debe pasarse por alto y que siempre atrae energéticamente la compasión de los demás. Se presenta en ambos sexos y a cualquier edad y se basa sobre todo en querer ejercer influencia, tener exigencias, no querer abandonar ideas, cosas y sentimientos. El propio Bach comparó el estado achicoria positivo con el arquetipo de la «madre universal», el potencial maternal del alma que está latente en todo ser humano, ya sea mujer u hombre. Los esotéricos dan a este respecto la hipótesis de que en Occidente hay tantos individuos en estado de achicoria negativo porque se han separado de la conciencia demasiadas facetas de esta gran energía madre arquetípica y sólo se han concentrado en una, la más fácil de aceptar, la de la «virgen», personificada en la Virgen María, por ejemplo. Otra interesante reflexión esotérica es la que señala a los individuos que en muchas existencias han estado bajo la importante influencia universal de una «madre Iglesia» que en todo momento exige obediencia. En estado achicoria positivo, la gran energía maternal puede ser desembolsada positivamente, sacamos de lo que está lleno, podemos dar desinteresadamente, sin esperar una retribución, exigirla interiormente.

Síntomas claves del estado achicoria: postura posesiva de la personalidad que se entromete y manipula en demasía. Espera una total dedicación por parte de los demás cuando no se logra imponer la propia voluntad; se exterioriza una actitud de autocompasión.

• Clemátide (*Clematis*). Para personalidades «voladoras», siempre soñadoras, siempre en la Luna, tienen sueño a la tarde, no tiene interés por las cosas actuales, dispersas, personas que escuchan sin oír, miran sin ver. Generalmente tienen problemas de visión y audición. Suele ser asociado con el brote de castaño. Trae a la persona a la realidad. También es llamado *Clematis vitalba*. Esta trepadora crece en suelos calcáreos, en sotos, zarzales y bosques. Los tallos de las plantas más viejas de clematis, que alcanzan una longitud de hasta 12 metros, son sarmentosos y de dos a tres centímetros de grosor. Florece a finales del verano. Las flores, de suave fragancia, presentan cuatro sépalos de un característico color blanco verdoso. Durante el otoño, los pistilos se vuelven curiosamente plateados filamentosos, asemejándose al cabello de un anciano.

La clemátide está relacionada con la capacidad anímica del idealismo creador. En estado clemátide negativo, la personalidad trata de participar lo menos posible en la vida real y de ensimismarse en el mundo de la ilusión y la fantasía. La tarea del médico no es fácil con una persona en estado de clemátide enferma, pues su instinto de autoconservación es débil y por ende también su impulso a sanar. A veces casi se tiene la impresión de que a estos pacientes no les asusta en absoluto abandonar esta tierra para reunirse, quizá en el más allá, con un ser querido perdido. No en vano Edward Bach llamó al estado clemátide una forma cortés de suicidio. La ola romántica de añoranza por la muerte a fines del siglo fue una perfecta manifestación del estado clemátide negativo. Las personas de tipo clemátide tienen por lo general un potencial de talento creador mayor que el hombre medio: por esta razón se las encuentra a menudo en profesiones productoras de sueños, como pueden ser el sector de la moda, la cinematografía y la prensa.

Síntomas claves del estado clemátide: lo más característico es la ensoñación; siempre están ausentes con el pensamiento; ponen poca atención en lo que sucede a su alrededor.

- Manzano silvestre (*Crabb apple*). Es el antibiótico del sistema, es el remedio de la limpieza, tanto física como psicológica, para personas que se sienten culpadas, sucias, para problemas con la piel, vergüenza y desagrado de sí mismo. Indicado para procesos infecciosos, hábitos perniciosos, repugnancia a contactos físicos e ideas fijas. Limpia la mente. Es el purificador para la mente y el cuerpo. También es llamado *Malus pumila*. Probablemente se trate de un manzano cultivado que luego creció silvestre. Presenta copa ancha y ramas terminadas en espolones. Su altura máxima es de 10 metros. Crece en setos vivos, montes y claros del bosque. Las flores, de pétalos acorazonados, son de un color rosa fuerte por fuera y blancas con un ligero matiz rosado por dentro. Florece en primavera.

Manzano silvestre está relacionado con el mundo del orden, la limpieza y la extremada perfección. Con frecuencia, caen en este estado todas aquellas personas que tienen ideas muy precisas acerca de cómo debiera ser su entorno, su cuerpo y hasta su interior, esto es, inmaculados. Todo lo que se aparta de estas ideas de pureza ideales pero muy personales, los confunde y molesta. Debido a su extraordinaria sensibilidad, las personas que necesitan a menudo manzano silvestre quedan tan impresionadas por cualquier pequeñez, que se dedican de lleno a asimilarla interiormente, agotando de esta forma las energías para considerar problemas mayores. El manzano silvestre ha probado muchas veces su eficacia en el tratamiento concomitante de impurezas de la piel de todo tipo, por supuesto siempre conjugado con otras flores de Bach recomendadas para el carácter. Para uso externo se vierten unas diez gotas del frasco de toma en una bañera. Cinco gotas son suficientes para sinapismos y compresas.

Algunos terapeutas lo recomiendan como ayuda en una cura de ayuno y otros con el fin de aliviar las secuelas de una borrachera. Hay quienes lo recetan cuando amenaza un resfriado o bien para manejar mejor los efectos de una quimioterapia intensiva (antibióticos y narcóticos). En casos aislados, se sabe que con su administración se ha conseguido eliminar cálculos biliares. Algunos terapeutas toman una combinación de manzano silvestre y nogal entre una y otra sesión para mantener lo más reducido posible la influencia del campo energético de los pacientes sobre su propio campo de energía. Conjuntamente con el remedio de urgencia (o *rescue*), se ha empleado también para tratar plantas invadidas por una plaga o que han sido trasplantadas.

Síntomas claves del estado manzano silvestre: nos sentimos sucios, impuros o infectados, tanto en el interior como en el exterior.

- Olmo (*Elm*). Para personas con extremada responsabilidad, que sienten que cargan un peso sobre los hombros, que se sienten presionadas por el trabajo y compromisos. Indicado en dolores físicos. Es el analgésico del sistema. Crece en bosques y setos, y las numerosas flores pequeñas en racimo florecen entre finales del invierno y principios de la primavera, según como se presente la estación, y abren antes de brotar las hojas.

Se relaciona con el principio de la responsabilidad. A diferencia de otras flores, esta energía se manifiesta la mayoría de las veces en su forma positiva. En la forma negativa se muestra como «los momentos de flaqueza en la vida de los fuertes», cuando los individuos de capacidad y responsabilidad superiores al término medio, de pronto se sienten tan agotados que tienen la sensación de no estar ya a la altura de las circunstancias.

Síntomas claves del estado olmo: sensación pasajera de inseguridad: incapacidad de cumplir sus cometidos y estar a la altura de las circunstancias.

- Genciana de campo (*Gentian*). Para depresión con causa conocida. Da coraje, anima. El lema es: «Yo tendré éxito». Es la *Gentiana amarella*. Esta planta, de 15 a 20 centímetros de altura, crece en praderitas áridas y peñascosas, riscos y dunas. Las numerosas flores, de un color que van entre el azul y el púrpura, se recogen de julio a octubre.

En el área geográfica de Europa central, la genciana se vincula con Dios y con la fe. La flor de Bach genciana de campo se relaciona con el concepto de la fe, no debiéndose interpretar la palabra fe únicamente en el sentido religioso. También puede ser la fe en el sentido de la vida, en un orden superior, en un determinado principio de vida o en una cosmovisión. Desde el punto de vista mental, el estado genciana se podría considerar un bloqueo en este plano. El intelecto engrana con fuerza, pero de forma negativa.

Síntomas claves del estado genciana: escepticismo, dudas, pesimismo, tendencia al desánimo.

- Aulaga (*Gorse*). Para los desesperados, así como para pacientes que sufren enfermedades terminales. Hace que la persona adquiera una nueva visión, y este es el principal motivo por el que sirve para los que pierden la esperanza por completo, casos graves, enfermedades en que nada da resultado. También es llamado *Ulex europaeus*. Crece en suelos pedregosos, praderas secas y páramos. Florece entre el invierno y la primavera.

  Aulaga representa la capacidad anímica de la esperanza. En estado negativo, este potencial se ha perdido. Muchos pacientes en este estado han sufrido en otro tiempo una enfermedad crónica, o la padecen en el presente. Han probado sin éxito muchos tratamientos, y los médicos les han dado a entender que tal vez nunca volverían a estar del todo sanos. Este estado anímico es muy peligroso por dos razones:

  – Porque la postura expectante interior negativa refuerza una y otra vez el programa de deficiencia de la enfermedad en el cuerpo etéreo y, como consecuencia, se arraiga cada vez con más fuerza en el cuerpo físico, de modo que el problema sólo puede empeorar.
  – Porque la personalidad produce por añadidura resistencia pasiva. Se aparta cada vez más de su yo superior y de su proceso evolutivo vivo, y así se convierte progresivamente en cadáver viviente.

  En estado positivo, el hombre puede sacar de lo profundo de su interior nueva fuerza y esperanza; entonces vuelve a estar preparado para participar en su propio destino. Esto no quiere decir que espere lo imposible, pues sabe que la pierna amputada no le crecerá de nuevo, pero alimenta imperturbable la esperanza de que en el marco de su destino todo llegará a buen término. Así, a pesar de todas las contrariedades, sigue adelante, y aprende a sufrir sin quejarse porque ha reconocido que a través de las pruebas y experiencias dolorosas el hombre aprende más. Hoy en día el estado aulaga negativo tampoco se presenta de forma tan acusada como se describe más arriba. A veces no es fácil distinguir el estado aulga del estado rosa silvestre. En el primero, aunque esté desesperado, el paciente se deja persuadir para intentar una nueva forma de tratamiento. Rosa silvestre, por su parte, es más pasivo y apático. Ya no está dispuesto a probar algo nuevo.

- Brezo (*Heather*). Es la flor de la gente que habla mucho, de los que traen todos los asuntos de las conversaciones para ellos. Para personas centradas en sí mismas. También es llamado *Calluna vulgaris*, brezo común. No debe confundirse con la érica de flores rojas. En verano, nacen unas flores de un tono azulado curiosamente rosadas, a veces blancas, en eriales, tremedales y planicies abiertas estériles.

El breso está relacionado con dos cualidades del alma, la comprensión y el altruismo. En estado heather negativo, el individuo no hace más que girar en torno de sí mismo y sus problemas. En ocasiones, irrita a quienes lo rodean con sus problemas, y hasta trata de resolverlos a su costa. Este estado puede manifestarse bien en forma extrovertida o bien introvertida, y transitoriamente se presenta en casi todas las personas.

Recomendaciones para las personas en estado brezo: Imaginar siempre el aura de la otra persona, en la que uno no debe infiltrarse. Ejercitarse en escuchar y esperar alguna vez con toda conciencia qué caerá en suerte espontáneamente. Comprometerse con los problemas del grupo: ayuda a la comunidad, política comunitaria, etc.

- Acebo (*Holly*). Para cualquier tipo de estado negativo, odio, desprecio, egoísmo, frustración, temperamento violento, vengativo. Es usado contra sentimientos explosivos que causan indignación. Es el antídoto del odio. Para quien tiene rabia de la vida. Es la flor del amor. Sirve para los celos. Es conocido como *Ilex aquifolium*. En general es un arbusto, pero también los hay arbóreos. Sus hojas son perennes, verdinegras y muy brillantes, con pequeñas drupas de color escarlata. Prospera en bosques y en los lindes de los zarzales. Las flores masculinas y femeninas son blancas, de suave fragancia, que por lo común crecen en plantas diferentes.

A veces, es necesario distinguir acebo de achicoria:

- El estado acebo representa el dictado más elevado del amor. Los sentimientos son más dolorosos, pueden relacionarse no sólo con seres humanos, sino también con ideas.
- El estado achicoria representa un aspecto parcial del amor, el del dar y tomar. Prima la postura posesiva, exigente respecto a la otra persona.

Síntomas claves del estado acebo: celos, desconfianza, odio y envidia en todos los planos.

- Madreselva (*Honey suckle*). Para personas que viven en el pasado, quedan presas en él, sirve para traer a las personas al presente. Es útil para viudos, personas que viven en el exterior y extrañan, personas que pierden seres queridos y quedan presas en recuerdos. Es indicado para ayudar a huérfanos y personas mayores que viven solas. Es la flor de los recuerdos. También es conocida como *Lonicera caprifolium*. Esta trepadora vigorosa, fragante, crece en los bosques, en los lindes de éstos y en los prados. Los pétalos de las flores, rojos por fuera y blacos por dentro, toman color amarillo en la época de la fecundación. Es más rara que la madreselva amarilla y florece en pleno verano.

Madreselva tiene que ver con la capacidad para transformarse y la comunicación. En estado madreselva no estamos bastante unidos al flujo de la vida. Es comprensible y en cierta medida normal en los ancianos que en su interior están haciendo un balance sobre todo. Es curioso que algunas personas que necesitan madreselva casi no pueden recordar su pasado. En estos casos se ha evitado conscientemente, hasta ese momento, todo intento de dominarlo. En algunos aspectos, el estado madreselva se confunde con el estado clemátide, pues ambos se caracterizan porque el individuo no tiene interés alguno en el presente y no vive aquí y ahora, he aquí la diferencia:

- El estado madreselva se refugia en el pasado y ya no espera nada positivo del presente y el futuro.
- El clemátide huye del presente y se refugia en la fantasía. Confía en un futuro mejor.

Síntomas claves del estado madreselva: añoranza de lo pretérito; pesar por lo que pasó; no se vive en el presente.

- Hojarazo (*Hornbean*). Para cansancio físico y mental, para personas que sienten que todos los días son lunes por la mañana. Da fuerza emocional. Para personas perezosas, sin fuerza ni energía. Este árbol, parecido al haya común, pero de menor altura y más verde, crece aislado o en grupos en los montes altos o en los montes bajos. Las flores masculinas colgantes y las femeninas enhiestas se abren durante la primanvera.

Síntomas claves del estado hojarazo: cansancio; agotamiento mental, como estado transitorio o de larga duración.

- Impaciencia (*Impatiens*). Para personas irritables, nerviosas, que les gusta trabajar solas. Consideran todo con el pensar más lento. Óptimo para la inquietud y tensión mental. Es conocida también como *Impatiens glandulífera*. Esta planta carnosa, que alcanza hasta 1,80 m de altura, crece a la orilla de los ríos, en los bancos de los canales y en otros terrenos bajos y bastante húmedos. Florece durante el verano, y sus flores son de un tono violeta pálido que tiende a rojizo.

Está relacionada con las cualidades anímicas de la paciencia y la dulzura. En estado negativo, el individuo se vuelve impaciente, y debido a la tensión interior reacciona contra el medio ambiente con una ligera irritación. Es peligroso hacer una crítica a personas en estado impaciencia, por diplomática que sea la observación. Su nivel de adrenalina sube como una llama viva, si bien, por suerte, su estallido de cólera se esfuma con la misma rapidez con que se originó. No debe confundirse el estado impaciencia con el estado verbena, pues el primero denota tensión interior por frustración nerviosa a causa de que las cosas se desarrollan para él con demasiada lentitud. No influye en absoluto sobre los demás cuando se le deja trabajar sin ser molestado. Pero el verbena lo que produce es tensión interior por excesiva intervención de la fuerza de voluntad. Siempre tiende a «inspirar» a los demás.

Síntomas claves del estado impaciencia: fácil irritabilidad, reacciones desmesuradas e impaciencia general.

Síntomas en estado de bloqueo: tensiones mentales por un elevado ritmo interior. Todo debe ir rápido y sin freno, pues le cuesta esperar las cosas.

• Alerce (*Larch*). Da autoconfianza, contra la timidez, inseguridad, personas que no creen en sí. Ayuda a profundizar en la vida, a adquirir confianza. Es el remedio de la impotencia masculina. También es llamado *Larix decidua*. Este árbol ralo que puede llegar a alcanzar hasta 30 metros de altura, crece con preferencia en las colinas y en los lindes de los bosques. Las flores masculinas y femeninas se desarrollan en un mismo árbol. Se abren al mismo tiempo, y las agujas se ven como diminutos pincelillos «verde claro».

Está relacionado con la cualidad anímica de la confianza en sí mismo. En estado negativo, de antemano nos sentimos inferiores a otras personas. En la práctica, se emplea tanto como remedio de larga duración como en el tratamiento de trastornos pasajeros de la conciencia de sí mismo. Se ha demostrado su eficacia, por ejemplo, ante un examen, en procesos de divorcio en los que frecuentemente la conciencia de sí mismos de cada miembro de la pareja ha sufrido un golpe bajo, y en niños que no se estimulan ante nada y que pretenden que en todo momento sean papá y mamá quienes les defiendan.

Síntomas claves del estado alerce: expectativa de fracaso por falta de confianza en uno mismo, complejo de inferioridad.

Síntomas en estado de bloqueo: de antemano, sentimiento de inferioridad con respecto a otras personas, hasta tal punto que la persona no se anima a hacer lo que admira en otros.

• Mímulo (*Mimulus*). So flores para el miedo con causas conocidas. Óptimo contra la timidez, para personas retraídas, da coraje a los individuos, es indicado para fobias, sensibilidad a lo que es nuevo, para la sexualidad reprimida. También es conocido como *Mimulus guttatus*. Esta planta, muy bien aclimatada en Inglaterra, alcanza unos 30 centímetros de altura, presenta grandes flores amarillas sencillas y crece junto a los cursos de los ríos, arroyos y en lugares húmedos.

Está relacionado con las cualidades anímicas de la valentía y la confianza. En estado negativo debemos aprender a superar nuestros miedos. Las personas en estado mimulus tienen algunos miedos muy concretos, por ejemplo, miedo a subir por una escalera mecánica, miedo a padecer cáncer, etc. A veces, las personas en estado negativo declaran que la existencia en este mundo les pesa como una carga sobre los hombros, y que a menudo sienten el deseo de desaparecer de ella.

Síntomas claves del estado mímulo: miedos específicos que podemos definir, timidez, recelo, miedo a enfrentarse al mundo.

Síntomas en estado de bloqueo: timidez, reserva, gran sensibilidad en lo físico. Se angustia frente a una situación, pero guarda sus temores para sí mismo. Miedos específicos aislados y fobias, por ejemplo, miedo al frío, a la oscuridad, a la enfermedad y al dolor.

• Mostaza (*Mustard*). Sirve para depresiones cíclicas sin razón aparente. Es muy poco usado. También es llamada *Sinapis arvensis*. Esta planta enhiesta, de 30 a 60 centímetros de altura, crece en campos y a la vera de los caminos. Sus brillantes flores amarillas se desarrollan primeramente en corimbo y luego rápidamente dan origen a vainas alargadas. Florecen a finales de la primavera y principios del verano.

Está relacionada con las cualidades anímicas de la serenidad y la diáfana claridad. En estado negativo se está rodeado de una sombría melancolía. Sin causas que aparentemente lo justifique, una profunda tristeza se abate sobre el individuo, como una pesada nube desconocida, que lo envuelve e interpone una capa aislada de hondo sufrimiento espiritual entre él y el resto del mundo. Los esotéricos dirían que los motivos de un estado mostaza negativo están condicionados por un karma y nacen de las capas más profundas del alma misma. El estado mustard es la consecuencia que se deriva de una caída desde una gran altura a una gran profundidad. Es el caso de una personalidad ya evolucionada, que utilizó su capacidad, superior a la del término medio, para tratar con las fuerzas cósmicas en otras formas de existencia, sólo en su propio y limitado provecho, por lo que la dilapidó. Explotó las fuentes que había en ella y las cuales debían servirle para convertirse en instrumento de su alma y de este modo de fuerzas divinas más grandes aún. Así pues, el estado mostaza negativo es la expresión de la pena del alma por su potencial perdido, que la personalidad debe experimentar en dolorosa impotencia.

Síntomas claves del estado mostaza: de repente se presentan periodos de profunda melancolía sin causa aparente, y tal como vienen se van.

Síntomas en estado de bloqueo: siente una profunda tristeza, pesimismo. Algo pesado, negro, desconocido se abate; el alma pena.

- Roble (*Oak*). Para quien ignora las señales de dolor, trabaja demasiado y esconde el cansancio, lucha hasta el fin, para personas que sólo se enferman sábado y domingo, para colapso de vitalidad. Más usado como complemento de otro. También es conocido como *Quercus robur*. El roble, uno de los árboles sagrados de nuestros antepasados, crece en bosques, bosquecillos y praderas. Florece en primavera. En la misma planta se dan las flores masculinas y femeninas.

Está relacionado con la capacidad anímica de la fuerza y perseverancia. En estado negativo, estos rasgos caracterológicos se ponen en práctica con demasiada rigidez. La personalidad roble ha olvidado que no sólo los logros y las victorias hacen de la vida algo digno de ser vivido y, que, precisamente, un luchador saca fuerzas para nuevas hazañas de los momentos más sutiles, más amenos o más sentimentales.

Síntomas claves del estado roble: el luchador derrotado y exhausto que a pesar de todo sigue adelante con valentía y jamás se rinde.

Síntomas en estado de bloqueo: fiel a sus deberes, la persona es confiada, tenaz. Tiene tendencia a abrumarse de trabajo y luego se siente interiormente desalentada y vencida.

- Olivo (*Olive*). Sirve para agotamiento físico y mental de quien está en recuperación de un accidente, o personas agotadas. Es para personas que se sienten exhaustas y en total fatiga. Es muy bueno para recuperar esa energía perdida. Conocido como *Olea europaea*. El olivo perenne del Mediterráneo florece durante los meses de la primavera que correspondan a cada país. Cada inflorescencia presenta de 20 a 30 flores blancas insignificantes.

La paloma llevó a Noé una rama de olivo en señal de que el diluvio había terminado y que la tranquilidad y la paz habían regresado a la Tierra. De manera análoga, la esencia floral está relacionada con el principio de la regeneración, de la paz y equilibrio restaurado. Las personas que caen con frecuencia en este estado, deben aprender a manipular correctamente su fuerza vital y su energía. Su error reside en que agotan sus fuerzas por entero en el plano de la personalidad, cuyo potencial energético es limitado en lugar de beber en las fuentes superiores.

En los periodos de grandes sobrecargas de trabajo se evidencia con claridad que el individuo no debe esforzarse hasta el límite de rendimiento personal, sino pedir energía de las fuentes más elevadas a través de su yo superior. En el universo existe suficiente energía a su disposición, cuando se la requiere con la debida conciencia de que no se vive de su propia fuerza. Al mismo tiempo, se impone reconocer y aceptar las leyes individuales del propio cuerpo.

Síntomas claves del estado olivo: completo agotamiento, extremo cansancio de cuerpo y espíritu.

- Pino (*Pine*). Para sentimiento de culpa, autocondenación, personas que se culpan por todo, que cargan en los hombros la culpa del mundo, remordimiento, personas que se responsabilizan por los otros. También es llamado *Pinus sylvestris*, pino silvestre o pino albar. Este árbol esbelto, que alcanza hasta 30 metros de altura, presenta una corteza de color castaño rojizo en su parte inferior y castaño anaranjado más arriba. Crece en bosques y en los suelos arenosos de las landas. Las flores masculinas y femeninas están cubiertas de abundante polen amarillo.

Está relacionado con la capacidad anímica de arrepentimiento y perdón. En estado negativo nos aferramos obstinadamente a nuestra culpa. Puede tratarse de un sentimiento de culpa provocado por un hecho reciente, porque olvidamos cerrar una ventana y la cotorra se escapó, o puede tratarse de sentimientos de culpa muy remotos, arquetípicos, inconscientes, hasta remontarnos al pecado original o la culpa de Eva que tentó a Adán con la manzana. Junto con el acebo, el pino es quizá uno de los estados anímicos humanos más existenciales, y no siempre es fácil de reconocer en otra persona.

Síntomas claves del estado pino: autorreproches, sentimientos de culpa, desaliento.

Síntomas en estado de bloqueo: en la conversación, el individuo emplea a menudo fórmulas de disculpa. No se puede perdonar algo, sino que se culpa de ello. Tiene tendencia a sentir cargos de conciencia. Además, en las situaciones ambiguas, asume la culpa por todos los demás, ya que se siente responsable por las faltas de los otros.

- Castaño rojo (*Red chestnut*). Para miedos desproporcionales, para personas que se preocupan demasiado por los otros, madres que no duermen cuando los hijos salen, pues ayuda a las personas a devolver la debida proporción a las preocupaciones. También es conocido como *Aesculus carnea*. Más delicado y menos corpulento que el castaño blanco, este árbol suele encontrarse en paseos. Florece durante la primavera con flores de un intenso color rosa rojizo, dispuestas en grandes panículas.

Está relacionado con la capacidad anímica de la solicitud y el amor al prójimo. Es característico de este estado un vínculo acentuadamente energético entre dos individuos. Las personas que toman castaño rojo con frecuencia tienen facilidad para ponerse en la situación de los demás y poseen una fuerte capacidad de proyección. Desde el punto de vista energético, son fuertes emisores. Las personas a las que aman o les interesan: parientes, niños, amigos..., lo saben por experiencia. Estos pacientes se preocupan por los demás de una manera en apariencia altruista y siempre temen lo peor para ellos.

Síntomas claves del estado castaño rojo: la exagerada preocupación y angustia por los demás.

Síntomas en estado de bloqueo: íntima compenetración con otros seres queridos. Preocupación exagerada por la seguridad de otros (niños, compañeros), sin abrigar temor por uno mismo. Romperse la cabeza por las preocupaciones de los demás. Vivir la vida de otro como si fuera la propia.

- Heliantemo (*Rock rose*). Es el remedio contra el pánico, para personas que sienten extremo temor, para accidentes, enfermedades repentinas, riesgo de suicidio, para individuos con un contacto muy íntimo con el mal. También es conocido como *Helianthemum nummularium* o jarilla. Arbusto rastrero, muy ramificado, que crece en terrenos calcáreos, cascajales y colinas cretáceo-calcáreas cubiertas de hierba. Las flores, de un amarillo brillante, se abren entre la primavera y el verano, por lo general de una en una o de dos en dos.

Está relacionado con las cualidades anímicas del valor y la constancia. Es una de las flores importantes que integra el remedio de urgencia. En el estado negativo, la personalidad está extremadamente amenazada en el aspecto psíquico y, con frecuencia, también en el físico. Esto ocurre en circunstancias excepcionales y situaciones críticas como accidentes, enfermedades repentinas, catástrofes naturales, en las que el individuo no está preparado para hacer frente al embate elemental de energías. Todo se desarrolla demasiado deprisa y en una dirección equivocada. Este estado es descrito por algunos de una manera muy acertada como el famoso golpe en la boca del estómago, pues el plexo solar está sobrecargado. Entra demasiado y muy a prisa y no puede ser asimilado por el sistema nervioso central. Es interesante hacer notar que las flores de heliantemo son de un amarillo particularmente intenso, y es éste el color floral capaz de almacenar la mayor cantidad de rayos calóricos del Sol. Al principio, algunos no logran distinguir entre los estados heliantemo y leche de gallina:

- Heliantemo: siempre se trata de un estado agudo, y la mayoría de las veces transitorio, que requiere una inmediata atención. El miedo ocupa el primer plano.
- Leche de gallina: Surge de las consecuencias latentes de un trauma psíquico, relegado al subconsciente. En un estado puro no se observa miedo, sino más bien una especie de triste depresión.

En caso de duda, se recomienda el remedio de urgencia, que contiene las dos flores.

Síntomas claves del estado heliantemo: sensación de terror y pánico; estados de angustia en extremo agudos.

- Agua de roca (*Rock water*). Para personas rígidas, que creen que todos deben seguirles, severas, reprimidas, ambiciosas de perfección, indicado para personas con una autodisciplina muy grande. El agua de roca proviene de fuentes con poderes curativos. Aquí no se recurre a las plantas, sino al agua preparada, proveniente de fuentes no explotadas de la naturaleza virgen, a las que los habitantes de los alrededores les atribuyen efectos curativos desde tiempos inmemoriales. En la actualidad, estas fuentes medio olvidadas entre árboles y pastos expuestas al Sol y al viento, todavía se encuentran en muchas regiones de Inglaterra.

Está relacionada con las cualidades anímicas de la capacidad de adaptación y la libertad interior. En estado negativo nos vemos atrapados entre rígidas máximas técnicas y concepciones apartadas de la realidad. A lo largo de toda la vida nos erigimos un pétreo monumento de ideales intelectuales, normas morales e ideas perfeccionistas de salud. Pero de pronto nos encontramos frente a este monumento como un chico travieso, con la obligación sobrehumana que nosotros mismos nos imponemos de corresponder en la vida diaria a ese elevado modelo. En estado agua de roca no se reconocen las imposiciones interiores a las que la persona se somete constantemente y que sofocan en ella las necesidades humanas más esenciales. Se pasa por alto hasta qué punto se está forzando diariamente la propia personalidad, hasta qué punto las disciplinas impuestas por uno mismo están ahogando la alegría de vivir. Estas desmedidas y permanentes exigencias se manifiestan, tarde o temprano, en muchas personas del tipo agua de roca a través de síntomas de inflexibilidad física muy variados. En estas personalidades, las necesidades físicas rara vez son armónicamente integradas.

Podríamos calificar a los individuos en estado agua de roca positivo como idealistas acomodadizos, pues son capaces de dejar de lado loables principios y dogmas cuando se enfrentan con nuevos conocimientos y magnas verdades. Se mantienen abiertos. Utilizan su disciplina para la observación constante y el examen de sus ideales en la situación real de su vida. De este modo, con el transcurso del tiempo, logran materializar de hecho muchos de estos ideales y se convierten espontáneamente en ejemplo para los demás. Los casos tan agudos como los citados anteriormente no se presentan a diario. Sin embargo, agua de roca suele suministrarse como remedio temporal, ya que casi todos los individuos sofocan inconsciente o conscientemente según las circunstancias, necesidades vitales en determinadas situaciones.

Síntomas claves del estado agua de roca: severidad y puntos de vista rigurosos, necesidades reprimidas, tendencia a ser demasiado duros consigo mismos.

Síntomas en estado de bloqueo: acentuado afán de perfección. Se subordina la propia vida a teorías estrictas y, a veces, a ideales exagerados. Tendencia a reprimir las propias necesidades, en la creencia de que eso no concilia con su principio de vida. Así se pierde la alegría de vivir.

- Scleranthus (*Scleranthus*). Para personas indecisas entre dos posibilidades, para inestabilidad de humor, también indicado para el enojo. También es conocido como *Scleranthus annuus*. Este arbusto o planta rastrera, que puede alcanzar alturas entre cinco y 70 centímetros, de tallo muy enmarañado, crece en los trigales, en suelos arenosos y llenos de guijarros. Florece durante el verano, y las flores verde claro o verde oscuro se presentan en pequeños ramilletes.

Está relacionado con la capacidad anímica del equilibrio interior y de la unicidad en la universalidad. En estado negativo fluctuamos entre dos extremos; en este mismo estado negativo, el individuo parece una balanza que está en continuo movimiento y que oscila de un extremo al otro, es decir, que bien eleva hasta el cielo sus gritos de júbilo y alegría o bien se sume en mortal pesadumbre; se muestra superactivo o profundamente apático. Hoy, es fuego y llama por una idea que mañana no le interesará en absoluto. Este constante cambio de opinión y de ánimo hace que el entorno considere a las personas de cuño scleranthus inestables y poco fiables.

Síntomas claves del estado scleranthus: irresoluto, veleidoso; desequilibrado interiormente. Cambia en un momento de criterio y de humor.

Síntomas en estado de bloqueo: indecisión por desasosiego interior. El pensamiento fluctúa sin cesar entre dos posibilidades. Extremas oscilaciones del ánimo, llanto y risa. Júbilo que eleva a la persona al cielo y la sume en una mortal tristeza. Se reciben muchos impulsos, el pensamiento salta de aquí para allá como un saltamontes.

• Leche de gallina (*Star of Bethlehem*). Es la flor de la pérdida, de choques, traumas para quien se separa de seres queridos y traumas causados por accidente. Neutraliza los efectos de cualquier choque. Conforta los dolores y las pérdidas. También es conocido como *Ornithogalum umbellatum*. Esta planta, emparentada con la cebolla y el ajo, de 15 a 30 centímetros de altura y alargadas hojas divididas por una raya blanca central, se encuentra en bosques y campos. Las flores, verdes por fuera y blancas como la leche por dentro, se abren en primavera únicamente cuando brilla el Sol.

La leche de gallina está relacionada con la capacidad anímica del despertar y la reorientación. En estado negativo, el individuo persiste durante un cierto tiempo en un letargo mental y espiritual, podríamos decir que en una especie de adormecimiento interior. Es el ingrediente más importante de la combinación del remedio de urgencia, ya que sintetiza la acción de las otras cuatro esencias florales, y además neutraliza todos aquellos acontecimientos causantes de *shock* y de este modo hace que enseguida vuelvan a ponerse en marcha los mecanismos de autocuración del cuerpo. Por bloqueo se entiende toda repercusión energética directa que nuestro sistema energético no puede asimilar y a la que reacciona con una distorsión, independientemente de que esta distorsión haya sido registrada en forma consciente por la personalidad o no. En todo caso, todo bloqueo se mantiene en el sistema energético y causa un cierto entumecimiento en su campo de influencia.

El estado leche de gallina negativo se manifiesta rara vez como un verdadero rasgo caracterológico. Las personas en que se da esto parecen muy delicadas y algo amortiguadas. En la práctica diaria, se emplea con bastante frecuencia, ya que en la actualidad casi nadie se libra de tener un trauma que le cause un bloqueo. Cuando la combinación prescrita no da los resultados esperados, habría que pensar en aplicar leche de gallina junto con acebo y avena silvestre. Tal vez exista una parada inconsciente que lo bloquea todo. En este caso, leche de gallina actúa como catalizador.

En el tratamiento concomitante de enfermedades psicosomáticas resistentes a la terapia, leche de gallina logró resultados sorprendentes, especialmente cuando se toma durante periodos prolongados, a veces meses enteros. Con frecuencia, ha tenido una acción compensadora en casos de sensación de tensión en el cuello y trastornos nerviosos de la deglución, o sea, en casos de *shock*s que se han quedado estancados.

Síntomas claves del estado leche de gallina: secuelas de bloqueos físicos, mentales o psíquicos, independientemente de que sean recientes o se hayan producido hace mucho tiempo.

Síntomas en estado de bloqueo: desencanto, tristeza, pesar paralizante después de decepciones, malas noticias, accidentes u otro tipo de sucesos que pueden ser causantes de bloqueo. El suceso puede remontarse a la infancia y ser también inconsciente. Las vivencias afectivas desagradables repercuten durante largo tiempo en la persona.

• Castaño dulce (*Sweet chestnut*). Esta planta de Bach sirve de ayuda para la angustia, tristeza profunda; para todas aquellas personas que encuentran su angustia totalmente insoportable. Es «la noche oscura del alma». También es conocido como *Castanea sativa*, castaño dulce o castaño común. Crece en bosques abiertos, en suelos esponjosos, moderadamente húmedos, y puede llegar a alcanzar hasta 20 metros de altura. Los capullos, de intensa fragancia, aparecen únicamente después de brotar las hojas durante los principales meses del verano, o sea, más tarde que en la mayoría de los árboles.

Está relacionado con el principio de la redención. En estado castaño dulce negativo el individuo ha llegado a un punto en el que está convencido de que ya no le queda esperanza alguna de ayuda. Desde el punto de vista de la intensidad del sufrimiento, castaño dulce es, ciertamente, uno de los estados anímicos negativos más graves, pero exteriormente no siempre se manifiesta tan dramático como se describe más arriba, ya que se desarrolla con frecuencia en planos más profundos y el afectado no tiene conciencia de él. Los auténticos caracteres castaño dulce son raros. El desarrollo de estas personas se caracteriza, la mayoría de las veces, por sucesos exteriores o vivencias interiores extremas, pero que no siempre son experimentadas por ellas con aflicción, aunque sí como si estuvieran al final de todo.

Síntomas claves del estado castaño dulce: profunda desesperación, creen haber llegado al límite de lo que puede soportar un ser humano.

- Verbena (*Vervain*). Para idealistas, dominadores, autoritarios, mártires, fanáticos, sensibles ante las injusticias. Defienden a los débiles y oprimidos. También es conocida como *Verbena officinales*. Esta planta enhiesta, robusta, que alcanza hasta 60 centímetros de altura, crece a la vera de los caminos, en suelos secos y áridos y en las praderas soleadas. Las flores inferiores, pequeñas, de color lila o malva, se abren durante el verano.

Está relacionada con la capacidad del alma para la autodisciplina y la contención. En estado negativo, la propia voluntad se dirige acentuadamente hacia afuera y se dilapida la energía de uno de una manera antieconómica. Las personas del tipo verbena proyectan su energía al exterior; contrariamente a agua de roca, a veces quisieran imponer a los demás su felicidad. La personalidad debe aprender que esa energía no le fue dada para dilapidarla sin orden ni concierto según su propio criterio, sino que habrá de aprovechar ese don. Hay importanes diferencias entre vid y verbena:

- Verbena: quisiera entusiasmar a otros en una idea y ejerce para ello demasiada presión en su exceso de celo.
- Vid: ejerce una presión consciente para imponer sus propias metas.

Síntomas claves del estado verbena: un exceso de celo en favor de una buena causa que desgasta las propias energías de irritable a fanático.

- Vid (*Vine*). Para líderes, dominadores, inflexibles, dictadores, sadomasoquistas, personas que viendo el fin usan cualquier medio, personas crueles. Indicado para estabilizar presión alta. También indicado para padres que dominan el hogar con dureza. También es conocido como *Vitisvinifera*. Esta planta, que trepa hasta alcanzar los 15 metros o más, prospera en países cálidos. Sus pequeñas flores verdes y fragantes crecen en apretados racimos. La época de floración varía según el clima.

Vid está relacionada con la capacidad anímica para la autoridad así como para la imposición de la propia voluntad. En estado negativo agudo, el individuo se vuelve duro, ávido de poder y bastante poco respetuoso con la individualidad de su prójimo.

Vid es una forma de energía extremadamente fuerte que confiere a la persona dotes de mando por encima de lo normal, pero al mismo tiempo impone a su personalidad las más altas exigencias, pues es demasiado grande la tentación de dejarse hipnotizar por esta fuerza volcánica y emplearla sólo para la satisfacción de limitados fines egoístas.

Pueden acompañar al estado negativo todos los síntomas físicos que son expresión de una gran tensión interior, como por ejemplo: presión elevada, endurecimiento de los vasos sanguíneos y de las articulaciones, diversas neurosis, etc.

Síntomas claves del estado vid: dominador, ambicioso, ávido de poder.

Síntomas en estado de bloqueo: muy capaz, en extremo seguro de sí mismo, fuerte poder del yo. Se corre el peligro de hacer mal uso de las propias aptitudes para alcanzar metas personales de poder.

• Nogal (*Walnut*). Es el remedio para cambios, pubertad, menopausia, casarse o separarse, ciclo menstrual, para personas que quieren liberarse de influencias, para quien quiere cambiar, pero queda preso; es cuando llega el momento de dar grandes pasos, sensibles a influencias externas. Indicado para estados de transición, cambios y hábitos arraigados. También es conocido como *Juglans regia*. Este árbol que alcanza hasta 30 metros de altura, prospera protegido de insectos y huertos. Las numerosas flores masculinas y las femeninas, en menor cantidad, ambas de color verdoso, crecen en un mismo árbol. Florecen durante la primavera poco antes o al mismo tiempo de brotar las hojas.

Está relacionado con los dictados del alma del nuevo comienzo y de la libertad de espíritu. En estado negativo, al individuo le cuesta dar el último paso decisivo porque, consciente o inconscientemente, algunas fibras de su personalidad lo mantienen atrapado en decisiones o problemas de su pasado. En estado negativo, estamos como sentados en una barca que nos llevará a la otra orilla del río. Ya la divisamos con claridad, pero la barca todavía no ha soltado amarras del todo. Quedan lazos que nos mantienen atados al pasado, como por arte de magia (tal vez un inesperado suceso adverso, una relación social que no nos convenció o quizá hasta una decisión que no conocemos). El estado nogal es, por lo general, transitorio. Lamentablemente, se encuentran muy pocos caracteres nogal auténticos pero cuando se dan, siempre hay en ellos algo de pioneros, son a menudo paladines de determinados ideales y pensamientos.

Algunos terapeutas recurren a nogal para protegerse de la necesidad energética de sus pacientes. Además, se emplean también para la fijación energética de un tratamiento homeopático de alta potencia y para el tratamiento concomitante de enfermos maníacos. El nogal actúa también como estabilizador en las manipulaciones quiroprácticas de la columna vertebral y trastornos de la dentición.

- Violeta de agua (*Water violet*). Para personas orgullosas e indiferentes, personas a las que les gusta ser solitarias, independientes, seguras de sí, y que sienten dolor en silencio. Ayuda a ser más perceptible. Es el remedio contra el orgullo. También es conocida como *Hottonia palustris*. Pertenece a la familia de las primuláceas; florece en primavera en aguas de lento fluir, estanques o zanjas. Las flores, de un color lila y suave, amarillas en el centro, se disponen en espiral alrededor del tallo sin hojas. Éstas, que tienen forma de pluma, permanecen bajo la superficie del agua.

Se relaciona con las cualidades anímicas de la humildad y la sabiduría. En estado negativo, el individuo no se comporta tan sabiamente como podría hacerlo, ya que se aísla en su reservado orgullo. Violeta de agua es un estado energético ampliamente transformado. En su mayoría, los rasgos negativos de este estado aparecen combinados en el potencial violeta de agua positivo como fenómenos temporales de descarrilamiento, por así decirlo. Las personas con acentuados rasgos violeta de agua por lo general dominan bien su personalidad altamente desarrollada. Su presencia es de una superioridad nada impertinente y de serena majestad.

Síntomas claves del estado violeta de agua: estados pasajeros de reserva interior, orgulloso distanciamiento, sentimiento de superioridad y aislamiento.

- Castaño de Indias (*White chestnut*). Para pensamientos indeseables, que no consiguen dejar de pensar en algo, es la flor del «disco rallado», contra el diálogo interno torturador, ideas fijas. Bueno para neurosis obsesiva. Tambiés es conocido como *Aesculus hippocastanum* o castaño blanco. Florece en primavera. En su mayor parte, las flores superiores del árbol son masculinas, y las inferiores, femeninas. Al principio su color es blanco amarillento y luego se tiñen de manchas rojizas.

Está relacionado con las cualidades anímicas de la tranquilidad espiritual y del discernimiento. En estado negativo se es víctima de ideas improcedentes, mal entendidas. Las personas de acentuados rasgos de castaño de Indias no experimentan este estado de vez en cuando, sino con frecuencia. Muchos se acostumbran tanto a su diálogo interior, que casi lo consideran un estado normal. En estado negativo se es víctima de una mente demasiado poderosa que predomina sobre todos los demás planos de la personalidad. Algunas personas que han usado castaño de Indias, han experimentado en la meditación que su cabeza era como una unidad energética completamente separada de ellas. Existen las más variadas hipótesis acerca del origen del estado negativo. El propio Bach decía que se presenta cuando el interés de la personalidad no está puesto con suficiente intensidad en la situación presente, como para absorber su mente por completo. En esos momentos parecen infiltrarse en la conciencia otros ciclos de ideas más importantes, con la esperanza de ser ordenados por fin satisfactoriamente. En estado positivo la personalidad puede dar vía libre a cualquier impulso ideológico extraño, que pasará vertiginoso de largo como un tren expreso, sin sucumbir a la tentación de abordarlo. Su estado mental se caracteriza por el sosiego y la paz. Del claro lago de su conciencia surgirán por sí solas las respuestas y las soluciones deseadas. Las personas en estado castaño de Indias positivo pueden aprovechar de manera constructiva su poderoso plano mental.

Síntomas claves del estado castaño de Indias: determinadas ideas dan vueltas sin cesar en la cabeza, sin poderse librar de ellas. Departe y dialoga con su interior.

Síntomas en estado de bloqueo: pensamientos o imágenes indeseables penetran continuamente en la conciencia y no se pueden ahuyentar. Inquietud y debilitamiento del ánimo provocado por la preocupación o acontecimientos.

• Avena silvestre (*Wild oat*). Para personas que no consiguen armonizar la voluntad con la realización, que están siempre perdidas. Es el remedio de las almas perdidas. Bueno para pruebas escolares. Es el remedio para crear bases. También es conocido como *Bromus ramosus*. Esta gramínea, de 60 centímetros a un metro con 20 centímetros de altura, muy difundida en Inglaterra, crece en los bosques húmedos, en tupidos matorrales y al borde de los caminos. Las flores hermafroditas se encuentran ocultas en las panículas.

Está relacionada con las cualidades anímicas de la vocación y de la conciencia de los propios propósitos. En estado negativo no se sabe a ciencia cierta cuál es la verdadera vocación, y por esta razón la persona se siente en su interior insatisfecha y no realizada. Los típicos caracteres avena silvestre suelen ponerse ya de manifiesto en la adolescencia. La mayoría de las veces tienen un talento diversificado y no necesitan esforzarse demasiado para lograr algo. La vida siempre ofrece renovadas oportunidades a las personas del tipo avena silvestre. Empiezan muchas cosas, a menudo tienen varias profesiones que desempeñan con relativo éxito, pero carecen de la última certidumbre interior de poder decidirse definitiva y exclusivamente por una. Al contrario, después de un cierto tiempo, pierden interés en el cometido que le había deparado tanto gozo hasta ese momento y tildan de tediosos a los colegas entre los que se habían sentido a gusto. De este modo, ellos mismos derriban lo que habían erigido para sí, para coger al paso la próxima oportunidad que a su juicio habrá de traerles la gran satisfacción.

El error en este estado reside en una desmedida porfía y ensimismamiento de la personalidad que, en cierto afán, busca siempre sus metas y decisiones en el mundo exterior, en lugar de reconocer que sólo tiene que seguir la conducción interior de su yo superior para hallar la decisión en sí misma donde ya estaba tomada desde hacía mucho. La diferencia entre los estados scleranthus y avena silvestre no siempre es fácil de discernir:

— Scleranthus: fluctúa entre dos posibilidades.
— Avena silvestre: tiene tantas posibilidades que a menudo no llega siquiera a dos alternativas.

Síntomas clave del estado avena silvestre: indefinición en sus metas, insatisfacción por no encontrar su misión en la vida.

Síntomas en estado de bloqueo: al no tener una meta precisa, no se puede hallar la orientación en la vida, lo que lleva a un estado de insatisfacción, frustración o tedio. Quisiera lograr algo especial, pero no sabe con exactitud qué.

• Rosa silvestre (*Wild rose*). Para personas resignadas y apáticas, totalmente en apatía («Es mi karma», «Es mi destino»), conformadas con las situaciones. Es muy útil en la apatía, en la jubilación. También es conocida como *Rosa canina* o escaramujo. Esta planta, que dio origen a muchas especies de rosas cultivadas, crece a la vera soleada de los bosques, en setos y laderas pedregosas. Sus flores blancas, rosa claro o rosa fuerte, se abren durante el verano, presentan cinco grandes pétalos y brotan aisladas o en grupos de tres.

Rosa silvestre está relacionada con las capacidades anímicas de la entrega y la motivación interior. En estado negativo se entiende erróneamente el principio de la entrega y se vive de manera negativa. Las personas en estado rosa silvestre son aburridas y fatigan, pues su apático desinterés torna opresivo el clima a su alrededor. La persona que toma rosa silvestre advierte un paulatino despertar de su chispa vital y comienza a vivir de nuevo.

Síntomas claves del estado rosa silvestre: desinterés, apatía, resignación, capitulación interior.

Síntomas en estado de bloqueo: interiormente se ha claudicado, aun cuando las circunstancias exteriores no son de manera alguna tan desesperadas o negativas. Pérdida total de la alegría de vivir así como de la más profunda motivación interior, debida a decisiones inconscientes negativas. Ya no se hace esfuerzo alguno por cambiar algo en la propia vida hacia lo positivo. Con actitud fatalista, la persona se conforma con todo.

- Sauce (*Willow*). Para el resentimiento, para personas amargadas y rencorosas, para los que se creen que sufren injusticias, para los egocéntricos con pena de sí mismos. También es conocido como *Salix vitellina*. Entre las muchas variedades de sauce, ésta es fácil de reconocer porque en invierno sus ramas se tiñen de un brillante color dorado anaranjado. Crece en terrenos húmedos y bajos. Las flores masculinas y femeninas se desarrollan en árboles distintos.

El sauce se relaciona con las cualidades anímicas de la propia responsabilidad y de la mentalidad constructiva. En estado negativo sólo se busca la culpa en el mundo exterior, se piensa a menudo de una manera negativa y destructiva. En estado sauce negativo se está descontento con el propio destino e interiormente se le guarda rencor por tratarnos así. Tampoco se entiende que otros puedan vivir alegres y despreocupados. Realmente, se toma a mal y se está tentado de echar a perder su buen humor. Todos tenemos días así, en los que no sabemos a qué atenernos. Son la expresión del estado sauce negativo pasajero. Lamentablemente, este estado puede tornarse crónico y repercutir de manera muy destructiva en las personas y en todo su entorno.

Síntomas claves del estado sauce: encono interior, resentimiento.

Síntomas en estado de bloqueo: se adopta ante la vida una actitud amargada, se guarda rencor al propio destino; el individuo se siente tratado injustamente. No se siente responsable de su situación. Atribuye la culpa a las circunstancias o a los demás. Cree que la vida le ha escatimado mucho.

- Remedio de urgencia (o *Rescue*). Para emergencias hay que usar heliantemo, impaciencia, leche de gallina, cerasifera y manzano silvestre. Es un preparado que sirve para primeros auxilios, como remedio de salvación o de urgencia. De todas las esencias de flores de Bach, esta es la combinación más conocida y la más difundida. En casos de emergencia y hasta la llegada del médico, ha salvado la vida a muchísimas personas. El remedio de urgencia no reemplaza el tratamiento médico, pero ayuda a impedir un bloqueo energético como consecuencia del cual se manifestarían graves daños físicos o, de producirse, lo remediaría rápidamente. Como ya observamos anteriormente, no debe confundirse este bloqueo con el concepto clínico. Aquí entendemos por bloqueo emergencia a todo aquello que sucede o desintegra nuestro sistema energético: desde el súbito estampido de una puerta hasta una mala noticia o un accidente con pérdida del conocimiento. En este estado, la conciencia o las partes sutiles de nuestro cuerpo tienen tendencia a retirarse del cuerpo físico. Entonces ya no le quedan a éste posibilidades de tomar por sí solo medidas para su autosalvación. Este remedio cuida de que no se desintegre el sistema energético o bien que vuelva a recobrar enseguida su equilibrio. Puede iniciarse entonces, inmediatamente, el proceso de curación. Por esta razón es tan importante tener siempre a mano, en el botiquín de nuestra casa o en el del automóvil, estas gotas para caso emergencia, a fin de tomarlas antes de que se produzca un descalabro energético previsible o enseguida de haberse presentado.

El remedio de urgencia se conforma de las siguientes flores:

- Leche de gallina contra el miedo y la obnubilación y como «integrador» de la personalidad.
- Heliantemo contra el terror y la sensación de pánico.
- Impaciencia contra el estrés y la tensión mental.
- Cerasifera contra el miedo a perder el control.
- Clemátide contra la sensación de «estar muy lejos».

Los frascos de *rescue* que provee el Centro de Bach de Inglaterra contienen la mezcla ya preparada de las cinco flores. Aunque se deba combinar con otras flores, tendrá validez como un remedio.

Usar el remedio de urgencia no debe convertirse por ninguna circunstancia en un hábito permanente. Se ideó como primer auxilio en situaciones de urgencia psíquicas, lo mismo insignificantes que importantes, pero no para equilibrar una manera irracional de vivir que destruye la personalidad.

Se prepara dos veces más fuerte que las demás esencias florales: cuatro gotas del frasco de concentrado en un envase medicinal de 30 mililitros. La dosificación es individual según el caso y la situación. En los casos agudos, verter directamente cuatro gotas del frasco de concentrado en una taza de agua y beberla a sorbos hasta que el estado de bloqueo cese. Luego beber un trago cada 15, 30 o 60 minutos. Cuando no se tiene a mano agua u otra bebida, sus gotas pueden administrarse directamente del frasco de concentrado sin reducirlas. A los que están inconscientes se les administra el remedio con ayuda del cuentagotas, y en caso de necesidad directamente también del frasco de concentrado vertiendo la gota sobre los labios, las encías, las sienes, las fontanelas, detrás de las orejas o en las muñecas. Si debe tomarse durante un periodo relativamente prolongado, se administran cuatro gotas durante cuatro veces al día. Rescue puede aplicarse también externamente con la ayuda de vendajes o compresas. Se vierten aproximadamente seis gotas de los frasquitos de concentrado en medio litro de agua, contenida en una cubeta.

Todos estos preparados de las famosas flores de Bach tienen un único objetivo: ayudarnos a recorrer los siete caminos del equilibro (libertad) que él mismo describió como paz, esperanza, alegría, fe, certeza, sabiduría y amor. Él mismo les dio ese orden, pues es el orden lógico que nos va dando equilibrio energético y paz interior.

En su afán por hacer comprensible y simple su sistema integral de equilibrio, Bach, cuyo concepto de salud era armonía, integración, individualidad e integridad, creó una clasificación más de sus flores, para ayudar a la gente a encontrar de manera rápida los remedios que más le conviniesen en una determinada circunstancia. Él dividió las flores en siete categorías:

- Para los que tienen miedo: *Rock rose/Mimulus/Cherry plum/Aspen/Red chestnut*.
- Para la indecisión: *Cerato/Sclerantu /Gentian/Gorse/Horn bean/Wild oat*.
- Para la falta de interés por las circunstancias actuales: *Clematis/Honey suckle/wild rose/white chestnut/Olive/Mustard/Chestnut bud*.
- Para la soledad: *Water violet/Impatiens/Heather*.
- Para la sensibilidad excesiva a influencias y opiniones ajenas: *Agrimon/Centaury/Walnut/Holly*.
- Para los que están desesperados y abatidos: *Larch/Pine/Elm/Sweet chestnut/Star of Bethlehe/Willow/Oak/Crabb apple*.
- Para los que tienen preocupación excesiva con el bienestar de los otros: *Chicory/Vervain/Vine/Beech/Rock water*.

MUSICOTERAPIA

La utilización de la música como un agente terapéutico es un hecho constatado y que se remonta a la antigüedad. En los estudios divulgativos realizados por Intersocial para la Confederación de Autistas de España (el autismo es una de las enfermedades en las que la musicoterapia resulta más efectiva), se explica cómo todas las sociedades, desde las primitivas de la prehistoria y hasta las existentes aún en nuestros días, utilizan cantos, danzas e instrumentos musicales muy rudimentarios en sus rituales religiosos o sociales.

En Sumeria y Babilonia utilizaban instrumentos de viento en los ritos de curación y en las celebraciones en el templo. En Babilonia flautas y pitos fueron usados por los sacerdotes músicos para estimular la curación de los enfermos mentales. Pero es en Egipto donde empieza a emerger un modo más racional de utilización de la música como agente curativo. Varios papiros revelan el nacimiento de unas actitudes racionales sofisticadas e incuestionadas acerca de varios aspectos de la medicina y la música como curación. La música fue utilizada terapéuticamente en los programas de tratamiento hospitalario de Egipto para curar el cuerpo, calmar la mente y purificar el espíritu. Pero es en la Antigua Grecia donde hay que buscar los fundamentos científicos de la Musicoterapia. Pitágoras desarrolló conceptos matemáticos para explicar la armonía en la música, en el universo y en el alma humana... La enfermedad mental era el resultado de un desorden armónico dentro del alma, y a la música se le reconocía el poder de restaurar esta armonía perdida. Platón creía en el carácter divino de la música. La música podía proporcionar placer o sedar. La música fue considerada como la armonía y el ritmo de la vida. La desarmonía y la arritmia de las personas enfermas mentales precisan normalizarse para recuperar la salud.

Aristóteles fue, según parece, el primero que teorizó sobre la gran influencia de la música sobre los seres humanos. A él debemos la Teoría del *ethos* de la música (la palabra griega *ethos* puede ser traducida por «la música como provocadora de estados de ánimo», como *mood music*). Esta teoría está basada en la idea según la cual existe una estrecha relación entre los movimientos físicos del ser humano y los de la música. Esta relación hace posible el que la música pueda ejercer una influencia determinada sobre el carácter del hombre, no sólo sobre sus emociones. Por ello cada melodía era compuesta con la finalidad definida de crear un estado de ánimo o *ethos*.

También Arístides Quintiliano describió tres grupos de composiciones musicales ya existentes:

- La *systaltiké*: las composiciones musicales que producen un efecto depresivo o que despiertan sentimientos penosos.
- La *diastaltiké*: las que elevan el espíritu.
- La *hesikastiké i mese*: aquellas que calman el espíritu.

Para la Musicoterapia es fundamental la Teoría Modal de los griegos. Esta teoría considera que cada uno de los tres elementos básicos de la música, a saber: melodía, armonía y ritmo, ejercen unos determinados efectos sobre la parte fisiológica, emocional, espiritual y sobre la fuerza de voluntad del hombre. Por tanto, tomaron en consideración el *ethos* de las *harmoniai*, o sea, de los modos o escalas. Para ellos cada modo producía un determinado estado de ánimo. Esta teoría, con las modificaciones que se introdujeron en la Edad Media, ha estado vigente en la música clásica hasta el siglo pasado. Hay *ethos* de los tonos, *ethos* de los ritmos e incluso tuvieron en cuenta el *ethos* de los instrumentos musicales, los cuales los dividieron en dos grupos: *ethos* de los instrumentos zitarísticos y *ethos* de los instrumentos auléticos.

Los efectos de la música son muy variados, y así se sabe que ciertas notas musicales afectan a los aminoácidos de una proteína de las plantas y en consecuencia las plantas crecen más rápidamente. La música sedante puede estimular la liberación de hormonas, tales como las endorfinas, las cuales a su vez actúan sobre receptores específicos del cerebro y sobre neurotransmisores, lo cual puede llevar a aliviar el dolor. Recordemos que el impulso electroquímico generado en las neuronas provoca las ondas cerebrales que se observan en un electroencefalograma. Estas ondas tienen cuatro ritmos:

- Beta: entre 15 y 30 hz o ciclos por segundo. Es del hemisferio cerebral izquierdo. Se caracteriza por el pensamiento analítico, la lógica, realiza operaciones matemáticas. La acetilcolina es su principal neurotransmisor.
- Alfa: entre 8 y 14 hz o ciclos por segundo. Es del hemisferio cerebral derecho. Aparece en estados de quietud y relajación, de paz, y es el ritmo del superaprendizaje. Los neurotransmisores de este ritmo son acetilcolina, serotonina y dopamina.
- Theta: entre 5 y 7 hz o ciclos por segundo. También del hemisferio cerebral derecho. Se observa en el proceso onírico, fase REM del sueño. Es el ritmo del chamán. La serotonina es su principal neurotransmisor.
- Delta: entre 0,2 a 4 hz o ciclos por segundo. Es del hemisferio cerebral derecho. Es el ritmo del sueño profundo, del descanso total, y dura de una a una hora y media del tiempo total del sueño.

Mediante técnicas como el Yoga, meditación, prácticas zen y determinadas partituras musicales, se pueden obtener los ritmos alfa y theta; de tal manera que nos podemos relajar mental y físicamente, con una mejora y aumento en el aprendizaje, memoria e inteligencia, es decir, pasar a otro nivel de comprensión de la vida (fenómeno Eureka, sensación de Ah). Por diversos estudios se ha comprobado que dichas técnicas provocan gran cantidad de liberación de neurotransmisores, principalmente endorfinas, pero también de la dopamina, psicodélica endógena y serotonina entre otras.

Hay unos efectos fisiológicos que influyen en muy diversas partes de nuestro cuerpo. Así, la música afecta a la presión sanguínea, a la velocidad de la sangre y al fenómeno eléctrico del músculo cardíaco. El tipo de música no es la variable más importante, sino especialmente el interés del oyente por la música que escucha o el grado de aprecio que le merece. También afecta al ritmo cardíaco y al pulso. A este respecto han sido varios los autores que han concluido que una música estimulante tiende a incrementar el ritmo cardíaco y el pulso, mientras que una música sedante tiende a disminuirlo. Cualquier tipo de música, sedante o estimulante, tiende a aumentar el ritmo cardíaco y el pulso. La música sedante y estimulante puede causar cambios, pero estos cambios no son predecibles. La aceleración del ritmo cardíaco está altamente relacionado con la altura tonal, con el aumento de la complejidad de los elementos musicales de la composición y con el tempo. El retardo en el ritmo cardíaco y en el pulso está relacionado con la resolución musical del conflicto (en la composición musical), con un tempo lento, con las cadencias finales, con la textura de acordes sostenidos y con movimientos armónicos lentos. El ritmo cardíaco y el pulso se aceleran con el aumento de sonido y decrecen con la lentitud del tempo. La ralentización del ritmo cardíaco ocurre con la disminución del sonido y la ralentización del tempo musical.

Obviamente sus efectos se dejan notar en la respiración:

- Una música estimulante tiende a aumentar la respiración.
- Una música sedante tiende, en cambio, a ralentizarla.
- Cualquier tipo de música tiende a acelerar la respiración.
- Una música alegre tiende siempre a acelerar la respiración.

Teoría holográfica del cerebro: el doctor Bribram piensa que el cerebro opera de acuerdo con principios matemáticos similares a los de un holograma. Esta teoría explica que fragmentos de memoria de información que sean semejantes son almacenados en diversas partes del cerebro. Cada neurona puede tener la capacidad y la eficiencia de almacenar billones de estos fragmentos. La memoria, los recuerdos, pueden ser distribuidos a cada parte del cerebro y no localizados en una sección determinada.

De acuerdo con esta teoría referida a la música, implica que «todos los sonidos están contenidos dentro de los armónicos de cada tono fundamental». El cerebro no trabaja como una computadora (la cual sólo clasifica información), sino que un indicio de unas pocas palabras o fragmento melódico puede evocar instantáneamente toda la información (toda la pieza musical, por ejemplo).

En Musicoterapia esta teoría es importante para explicar la importancia que tiene esta terapia con pacientes psicogeriátricos, psiquiátricos y todos aquellos afectados con problemas relacionados con la memoria.

Pero los efectos que más se notan y a la vez los que la ciencia tiene más dificultad en escudriñar son los efectos psicológicos. La música actúa sobre nuestro sistema nervioso central y puede producir efectos sedantes, estimulantes, deprimentes, de alegría, etc. La música puede sugerirnos cualquier tipo de sentimiento. La música puede despertar, evocar, provocar, fortalecer y desarrollar cualquier tipo de emoción; puede provocar la expresión de uno mismo; puede ayudar a desarrollar la capacidad de atención sostenida; puede iniciar a los niños en la reflexión, estimular la imaginación, ayudar a desarrollar la memoria, ayudar a desarrollar la creatividad, ayudar al niño a transformar su tipo de pensamiento prelógico en lógico preservando su creatividad.

Además, la música puede ser una fuente de placer semejante al juego debido a la constante variación de los sonidos musicales. Puede ayudar a desarrollar el sentido del orden y del análisis. Y para terminar diremos que la música también facilita el proceso de aprendizaje porque activa un enorme número de neuronas.

Desde un punto de vista etimológico, la Musicoterapia es una mala traducción del inglés, en donde la palabra «música» precede a «terapia», de manera que la traducción correcta sería la de «terapia a través de la música». Thayer Gaston, uno de los primeros profesores de Musicoterapia en una universidad, la definía así en 1950: «Música es la ciencia o el arte de reunir o ejecutar combinaciones inteligibles de tonos en forma organizada y estructurada con una gama de infinita variedad de expresión, dependiendo de la relación de sus diversos factores componentes (ritmo, melodía, volumen y cualidad tonal). Terapia tiene que ver con cómo puede ser utilizada la música para provocar cambios en las personas que la escuchan o la ejecutan». En esta definición, las dos ideas centrales que conviene retener son «utilización de la música» y «provocar cambios en las personas».

Otra posible definición sería considerar la Musicoterapia como «un método de modificación del comportamiento... Tal vez sería conveniente redefinirla dentro de la línea del comportamiento».

Pero no sólo es eso, la Asociación Nacional de Musicoterapia inglesa la define como «el uso de la música en la consecución de objetivos terapéuticos: la restauración, el mantenimiento y el acrecentamiento de la salud tanto física como mental. Es también la aplicación científica de la música, dirigida por el terapeuta en un contexto terapéutico para provocar cambios en el comportamiento. Dichos cambios facilitan a la persona el tratamiento que debe recibir a fin de que pueda comprenderse mejor a sí misma y a su mundo para poder ajustarse mejor y más adecuadamente a la sociedad». Si analizamos en profundidad esta definición, vemos cómo se habla de objetivos terapéuticos: «La restauración, el mantenimiento y el acrecentamiento de la salud tanto física como mental».

La utilización científica de la música quiere decir que en Musicoterapia existen métodos y procedimientos fruto de investigaciones científicas en los ámbitos musical (antropológico, sociológico, psicológico, histórico, folclórico), terapéutico (biológico, neurofisiológico, médico, psiquiátrico, de educación especial, de marginación social) o musicoterapéutico (efectos de la música sobre el ser humano, efectividad de la musicoterapia en los distintos cuadros clínicos, etc.). Sin investigación científica la Musicoterapia no podría subsistir; por otra parte, la utilización científica de la música supone también, de entrada, el que cualquier actividad musical, en sí misma, no es terapéutica.

Hay unos principios básicos para comprender la Musicoterapia, y si bien algunos de ellos ya los hemos visto desde una perspectiva histórica, repasémoslos bien:

• Teoría griega del *ethos*: se refiere a la capacidad que posee la música para provocar estados de ánimo. Ello se debe a que entre los movimientos de la música y los físicos y psíquicos del ser humano existe una fuerte relación, la cual origina en el hombre cambios fisiológicos y psicológicos. Para Platón lo que hace que percibamos un sonido como armónico o desarmónico depende por una parte de la semejanza o compatibilidad de los sonidos musicales y los movimientos musicales en nosotros y en lo contrario, en el segundo caso.

• El organismo como un todo (esta teoría de Altshuler se basa en la teoría de Whyte pero aplicándola a la Musicoterapia). Según la misma, el organismo humano forma una entidad compacta; se considera la mente y el cuerpo como algo unido inseparablemente entre sí y con un propósito común. Ambas se influyen recíprocamente, un aspecto que se considera la base de la medicina psicosomática, especialmente importante en psiquiatría. Las artes (y en especial la música) mueven al organismo en su totalidad. Por ejemplo, el ritmo mueve especialmente la parte fisiológica (nuestros miembros) pero su influencia se extiende a nuestra parte emocional a un tiempo y a todo nuestro ser. En psicología de la música se estudia la influencia de cada elemento de la música por separado y su influencia en los diversos apartados y sistemas corporales, pero ello se hace con la finalidad de facilitar la investigación y su estudio. Pero por descontado que la repercusión de un fragmento musical o una pieza, si bien será más fuerte en determinadas áreas, lo será también en el resto de nuestro organismo.

• Una emoción provocada por la música posee la capacidad de objetivar una emoción personal parecida. Por ejemplo, escuchando el pasaje «La muerte de Ase» del «Peer Gynt» de Grieg puede sobrellevarse el dolor personal por la pérdida de un ser querido. La música ayuda a hacer este dolor personal más universal, integrarlo en el «mundo del dolor».

- La música crea una atmósfera de unidad e intimidad, incluso en los grupos más heterogéneos. Las barreras sociales, raciales, culturales, lingüísticas... son vencidas fácilmente. La música no sólo es útil al compositor –ayudándole a sublimar sus instintos–, sino que ayuda también al intérprete y al oyente. Cada uno se verá afectado por la misma composición pero en diverso grado. Los efectos nunca pueden ser predecibles ni iguales en los pacientes; ahí reside la dificultad de la terapia a base de música.

- Otra teoría a destacar es la de W. Cannon que sugiere que el organismo humano muestra una fuerte tendencia a funcionar bien en todo momento. Este es el único modo de sobrevivir y de progresar. Los diferentes órganos y sistemas ejercen un control automático para mantener la salud corporal en perfecto equilibrio. Por ejemplo, cuando se extirpa un riñón, el otro se desarrolla más para poder asumir la función del órgano extraído. Además, el principio del placer-dolor indica que existen para compensarse mutuamente. Asegura pues, que «el organismo humano muestra una innata tendencia a volver al nivel más efectivo de comportamiento». Por otra parte, «la música y las artes han sido consideradas tradicionalmente como contribuciones importantes a una homeostasis social, intelectual, estética y espiritual, como un patrón autocurativo perfectamente operante y existente, pero menos visible al experimentador».

En las sesiones de Musicoterapia llevadas a cabo por el doctor Altshuler en el Hospital Eloise, desde 1941, hacía escuchar a los pacientes música en la que predominaran los siguientes factores, en el orden que se indican:

- Ritmo: porque apela a los niveles más primitivos e instintivos del hombre. Por ejemplo, marchas militares, danzas populares, etc.
- Melodía: modificación del estado de ánimo. Aquí se empieza a usar música triste si se trata de un paciente depresivo o por el contrario se utiliza música alegre en casos de enfermos maníacos o exaltados.
- Armonía: se usa por su influencia como elemento integrador. Por ejemplo, la música coral.
- Música descriptiva o pictórica para estimular la imaginación.

Este orden no es fijo, único ni lo debe seguir toda clase de pacientes. Fue indicado con aquel tipo concreto de pacientes. Es el profesional musicoterapeuta la persona adecuada que debe elegir el orden y el contenido de las sesiones, de acuerdo con el tipo de pacientes. Lo que es válido y esencial de este principio es encontrar un tipo de música que provoque en un paciente determinado un estado de ánimo lo más parecido posible al estado de ánimo en el que está sumido.

Es innegable pues, que por medio de la música se crea un nexo de comunicación entre médico y paciente, lo que permite lograr mejorías en los distintos trastornos. En este proceso se recurre a distintas técnicas, según cada persona y su tipo de problema. Por ejemplo, para reducir el estrés se emplean los efectos fisiológicos de algunas músicas que al ser escuchadas generan un estado modificado de conciencia, en el cual la persona supera de forma creativa sus conflictos y las causas de su tensión nerviosa. En cambio, para abordar problemas como el autismo, se induce al paciente a que utilice su propio cuerpo y distintos instrumentos para que produzca sonidos que le ayuden a mejorar el manejo de sus manos, la relación con otras personas y la diferenciación del mundo que le rodea.

Durante la sesión de Musicoterapia, la persona verbaliza sus emociones, reacciona ante el estímulo sonoro, despierta vivencias ocultas en su subconsciente, se expresa a través de dibujos o palabras. También suele comentar lo que piensa y siente, estableciendo un vínculo con el terapeuta, que le permite ir resolviendo su problema.

La terapia, que se efectúa en una sala insonorizada, consiste en sesiones semanales o diarias, individuales o grupales, en un proceso que dura un mínimo de seis meses. Cada sesión tiene una fase de calentamiento, durante la cual el terapeuta entra en contacto con el paciente y evalúa su estado. Después se establece la idea bajo la cual se trabajará, se elige el material que se usará en la actividad y se inicia la sesión, durante la cual el paciente interpretará o escuchará distintas músicas.

El musicoterapeuta emplea todo tipo de música, considerando como tal a todos los sonidos, ruidos, silencios, gestos o movimientos, que provengan de grabaciones, produzca el propio cuerpo o generen instrumentos musicales. Se trabaja sobre todo con música clásica, aunque no se excluye ningún tipo de melodía como la *new age*, el pop o el rock.

La Musicoterapia se puede aplicar de dos formas.

- Activa: cantar, música y movimiento, tocar instrumentos y audición.
- Receptiva: métodos de relajación e imaginación guiada (estudiar el mundo interior del paciente).

La Musicoterapia tiene múltiples aplicaciones, y entre las áreas de tratamiento en las que suele trabajar se encuentran:

- Habilidades motrices: a través de las actividades musicales se trabaja la coordinación y el equilibrio, la movilidad y el desarrollo de las actividades motrices funcionales. A la vez, se puede lograr la mejora de la coordinación motora, la amplitud de movimiento, el tono muscular y la respiración.

– Habilidades sensoriales: mediante técnicas musicales dirigidas se aumenta la capacidad de recibir y diferenciar estímulos sensoriales. Posteriormente, se logra una organización e interpretación de los mismos y la producción de la respuesta deseada.

– Habilidades cognitivas: con la música como elemento motivador se pueden estimular las funciones superiores, esto es, la atención, la memoria, el nivel de alerta, la orientación, el reconocimiento, el aprendizaje y, por último, la imaginación.

– Habilidades socioemocionales: las técnicas musicales receptivas y activas facilitan la expresión y el compartir de emociones y sentimientos a la vez que promueven la interacción y las habilidades sociales. Por otro lado, el uso terapéutico de la música fomenta el autoconocimiento de la persona, permitiendo un aumento de su autoestima y una reducción de los sentimientos depresivos, de ansiedad y de estrés.

La música aplicada a la Musicoterapia se emplea bajo tres parámetros:

– Cadencia o ritmo.
– Intensidad o volumen.
– Frecuencia o posición en el pentagrama.

Las notas altas, agudas, actúan preferentemente sobre las contracturas musculares. Se propagan rápidamente en el espacio, aunque en distancias cortas actúan fuertemente sobre el sistema nervioso, constituyen una señal de alerta y aumentan los reflejos, al mismo tiempo que nos ayudan a despertarnos o sacarnos de un estado de cansancio o sopor. Como factor negativo tenemos el hecho de que el oído es especialmente sensible a ellas y si son muy intensas y prolongadas, lo pueden dañar, lo mismo que su efecto sobre el sistema nervioso puede provocar cierto descontrol y alteraciones en los impulsos nerviosos que se vuelven incontrolados.

Las notas bajas, graves, no parece que tengan influencia sobre las terminaciones nerviosas y su efecto es más mecánico, por lo que tienen mayor influencia sobre las zonas corporales huecas, como los pulmones, corazón y abdomen, quizá porque son lugares idóneos para las resonancias. Las notas graves se perciben mal en distancias cortas, por lo que su efecto inmediato es difícil de medir, aunque son capaces de ser audibles en muchos kilómetros a la redonda. Su efecto mecánico es tan poderoso que puede resquebrajar muros, carreteras, terrenos, y actuar con un efecto vibratorio muy intenso en cualquier cuerpo sólido. Terapéuticamente tienden a producir efectos sombríos, visión pesimista del futuro y tranquilidad extrema. La cadencia de las notas musicales, graves o agudas, es el segundo factor en importancia y así tenemos que, mientras que los ritmos lentos inducen a la paz, los rápidos ayudan al movimiento y a exteriorizar los sentimientos.

El tercer y último elemento musical es la intensidad, la cual indudablemente ha ocupado en nuestro siglo una preponderancia quizá aún mayor que las otras dos, a causa de los potentes equipos de sonido. Cualquiera de los otros dos efectos, cadencia o frecuencia, produce efectos mucho menores que la intensidad del volumen, hasta el punto de que una nota o partitura que en sí es tranquilizante, puede volverse irritante si el volumen es más alto que lo que esa persona puede soportar.

- Notas agudas a volumen bajo. Son agradables de escuchar, nos invitan a despertarnos con relax, nos predisponen al trabajo y nos dan alegría. Son antidepresivas y nos proporcionan felicidad.

- Notas agudas a volumen alto. Constituyen una llamada de alerta, una nota de atención vigorosa, nos despiertan del sueño con rapidez. Pueden actuar decisivamente sobre grupos enormes de gente. Como factor negativo pueden irritar seriamente el sistema nervioso auditivo, obligándolo a realizar acciones que no haríamos en un estado de tranquilidad.

- Notas agudas a volumen alto y muy rápidas. Son la forma auditiva que más rápidamente influye en las personas y que más cambios corporales genera. Nos invitan al movimiento corporal, nos predisponen a mezclarnos con grupos de gente y casi nos obligan a seguir una dirección determinada. Emocionalmente mejora la apatía, la debilidad de carácter y los complejos. Tiene un efecto bastante perjudicial para el oído, son irritantes del sistema nervioso hasta el punto de llegar a descontrolarnos, aumentan la agresividad y perjudican las relaciones sociales íntimas y personalizadas.

- Notas graves a volumen bajo. Son las notas más sedantes, las que nos motivan a movernos con lentitud, con paciencia, y las que invitan a la reflexión. Pueden calmar rápidamente a grupos de personas discrepantes, provocar el sueño de un niño inquieto y producir una relajación muscular y nerviosa rápida y eficaz.

- Notas graves a volumen alto. Son notas intimidatorias, que obligan a detenerse ante la presunción del peligro. Nos producen miedo, o al menos prudencia, y nos invitan a movernos con extrema lentitud. Se emplea generalmente para infundir pánico y para obligar a la reflexión inmediata a personas muy agresivas.

MEDICINA NATURISTA

FITOTERAPIA OCCIDENTAL

Las plantas han sido utilizadas por el ser humano como remedios curativos desde el albor de los tiempos. Por el estudio de la historia de la humanidad se sabe que los primeros homínidos ya empleaban hierbas para tratar sus enfermedades, y según ha ido evolucionando la civilización, las plantas medicinales han ido acompañando al hombre.

Evidentemente, no disponemos de testimonios escritos, pero es bastante fácil poder imaginar a los brujos y chamanes de las tribus de la prehistoria preparando cataplasmas con raíces exóticas y administrando infusiones para curar todo tipo de fiebres.

Los primeros datos fehacientes de que disponemos sobre el uso de plantas para curar tienen origen egipcio. Los médicos de la antigua civilización de los faraones consignaron su sabiduría y su experiencia en las ciencias de curar en los famosos papiros hieráticos. El más valioso de ellos es el de Smith, que data miles de años antes de Cristo, y que en realidad es una copia de otro documento más antiguo (2980-2700 a.C.). Por su parte, en el papiro de Ebers, que se remonta a más de 1.500 años antes de Cristo, existen multitud de fórmulas codificadas a partir de documentos desaparecidos en fechas muy anteriores.

En estas fórmulas se menciona un gran número de especies botánicas, así como productos de naturaleza inorgánica como las sales de plomo y de cobre. Entre las formas farmacéuticas figuran cataplasmas con harinas de dátiles, ungüentos con grasas que hoy parecerían extravagantes, y ciertos preparados como los aceites de opio y de castor.

Otros textos hieráticos, también próximos en el tiempo al de Smith, son el papiro ginecológico de Kahun y Gurob. Existen otros escritos o recetarios, pero que simplemente constituyen colecciones de recetas que los alumnos copiaban en las escuelas de medicina.

La magia no estaba ausente en muchas de las recetas egipcias. En las fórmulas mágicas, se recurría a unas 400 materias primas que probablemente formaban parte de la farmacopea egipcia. La magia egipcia unía la religión con la ciencia, dando lugar a una disciplina que consiguió logros que han sido inexplicables hasta bien entrado en siglo xx.

Tenemos conocimiento de la medicina mesopotámica, decir de ella que nos resulta conocida gracias a las tablillas en escritura cuneiforme con listas de drogas cuidadosamente redactadas en tiempos de los sumerios. El rey de Babilonia Mardukapalidine II (772-710 a.C.) mandó construir un jardín donde se cultivaban 64 especies de plantas medicinales, entre las que había algunas drogas de especial eficacia como el beleño, eléboro, mandrágora, cáñamo o adormidera.

También en la India, los brahmanes primero y los sacerdotes de Buda después ejercieron la medicina y la farmacia en conjunto. Susruta (siglo IV) menciona nada menos que 760 plantas medicinales, entre ellas muchas tropicales, que no se introdujeron en Europa hasta muchos siglos después. La medicina india estaba especialmente avanzada en lo relativo a los anestésicos y narcóticos. Era un universo de posibilidades que en Occidente no se exploró, como hemos dicho, hasta mucho tiempo después.

Los antiguos textos sagrados de la India establecían verdaderos rituales sobre la recolección de las plantas medicinales, uniendo, una vez más, la magia con la ciencia. La obra de farmacología china más antigua es el compendio titulado *Pen tsao Kangmou*, atribuido a una codificación ordenada por el emperador Shemmeng en el año 2697 a.C. Este compendio contiene más de 8.000 fórmulas, y hay quien asegura que ese formulario nunca ha llegado a ser superado; y es que los chinos han aportado muchas plantas y remedios a la medicina moderna, como el alcanfor, la efedrina, el ginseng, el té o el ruibarbo.

Hay que decir que muchas de las recetas chinas son incomprensibles desde el punto de vista occidental, ya que se basan en una filosofía muy particular que nada tiene que ver con el positivismo científico que nos caracteriza. Sin embargo, hay que darle un voto de confianza a una tradición que consiguió la vacuna antivariólica siglos antes del nacimiento de Pasteur.

Es probablemente en la Grecia clásica donde la medicina moderna tuvo su origen. No nos referimos a la Grecia heroica, donde las ciencias de curar aparecen encerradas en los templos, y se servían de fórmulas mágicas, conjuros y otros procedimientos que actualmente quizá se llamarían paranormales o simplemente tomaduras de pelo.

Las sectas filosóficas que precedieron a Sócrates, formadas por Thales, Demócrito o Pitágoras, sacaron a las ciencias de curar fuera de los recintos hieráticos, preparando la llegada de Hipócrates, que inauguró una nueva era para las mismas. Este ilustre doctor sistematizó los grupos de medicamentos, dividiéndolos en purgantes, narcóticos y febrífugos. Fue en la época de Hipócrates cuando nació la teoría de las señales: la forma de las plantas está relacionada con la enfermedad que pueden curar. Así, la pulmonaria se emplearía contra las afecciones del pulmón, y los rizomas amarillos del ruibarbo servirían para tratar la ictericia.

Habrá que esperar hasta la época romana para que el estudio de las plantas medicinales experimente un auténtico avance. Claudio Galeno, que acabó siendo médico personal del emperador Marco Aurelio, dio un paso definitivo en la medicina y la farmacia, hasta el punto que se le considera como uno de los fundadores de ésta. Dividió definitivamente los medicamentos en dos grandes grupos: en uno de ellos puso los que son resultado exclusivo de las manipulaciones que se practican sobre los materiales medicamentosos, para distinguirlos de los formados por reacciones que entran en el exclusivo dominio de la química.

El último de los grandes médicos y botánicos de la Antigüedad fue Pedanio Dioscórides, un griego que sirvió en los ejércitos de Nerón. Este hombre recogió y estudió plantas medicinales por toda la cuenca del Mediterráneo, y además fue capaz de reunir toda la información que había compilado en los cinco tomos de su *Materia Médica*.

Siglos más tarde, los árabes recuperaron todas las obras de los médicos antiguos para utilizarlas como base de su enseñanza sobre las artes de curar. Se estableció en todo el califato de Bagdad una legislación especial para la profesión farmacéutica, en relación con la importancia que se daba a ésta por su misión y los estudios que era preciso aprobar para poder ejercerla. El principal mérito de los farmacéuticos árabes consistió en el adelanto que supieron imprimir a las operaciones de laboratorio, cuyo inmediato resultado fue la Alquimia, madre de la moderna Química. Resurgió con ellos el arte de la destilación, olvidado desde remotos tiempos, pues lo habían empleado los antiguos egipcios y los propios griegos. El resultado inmediato de este nuevo procedimiento fue la preparación del alcohol y de las aguas destiladas, particularmente de rosas, a la que concedían gran importancia terapéutica.

El más célebre de los médicos árabes fue Avicena, que se dedicó al estudio de todas las ciencias conocidas y practicadas en su tiempo. Es al autor del *Canon de la Medicina,* en dos tomos, en los cuales se refirió a más de 800 productos terapéuticos vegetales y minerales. Durante siglos, Avicena fue conocido como «el príncipe de los médicos».

Mientras tanto, en Europa los antiguos manuscritos griegos y romanos eran traducidos y copiados en los monasterios. En el siglo XII, apareció en Alemania una de las más ilustres figuras de la medicina medieval: Santa Hildegarda, la célebre abadesa y herborista a quien debemos los importantísimos y conocidos tratados *Physica* y *Causae et curae*.

De forma paralela, la Alquimia de los estados árabes fue pasando a los cristianos, donde contó con fanáticos adeptos. Esta conjunción de estudios llevados a cabo por investigadores de ambas culturas dio sus frutos en la creación de importantes escuelas médicas, entre las que descollaron las de Montpellier y Salerno (esta última se convertiría más tarde en un auténtico modelo para las universidades que le sucedieron).

Desde finales del siglo XII, la herboristería entró en una etapa ciertamente desfavorable. Las antiguas enseñanzas no se difundían, y las ciencias naturales y la observación directa eran objeto de atención de muy pocos estudiosos. No obstante, destacó un importante personaje: Alberto Magno (1193-1280), botánico y médico escolástico, obispo de Ratisbona, que dejó escritos seis libros sobre la medicina de las plantas.

En la primera mitad del siglo XIV se emprendió una importante labor: Simón de Gênes y Mattaeus Sylvaticus revisaron y relacionaron nombres botánicos árabes y griegos con los latinos. Gracias a la invención de la imprenta, los conocimientos empezaron a difundirse de forma masiva.

Entre finales del siglo XIV y principios del XV, se observó la evolución de la literatura científica, desde la herboristería hacia la construcción de las bases de un sistema botánico científico. En 1492, el descubrimiento de América permitió la llegada a Europa de numerosas drogas nuevas, que fueron rápidamente estudiadas y catalogadas. Entre los estudiosos de esta época hay que destacar a Andrés de Laguna, un médico segoviano que recopiló gran parte de la información que llegaba del Nuevo Mundo a España y que tradujo y comentó la extensa obra de Dioscórides.

Ya en el siglo XVI, es forzoso detenerse en la figura de Paracelso, un médico y alquimista holandés que fue el primero en introducir la química en la terapéutica, desafiando la teoría de los humores de Hipócrates. En ese mismo siglo, Pierre André Mattioli escribió uno de los herbarios más importantes de todos los tiempos, en el cual se realiza un compendio de todos los conocimientos de su tiempo sobre plantas medicinales locales y foráneas.

Es a partir de la época de Mattioli, cuando el arte de curar a través y mediante el uso de las plantas va convirtiéndose poco a poco en la moderna farmacología. Empiezan a estudiarse todos aquellos componentes activos de cada especie, se aíslan y se recetan por separado... en fin, nos introducimos ya en el mundo actual, en la medicina contemporánea.

Desde el siglo XVI, las propiedades de las plantas en sí mismas han ido olvidándose poco a poco, excepto en las zonas más rurales, donde los avances de la ciencia tardan en llegar. Los brujos y las abuelas han sido durante siglos los únicos depositarios del milenario saber de las plantas que curan.

Afortunadamente, en la actualidad el interés por la medicina natural y por los remedios libres de sustancias químicas y artificiales ha ido creciendo. Los fitoterapeutas del siglo XXI son los herederos de los antiguos médicos egipcios, que una vez más, quieren recordarnos que la sabia naturaleza nos ofrece mejores remedios que la ciencia humana.

Muchas personas deciden cultivar sus propias plantas medicinales; para éstos «aventureros» y para todo aquel que quiera saber cómo se cultivan hoy en día las plantas medicinales, relatamos en las siguientes líneas unos consejos básicos. Todos sabemos que la industria farmacológica consume, hoy en día, tal cantidad de plantas medicinales para aislar sus componentes activos, que es prácticamente imposible encontrar algunas de ellas en estado silvestre. Por lo tanto, no deja de ser recomendable tener un huerto propio donde se puedan cultivar las especies más interesantes.

En este aspecto, hay que tener muy en cuenta toda una serie de reglas básicas para que las plantas crezcan fuertes y sanas, y conserven al máximo sus cualidades curativas.

- SUELO O SUSTRATO. Para el cultivo de plantas medicinales, habrá que elegir un terreno libre de sustancias potencialmente nocivas. Se tendrá también en cuenta el clima que requiere cada planta, sus necesidades de calor y agua o las propiedades del suelo. Es muy conviente realizar tareas que permitan si no incrementar, al menos sí mantener la fertilidad del suelo, tales como el laboreo mínimo apropiado, el cultivo de leguminosas, el uso de abonos verdes o plantas de raíces profundas y la incorporación de abonos orgánicos obtenidos de residuos provenientes de establecimientos propios o ajenos.

- MATERIAL VEGETAL. El material vegetal que se utilice para sembrar o plantar deberá estar clara y correctamente identificado, y por supuesto, libre de enfermedades o plagas que puedan introducirse en el suelo. Tanto las semillas como el material de propagación (por ejemplo, los esquejes) deberían provenir de producciones orgánicas. Habrá que evitar a toda costa tratar las semillas con productos químicos que puedan alterar las propiedades de la futura planta.

- FERTILIZANTES. Se deben utilizar única y exclusivamente los fertilizantes provenientes de residuos bien compostados, los cuales se aplicarán solamente antes o después del ciclo productivo. Se tendrá presente la dosificación adecuada, y bajo ningún concepto, se utilizará material fecal humano, en ninguna de sus formas.

- MAQUINARIA Y UTENSILIOS. La maquinaria y utensilios utilizados deberían estar limpios y en buen estado de funcionamiento.

- AGUA. La fuente de agua deberá estar libre de contaminaciones fecales humanas y animales y de sustancias peligrosas para la salud. Toda el agua que se utilice, deberá ser perfectamente potable, y además estará libre de tratamientos químicos. Respecto del sistema de riego, se mantendrá en buen estado con procedimientos y productos de saneamiento autorizados.

- SIEMBRA, PLANTACIÓN Y LABORES CULTURALES. Cuando se prepare el suelo para la siembra, habrá que tener mucho cuidado para no mezclar las distintas capas de tierra. Los tratamientos preventivos y curativos del suelo y del material vegetal, físicos y biológicos deberán ser realizados únicamente con productos que no dejen residuos peligrosos para la salud. El riego deberá ser regular y uniforme para así evitar de esta manera la acumulación de agua (encharcamientos) así como la creación de microclimas con una alta humedad que puedan promover la diseminación de hongos, bacterias y otros microorganismos potencialmente nocivos, arrastre de suelo o apariciones salinas en superficie.

LA RECOLECCIÓN DE LAS PLANTAS MEDICINALES

La recogida de las plantas medicinales en sus lugares de origen parece fácil, pero la eficacia de los futuros medicamentos que se preparen depende en gran medida de la pericia del recolector. Conviene, por tanto, prestar especial atención a esta labor, y tener en cuenta que cada parte de las plantas tiene su propia forma de recolección.

LAS HOJAS
No es conveniente quitar a la planta todas las hojas que posea, ya que éstas son los órganos que necesita para la asimilación. De manera que la recolección será la forma en que permitamos que dicha planta tenga asegurada para siempre su producción.

Las hojas se recolectan al comienzo de la floración, momento en que contienen mayor cantidad de substancias activas. Se deben elegir siempre las suculentas y jóvenes, ausentes de manchas, las cuales son siempre sospechosas de alguna enfermedad viral; deben estar enteras, sin daños y carentes de insectos.

Además, no se deben amontonar o arrugar las hojas, pues muchas especies se deterioran o requeman fácilmente. El secado de las hojas hay que realizarlo en capas finas y evitando el Sol intenso; esto es especialmente importante en las plantas con alto contenido en aceites esenciales.

LAS FLORES

Las flores son en su mayoría muy sensibles, por ello deberán evitarse las envolturas plásticas para su transporte, ya que impiden la transpiración de la misma. Si no puede transpirar, la flor no llegaría en un estado óptimo.

Se deben recoger con tiempo seco y cuando se encuentren totalmente abiertas, a ser posible alrededor del mediodía.

En algunas plantas se recolectan solamente determinadas partes de la flor, como los pétalos de la malva y la adormidera.

RAÍCES Y RIZOMAS

Las raíces, o partes subterráneas de las plantas, presentan formas variadas: fasciculadas, cónicas, cilíndricas, y pueden ser simples o ramificadas. Por su parte, el rizoma es la parte del tallo subterráneo de donde nacen las raíces. Para recolectar las raíces es necesario esperar, por lo general, a que la planta haya entrado en periodo vegetativo, momento en que poseen mayor cantidad de sustancias activas; aunque dependiendo de la especie, también se recolectan en primavera. Las plantas vivaces se recolectan a partir del segundo año, y las bianuales a partir del primero.

Antes del secado hay que proceder a la limpieza de raíces y rizomas; para ello se lavarán con abundante agua, eliminando tierra y otros restos. No se deben utilizar cepillos para esta labor, pues determinadas especies, como la valeriana, sufren una pérdida de aceites esenciales contenidos en la epidermis.

SUMIDADES

Las sumidades son los pedúnculos foliados de las plantas, en ocasiones floridas. Se recogerán siempre las partes más frescas y jóvenes; si son muy largas, se tomarán unos 20 centímetros de los extremos de las ramas; si son partes rastreras, se deberán lavar convenientemente para eliminar la tierra e impurezas adheridas. Para su corte se utilizarán navajas o tijeras de jardinero, evitando partirlas, lo que les perjudican notablemente. Es conveniente dejar siempre las raíces en tierra para asegurar su regeneración.

SECADO Y CONSERVACIÓN DE LAS PLANTAS MEDICINALES

El secado y almacenamiento de las plantas medicinales requiere una serie de técnicas encaminadas a que conserven el mayor número de propiedades posible.

El secado de una planta no es más que el proceso de extraer la humedad que contiene, para evitar que se pudra, enferme o pierda las sustancias activas, además de permitir su almacenamiento por un tiempo determinado antes de su utilización. En muchas ocasiones, antes de secar las plantas, se lavan para limpiarlas de tierra o polvo; se preparan, separan o trocean según el caso, para, a continuación, proceder al secado propiamente dicho. Este se puede realizar con calor natural o artificial. Las plantas medicinales deberán ponerse a secar inmediatamente después de su recolección, para impedir que se marchiten o pierdan sus propiedades. Por esta misma razón, se evitará el secado a pleno Sol (salvo en casos muy concretos). Las partes a secar deben colocarse en capas finas, bandejas o cajas de madera donde pueda circular el aire. Si el volumen de plantas a secar es muy alto, se aconseja disponer de estantes que permitan removerlas, de modo que el secado sea similar para todo el conjunto. No se recomienda depositar los productos directamente sobre el suelo, ni tampoco sobre hojas de papel impreso como periódicos o revistas; debe utilizarse siempre papel blanco y muy limpio.

Para el almacenamiento de las plantas ya secas, deben evitarse las bolsas y cajas de plástico. Si se trata de cantidades muy importantes, se utilizarán sacos de papel, cajas forradas de papel tratado o sacos de tela; siempre protegidos de la luz y la humedad. Periódicamente se deben revisar las plantas almacenadas, comprobando cualquier alteración en el nivel de humedad, moho, insectos, etc.

Si se desea conservar las plantas enteras, pueden secarse en forma de ramilletes, atándolas juntas por los extremos cortados y colgándolas con las flores boca abajo próximas a una corriente de aire seco, por ejemplo una ventana, o simplemente al aire libre. Este sistema es el utilizado normalmente para las flores secas como cardos o siemprevivas.

Las plantas que contienen aceites esenciales se deben tratar con especial cuidado. Cuando hayan entrado en proceso de secado, deben conservar siempre intactas las partes aéreas, incluso durante su almacenamiento, el cual no deberá superar más de un año, salvo en contadas excepciones.

PREPARACIÓN Y PREPARADOS

Se puede hacer actuar a las plantas tanto ingiriéndolas por vía interna como aplicándolas externamente. En el primer caso, hay posibilidad de elegir entre la infusión, la decocción, la maceración, el zumo, el polvo, etc., según las particularidades de cada planta. En el segundo caso, se puede recurrir a una gran variedad de preparados que actúan directamente sobre la piel o, por ósmosis, en el interior del organismo.

Hay que prestar especial atención a la preparación de los remedios medicinales, ya que de la correcta elaboración depende de que éstos sean efectivos o no.

INFUSIONES

En una infusión, las plantas no deben hervir nunca, sólo se deben escaldar con agua hirviendo. Por lo general, se realizan infusiones con plantas muy aromáticas, las cuales poseen unos principios activos muy vulnerables a altas temperaturas, como por ejemplo la hierbaluisa, la menta, la hierbabuena, el romero, la mejorana, la salvia o la manzanilla.

La infusión es una manera de preparar muchas recetas beneficiosas para la salud. Por medio de ella conseguimos extraer muchos principios activos de las plantas medicinales aportando una serie de elementos vitales para el organismo, tales como los flavonoides, los aceites, los taninos, las vitaminas y los minerales.

Normalmente, las raíces, las semillas y las cortezas de la planta no pueden prepararse en infusiones, ya que requieren la decocción para hacer aflorar los principios activos que contienen.

DECOCCIONES

En este tipo de preparados entran las partes más duras de las plantas medicinales como son las semillas, los frutos, las raíces, las cortezas, etc. Suelen hervir entre 1-20 minutos. Al ser las partes más duras de la plantas, la infusión se hace ineficaz para extraer los principios activos, mientras que la cocción prolongada sí llega a extraer estos principios.

La decocción puede utilizarse tanto por vía interna como para preparar maniluvios y pediluvios, cataplasmas, baños de asiento, etc.

MACERACIONES

Hay dos tipos de maceraciones:

- La primera de ellas se realiza en frío: se ponen las plantas en agua, según las cantidades de la receta, y se dejan durante un promedio de entre 6 y 12 horas, nunca más tiempo, ya que el agua de la maceración puede resultar un excelente caldo de cultivo para todo tipo de hongos y bacterias. Las maceraciones prolongadas en frío tienen la gran particularidad de no destruir los principios activos de las plantas que son sensibles al calor.
- Para realizar una maceración en caliente, se pone el agua a hervir, y después de apagar el fuego, se echan las plantas indicadas. Se remueve y se deja reposar entre 6 y 12 horas. Después se cuela.

Un tipo específico de maceración son los vinos y licores medicinales, que tienen la ventaja de que el alcohol actúa como conservante de sus principios activos, por lo cual duran más tiempo. Por otro lado, la maceración puede ser más prolongada, ya que la mayoría de las bacterias y hongos no pueden vivir en un medio alcohólico.

A pesar de todo, cuando los licores medicinales impliquen una maceración muy larga, se debe tener la precaución de utilizar plantas secas.

JUGO FRESCO

Consiste simplemente en extraer de frutas, hortalizas y plantas medicinales sus jugos frescos, aprovechando de esta manera todas sus vitaminas y principios vitales. Por ello, se utilizarán únicamente plantas recién recolectadas.

Para una elaboración ideal del jugo, se utilizará un mortero, y después se prensará el picadillo obtenido a través de un lienzo fino. Hay que señalar que el jugo es de utilización inmediata, y que no se puede conservar, ya que perdería casi todas sus propiedades.

TINTURAS

Como su nombre indica, se trata de productos líquidos de variadas coloraciones, según el producto empleado en su elaboración. Se suelen aplicar en gotas o cucharadas, tanto por vía oral como externamente (ejemplo del tratamiento de encías o gargarismos).

Para prepararlas, se ponen las plantas en alcohol de 90°, se deja macerar durante dos días en un recipiente hermético lejos de la luz del Sol y se filtra a través de un lienzo fino. La tintura es muy activa, de modo que debe reservarse para casos realmente muy graves.

LOCIÓN

Se utiliza otro preparado líquido, una decocción, una infusión o una maceración, para extenderla sobre la zona a tratar, y a continuación, dar un masaje sobre esa región. Cuando el masaje es rápido y enérgico, se habla de fricciones sobre la piel del paciente.

MANILUVIOS Y PEDILUVIOS

Los maniluvios y pediluvios se basan en el principio de la absorción por ósmosis: las sustancias que necesita el organismo penetran a través de la piel para llegar al torrente sanguíneo, que las transporta a los lugares donde se las necesita. Son especialmente efectivos en dolencias reumáticas, neurálgicas, circulación deficiente, artritis, artrosis y afecciones renales.

Para preparar los maniluvios y los pediluvios, se pondrá a calentar un litro de agua con cinco cucharadas soperas de la mezcla de las hierbas indicadas y las plantas frescas señaladas. Se hierve tres minutos a fuego lento y tapado, se apaga y se deja reposar durante 15 minutos. Después de colarlo, se guarda el resultado en una botella hermética en la nevera. Este es el preparado o concentrado que utilizaremos en los maniluvios y pediluvios.

Los pediluvios deberán realizarse en ayunas. Se ponen dos litros de agua a hervir durante cinco minutos a fuego lento, se apaga y se deja reposar durante cinco minutos más. Se le añade un cuarto de litro del preparado anterior, se remueve y se vierte en un recipiente donde se puedan introducir los pies. Antes de que el agua se enfríe, se introducen los pies durante aproximadamente 10 minutos.

Lo ideal es acabar el pediluvio con un chorro de agua fría para aclarar los pies y activar la circulación.

Los maniluvios deben de realizarse al igual que los anteriores, también en ayunas. El proceso de elaboración es exactamente igual que en el caso de los pediluvios, con la única y lógica diferencia de que serán las manos las que permanezcan 10 minutos sumergidas.

BAÑOS DE ASIENTO

Son idóneos para tonificar, relajar y oxigenar nuestro organismo. Consisten en sumergirse en un recipiente adecuado o una bañera de tal manera que las partes genitales y los riñones queden sumergidos bajo el agua preparada con plantas medicinales.

La preparación del baño de asiento es prácticamente igual que en el caso de los maniluvios y pediluvios. La única diferencia que existe es que en cada baño se usará un litro de líquido concentrado porque hay más cantidad de agua donde poder disolverlo.

DUCHAS VAGINALES

Son muy similares a los baños de asiento, y se preparan del mismo modo, aunque se aplican únicamente en la vagina. Deben administrarse a 37 °C, y en preparados no muy concentrados, ya que la absorción es muy rápida e intensa.

GARGARISMOS Y ENJUAGUES

Son preparaciones líquidas con plantas y agua en forma de infusión o decocción, que se utilizan para producir efectos terapéuticos y medicinales sobre las mucosas que recubren el fondo de la boca, las amígdalas y la garganta. Para que su eficacia sea óptima, tienen que estar muy calientes o por lo menos lo más caliente posible que pueda aguantar el paciente.

LAVATIVAS O ENEMAS

Se realizan introduciendo por el ano, mediante aparatos específicos como las peras, diversos preparados medicinales.

La absorción es muy rápida y directa, por lo que se utilizarán preparados poco concentrados, en los cuales estemos seguros de que no hay ningún elemento tóxico. Las lavativas deben administrarse siempre a una temperatura de 37 °C o 40 °C como máximo. La dosis normal es de una lavativa al día, nunca más.

CATAPLASMAS

Según los casos, la planta se aplicará directamente sobre la piel en grandes emplastos, o bien se introducirá previamente en una bolsa de tela fina. La temperatura de las cataplasmas no debe ser muy alta, ya que a partir de los 50 °C, la mayoría de las propiedades medicinales se pierden. Las aplicaciones nunca durarán más de cinco minutos, aunque si es preciso, se aplicarán cataplasmas sucesivas.

Este preparado se utiliza fundamentalmente para combatir dolores reumáticos o de otro tipo, para tratar abscesos y supuraciones, así como inflamaciones en cualquier lugar del cuerpo. En los catarros y enfermedades de las vías respiratorias, son muy efectivos aplicadas sobre el pecho.

Compresas

Consiste en impregnar un trozo de tela o algodón en un preparado líquido como una infusión, una decocción o una tintura, y aplicarlo directamente sobre la zona a tratar. El tiempo de aplicación para que las compresas sean eficaces oscilará entre 5 y 10 minutos.

Apósitos

Es una compresa preparada con un líquido menos concentrado que en las compresas, de modo que se deja actuar lentamente y durante más tiempo, hasta un máximo de 12 horas.

Colirios

Son infusiones muy ligeras que se utilizan para baños oculares. En el momento de su aplicación, deben estar tibios para no quemar o dañar el ojo y su contorno porque son zonas muy sensibles.

Baños de vapor

Este sistema se utiliza frecuentemente para tratar enfermedades del sistema respiratorio. Los baños de vapor pueden ser de dos tipo: generales, es decir, que incluyen todo el cuerpo, o estar localizados, como en el pecho, la cabeza o la espalda.

Para prepararlos, se ponen a hervir cinco litros de agua. Después de apagar el fuego, se añade la cantidad indicada de planta para cada caso, se remueve y se utiliza una toalla para impedir que el vapor se escape y poder concentrarlo en el lugar del cuerpo deseado.

Extractos

Se trata de sustancias muy concentradas, obtenidas mediante maceración en determinados líquidos, como agua, alcohol o éter.

Los extractos se suelen aplicar en gotas o mediante mezclas diversas, y pueden tener consistencias líquidas, densas, fluidas o secas.

Existen diferentes tipos de extractos:

- Los extractos líquidos, como los de tomillo, son ligeramente espesos, parecidos a los de un almíbar.
- Los extractos fluidos, como los del helecho macho, tienen consistencia similar al de la miel fresca.

- El extracto denso, como el de la belladona, contiene un máximo del 20 por ciento de agua, mientras que el 80 por ciento es materia seca.
- El extracto seco, como el del ruibarbo, tiene solamente un 5 por ciento de agua, por lo que puede ser convertido fácilmente en polvo.

JARABES

Se trata de líquidos muy concentrados elaborados a partir de extractos, azúcar y agua. Los jarabes galénicos son adecuados en medicina infantil, sobre todo como expectorante y para combatir la tos. Los más comunes son los jarabes de malvavisco, llantén o tomillo.

PÍLDORAS

Son preparados destinados a ser administrados por vía bucal. Se suele utilizar una mezcla en la que intervienen la sustancia activa principal junto con otros productos auxiliares. Conseguir la adecuada solidez de las píldoras requiere un proceso laborioso, ya que deben dosificarse en pildoreros, eliminar la humedad sobrante, y aplicarles una serie de productos superficiales para evitar que se adhieran entre sí.

Sustancias laxantes, hierro y arsénico son los productos que se emplean en píldoras con más frecuencia.

POLVOS

Los polvos son una de las formas más típicas de presentación de las plantas medicinales, quizá por su facilidad de preparación y la mejor absorción por el organismo cuando se usan internamente, aunque también se utilizan externamente en algunos casos. Es en forma de polvo como se encuentran la mayor parte de las plantas en los herbolarios. Para elaborar los polvos hay que de reducir las sustancias secas a fragmentos ínfimos.

GEOTERAPIA

La fuerza curativa de la tierra o arcilla mojada fue descubierta por Priessnitz cuando observó a un ciervo herido de una pata sumergirla frecuentemente en el barro. Es un potente antiséptico y microbicida aplicado en forma de cataplasmas o compresas sobre heridas, llagas o ulceras. Se prepara con tierra fina y limpia –mejor arcilla– y se amasa con agua fría o infusiones de plantas, hasta conseguir una masa pastosa, pero más bien fluida, que se aplica directamente o con una gasa sobre la parte enferma del cuerpo, se cubre con una tela, y si hay mucha inflamación se renueva cada dos o tres horas y incluso toda la noche. Después se retira lavando con agua la zona de aplicación.

El poder de absorción tóxica y de regeneración celular que tienen estas cataplasmas es admirable, no sólo en lesiones externas, sino también en inflamaciones graves de órganos internos (hígado, riñones, pulmones, etc.).

Interiormente, debidamente limpia, tomada antes de las comidas, la Geoterapia tiene un gran poder purificador, cicatrizante y vitalizador.

HELIOTERAPIA

Todos los fenómenos vitales pueden considerarse como resultado de la circulación de la energía solar.

- EFECTOS DE LOS BAÑOS DE SOL. El Sol produce: efecto físico y químico sobre la piel o pigmentación; estimulantes sobre el sistema nervioso; aumento del metabolismo; efecto bactericida; aumento de la oxigenación sanguínea; favorece la asimilación por parte del organismo del calcio y de otras sales minerales y vitaminas; efecto depurativo al eliminar por el sudor toxinas e impurezas; en dosis racionales regulan la temperatura orgánica y el ritmo cardíaco.

- LOS TIPOS DE BAÑOS DE SOL. Los baños de Sol con el cuerpo desnudo pueden ser: baños de Sol sudoríficos; baños de Sol parciales de pierna, brazos y vientre. Estos baños hay que tomarlos siempre con mucha precaución y de forma gradual y después del baño, si ha habido sudoración, conviene la aplicación de agua fría.

HIDROTERAPIA

Consiste en el tratamiento a través del agua aplicada de forma externa con el fin de provocar reacciones curativas en el organismo. El efecto del agua sobre el cuerpo produce reacciones de tipo nervioso, circulatorio y térmico. El efecto fundamental de la hidroterapia es el de la desintoxicación orgánica, mediante la expulsión de toxinas.

Las aplicaciones de agua fría se hacen sobre un cuerpo que se haya calentado previamente, y en un ambiente caldeado. Estimulan el metabolismo y la producción de calor. Y las de agua caliente se recomiendan para personas debilitadas, pues estos baños son relajantes y bajan la tensión arterial.

Toda sesión de Hidroterapia tiene que terminar con una aplicación general fría y luego calentar rápidamente el cuerpo por procedimientos naturales, y se conocerá que se ha conseguido la reacción precisa, cuando la piel haya recobrado su calor natural y no se tengan escalofríos o frío.

No debe aplicarse en general agua caliente a un enfermo con fiebre, pues para bajar la temperatura las aplicaciones deben de ser frías. Para que la aplicación fría sea útil, hay que almacenar calor previamente, para conseguir después la reacción, bien sea mediante abrigo, ejercicio o calor externo.

Se distinguen varios tipos de aplicaciones de Hidroterapia:

- Aplicaciones generales: con percusión, ducha fría, ducha caliente, ducha templada y fría, ducha progresiva, duchas progresivas frías, ducha escocesa, ducha alternativa, chorro general, baño de lluvia, baño de inmersión, envolturas generales mojadas, baño de vapor general.
- Aplicaciones locales: ducha local fría, ducha local caliente, chorros locales, baños de pie de agua caliente, baño de medio cuerpo, baño de asiento, baño de tronco, baño genital, baños de pies de agua quieta, baños de manos y brazos, baños de ojos, lociones locales, compresas, baños de vapor parciales.

Estas aplicaciones se pueden hacer solas con agua o acompañadas con infusiones de plantas medicinales o con arcilla o barro.

NATUROPATÍA

Cuando acudimos a una enciclopedia en busca de una definición sobre lo que es la Naturopatía, encontramos: «La Naturopatía es la ciencia que estudia las propiedades y las aplicaciones de los agentes naturales (alimentos vegetales, plantas medicinales, agua, Sol, tierra y aire) con el objetivo de mantener y recuperar la salud». Es por tanto una terapia que tiene su raíz en investigar, reconocer y aplicar los elementos inocuos que hay en la propia naturaleza, y también desechar, protegernos y concienciarnos de los que pueden perjudicar nuestra salud. De esta forma podremos alcanzar el más idóneo equilibrio, tanto físico como mental y espiritual, de nuestro cuerpo, durante el mayor tiempo posible de nuestra vida.

La Naturopatía no es sólo una terapia contra las enfermedades, sino que es todo un sistema de vida que trata de hacer al hombre «natural», para lo que en principio lo que hace es eliminar las sustancias nocivas, extrañas y perjudiciales que se puedan encontrar en el organismo (desechos, toxinas, venenos, células dañadas, etc.), y en su lugar, lo que hará será aportar las sustancias útiles y sanas (vitaminas, minerales, nutrientes, plantas, etc.) para depurar y regenerar los tejidos. Es decir, que como conclusión, podemos decir que su función principal es estimular el sistema y la fuerza de autocuración interna propia de cada ser.

Cuando nos remontamos a los orígenes de la Naturopatía, encontramos que data de los mismos orígenes del hombre, pues ya nuestros primitivos ancestros usaban los cuatro elementos básicos de la naturaleza (tierra, aire, fuego y agua) en beneficio de su salud. Su proceso de desarrollo fue parejo al del devenir histórico y ha llegado a nuestros días en los que se encuentra en pleno auge debido a las corrientes filosóficas que piden y preconizan la reconciliación del hombre con su entorno, para prevenir enfermedades y apartarnos de la «locura vital» a la que nos lleva la vida moderna.

Cuando uno se acerca a la Naturopatía, lo primero que encuentra son sus principios básicos, piedras de toque sobre las que se sustenta todo el sistema de pensamiento y vida que nos ofrece esta terapia. Así, la unidad orgánica, pilar fundamental del sistema, nos indica que el cuerpo es un sólo órgano, por lo que trata a cualquier dolencia de forma conjunta y global. Otro de sus principales criterios sostiene la premisa de que no hay enfermedades sino enfermos, pues muchas enfermedades que la medicina moderna occidental trata de forma aislada, no son más que el reflejo de una enfermedad mayor, que normalmente va asociada bien a unos malos hábitos o bien a una predisposición a padecer cualquier tipo de enfermedad, debida, por ejemplo, a todo un sistema inmunitario bastante deficiente, falta de ejercicio, a respirar aire contaminado, a llevar un tipo de alimentación antinatural, al consumo de sustancias tóxicas, etc.

En todo este concepto de unidad de la Naturopatía, tenemos que distinguir dos subdivisiones globales:

- La unidad química: se fija en la conexión de las diversas glándulas que conforman el cuerpo (hipotálamo, hipófisis, glándula pineal, tiroides, suprarrenales, glándulas sexuales, paratiroides y páncreas), y que vierten sus sustancias a la sangre (hormonas), para dirigir o regular las funciones más importantes de nuestros órganos.
- La unidad nerviosa: el conjunto o «equipo» que transmite información y pone en comunicación a todos los órganos del cuerpo.

A su vez, para la Naturopatía el cuerpo queda dividido en tres grandes sistemas orgánicos:

- Sistema digestivo: el encargado de asimilar los alimentos para transformarlos en linfa y plasma sanguíneo.

- Sistema circulatorio: asimila el aire y también transforma el plasma sanguíneo en energía.
- Sistema nervioso: absorbe luz para transformar la energía en magnetismo y pensamiento.

De la conjunción armónica de estos tres sistemas orgánicos depende el funcionamiento de nuestro cuerpo y por ende nuestra armonía vital. Partiendo de esta clasificación de los sistemas orgánicos, podemos también aplicarlos a las personas. Dependiendo de la supremacía de cada uno de ellos, las personas se dividen por:

- Tipo de nutrición: en el que predomina el sistema digestivo. Con vientre prominente, tendencia a la obesidad y papada. Con muchas probabilidades de padecer desórdenes digestivos y metabólicos.
- Tipo de movimiento: con predominio de los órganos y funciones del tórax (pulmones y corazón). Con fuerte oxigenación de la sangre, se encuentran en este tipo los deportistas. Son muy resistentes tanto a las enfermedades físicas como a las psíquicas.
- Tipo cerebral o psíquico: en el se resaltan los órganos y las funciones del encéfalo, son personas con gran inteligencia y sensibilidad. Suelen ser poco comedores, poco resistentes a la enfermedad, pero sí a la muerte.

Aunque muchas de estas definiciones parezcan demasiado simples u obvias, es importante tenerlas presentes, pues los tratamientos que la Naturopatía recomienda para cada paciente tienen su base en esta primigenia clasificación.

Cuando nos acercamos al concepto que la Naturopatía tiene de la enfermedad, vemos también cómo se diferencia del que habitualmente (y por cuestiones de conciencia social) podemos tener. Para los naturópatas, la enfermedad no es más que un estado inarmónico del organismo, que sale al exterior, se manifiesta, mediante un conjunto de síntomas y signos, productos de la natural y lógica reacción del individuo como efecto de la «lucha» que se está produciendo para volver a la situación de armonía. Cuando una persona se adentra en la Naturopatía, lo primero que ve es que hay muchas maneras de romper o violar las leyes naturales, y se puede hacer por ignorancia, indiferencia, falta de voluntad y autoindulgencia.

Es importante tener en cuenta que para que cada parte del organismo se encuentre en buen estado, necesita el concurso de los demás sistemas, pues ya hemos visto cómo lo que predomina en esta terapia es el concepto de unidad, de un todo armónico. Así podemos decir una típica frase naturópata: «Cuando algún órgano del cuerpo enferma, también lo hacen los demás».

Desde esta filosofía se piensa también que es el propio ser humano el que «causa» la enfermedad, si bien no de una manera directa siempre, sí al menos de una manera indirecta, pues con sus malas prácticas o con su trasgresión de las leyes naturales que tiene en armonía nuestro cuerpo, abona el terreno para que las enfermedades «entren» en su interior. El ejemplo que desde la Naturopatía siempre se pone es: ¿por qué si hay virus en el ambiente sólo desarrollan la enfermedad que éstos trasmiten unas determinadas personas? Y su respuesta es la que hemos visto: el virus habitará y contaminará a la persona que peores hábitos tenga o que mayores deficiencias en el conjunto de sus órganos haya.

Como ya hemos indicado, los síntomas son los fenómenos, signos y funciones anormales con los que se manifiesta la enfermedad. El conjunto de los síntomas se denomina síndrome. Para la Naturopatía hay tres tipos de síntomas:

– Los útiles son los que constituyen las crisis curativas, por ejemplo, una expectoración catarral, ya que por medio de ella se arrastran las toxinas; una eliminación diarreica que expulse sustancias dañinas del intestino.
– Los perjudiciales son los producidos por procesos crónicos degenerativos, por ejemplo, los derivados de una lesión cancerosa.
– Los artificiales son los que desencadenan los efectos secundarios de los fármacos, los cuales solapan o se confunden con los demás síntomas producto de la enfermedad y, por lo tanto, pueden hacer confundir al diagnóstico que busca la raíz o el origen de cualquier enfermedad, por ejemplo, las nauseas, mareos, somnolencia, dolor de estómago, etc., que se producen al tomar determinados medicamentos sintéticos.

Llegados a este punto, veamos cómo un naturópata se acerca al diagnóstico de una determinada enfermedad. El diagnóstico es definido como el proceso por el cual se pretende averiguar la clase, el tipo y la causa de cualquier desequilibrio patológico producido en nuestro organismo. Es planteado como un todo, como un proceso de evaluación global del estado de salud, a nivel físico, psíquico y energético del individuo. Existen varios tipos de diagnósticos: la iridología, los derivados de los errores de la conducta, el reflexoterápico, el examen de los emunctorios y sus funciones, el análisis de sangre, el psicoanálisis e hipnosis. Analicemos cada uno de ellos:

• IRIDOLOGÍA. Se basa en el estudio detallado de los diferentes órganos, por los signos y señales que proyectan en el iris del ojo. Se basa en la relación que existe entre el iris y el cerebro. Esta técnica fue descubierta por Peczely, quien observó la transmisión al iris de las condiciones patológicas, al observar cuando un mochuelo se rompió su pata, cómo inmediatamente apareció una mancha negra en la zona del iris correspondiente, y conforme dicha pata se curaba, cómo la señal del iris cambiaba de color y forma.

Así se ha investigado cómo los órganos más importantes del cuerpo tienen su representación en su área correspondiente en el iris. Cualquier alteración orgánica, menos en los que no hay transmisión nerviosa o los naturales como el embarazo, quedan reflejados en el iris. El iris de todo animal totalmente sano y normalmente constituido es de aspecto uniforme y sin presentar alteraciones. Aunque en la actualidad es muy difícil encontrar un iris de estas características. La disposición de las áreas en el iris es simétrica y de acuerdo con la colocación de los órganos en el cuerpo. De modo que el iris es como una proyección sobre un plano sobre la topografía orgánica. Si hacemos coincidir la pupila con el ombligo, veremos la asombrosa semejanza entre la distribución de los órganos en el cuerpo y las de sus zonas correspondientes en el estroma del iris. Así el estómago aparecerá alrededor de la pupila, los intestinos rodeando al estomago, el encéfalo en la región superior del iris, el hígado, bazo y corazón en su lado correspondiente, etc.

- LOS DERIVADOS DE LOS ERRORES DE CONDUCTA. Con este tipo de diagnóstico, se valora el origen de la enfermedad teniendo en cuenta las distintas acciones y efectos subsiguientes.

- AGENTES MECÁNICOS O TRAUMÁTICOS. Los que producen como resultado heridas, o traumatismos propiamente dichos, los cuales pueden traer como consecuencia posterior a largo plazo la acumulación de toxinas en un punto dado, atrofias, etc.

- AGENTES FÍSICOS. Los efectos que pueden producir el calor, el frío, la luz, la electricidad o la humedad pueden ser variadísimos según el grado y la intensidad con que actúan. Así el calor y la electricidad pueden producir quemaduras; el frío, congelación, congestión de los órganos internos, aumento de la tensión de la sangre, fenómenos reflejos neurálgicos o catarrales, etc.

- AGENTES QUÍMICOS. Bien sean tóxicos alimenticios (conservantes, colorantes), venenos atmosféricos (humos, gases), tóxicos profesionales (pinturas, disolventes), etc., su acción puede producir enfermedades muy graves.

- REFLEXOTERAPIA. Todo defecto de transmisión de estímulos nerviosos puede producir alteraciones en el funcionamiento de nuestros órganos. Estas dificultades de transmisión nerviosa pueden originarse por depósitos de materias infecciosas o nocivas en los nervios o por «defectos» en el trayecto. Ante determinados trastornos de las funciones de los órganos, conviene pensar en la posibilidad de que exista una comprensión anómala en el trayecto del nervio espinal al que corresponde la innervación del órgano afectado. Una vez comprobada, sólo queda manipular de forma adecuada para reducir la vértebra dañada y restablecer la normalidad de la corriente nerviosa.

- EXAMEN DE LOS EMUNTORIOS. Es muy usado, pues es de suma importancia a la hora de juzgar cómo está evolucionando la enfermedad o cómo están resultando los efectos del tratamiento, examinar el estado y funcionamiento de las vías de eliminación. Existen tres emuntorios o vías de eliminación principales: el aparato digestivo, el riñón y la piel. Aunque a éstos podemos agregar varios emuntorios secundarios, como son el aparato respiratorio, el hígado, las glándulas salivares y la glándula mamaria. Y en casos de enfermedad, podemos agregar las úlceras, los abscesos, las llagas, etc.

- EL APARATO DIGESTIVO. En caso de enfermedad, puede reaccionar por medio del vómito y la diarrea, y según su clase y aspecto, nos manifestarán las diferentes causas de la enfermedad e incluso su pronóstico.

- EL APARATO URINARIO. Según la cantidad, el color, el aspecto de la orina y los elementos que puedan aparecer junto a ella (glucosa, albúmina, acetona, etc.), se puede establecer un método de diagnóstico muy importante.

- LA PIEL. En la piel se producen grandes eliminaciones de toxinas, que nos pueden revelar el esfuerzo depurativo que por este medio hace el organismo.

- ANÁLISIS DE SANGRE. Mediante el estudio hematológico y químico de la sangre se pueden detectar diversas enfermedades tan habituales o frecuentes como la diabetes, el colesterol, etc., y otras más graves como la leucemia u otros tipos de cáncer.

- PSICOANÁLISIS E HIPNOSIS. Todo deseo, emoción o pasión reprimida pasa al subconsciente y se puede convertir en elemento de perturbación psíquica e incluso posteriormente también física; y la curación se basa sobre todo en volver a hacer consciente el elemento perturbador, lo que se logra mediante técnicas de psicoanálisis e hipnosis.

Tras este diagnóstico, el naturópata actuará para restablecer la armonía del paciente, pero siempre desde la perspectiva de que para curar a un enfermo no hay que luchar contra nada concreto, sino estimular sus reacciones orgánicas defensivas. Las causas de las enfermedades pueden ser de carácter genético (herencia), por defectos metabólicos (alimentación), por tensiones o preocupaciones (estrés), acciones nocivas del medio ambiente (contaminación, accidentes, enfriamientos), por acción de microbios o virus, por las drogas, alcohol, etc. La terapéutica naturopática sabe muy bien que no es el médico el que cura, sino que es la propia fuerza vital del enfermo, que se cura a sí mismo. El enfermo no es un «recipiente» pasivo, dentro del cual se introducen sustancias que eliminan las causas de los males, sino que es un ser activo y autónomo, provisto de una serie de recursos capaces de luchar y reaccionar, contra los estados morbosos y sus causas.

Una famosa frase naturópata sentencia: «Todas las enfermedades son curables, pero no lo son todos los enfermos». Lo que nos da una idea de la filosofía naturópata que hace descansar sobre cada individuo la facultad para la sanación. Un buen tratamiento naturópata, además de indagar sobre las enfermedades de un individuo, clasificarlo atendiendo a qué grupo de órganos es dominante, seguirá con la eliminación de la causa o causas que producen la enfermedad, depurar o limpiar el terreno de materias tóxicas y regenerar las células y tejidos dañados. A la vez se procurará mantener al organismo en las más idóneas condiciones inmunológicas. Para ello utilizaremos principalmente, las propiedades medicinales de los alimentos vegetales, las de las plantas, las del agua, las del Sol y las de la tierra.

OLIGOTERAPIA

La Oligoterapia es el complemento imprescindible a una mala alimentación. Esta terapia parte de la base de que toda la materia está formada por minerales: el carbono, el oxígeno, el hidrógeno, el nitrógeno son los principales componentes de los seres vivos y se encuentran en ellos en gran cantidad. Los oligoelementos son minerales que intervienen en la composición de los organismos vivos en muy pequeña cantidad, como el silicio, el selenio, el cromo, el flúor, el aluminio, el magnesio, el manganeso o el cobre, pero que no por ello dejan de ser importantes. De hecho son imprescindibles, y hay varios motivos para ello:

– Actúan sirviendo como cofactores enzimáticos en algunas reacciones químicas y metabólicas. Por ejemplo, el zinc es fundamental para combatir los radicales libres. Su ausencia puede ser la causa de una aceleración del envejecimiento.
– Forman parte de la composición de algunas moléculas. El hierro es vital para que la hemoglobina de la sangre sea capaz de captar el oxígeno y pueda llevarlo a todas las células del organismo. El cromo también es parte fundamental del ciclo de la insulina, consiguiendo que ésta sea más capaz de regular el metabolismo de los hidratos de carbono; su carencia puede facilitar diversas formas de diabetes.

La presencia de los oligoelementos es mínima, pero su carencia puede producir alteraciones muy importantes. Si la alimentación fuese equilibrada, los requerimientos normales de oligoelementos estarían cubiertos. Sin embargo, debido a los modernos métodos de cultivo, fabricación y procesamiento de la industria alimentaria, su presencia en nuestras comidas está muy por debajo de lo necesario.

Gran parte de los especialistas en nutrición que han investigado sobre el tema, han llegado a la conclusión de que un gran número de enfermedades que han aumentado en nuestra sociedad civilizada, tienen su origen y su difícil cura en estas carencias. Está demostrado que muchas alergias se solucionan tratando al paciente con los oligoelementos manganeso y cobalto, y enfermedades psicológicas de nuestra época, como las depresiones, comienzan a remitir cuando al paciente le recomendamos que tome el oligoelemento litio en muy pequeñas cantidades.

La escuela terapéutica de la Oligoterapia estudia todas estas interacciones intentando averiguar cuáles son los minerales cuyas ausencias son capaces de producir enfermedades y las cantidades necesarias para solucionarlos: en muchos casos, los resultados son espectaculares. Estos son los oligoelementos con que trabaja esta terapia:

– Aluminio.
– Azufre.
– Bismuto.
– Cobalto.
– Cobre.
– Flúor.
– Litio.
– Magnesio.
– Manganeso.
– Yodo.
– Zinc.

Un oligoterapeuta tratará de deducir qué carencia de oligoelementos produce determinado trastorno, y lo suplirá con un complemento.

TERAPIA NUTRICIONAL

Desde los tiempos más remotos, la nutrición ha sido una de las piedras angulares del cuidado de la salud. Se puede afirmar que las tribus prehistóricas, los egipcios o los romanos ya sabían perfectamente que una de las claves más importantes para evitar las enfermedades se encuentra en mantener una alimentación sana y equilibrada.

Sin embargo, la terapia nutricional como tal tiene sus orígenes en el siglo XIX, cuando los naturópatas llamaron la atención sobre cómo los alimentos podían ser utilizados como medicinas. A mediados del siglo XX, cuando la ciencia ya había reunido el perfil de los principales tipos de nutrientes (entre ellos las proteínas, los carbohidratos, las vitaminas o las sales minerales), el profesor Linus Pauling publicó un artículo en la revista *Science* en el cual sentaba las bases de la medicina ortomolecular. Es decir, mientras los médicos convencionales hablan de nutrición en términos de grupos básicos de alimentos, los médicos ortomoleculares prescriben productos bioquímicos para corregir las deficiencias de nutrición, que ellos ven como uno de los factores principales de la enfermedad.

De este modo, podría definirse la terapia nutricional como un tipo de medicina holística que utiliza la dieta para tratar y prevenir la enfermedad, restableciendo el equilibrio del organismo. Se cree que las deficiencias subclínicas de algunos nutrientes son las que causan la mayor parte de las enfermedades.

La terapia nutricional es especialmente importante en el mundo occidental, que podría decirse que está sobrealimentado pero desnutrido. La comida occidental está repleta de hormonas de crecimiento, pesticidas, antibióticos, piensos artificiales, conservantes y colorantes que garantizan la cantidad pero niegan la calidad... por no hablar de los alimentos transgénicos. Por lo tanto, llevar una dieta aparentemente equilibrada no es garantía de una buena nutrición, ya que los alimentos que se consumen en Occidente son de mala calidad.

La terapia nutricional funciona principalmente a través de tres diagnósticos:

- LAS ALERGIAS A ALIMENTOS. Muchos especialistas opinan que aproximadamente un 20 por ciento de la población sufre alergia a algún tipo de alimento, aunque no en todos los casos se trata de una alergia directamente diagnosticable. La terapia nutricional estudiará las más mínimas reacciones adversas del organismo a los diferentes alimentos para eliminarlos de la dieta del paciente.

- DEFICIENCIAS NUTRICIONALES. Aunque éstas rara vez llegan a un nivel grave, se sabe que una gran parte de la población sufre deficiencias subclínicas de algún tipo de nutriente. Según demuestra la medicina ortomolecular, estas pequeñas deficiencias conllevan un mal funcionamiento del organismo, y por tanto deben ser eliminadas.

- SOBRECARGA TÓXICA. Como se ha dicho, los alimentos que se consumen hoy en día contienen multitud de sustancias nocivas para el organismo, y que deben ser eliminadas en la medida de lo posible para que el cuerpo y la mente funcionen de un modo correcto.

La terapia nutricional se basa en una idea: todas las partes del cuerpo están formadas por elementos que en algún momento fueron parte de los alimentos. Cuando alguno de esos elementos escasea o, por el contrario, hay sobreabundancia de una sustancia nociva, el organismo no puede funcionar de un modo correcto. Logrando un grado de nutrición óptimo, los distintos sistemas del cuerpo humano funcionarán a pleno rendimiento, de modo que podrán prevenirse y curarse la mayor parte de las enfermedades.

Un terapeuta nutricional analizará en detalle las necesidades de cada organismo, así como sus carencias y sus grados de tolerancia a las distintas sustancias, y recomendará una dieta específica para cada persona. En algunas ocasiones, podrá recetar suplementos de vitaminas, sales minerales y otros nutrientes, así como algunas plantas medicinales, que complementen esta dieta.

MACROBIÓTICA

Dentro de la terapia nutricional, existe una modalidad especial denominada Macrobiótica. Este término procede de las palabras griegas *makros* («grande») y *biokos* («vida»), y viene a significar que todas las personas deberían estar lo suficientemente sanas como para disfrutar eternamente de la vida.

La Macrobiótica tiene su origen en la antigua China, y se basa en la idea de que toda la humanidad, es decir, cada ser humano, forma parte del complejo conjunto del cosmos, donde todo está relacionado. Viene a ser una especie de teoría del caos ancestral: cualquier suceso del cosmos puede afectar a la vida humana y, por tanto, a la salud. Esto incluye también una parte de la filosofía del yin y el yang: ambos elementos deben hallarse perfectamente equilibrados dentro del ser humano para que éste pueda gozar de buena salud.

Partiendo de esta base, el médico japonés Sagen Ishizuka descubrió, en 1880, que muchos problemas de salud podían ser perfectamente tratados con simples modificaciones en la dieta. Sus estudios fueron continuados en el siglo xx por George Ohsawa y Michio Kushi.

En la actualidad, la Macrobiótica se basa en la identificación de cada actitud humana o bien con el yin o bien con el yang. Así, la serenidad, la calma, la creatividad y la relajación son cualidades yin; mientras que la actividad, la energía, la alerta y la precisión son cualidades yang. Cuando una persona posea, por ejemplo, demasiadas cualidades yang, un médico macrobiótico le recetará alimentos ricos en energía yin.

TERAPIAS HOMEOPÁTICAS

HOMEOPATÍA

La Homeopatía es descrita como un método terapéutico que se basa en administrar pequeñas dosis de sustancias medicamentosas para activar las propias defensas de nuestro organismo y llegar suavemente a la mejoría o curación de las enfermedades.

La historia de la Homeopatía para muchos se remonta a la misma época de creación de lo que hoy llamamos medicina occidental, la era de Hipócrates (460-377 a.C.), el famoso médico griego que ya en sus obras comienza a describir, de una forma muy rudimentaria, cómo puede darse en algunas circunstancias tratamiento con «lo semejante», aunque de una manera muy aislada. Otros estudiosos han situado el origen remoto de la Homeopatía en las obras de Earacelso (1493-1541), que en su célebre escrito *Teoría de las signaturas*, narra cómo el Creador habría dejado en el aspecto visual de las plantas indicios que permitirían al hombre deducir las múltiples virtudes medicinales que tienen. Pero no es hasta siglos más tarde cuando los historiadores coinciden de manera unánime en otorgar el título de padre de la Homeopatía como terapia médica a Samuel Friedrich Hahnemann (1755-1843).

Hahnemann nació en Meissen (Alemania) y estudió en Leipzig, Viena y Erlagen, graduándose en 1779. Durante los primeros años de su profesión no ejerció la medicina clínica debido a su escasez de recursos económicos, y se dedicó a la traducción de obras médicas y lingüísticas, a la vez que impartía clases particulares de griego y francés… Fue tiempo después cuando acuciado por las deudas, encontró una nueva forma de ganarse la vida en Hermanstadt: allí ejerció de médico particular del gobernador de Transilvania. Varios biógrafos dan como cierto el hecho de que en esta época comenzó su iniciación en la masonería. Hahnemann concluyó sus estudios en Erlangen y presentó su tesis el 10 de agosto de 1779. A partir de entonces, practicó la medicina con base en las traducciones de obras médicas. Pero consideraba que la medicina de su tiempo era muy insuficiente, motivo por el cual dejó de practicarla en 1790. Las primeras ideas sobre la Homeopatía surgen cuando traduce un libro de Cullen, *Materia clínica*, en el que se describen los efectos de la quinina en la curación de fiebres intermitentes. Hahnemann redactó una nota importante a propósito de la quina o corteza del quino. Cullen afirmaba que la quina es eficaz en las fiebres intermitentes porque sus propiedades amargas y astringentes ejercen un efecto fortificante sobre el estómago. Hahnemann se pronunció en contra de esta opinión, y apuntó que él mismo había hecho la prueba de tomar «durante varios días, dos veces al día, cuatro dracmas de buena quina», y a continuación describía minuciosamente lo que le sucedió a raíz de tal experimento y lo resumía así: «[Tuve] todos los síntomas que acompañan habitualmente a la fiebre intermitente. [...] La corteza de la quina o quinquina utilizada como remedio para la fiebre intermitente actúa porque puede producir en sujetos sanos síntomas semejantes a los de la fiebre intermitente». Hahnemann comenzó a investigar el fenómeno descrito, administrándose dosis masivas de quinina, y experimentando su reacción. Los efectos observados en su propio organismo fueron precisamente los típicos de un estado febril, lo que llevó al médico alemán a asociar los síntomas producidos por la sustancia en un individuo sano, con sus efectos sobre un enfermo con idénticos síntomas.

En el curso de sus experimentos, Hahnemann constató un hecho curioso: la administración del remedio semejante podía provocar una agravación del estado del paciente, seguida de una mejoría. A partir de ello, concluyó «que los síntomas causados por el remedio se suman a los que derivan de la enfermedad antes de que el cuerpo reaccione contra el conjunto», y de esta forma pensó que debía reducir las dosis para evitar los fenómenos tóxicos. Fue así como probó con éxito dosis cada vez más pequeñas, las que hoy en día llamamos «infinitesimales», y que él calificó en su época de «inmateriales». Hoy en día, cuando la Homeopatía está ampliamente desarrollada, y la toxicidad de ésta es nula, podemos asustarnos al leer cómo se realizaban estas pruebas, y lo «agresivo» que podía resultar para el cuerpo la ingesta de alguno de estos remedios homeopáticos, pero no debemos perder la perspectiva y es bueno recordar cómo la medicina «occidental» de fines del siglo XVIII no era muy satisfactoria, ya que la teoría carecía de rigor por falta de experimentos; a modo de ejemplo basta citar que se usaba todavía la clasificación de Galeno, según la cual las enfermedades se deben a excesos de calor, de humedad, de sequedad o de frío, y se les oponían remedios clasificados según las mismas categorías.

«La sangría, los antiflogísticos (sustancias que se suponía combatían la inflamación), los baños tibios, las bebidas diluyentes, la dieta, los depurativos, los eternos purgantes y enemas constituyen el círculo vicioso dentro del cual dan vueltas sin cesar los médicos alemanes», escribió nuestro médico.

Su obra continuó y Hahnemann publicó en 1805 el libro *Fragmentos sobre los efectos positivos de los medicamentos observados en el hombre sano*. Establecido en Torgau, comprobó de manera directa el enorme éxito de «su nueva medicina» y cómo los enfermos de muy distintas partes de Europa acudían en masa para probar esta nueva forma de curar. Es en esta época cuando Hahnemann abandonó sus labores de traducción para poder dedicarse a pleno rendimiento al estudio y la plasmación de sus investigaciones en obras como *Medicina de la experiencia* en 1806, y en 1810 la primera edición del *Organnon der Rationellen Heilkunde* (*Organnón, el arte de curar*), obra en la que define y precisa la ley de similitud, según la cual: toda sustancia activa farmacológicamente, provoca en el individuo sano y sensible un conjunto de síntomas característicos de dicha sustancia. Todo individuo enfermo presenta un conjunto de síntomas que caracterizan a su enfermedad. La curación se puede obtener mediante la administración de una pequeña cantidad de la sustancia cuyos efectos sean similares a los de la enfermedad. Este principio básico de la terapia desarrollada por Hahnemman es el que ha dado nombre a la misma. Homeopatía significa «curar con lo mismo», es decir, curar con aquello que enferma de igual manera al individuo sano.

El proceso que siguieron a continuación, tanto él como sus seguidores, fue el de confeccionar una relación de sustancias activas, anotando cuidadosamente los síntomas que cada sustancia producía al individuo sano. Este proceso es el denominado «patogenesia». De esta manera, bastaría consultar esta relación de síntomas y sustancias activas para, dado un cuadro sintomatológico concreto, saber de inmediato qué sustancia se debería recetar al paciente. En el ejercicio y desarrollo de esta disciplina, Hahnemann y sus discípulos observaron que, en algunos de los procesos, existía un agravamiento de los síntomas de la enfermedad antes de su curación, cuando ésta se daba. Observó también que ciertas sustancias muy tóxicas administradas a animales hacían que éstos describiesen cuadros clínicos muy característicos, y que en muchas ocasiones conducían a la muerte del animal. Así, por ejemplo, el arsénico administrado a ratones, provocaba en éstos una serie de espasmos similares a los asociados a cuadros epilépticos. Reduciendo las dosis, se podía llegar a reproducir los espasmos, pero sin causar la muerte al animal; y reduciéndola más aún, se podía conseguir que el animal apenas mostrase síntoma alguno.

Esta serie de observaciones condujo a Hahnemann a suponer que, cuanto menor fuera la dosis administrada al enfermo, más rápida y eficaz sería la curación, desarrollando así el segundo principio básico de la Homeopatía, conocido como principio de las dosis infinitesimales. Cualquier producto que se elaborase para administrárselo a un paciente, de acuerdo con la teoría homeopática, consistiría en una pequeña porción de la sustancia activa, prescrita de acuerdo con la materia médica y diluida sucesivamente hasta que prácticamente no quede sustancia activa en el preparado. La única explicación lógica que podía buscarse a este principio era que, en el proceso de dilución del principio activo, el medio en el que se diluía éste, normalmente agua, fuera capaz de «memorizar» las características del agente activo, pero evitando su toxicidad, ya que aquél desaparecía. Suponiendo que esto sea cierto, para que el tratamiento fuera más eficaz se necesitaría agitar vigorosamente el preparado durante su proceso de dilución, de manera que todas las moléculas del disolvente entraran en contacto con la sustancia activa. Es lo que se conoce como dinamización, y exige no sólo una intensa agitación del preparado, sino también que el proceso se realice en sucesivas fases de dilución 1/10-1/100. Es decir, disolviendo sucesivamente una parte de la mezcla original en 10-100 partes de disolvente respectivamente, repitiendo a continuación el proceso. El número de repeticiones efectuadas determina la potencia de la disolución, en decimales (o centesimales) hahnemannianos: DH (o CH).

En 1811, ya de nuevo en Leipzig, publicó el primer volumen de *Materia médica pura*, que es una recopilación de las propiedades curativas de los remedios que había ido utilizando en los años anteriores. Para él, un empuje moral muy importante fue la obtención de la autorización para impartir cursos en la universidad. No obstante y acompañando a su creciente fama, también aumentó de manera muy importante el número de sus detractores, y cansado de los ataques de éstos, Hahnemann decidió dejar Leipzig para establecerse en Anhalt-Kothen, donde disfrutaría de la protección del Duque Fernando, entre 1820 a 1835. En este periodo de su vida publicó la primera edición del *Tratado de las enfermedades crónicas*, que contó con una importante novedad en lo que al sistema de detección de enfermedades para su cura homeopática se refiere: tomar en cuenta para el estudio de cada caso tanto los síntomas antiguos, o lo que hoy llamaríamos historia clínica del paciente, al mismo nivel de importancia que los actuales (que dan motivo a la consulta). Así pues, pensaba que « [...] la enfermedad crónica es el tronco del que brotan como ramas los diferentes episodios patológicos de la vida de cada uno. Por consiguiente, prescribir un remedio elegido en función del conjunto de estos síntomas, logra resultados muy superiores a los de las prescripciones basadas tan sólo en los síntomas del momento».

Su fama se hizo cada vez mayor y se trasladó a París, donde fue recibido de manera muy afectuosa en los ambientes intelectuales; allí sus nuevas investigaciones fueron aceptadas como toda una revolución dentro de la medicina y sus seguidores se contaban por legiones. En ese momento nacieron también las dos ramas principales de la Homeopatía moderna: los «unicistas», porque prescriben un solo remedio a la vez ,y los «pluralistas», que recomendaban el empleo de varios remedios, ya fuera simultáneamente o alternados. Hahnemann era más partidiario de la corriente «pluralista». Si hay algo en lo que todos los biógrafos de Hahnemann coinciden es en que los mejores, y más felices, años de su vida los pasó en París, pues fue durante este tiempo cuando más fecunda resultó su labor investigadora, mayor número de pacientes atendió y sus escritos resultaron más maduros. Murió el 2 de julio de 1843, a los 88 años.

Tras la muerte de su creador, la corriente homeopática recorrió Europa y el Nuevo Mundo. Pero en Europa, en especial en la Francia que había caído rendida a los pies de Hahnemann, la implantación posterior a su muerte de las teorías en las que tanto había investigado sufrió un parón importante.

Los detractores de esta práctica médica se emplearon a fondo, y surgió una corriente revisionista de los logros de la Homeopatía, especialmente desde la Academia de Medicina de Francia, que se oponía a que se oficializaran los estatutos de la Sociedad Homeopática de París. El ministro de Instrucción Pública intervino en defensa de la Homeopatía y declaró: «Si la Homeopatía es una quimera, caerá por sí sola». En 1860, del total de 15.000 a 18.000 médicos que había en Francia, tan sólo 400 eran homeópatas.

Muy distinta fue la implantación en Estados Unidos. El principal precursor de esta introducción fue Constantin Hering (1800-1880), que era un cirujano nacido en Sajonia, donde un discípulo de Hahnemann consiguió curarle una gangrena y ante el sorprendente resultado se dedicó a estudiar esta nueva técnica médica. Su contacto con el Nuevo Mundo ocurrió en 1826, cuando el Instituto Blochmann de Dresde lo eligió para dirigir una misión de recolección y clasificación de nuevas especies botánicas a la Guayana Holandesa. Además de a este encargo, Hering se dedicó también a la realización de nuevos experimentos homeopáticos, lo que le ganó las iras del instituto que le había contratado y las del rey de Sajonia, que financiaba la expedición. Así Hering dimitió y se instaló en Filadelfia, donde organizó universidades de Homeopatía, creando los cimientos del gran movimiento homeópata estadounidense que ya en 1900 contaba con 1.500 homeópatas en Estados Unidos, un 15 por ciento de todos los médicos del país.

En este recorrido histórico para acercarnos a la Homeopatía llegamos al siglo xx, donde en su primera mitad se produce una cierta decadencia de esta técnica ante los rapidísimos avances de la medicina occidental tradicional, y en su segunda mitad comienza una nueva ola de interés auspiciada desde distintos institutos homeopáticos que han revolucionado el sistema de investigación y conseguido nuevos y mejores resultados en eficacia.

La Homeopatía es una medicina basada en la experimentación: el propio Hahnemann probó en sí mismo los efectos de algunas sustancias y anotó las molestias que había experimentado, hecho que en Homeopatía se llama «patogenesia», la experimentación y la demostración de los efectos de una sustancia en el hombre sano. Esta investigación es fundamental para encontrar las sustancias que más tarde se utilizarán en las curas de gran variedad de pacientes. Para la elección de un tratamiento homeopático, hay tres principios fundamentales que han de tenerse siempre en cuenta:

- La ley de similitud, «lo igual cura a lo igual». El remedio será eficaz si provoca en una persona sana síntomas idénticos a los que caracterizan la enfermedad que se desea curar o, mejor aún, síntomas idénticos a los que presenta el enfermo.
- La individualización de los síntomas. El trabajo de análisis que realiza todo homeópata antes de prescribir un remedio se llama individualización; consiste en la identificación hecha por el médico de los síntomas que presenta cada enfermo en particular.
- La consideración de los síntomas en su globalidad o «principio de globalidad». Consiste en tomar en consideración todos los síntomas personales del enfermo. Ya sean psicológicos, generales o locales.

Sobre estos dos últimos principios, el de individualización y el de globalidad, se basa la elección del remedio correcto. El homeópata aplica ambos.

Como hemos visto, los productos de Homeopatía son preparados altamente diluidos y agitados entre cada dilución. Pero esta técnica ha suscitado en muchas ocasiones fuertes controversias entre los científicos por dos conceptos que son pilares de la Homeopatía:

- La infinitesimalidad, por la que un preparado o remedio es más eficaz cuanto más diluido se encuentra, hasta el punto de no contener ya ninguna molécula del principio activo primigenio.
- La dinamización, que consiste en someter a una serie de golpes entre cada dilución (se piensa que de estas dinamizaciones depende la eficacia de los medicamentos homeopáticos). La explicación del fenómeno de dinamización es hoy en día objeto de diferentes hipótesis científicas.

Para Hahnemann, la enfermedad es la clara consecuencia de que se ha roto el equilibrio ideal entre las fuerzas que hay dentro del cuerpo. De esta forma cada una de las partes trata de «defenderse» o de volver a esa situación inmaterial de equilibrio por medio de acciones que nosotros desde el exterior llamamos síntomas; él indicaba que «constituyen señales de auxilio muy personales que tienen una razón de ser y que es necesario percibir en su conjunto para lograr la curación».

Sabemos ya que la homeopatía tiene como objeto curar al enfermo en su globalidad, y no sólo al trastorno. Esta curación pasa por la mejoría integral del individuo, lo que hace que las diferencias de una persona a otra sean sustanciales y estén influidas por cualidades poco tangibles como la energía y el espíritu. Para la Homeopatía hay unas «leyes de la curación», que son unos preceptos según los cuales las manifestaciones aparecen y desaparecen siguiendo patrones observados en la mayoría de los casos, y que son:

- PRIMERA LEY. La curación o la mejoría de las enfermedades debe producirse desde el interior hacia el exterior, de arriba hacia abajo y, sobre todo, en el orden inverso de su aparición, sin que todos estos elementos se asocien necesariamente. Así pues, el asma aparecida después de la supresión de un eccema puede cesar en el mismo momento en que vuelve a manifestarse la erupción (del interior al exterior); un dolor de cadera va seguido de un dolor de rodilla (de arriba hacia abajo). Las molestias reaparecen en orden cronológico inverso, y a menudo bajo una forma atenuada. El médico homeópata considera benéfica a largo plazo esta reaparición no sistemática de síntomas antiguos. Lo único que aconseja es no obstaculizar su aparición con un tratamiento, cualquiera que éste sea, porque eso alteraría el proceso de curación que está en marcha. En caso de duda, es recomendable consultar con el homeópata.

- SEGUNDA LEY. El espíritu y la energía deben mejorar antes o al mismo tiempo que las molestias corporales y, en el momento de valorar los resultados, son más importantes que los síntomas físicos.

A la hora de usar una determinada terapia, en este caso la Homeopatía, es necesario conocer los límites y precauciones que hay que tener en cuenta para optimizar los resultados que queremos obtener. Hoy en día, considerando la eficacia de numerosos tratamientos de la medicina «clásica», los homeópatas ya no atienden cotidianamente las afecciones más graves. No por ello su campo de acción es menos amplio, y abarca tanto enfermedades agudas, como enfermedades crónicas. Hay que recordar que un tratamiento homeopático no puede curar a las personas cuyos tejidos están lesionados, pero sí aliviar los efectos o dolores del paciente. Para la correcta administración de un tratamiento homeopático hay que respetar ciertas normas básicas:

- Evitar ser tratatado por médicos (hay que explicar siempre y de manera detallada los tratamientos que tiene en curso o que haya recibido, sean del tipo que sean, desde anticonceptivos a psicoterapia).
- El homeópata aconseja dejar pasar al menos cuatro semanas entre la toma de un medicamento homeopático y el empleo de algún otro tratamiento «energético», como la Acupuntura o la Osteopatía. La asociación con estas técnicas en un intervalo muy breve entraña el riesgo de provocar efectos contrarios.

- Es necesario respetar el horario prescrito para tomar los remedios (casi siempre en ayunas, o al menos una hora después de las comidas).
- Las bebidas alcohólicas, el tabaco y el té deben consumirse con moderación. Se aconseja reducir el consumo de café y evitar la menta una hora antes y una hora después de tomar el remedio.
- Es fundamental para que el efecto sea el deseado que el paciente contribuya a la curación haciendo las modificaciones pertinentes en su forma de vida y con respecto a las sustancias tóxicas como el tabaco o los hábitos alimentarios malignos, en la medida de lo posible.
- Antes de prescribir un remedio, el médico tomará en cuenta posibles transgresiones a las normas de higiene: falta de actividad física, abuso del tabaco, el alcohol o estimulantes diversos, alimentación mal balanceada, reposo insuficiente...

Cuando acuda a la consulta de un homeópata éste ha de seguir el siguiente «protocolo» para la detección de su problema. Primero le pedirá que localice sus molestias; más tarde que describa los síntomas de la manera más sencilla posible; una pregunta frecuente que es muy recomendable hacer es: ¿ha habido algún factor desencadenante de esta situación?, ¿qué factores modifican los síntomas que padezco?; describa también, aunque no parezcan tener ninguna relación lógica, los síntomas o cualquier tipo de comportamiento irregular del cuerpo, aunque no sean molestos o dolorosos, que se producen inmediatamente antes de las molestias, al mismo tiempo o en seguida.

Puede distinguirse entre diferentes usos de la Homeopatía: la Homeopatía sintomática (en la que sólo se trata el síntoma) y la Homeopatía profunda (en la que se trata a la persona en su globalidad). De ellas se desprenden resultados terapéuticos más o menos profundos, y es necesario conocer ciertas reglas prácticas si usted desea tratarse adecuadamente mediante automedicación. Así, el médico puede aplicar uno u otro de los diversos niveles de similitud que existen entre una sustancia y su paciente, del más superficial al más profundo. De esta manera, podrá tomar en cuenta sólo una enfermedad local, enfocarse en un terreno alterado o bien, de forma más profunda, buscar un remedio de alto nivel que comprenda no sólo los problemas locales y un terreno perturbado, sino también el conjunto de características psicológicas y emocionales de su paciente. En este último caso, obtendrá un efecto más profundo y curativo que con un remedio de similitud superficial o «baja» (en particular si desea tratar una afección grave). Se habla entonces de un tratamiento «constitucional». De hecho, este tipo de tratamiento requiere de un trabajo de investigación largo y difícil por parte del homeópata, y es necesario darle el tiempo adecuado para realizarlo. Así pues, cada remedio tiene posibilidades de actuar en múltiples planos, del más superficial al más profundo, y puede emplearse en el marco de una Homeopatía sintomática (en particular para la automedicación) o de una Homeopatía profunda.

Una de las consecuencias de esta distinción entre Homeopatía superficial y Homeopatía profunda es que, para no cometer errores en caso de automedicación, se aconseja emplear únicamente diluciones bajas (4 CH, 5 CH o 7 CH) y no repetir las tomas más allá de 24 a 48 horas. Si el remedio se elige juiciosamente, actuará con prontitud y repetirlo podría alterar el estado del paciente o incluso invertir el proceso de curación. Así mismo, puede causar efectos indeseables, como ocurre cuando se administra una sustancia altamente diluida y dinamizada a individuos sanos en el marco de los experimentos o patogenesias (ver «Los principios de la experimentación»).

Las materias que forman la base de los remedios homeopáticos pueden provenir de los tres reinos de la naturaleza: vegetal, mineral y animal. Son empleadas multitud de sustancias: plantas (cebolla, caléndula o maravilla, coca, café, saúco), minerales (oro, cobre, plomo, hierro, mercurio, sal de mar, petróleo), animales o secreciones de animales (abeja, hormiga roja, veneno de serpiente o de cobra, tinta de sepia o jibia, leche de perra). Algunas de ellas en estado natural son extremadamente peligrosas para el organismo. Sin embargo, pierden toda su toxicidad en las dosis ínfimas a las que se emplean en la Homeopatía.

Las numerosas investigaciones a lo largo de la historia han permitido descubrir nuevas y raras sustancias que únicamente encontramos en zonas concretas de la Tierra. Así, por ejemplo, en las enciclopedias homeopáticas se dice que el cohosh azul (*Caulophyllum thalictroides*) sólo crece en las zonas montañosas de Norteamérica. Cierta especie de serpiente de cascabel (*Crotalus cascavella*), cuyo veneno se usa en Homeopatía, sólo vive en las sabanas y en las selvas tropicales de Brasil.

El proceso que se sigue para llegar del producto del que partimos hasta el «medicamento» nos es relatado así: «La primera preparación hecha a partir de estas sustancias base es la tintura madre. Se obtiene al poner en contacto la planta (toda completa o una de sus partes) con una mezcla de agua y alcohol que se agita de manera constante durante varios días. Si la materia de base es un mineral, se utilizará tal cual, sin pasar por la etapa de la tintura madre, preparando sencillamente las primeras diluciones por trituración en un mortero (la trituración consiste en moler la sustancia hasta hacerla soluble). Por último, si se trata de una sustancia de origen animal, se procede por trituración, igual que con los minerales. Así, sea cual sea el producto, éste se vuelve homogéneo después de la primera etapa. En seguida son necesarias tres etapas en la preparación del remedio: dilución, dinamización y presentación. [...] La dilución consiste en poner la base (tintura madre o producto de la trituración) en contacto con un diluyente y repetir varias veces la operación. Según el caso, el diluyente es agua, alcohol, lactosa o suero fisiológico. Pueden seguirse dos métodos: la dilución hahnemanniana y la dilución orsakoviana[...]». Es momento pues de detenernos a analizar estas dos formas de dilución: la hahnemanniana, y que consiste en practicar diluciones a la centésima (de ahí el nombre de «centesimal hahnemanniana», abreviado CH o C, que aparece en los remedios preparados así) o a la décima («decimal hahnemanniana», que se abrevia DH, DX o simplemente D o X, como ya explicamos en las anteriores líneas). Para realizar una dilución 1 CH, se diluye una parte de tintura madre en 99 partes de alcohol de 30° (si se trata de una planta), o una parte de mineral en 99 partes de lactosa (si se trata de un mineral). Una parte de la solución 1 CH obtenida así, diluida nuevamente en 99 partes de alcohol de 30° (o en 99 partes de lactosa), producirá una dilución a 2 CH; una parte de 2 CH diluida en 99 partes de alcohol de 30° (o 99 partes de lactosa), producirá una dilución 3 CH y así sucesivamente. En el caso de las tinturas madre, las diluciones se realizan en frascos; si se trata de minerales y de sustancias de origen animal, las primeras diluciones se hacen en un mortero. Más allá de la dilución 5 CH, aproximadamente, toda sustancia se vuelve soluble en alcohol; en esa fase ya no es necesario recurrir a la trituración. La realización de la dilución korsakoviana se realiza llenando un frasco o tubo con una tintura madre o el polvo obtenido de la trituración, según el caso. A continuación se vacía y sólo se conserva lo que queda en las paredes, antes de volver a llenarlo con el diluyente. La solución obtenida así es una dilución 1 K. Rara obtener una solución 2 K, se varía nuevamente el frasco y sólo se conserva lo que queda en las paredes, antes de llenar otra vez con el diluyente. Todas las diluciones se hacen en el mismo frasco o tubo. Este método se usa cada vez más; las diluciones más comunes son a 30, 200, 1.000 y 10.000 K. En el proceso, el siguiente paso sería la dinamización, que ya conocemos, y finalmente la presentación del medicamento, que generalmente se realiza en forma de glóbulos a base de lactosa impregnados con la solución medicamentosa a una determinada dilución. En ciertos casos se agrega sacarosa para mejorar el sabor. La preparación lleva una etiqueta en la que se menciona el nombre latino del remedio seguido de la dilución, por ejemplo *Nía vomica* 9 CH (o 9 C). Hay otras presentaciones que se utilizan con menos frecuencia: gotas, polvos, ampollas, pomadas, etc.

Una duda que con frecuencia surge cuando uno se acerca a la Homeopatía es sobre su seguridad. Los remedios homeopáticos se encuentran tan diluidos que todo el mundo puede tomarlos, por lo que se convierte en una medicina no agresiva con el organismo y con escasos o nulos efectos secundarios. Hay mucha gente que también duda de su efectividad; a modo de ejemplo podemos incluir aquí someramente algunos estudios clínicos sobre la Homeopatía y que concluyeron que es efectiva en el tratamiento de muchos tipos de dolencias y enfermedades y varias afecciones de la piel:

- En la Glasgow Royal Infirmary, un equipo multidisciplinario dirigido por el doctor Reilly llevó a cabo un estudio en el año 1994 que evaluó los efectos de la Homeopatía o de un placebo en 28 pacientes asmáticos alérgicos a los ácaros del polvo. Tras una semana de tratamiento, 9 de los 11 pacientes a los que se les aplicó Homeopatía mejoraron, comparados con sólo 5 de los 17 pacientes con placebo. Las condiciones asmáticas severas respondieron mejor a los remedios administrados. Con posterioridad, los efectos de una semana de tratamiento homeopático duraron más de ocho semanas, y la mejoría continuó para todos los pacientes.
- En otra prueba, el doctor Schawb Alenavia utilizó un remedio homeopático de azufre además de un placebo para tratar a pacientes que sufrían de afecciones dermatológicas. En dos pruebas, 26 pacientes tomaron el remedio homeopático o un placebo. Alrededor de un 50 por ciento reaccionaron al tratamiento homeopático y ninguno al placebo. Las reacciones típicas fueron un agravamiento de las afecciones de la piel, y algunos pacientes experimentaron los síntomas característicos del azufre: diarrea, sed, picor y sensibilidad al calor. Luego las afecciones de la piel empezaron a mejorar, y un 58 por ciento de los pacientes experimentaron mejoras permanentes. Los pacientes con las peores condiciones fueron quienes mostraron una mejor recuperación.
- En una prueba en Verona, Italia, en 1991, 60 pacientes que sufrían de migraña fueron divididos al azar en grupos que recibieron tratamiento o sólo un placebo. Los grupos fueron comparados para asegurar que tenían características similares. Para cada paciente se eligieron dos remedios diferentes de belladona, ignatia, lachesis, silicea, gelsemium, cyclamen, natrium muriaticum y azufre, según la reacción individual y las necesidades del sujeto. A los sujetos se les administró una dosis de potencias 30 CH cuatro veces a lo largo de un periodo de dos semanas. Aunque el grupo del placebo mostró un ligero descenso en los ataques de migraña, la media del grupo de tratamiento disminuyó de diez a tres por mes al cabo de dos meses, bajando a 1,8 después de cuatro meses. La duración e intensidad de los ataques también mejoró.

En definitiva, la homeopatía puede ser de gran ayuda en todo momento de la vida, desde el recién nacido que se desarrollará armoniosamente hasta el enfermo terminal, a quien puede ayudar a tener una muerte digna y con menos sufrimiento; pero como hemos visto, el papel de los hábitos saludables además de cualquier atención médica es fundamental en este tipo de terapia, sin llegar a extremos que podrían causar a su vez un desequilibrio. Por ejemplo, es inútil tratar de curarse de los trastornos gástricos si uno come o bebe en exceso, y las molestias bronquiales no se podrán aliviar mientras alguien sea un gran fumador. Esforzarse por llevar una vida equilibrada es la primera norma de la salud.

SALES DE SCHÜESSLER

Se trata de 12 sales inorgánicas que se hallan en mayor o menor medida en el organismo y favorecen una serie de funciones metabólicas específicas; la carencia de alguna de ellas o de varias de ellas puede llevar a producir una serie de síntomas o enfermedades perfectamente descritos.

Dentro de cada sal existe un tipo de persona con una serie de características morfológicas, físicas y/o psicológicas que, o porque la carencia de esa sal le ha convertido así o porque es ya de por sí de esa forma, nos indican que dicho remedio es el más apropiado para ese paciente. De esta forma, las sales de Schüessler se inscriben claramente dentro de la medicina homeopática, en la que hay que tratar al paciente de forma holística.

También la modalidad nos indica la especificidad del remedio. Cuanto más parecidas sean las características de un síntoma, tanto más efectivo será el tratamiento con esa sal.

En la siguiente lista se puede observar las correlaciones entre las sales y los signos del zodiaco:

ARIES: Kali phosphoricum.
TAURO: Natrium sulphuricum.
GÉMINIS: Kali muriaticum.
CÁNCER: Calcarea fluórica.
LEO: Magnesia phosphorica.
VIRGO: Kali sulphuricum.
LIBRA: Natrium phosphoricum.
ESCORPIO: Calcarea sulphurica.
SAGITARIO: Silicea.
CAPRICORNIO: Calcarea phosphorica.
ACUARIO: Natrium muriaticum.
PISCIS: Ferrum phosphoricum.

Para enfermedades agudas, las sales se utilizan a la 3D (3X) o a la 6D (6X), y para enfermedades crónicas a la 12D (12X). La preparación se debe hacer en tabletas, por trituración, pues debe haber aporte de sustancia, no sólo de la energía. Una buena combinación es: las sales del Signo Solar + Ascendente + Luna.

Si no se conocen, tomar las 12 juntas, ya que constituyen un poderoso reconstituyente.

TERAPIAS DE MOVIMIENTO Y MANIPULACIÓN

MÉTODO PILATES

Pilates es un método de acondicionamiento físico creado por Joseph Pilates hace más de 80 años. Su práctica se extiende por todo el mundo y su popularidad ha aumentado gracias a que es seguido por un nutrido grupo de personas famosas pertenecientes a la danza, la música, el cine y deportistas de alto nivel.

Pilates reúne la filosofía del ejercicio occidental, más dinámico y centrado en la física muscular, con el oriental, que trabaja el control corporal y la fluidez, basándose en la respiración y la relajación activa. El método busca el alargamiento, la flexibilidad y la tonificación de los grandes grupos musculares, sin olvidarse de los pequeños músculos profundos. La rehabilitación es una de las vertientes que ofrece el método Pilates. Los ejercicios de rehabilitación se basan en una coordinación de la respiración con la musculatura profunda para poder llegar a un acondicionamiento físico adecuado. Siempre se llevan a cabo con un técnico instructor, que sigue paso a paso a la persona que se somete a las sesiones de ejercicio. No existe límite de edad para llevar a cabo los ejercicios propuestos por Pilates.

Además de la rehabilitación, la gimnasia Pilates es practicada como un método de acondicionamiento físico que puede llevarse a cabo de forma independiente o como complemento a un entrenamiento más específico.

Como ya hemos apuntado, el creador de este método fue Joseph Humbertus Pilates, que nació en las cercanías de Düsseldorf (Alemania), en 1880. Su complexión era débil y sus problemas asmáticos lo llevaron desde muy joven al estudio del cuerpo humano de manera integral. Para ello se sumergió en la investigación de las técnicas de rehabilitación física de la época. Intentando ir más allá de lo que estas ofrecían, se acercó a las disciplinas orientales como el Yoga (de donde tomaría sus conceptos de «posturas» y «control corporal») y a prácticas más occidentales como la natación, el boxeo, la gimnasia y la acrobacia. Combinando y descartando elementos de ambas perspectivas, comenzó a elaborar un método para aumentar la vitalidad de su cuerpo y fortalecer su sistema inmunológico. Las crónicas de la época relatan que en los albores de la Primera Guerra Mundial, Pilates se encontraba recorriendo Inglaterra, empleado por un circo en calidad de acróbata. Al llegar a Lancashire, fue tomado prisionero a causa de su nacionalidad. Allí, en su pabellón de reclusión, creó ejercicios para él y sus compañeros recluidos. Para que heridos y enfermos postrados en sus lechos también pudieran realizarlos, adosó a los cabezales de sus camas unos elásticos para permitir la movilidad de sus articulaciones, agilizar la circulación sanguínea y tonificar la fuerza muscular. Gracias a la invención de estos extraños aparatos consiguió ser nombrado para el servicio sanitario inglés. Se dice además que cuando la gran epidemia de gripe de 1918 azotó su campamento, ninguno de sus «pacientes» cayó enfermo o murió. Al parecer, al regresar a Alemania, su éxito atrajo la atención de Adolf Hitler, que le encomendó el entrenamiento de la policía secreta alemana. Es entonces cuando Pilates decidió emigrar a Estados Unidos, donde comenzó casi encubiertamente a enseñar su método a atletas, actores y bailarines como George Balanchine y Martha Graham. Junto a su esposa creó el mítico Drago Studio y afianzó su técnica, a la cual llamó «controlología», que define como «la ciencia y el arte del desarrollo coordinado de la mente, el cuerpo y el espíritu, a través de movimientos naturales, bajo el estricto control de la voluntad».

En Estados Unidos continuará hasta su muerte investigando y desarrollando más de 500 ejercicios y una gama de aparatos y equipos originales para practicarlos correctamente. Su método está indicado para personas de cualquier edad, sexo y condición física. Permite aumentar la fuerza y la elasticidad sin aumentar la masa muscular, prevenir lesiones y ejercitarse a pesar de lesiones existentes, equilibrando el cuerpo a través de un fortalecimiento de la musculatura débil y poco elástica. Una de las claves científicas del método es que los músculos pequeños sirven para la sujeción de las articulaciones y permite que los músculos grandes trabajen mejor. Gracias al fortalecimiento de los músculos pequeños se logra un equilibrio y una postura mejores.

Pilates dio forma a su método por medio de seis pilares básicos, que son unos principios importantes de comprender:

• CONCENTRACIÓN. Se debe prestar atención a los movimientos que se están haciendo: «Piensa en cada paso que das y empezarás a darte cuenta de lo interrelacionados que están entre sí los movimientos del cuerpo. Haz que la mente intervenga en cada movimiento. Visualiza el siguiente paso, ¡esto hará que el sistema nervioso elija la combinación de músculos correcta para hacer el ejercicio! Cuando el cuerpo y la mente funcionen como un equipo, alcanzarás un programa de ejercicio ideal».

- CONTROL. En el método Pilates es muy importante que la mente controle completamente cualquier movimiento físico. En otras palabras, el movimiento y la actividad descontrolados producen un régimen de ejercicios fortuito y contraproducente. Algunos programas de ejercicios no dan importancia a este control y es por eso por lo que la gente se suele lesionar.

- CENTRO. El cuerpo humano tiene un centro físico del que emanan todos los movimientos. Joseph H. Pilates llamó a esta zona la «central eléctrica»: el abdomen, la parte inferior de la espalda y las nalgas. El método Pilates presta atención al reforzamiento del este centro. Los músculos que están relacionados con la central eléctrica sujetan la columna vertebral, los órganos internos y la postura que se adopta. Prácticamente, todos los ejercicios Pilates se centran en estas zonas con el fin de estabilizar el torso y poder estirar y alargar el cuerpo. Así se mejora la cintura, se reduce el estómago y se corrige la postura que se adopta con el fin de prevenir tanto el dolor de espalda como otras enfermedades.

- MOVIMIENTO FLUIDO. Romana Kryzanowska, la única discípula viva de Joseph H. Pilates, suele definir el método Pilates como «un movimiento fluido que va desde un centro fuerte hacia el exterior». El ejercicio hace que realices una gran cantidad de movimientos de una manera fluida y controlada. No hay que apresurarse en ningún paso, hay que hacerlos de una manera suave y uniforme, pues un movimiento rápido puede causar lesiones. Se tiene que pasar al ejercicio siguiente en cuanto se siente el esfuerzo, debiéndose evitar los movimientos rígidos o espasmódicos.

- PRECISIÓN. La precisión va pareja al segundo principio, el «control». Pilates decía: «Cada vez que hagas ejercicio, concéntrate en los movimientos correctos, si no los harás mal y no servirán para nada». Hay que coordinar todos los movimientos y, en cuanto se conocen los pasos de cada ejercicio y uno se siente cómodo, se debe tomar el control del cuerpo e intentar hacer los movimientos correctos en cada ejercicio.

- RESPIRACIÓN. Pilates hace especial hincapié en la importancia que tiene la pureza del flujo sanguíneo. Esta pureza se mantiene respirando correctamente mientras se hacen los diferentes ejercicios, al oxigenar la sangre y eliminar los gases nocivos. Joseph H. Pilates llegó a la conclusión de que la mejor técnica respiratoria para expulsar lo malo y absorber lo bueno es una exhalación plena forzada, seguida de un hinchado completo de los pulmones mediante una inhalación profunda. Con el tiempo se puede coordinar la respiración con los movimientos de cada ejercicio. Por regla general, se inhalará para prepararse para un movimiento y se exhalará mientras se ejecuta.

EJERCICIOS DE PILATES

EJERCICIO 1

Acostado, con las piernas elevadas y los brazos extendidos, mueva los brazos rápidamente hacia arriba y abajo, con la columna siempre bien apoyada en el suelo y los músculos de los glúteos contraídos (3 minutos).

EJERCICIO 2

Acostado en el suelo con la pierna derecha extendida, no deje que ésta se apoye. Esto le permitirá contraer la musculatura abdominal y de glúteos. Mientras, tome la otra pierna y ejerza presión hacia el tronco (3 minutos).

EJERCICIO 3

Con el abdomen contraído y la pierna extendida, fortaleciendo los glúteos, tome la otra pierna con ambas manos. Este ejercicio modela el tren muscular superior, por encima de las caderas (3 minutos).

EJERCICIO 4

Acostado, con los brazos extendidos a lo largo del cuerpo, eleve las piernas. Dejando la espalda pegada al piso, abra y cierre las piernas teniendo en cuenta que debe hacerlo lentamente (8 veces).

EJERCICIO 5

Sentado en el suelo, tome las pantorrillas con ambas manos, mientras balancea el cuerpo atrás y adelante. Se logra masajear la espalda y disipar las tensiones (3 minutos).

EJERCICIO 6

Sin dejar que el abdomen tome contacto con el suelo en ningún momento y manteniendo la cabeza algo elevada, levantar el torso extendiendo los brazos al máximo (6 a 10 movimientos).

EJERCICIO 7

Apoyando sobre el suelo nuca, hombros, espalda, cintura y cadera, eleve las piernas en ángulo recto, mientras lleva los brazos hacia atrás. Levante los hombros y lleve los brazos adelante, hasta cruzar por fuera las rodillas (10 veces).

EJERCICIO 8

De pie, lleve una pierna hacia atrás, con los brazos hacia adelante, casi a punto de perder el equilibrio. Realice con la pierna movimientos cortos hacia arriba, sintiendo el trabajo en los glúteos (5 veces con cada pierna).

EJERCICIO 9

FLEXIÓN HACIA DELANTE

Preparación. Túmbese boca arriba. Sienta que la espalda está en contacto con el suelo y relajada. Mantenga las piernas juntas y pegadas a la colchoneta. Estire los brazos por detrás de la cabeza, separados a una distancia no superior a la anchura de los hombros, con las palmas de las manos hacia arriba. Deje un espacio entre los hombros y las orejas. Relaje los hombros. Inicie el movimiento del centro energético contrayendo el vientre hacia la columna. Note cómo se estira la cintura.

Acción. Mientras inspira, levante los brazos hacia el techo y utilice el centro energético para llevar la barbilla hacia el pecho. Estírese hacia arriba siguiendo la dirección de las manos. Asegúrese de que las costillas no sobresalen hacia delante para garantizar que la zona media de la espalda tiene un punto de apoyo. Mientras espira, continúe estirando los brazos, doblándose hacia delante al tiempo que se toca los dedos de los pies con las manos estiradas. La columna no está recta. Forma una «C» curvando la región lumbar mediante la contracción del vientre hacia la columna. Siga espirando hasta tocar los dedos de los pies. Inspire al tiempo que se dobla hacia delante. Siga estirando los brazos y manténgalos nivelados con los hombros. Encoja el centro energético hacia la región lumbar e impulse la pelvis hacia abajo. Mantenga la curva en forma de «C» de la zona lumbar. Las vértebras más inferiores serán las primeras en tocar el suelo. En este momento, aguante la respiración al tiempo que continúa doblando de forma controlada, como una cobra, vértebra a vértebra. Estire los brazos para favorecer el control de la curvatura. A continuación, espire para completar esta curvatura. Repítalo entre seis y ocho veces.

EJERCICIO 10

CÍRCULOS CON UNA PIERNA

Preparación. Túmbese hacia arriba. Coloque las manos relajadas a ambos lados del cuerpo. En este ejercicio, utilice una pierna para describir una elipse en el aire.

Acción. Abrace la rodilla derecha contra el pecho. Mantenga la pierna alineada con la cadera. Relaje la pierna derecha estirándola hacia arriba. Estírela hasta donde pueda y sin esforzarse hasta formar un ángulo recto con el cuerpo, como si se tratara de un limpiaparabrisas. Mantenga las caderas «inmóviles». Una vez que haya cruzado la pierna hacia el otro lado, muévala hacia abajo unos 15 centímetros en dirección a la pierna izquierda (como si fuera una hoz) y vuelva a levantarla hacia el techo. Realice el movimiento dentro de los límites del marco corporal. Hay que limitar el movimiento de la pierna a la anchura de los hombros mientras completas el «círculo» y vuelve al centro. Repita este movimiento cinco veces. A continuación, invierta la dirección del movimiento de la pierna. Mueva la pierna hacia abajo describiendo un círculo y vuelva a levantarla. Repita este movimiento cinco veces. Espire lentamente. Y cambie de pierna.

Ejercicio 11

RODAR COMO UNA PELOTA

Preparación. Siéntese y doble las rodillas al tiempo que impulsa los glúteos hacia los talones. Rodee los tobillos con las manos y curve la columna siempre muy lentamente. Lleve la barbilla hacia el pecho. Mantenga esta posición contrayendo el centro energético hacia la columna y curvando aún más la misma para ir adoptando una posición en forma de pelota. Forme la letra «C» con la columna. Arquee los pies. Si le resulta imposible evitarlo, entonces toque la colchoneta sólo con los dedos de los pies. Mantenga esta posición.

Acción. Inspire lentamente; mientras lo hace, sienta el centro energético. Inicie el movimiento de rodar hacia atrás encogiendo el vientre hacia la columna, lentamente. Espire poco a poco. Utilice el ritmo de la respiración y el centro energético para ir reincorporándose con suavidad. Mantenga la posición de pelota. Repita el ejercicio unas seis veces.

Ejercicio 12

FLEXIÓN HACIA ATRÁS

Preparación. Túmbese boca arriba. Contraiga el centro energético hacia la columna para estirar la zona lumbar. Coloque los brazos estirados a ambos lados del cuerpo, con las palmas de las manos sobre la colchoneta. Mantenga las piernas juntas y el cuello estirado.

Acción. Lleve lentamente las rodillas hacia el pecho estirando la región lumbar. Levante las piernas rectas hacia arriba. Utilice el centro energético y apriete los glúteos para controlar el movimiento. Dirija las piernas hacia la cabeza; mantenga las piernas juntas e inspire. Una vez que los pies estén situados detrás de la cabeza, separe las piernas a una distancia equivalente a la anchura de los hombros. Respire al tiempo que utiliza el centro energético para controlar la curvatura de la columna y estírese impulsando el movimiento desde la cabeza. Mantenga las piernas lo más pegadas al cuerpo que pueda, mientras resulte cómodo, hasta que los glúteos toquen el suelo. Mantén las piernas separadas a una distancia equivalente a la anchura de los hombros y bájelas hasta que formen un ángulo de 45° con la colchoneta; junte las piernas. Repítalo dos veces más. A continuación, invierta el movimiento de las piernas. En lugar de juntar las piernas, sepárelas en un ángulo de 45°. Utilice el centro energético, apriete los glúteos. Mantenga las piernas separadas. Cuando los dedos de los pies toquen la colchoneta, junte las piernas. Mantenga las piernas muy juntas y sigue controlando el movimiento con el centro energético. Hay que impulsar hacia abajo, apoyándose sobre los dedos de los pies, y baje los hombros. Cúrvese hacia abajo, vértebra a vértebra, hasta que con las piernas consiga formar un ángulo de 45° con el suelo. Abra las piernas, separándolas a una distancia equivalente a la anchura de los hombros. Repítalo dos veces más.

EJERCICIO 13

ESTIRAMIENTO DE UNA SOLA PIERNA

Preparación. Túmbese boca arriba. Estire las piernas desde de las caderas y relájelas sobre la colchoneta. Sitúe los brazos a ambos lados del cuerpo, con las palmas de las manos sobre la colchoneta.

Acción. Inspire lentamente. Levante la barbilla en dirección al pecho. Utilice el centro energético para separar la cabeza y los hombros de la colchoneta. Al mismo tiempo, lleve la rodilla izquierda hacia el pecho y pon la mano derecha sobre el tobillo derecho a la vez que coloca la mano izquierda sobre la cara interna de la rodilla derecha. Relaje los hombros y separe los codos del cuerpo. Relaje el tobillo. Tire dos veces de la rodilla doblada al tiempo que va espirando. A continuación, cambie de pierna. Coloque la mano izquierda sobre el tobillo izquierdo y la mano derecha sobre la cara interna de la rodilla izquierda. Mantenga la pierna alineada con la cadera. Tire dos veces de la rodilla doblada y vuelva a cambiar de pierna. Contraiga el centro energético mientras espira; no deje de contraer la musculatura abdominal. Repítalo entre unas 8 y 12 veces.

EJERCICIO 14

ESTIRAMIENTO DE AMBAS PIERNAS

Preparación. Junte las piernas. Lleve ambas rodillas hacia el pecho. Abrace las piernas con suavidad, colocando las manos sobre los tobillos. Utilice el centro energético para llevar la barbilla hacia el pecho. Espire lentamente en tres tiempos y contraiga aún más el centro energético, encogiendo el vientre hacia la columna.

Acción. Mientras inspira, extienda las piernas hacia delante y levántelas hacia el techo Levante los brazos, estirados y alargados, hasta que estén a la altura de las orejas. Separe los hombros de la colchoneta. La zona lumbar debe permanecer pegada al suelo. Dirija la barbilla hacia el pecho. Mientras espira, mueva los brazos en círculos manteniéndolos a los lados. Luego, usando el centro energético, doble las piernas lentamente dirigiéndolas hacia el abdomen y abrace las rodillas. Aguante en esa posición. Usando el centro energético, extienda las piernas hacia delante alejándolas del torso y vuelva a doblarlas. Estírese. Pliéguese. Abrace las piernas. Repítalo de 6-10 veces.

EJERCICIO 15

ABDOMINAL CON UNA PIERNA EXTENDIDA

Preparación. En la misma posición de partida del ejercicio anterior, extienda la pierna derecha hacia arriba hasta que quede en posición perpendicular a la colchoneta. Extienda la pierna izquierda hacia delante, como una flecha disparada desde la base de las caderas, hasta separarla aproximadamente entre unos cinco y siete centímetros de la colchoneta.

Acción. Inspire mientras levanta los brazos; si puede, rodee el tobillo con las manos. Si no llega al tobillo, coloque las manos en torno a la pantorrilla o detrás de la rodilla. Dirija la cabeza hacia el pecho, levantando los hombros de la colchoneta. Mantenga los hombros bajos. Espire mientras estira aún más la pierna derecha, empujándola hacia el cuerpo y haciéndola rebotar dos veces. Contraiga el centro energético al tiempo que cambia de pierna, imitando el movimiento de unas tijeras y dirigiendo la pierna izquierda hacia el cuerpo. Intente que el torso permanezca totalmente inmóvil. Espire mientras realiza dos rebotes con la pierna izquierda. Imprima algo de ritmo al movimiento. Hágalo de forma vigorosa. Mantenga el torso inmóvil. Inspire cada dos series y espiea cada dos series. Repítalo diez veces como mínimo.

EJERCICIO 16

ABDOMINAL CON AMBAS PIERNAS EXTENDIDAS

Preparación. Después de completar el ejercicio de abdominal con una pierna extendida, ponga las manos detrás de la cabeza, sin entrelazarlas: puede poner una sobre la otra o juntarlas tocándose las puntas de los dedos. Repose la cabeza sobre las manos. Utilice el centro energético para llevar la barbilla hacia el pecho, de este modo los hombros se levantarán de la colchoneta. Mantenga ambas piernas rectas, perpendiculares a la colchoneta. La región lumbar debe hacer presión contra la colchoneta.

Acción. Inspire mientras junta las piernas y luego bájelas lentamente. Baje las piernas hasta donde pueda, sin despegar la zona lumbar de la colchoneta. Bájelas en dos tiempos y súbalas en un tiempo. Controle el movimiento, contrayendo la musculatura abdominal hacia la parte inferior de la columna mientras vuelve a subir las piernas. Repítalo diez veces.

CÓMO REALIZAR UN EJERCICIO DE PILATES

A la hora de realizar cualquier ejercicio de Pilates, es conveniente tener en cuenta una serie de normas y consejos que pasamos a enumerar a continuación.

RELAJACIÓN

Como el método Pilates precisa control y concentración, muchos principiantes tienden a permanecer tensos o rígidos mientras ejecutan los ejercicios. Para evitar esta tendencia controladora tenemos que relajar los músculos al mismo tiempo que se conserva el tono necesario para mantener la posición de los ejercicios.

Un indicio de que estamos tensando los músculos es que éstos empiezan a ponerse rígidos y a temblar, debiéndose liberar parte de la tensión hasta que se alcance un equilibrio entre la rigidez y el colapso total.

LA CENTRAL ELÉCTRICA

Como ya se ha dicho, para Pilates, la parte más importante del cuerpo es la zona que se encuentra entre la parte inferior de la caja torácica y la línea que cruza las caderas, a la cual llamó «central eléctrica».

En realidad, todos los ejercicios del método hacen que trabaje la central eléctrica y consiguen aplanar el abdomen y reforzar y desarrollar uniformemente la región lumbar.

LLEVAR EL OMBLIGO HACIA LA COLUMNA

Esto quiere decir que hay que reducir todo lo posible la distancia que hay entre el abdomen y la espalda. Túmbese apoyando la espalda en un tapete o colchoneta y respire normalmente mientras imagina que un objeto pesado hace presión en el abdomen. Tire del ombligo hacia la espalda y siga respirando sin permitir que se eleve el abdomen. Debe mantener el abdomen plano mientras suben y bajan las costillas.

PEGAR LA COLUMNA A LA COLCHONETA

Túmbese boca arriba, con los pies juntos y las piernas extendidas. Pegue la espalda todo lo que pueda contra la colchoneta (o el tapete) y elimine todo el espacio que haya entre la región dorsal y la colchoneta. Coloque los dedos en la parte de la región dorsal y presione con toda la fuerza que pueda. Aparte los dedos, doble las rodillas y gire los pies de modo que señalen al cuerpo. Ahora la espalda hará más presión sobre la colchoneta.

Repita este ejercicio varias veces, sin hacerse daño por el esfuerzo, hasta que la espalda esté lo más pegada a la colchoneta que se pueda. No hay que preocuparse si las primeras veces no se consigue.

EVITAR LA HIPEREXTENSIÓN

Cuando se extienden los brazos y las piernas tanto en los ejercicios de Pilates como en cualquier otro, se suele tensar y bloquear a continuación los codos y las rodillas. Esto puede producir una dislocación o una hiperextensión que nos cause una lesión. Asegúrese de estirar las extremidades sin bloquearlas.

APRETAR LAS NALGAS

Hay un ejercicio muy sencillo que refuerza los músculos fláccidos del glúteo (las nalgas) devolviéndoles su forma y tono. Tanto si está de pie, tumbado o sentado, imagine que tiene una moneda entre las nalgas y apriételas de tal manera que hagan presión sobre esta moneda imaginaria. Siga apretando y haciendo que trabajen los músculos. Repita con frecuencia este ejercicio y le sorprenderán los resultados que conseguirá en pocas semanas.

Rodar sobre las vértebras

Sea cual sea el ejercicio Pilates que se haga, no hay que hacer movimientos bruscos o espasmódicos con la espalda. Joseph H. Pilates hacía siempre hincapié en que se tiene que subir y bajar el torso de una manera suave y gradual, como si la columna vertebral rodara como una rueda, una vértebra cada vez. Lleva tiempo conseguirlo, pero refuerza la espalda y evita muchos problemas.

OSTEOPATÍA

Si nos dirigimos a cualquier enciclopedia osteopática, la definición que encontraremos de esta técnica es: «Osteopatía es el arte de diagnosticar y de tratar las disfunciones de movilidad de los tejidos del cuerpo humano, que provocan trastornos y perturban el estado de salud del organismo». La historia de la Osteopatía es la historia de una terapia reciente, que fue estructurada a finales del siglo xix en Estados Unidos por Andrew Taylor Still. Este médico y cirujano fue el primero en poner en evidencia las interrelaciones que existen, por una parte, entre el sistema músculo-esquelético y los otros sistemas orgánicos, y por otro lado, entre la movilidad y la libertad de esos distintos sistemas y la salud del hombre. Fue en el periodo entre los años 1870 y 1874, cuando Still hizo sus primeras experiencias osteopáticas; después de haber curado a un niño con disentería, trató y curó a otros 17 más. El 22 de junio de 1874, decidió crear una nueva medicina: la Osteopatía. Still creó la hipótesis de que el inmenso tejido de sostenimiento del cuerpo llamado «fascia», que reúne todos los elementos del cuerpo humano (huesos, articulaciones, vísceras, glándulas, vasos, nervios), pudiera ser el tejido más importante del cuerpo y ser el origen de numerosas patologías del hombre cuando restringe la circulación de los fluidos (sangre, linfa, líquido cefalorraquídeo), al ser los lugares de intercambios que permiten a las células recibir las sustancias que necesitan para vivir y cumplir con sus funciones.

En 1892 fundó la Escuela de Osteopatía Americana en Kirksville, Missouri. Otros, como W. G. Sutherland, J. Littlejohn, H. Magoun y V. Frymann continuaron y enriquecieron su obra.

A la hora de entender la Osteopatía tenemos que comprender algunos de sus conceptos. Para los osteópatas lo que caracteriza al organismo humano es el movimiento y lo que caracteriza el estado de salud es el equilibrio en esos movimientos, por lo que desde la medicina osteopática se pretende restablecer los equilibrios perturbados en todos los niveles funcionales del cuerpo humano y restaurar las movilidades necesarias a la vida del hombre en buen estado de salud. Esta terapia se sitúa en el contexto de la prevención y de la conservación de la salud. Basada en la anatomía y la fisiología del cuerpo, la Osteopatía es una terapia únicamente manual, opuesta en ese punto a la medicina alopática, pero totalmente complementaria e interactiva con aquella en la búsqueda de la salud del individuo.

En Osteopatía existen unos principios fundamentales de los que partir para comprender toda esta terapia:

- LA ESTRUCTURA GOBIERNA LA FUNCIÓN. La estructura representa las diferentes partes del cuerpo, huesos, músculos, fascias, vísceras, glándulas, etc.

- LA FUNCIÓN ES LA ACTIVIDAD DE CADA UNA DE ESTAS PARTES. Se trata de la función respiratoria, cardíaca, etc.

- LA ENFERMEDAD NO SE PUEDE DESARROLLAR SI LA ESTRUCTURA ESTÁ EN ARMONÍA. Por lo tanto, el desorden de la estructura produce el origen de las enfermedades.

- LA UNIDAD DEL CUERPO. El cuerpo humano tiene la facultad de reencontrar el equilibrio (físico, bioquímico, mental, etc.). Es lo que llamamos homeostasis. Still sitúa esta unidad a nivel del sistema mio-fascio-esquelético. Este sistema es susceptible de guardar en la memoria los traumatismos sufridos. En el oído interno están los conductos semicirculares que condicionan nuestro equilibrio; este último se encarga de que el plano de los ojos sea siempre horizontal, en cualquier posición de la columna vertebral. Still habla de estructura pensando en la armadura humana y habla de función pensando en los distintos órganos que aseguran las funciones vitales. De ahí el origen de la palabra Osteopatía, que procede del griego *osteon* (hueso-estructura) y *pathos* (influencia que viene del interior): la Osteopatía es el tratamiento de las afecciones procedentes de los trastornos de la estructura corpórea.

- LA AUTOCURACIÓN. El cuerpo tiene en sí mismo todos los medios necesarios para eliminar o suprimir las enfermedades. Esto es así a condición de que sus «medios» sean libres de funcionar correctamente. Es decir, que no haya obstáculos sobre los conductos nerviosos, linfáticos, vasculares, con el fin de que la nutrición celular y la eliminación de los desechos se cumplan correctamente.

- LA REGLA DE LA ARTERIA. La sangre es el medio de transporte de todos los elementos que permiten asegurar una inmunidad natural. El papel de la arteria es primordial. Su perturbación conlleva una mala circulación arterial; como consecuencia, el retorno venoso será más lento y provocará acumulaciones de toxinas. La enfermedad se instala siempre sobre un órgano debilitado. Basta un estrés importante para que este órgano no pueda responder correctamente. Pues el hombre tiene su propio sistema de defensa contra los microbios y genera una autorregulación de sus funciones, pero sólo si sus células reciben todo lo que necesitan para funcionar, generarse y eliminar las toxinas. Eso significa que todos los líquidos del organismo que transportan los nutrientes y residuos, deben de circular libremente. El papel de la arteria es supremo.

La Osteopatía tiene por principales indicaciones: las afectaciones dolorosas de la columna vertebral y de las articulaciones. También es muy eficaz en la mayoría de los casos de migraña, vértigo, otitis, trastornos circulatorios, digestivos, endocrinos, traumáticos, ginecológicos, pediátricos, etc.

Sustancialmente, existen tres tratamientos en Osteopatía: craneales, estructurales y viscerales o blandas. Las técnicas craneales emplean los contactos más suaves para conseguir sorprendentes resultados.

TÉCNICAS DE LOS TEJIDOS BLANDOS

Se utiliza sobre los tejidos blandos del cuerpo como piel, tejido conjuntivo y músculos. Las técnicas sobre los tejidos blandos son similares al masaje, pero están orientadas a provocar cambios específicos en el tejido y sólo se aplican en zonas que necesitan ser tratadas. Para su realización, se utiliza una presión suave o fuerte sobre la piel o profundamente al músculo con movimientos rápidos o lentos. Un masaje profundo puede alentar a los músculos excesivamente relajados a que se tensen, una técnica de drenaje linfático puede aliviar la congestión de fluidos, mientras que un ligero masaje calmante puede alentar la relajación muscular y calmar en general al paciente. Una técnica sobre los tejidos blandos en particular se conoce como técnica neuromuscular (TNM), por la que el osteópata usa el pulgar para sondear el tejido en busca de estrés o tensión. Estas técnicas sobre tejidos blandos tienen como principal «arma» el que estimulan la circulación, alentando la curación y relajando los músculos. Cuando nos enfrentamos a problemas musculares, esta acción puede resultar más que suficiente.

TÉCNICAS ARTICULATORIAS

Se caracterizan por ser ligeras, rítmicas y muy suaves. El osteópata puede utilizar el brazo o la pierna del paciente para aplicar una palanca a través de la zona afectada. Su uso se realiza principalmente sobre ligamentos y músculos. Las técnicas articulatorias estiran el músculo o ligamento, y el suave tirón permite gradualmente que el tejido tenso se relaje y alargue. Los ligamentos resistirán un corto movimiento seco como un empuje de alta velocidad. En la degeneración y la osteoartritis, los ligamentos acortados restringen tanto el movimiento como dañan las propias articulaciones. Los pacientes con osteoartritis en la cadera pueden obtener algún alivio con este tipo de tratamiento. Dentro de las técnicas articulares encontramos también la conocida como de tracción o tirón, que es otro tipo de técnica aplicada a los ligamentos, las cápsulas y los músculos sobre una articulación. La tracción sirve perfectamente para tratar el dolor de espalda o incluso un hombro agarrotado.

EMPUJE DE ALTA VELOCIDAD

Esta técnica es un punto de tangencia entre terapias como la Osteopatía y el Quiromasaje, y se usa principalmente sobre la zona de la espina dorsal. Los empujes de alta velocidad pueden desencadenar mejorías espectaculares en la relajación de los músculos y el alivio del dolor. El empuje tiene que ser un movimiento rápido e indoloro, y sólo tarda tres segundos en realizarse. El osteópata apoya su mano sobre las partes de la articulación de la espina dorsal que desea ajustar. La parte de la mano usada varía de acuerdo con la parte a ajustar. El especialista lleva entonces la articulación a su límite extremo de movimiento y aplica un empuje directo a alta velocidad en la articulación para efectuar el ajuste. Esto se caracteriza por un chasquido o estallido cuando la articulación se mueve. El ruido es causado por las burbujas de gas en el fluido entre la articulación, que estallan bajo la fuerza del movimiento. Lo que de hecho es un pequeño estallido, resuena a través de la articulación como un chasquido. El espectacular efecto terapéutico se produce cuando el empuje separa la articulación.

Los nervios que cubren cada articulación envían un mensaje a la médula espinal diciendo que la articulación ha sido estirada, y entonces la médula espinal responde con la acción refleja de relajar los músculos que había tensado alrededor de la articulación y que causaban el dolor.

TÉCNICAS DE ENERGÍA MUSCULAR

Se trata de unas técnicas muy recientes en el tiempo y que se originaron en Estados Unidos. Se utilizan también en músculos contraídos, y son particularmente efectivas en lesiones deportivas con el firme propósito de alentar a los músculos a curarse, y formando muy poco tejido cicatrizante. Este tipo de técnicas de energía implican que el paciente contraiga su músculo contra una resistencia específica en una dirección en particular.

TÉCNICAS INDIRECTAS

Se utilizan para aliviar la tensión en tejidos muy tensos. Son tan suaves que muchos pacientes se quedan dormidos durante el tratamiento. En cuanto a la fiabilidad de esta técnica, hemos de indicar que es una de las más desarrolladas de nuestro tiempo. Considerada como medicina por la Organización Mundial de la Salud (OMS), se encuentra muy reglada y vigilada por la Sociedad Internacional de Osteopatía con sede en Ginebra (Suiza), que impone normas de enseñanza elaboradas a nivel europeo por catedráticos en Ciencias, Medicina y Osteopatía procedentes de distintas universidades de Europa y Estados Unidos. La Osteopatía está todavía en vía de reglamentación en países como España, a pesar de la votación por el Parlamento Europeo, en mayo de 1997, de un informe convertido desde entonces en resolución, y que pide a los países de la Unión Europea comprometerse en un proceso de reconocimiento de las medicinas no convencionales entre las cuales se encuentra la Osteopatía.

TÉCNICAS OSTEOPÁTICAS

Antes de definir las técnicas osteopáticas, es decir el tratamiento osteopático, el osteópata ha de realizar un diagnóstico osteopático, que consta de los siguientes pasos: interrogatorio, inspección del paciente y de su estructura, en estática y en la dinámica en bipedestación y en sedestación, palpación, estática y dinámicamente, con la finalidad de buscar una fijación articular o falta de movilidad en los órganos y tejido conectivo. Aunque como apoyo al diagnóstico osteopático, se aplican los métodos de diagnóstico de la medicina ortodoxa, como son las RX, RNM, TAC, análisis sanguíneo, etc., sin olvidar que son métodos que están basados en la estática y no en la dinámica, y que para el osteópata no son pilares suficientes para establecer un diagnóstico osteopático, sino una ayuda muy importante para descartar patologías graves, importantes que no corresponden a la Osteopatía.

La finalidad del diagnóstico osteopático será la localización en primer lugar de la lesión primaria, seguido de la lesión secundaria y del mecanismo de compensación. Teniendo en cuenta que la Osteopatía se trata de una práctica manual que aplica una serie de maniobras de movilizaciones sobre estructuras tendinomusculares, articulares, de órganos y fascias en general con el fin básico de restablecer la impotencia funcional, corrigiendo la restricción de movilidad. La Osteopatía toma como base de estudio corporal la unidad funcional, el estudio del cuerpo en su conjunto, valorando su adaptación a la gravedad que a través de las líneas de gravedad, simetrías, líneas de fuerza, polígonos de fuerza o sustentación, pivotes osteopáticos, que le orientan sobre las alteraciones de los sistemas, que tienen una interdependencia que afecta al conjunto.

Teniendo en cuenta que el hombre forma parte integrante del cosmos, que es un todo indivisible. El universo tiene sus propias leyes inmutables, sus ciclos, sus ritmos, todo en el universo es movimiento, la vida es movimiento y el movimiento es vida, la inmovilidad es sinónimo de muerte. No creer en estos principios sería de una gran pretensión porque desafía a la naturaleza. Luchar contra ellos es luchar contra el universo. Es ir en contra incluso de la vida, hacia la muerte. La Osteopatía, por su gestión y sus técnicas. tiene por meta rearmonizar todos estos ritmos y leyes reconciliando al hombre con la naturaleza.

CLASIFICACIÓN DE LAS TÉCNICAS OSTEOPÁTICAS

Las técnicas de Osteopatía se puede dividir en la siguiente clasificación:

- Técnicas funcionales de Mitchell denominadas técnicas de energía muscular. Esta técnica consiste en que el paciente utiliza sus músculos solicitados desde una posición controlada de forma precisa hacia una específica dirección, con una fuerza en dirección contraria realizada por la otra persona.

- Técnicas estructurales, directas e indirectas:

  - Técnicas directas son aquellas que la corrección se realiza en el sentido opuesto de lesión, actuando generalmente sobre la articulación o articulaciones que estén fijadas, produciendo una sideración, un corte de información con alta velocidad y baja amplitud denominada Trhust. Las técnicas directas sin Trhust son técnicas de corrección directa en las que se debe ganar movilidad hacia el lado opuesto al de la lesión, y esto se conseguirá a través de las técnicas de energía muscular de Mitchell.
  - Técnicas estructurales indirectas son aquellas en las que la corrección se realiza en el sentido de la lesión. Las técnicas indirectas tratarán siempre en el sentido no doloroso. Estas técnicas consisten en llevar los tejidos a un punto neutro de equilibrio en los tres planos del espacio, sin tensiones, cortando entonces la información de excitabilidad medular, y por lo tanto, también cortaremos la respuesta y los efectos perniciosos.

- Técnicas funcionales de movilidad articular, desarrolladas por los osteópatas Stanley Lief y Lawrence H. Jones:

  - Las técnicas de Stanley Lief son las de movilidad articular en los tres planos del espacio, en flexión, extensión, rotación y lateroflexión. Esta técnica actuará a nivel de los discos intervertebrales, no de las facetas articulares; consta de una parte directa y otra indirecta. Es una técnica de desenrrollamiento de la lesión, en los tres planos del espacio.

– Lawrence H. Jones elaboró un método al que definió como *Strain Counterstrain* («Tensión y contratensión») o como se denomina en Europa corrección espontánea por reposicionamiento. Según el método de Jones, se trata de eliminar los dolores miofasicoesqueléticos colocando el segmento o la articulación sometida a tratamiento en máximo confort, para provocar la relajación máxima de los propioceptores sobreexcitados que provocan la irritación del huso neuromuscular, siendo tan importante el posicionamiento como la reposición posterior del segmento. Las bases neurofisiológicas del método de Jones parten de que el origen de la lesión es una tensión o sobreestiramiento brusco o mantenido en el tiempo que provoca una reacción de espasmo por sobreprotección o desinformación de la musculatura antagonista que va a fijar la posición provocando la disfunción. Si la disfunción se mantiene en el tiempo, generará alteraciones crónicas miofasciales en forma de *Tender Points*, que por lo general se encuentran lejanos u opuestos a la zona donde el paciente manifiesta el punto de dolor o *Trigger Points*. Los *Tender Points* sólo son evidentes a la palpación y la presión, sus características son de dolor muy agudo con reacciones neurovegetativas, tensión y edema en una zona de dos centímetros de diámetro aproximadamente con un núcleo de un centímetro cuadrado.

• Técnica funcional de Hoover: es una serie de técnicas que consiste en la movilización del tejido musculoesquelético y también articular. Estas técnicas constan de dos tiempos: en un primer tiempo se trabaja el tejido muscular, con el paciente en decúbito prono se realizan unas manipulaciones en forma de presión en todo el tejido aponeuróticomuscular con la finalidad de liberar, de movilizar todo el tejido aponeuróticomuscular. En un segundo tiempo se restablece la movilidad articular: el paciente en decúbito prono se coloca la mano caudal sobre la masa glútea y se produce sobre ella un balanceo transversal. Al mismo tiempo, con la mano craneal se testará las espinosas de un lado y del otro; esta técnica nos servirá de test articular para comprobar si existe movilidad articular y si existe dolor; tambiés sirve de tratamiento para facilitar la movilidad articular en los tres planos del espacio.

• Técnicas especiales: las técnicas especiales utilizadas en la Osteopatía son aquellas que se realizan con la inspiración y la espiración del paciente.

RAMAS DE LA OSTEOPATÍA

La Osteopatía comprende tres vertientes de actuación, dentro de una misma ciencia. Para un mejor conocimiento de todas ellas, se explican con más detalle a continuación.

Osteopatía estructural o articular

Esta es la primera de las vertientes, y se dedica al tratamiento de todas las lesiones articulares y paraarticulares del raquis vertebral y de los miembros.

El tratamiento con Osteopatía se efectúa basándose en manipulaciones precisas cuyo objetivo es «liberar» la estructura de distintos tejidos u órganos de sus posiciones «constricciones» (parálisis o estancamientos totales o parciales producidos por traumatismos externos y/o internos), permitiendo con esa «liberación» el restablecimiento de los programas correctos de interrelación entre todos los sistemas corporales.

Osteopatía cráneo-sacral

Esta es la segunda vertiente, y se dedica a la normalización de las suturas y los movimientos craneales.

La segunda vertiente basa su actuación en la existencia del movimiento respiratorio primario, que es el mecanismo involuntario responsable de la micromovilidad de cada una de las células del organismo.

Al hablar del craneal hay que considerarlo como un sistema que va desde el cráneo hasta el sacro, a través de la duramadre, la membrana que envuelve la médula espinal. Este sistema descrito por el osteópata Sutherland se debe denominar en realidad sistema cráneo-sacral.

El mecanismo respiratorio primario funciona, de forma rítmica, en dos tiempos: flexión y extensión, reproduciéndose cíclicamente del orden de 8 a 12 veces por minuto. Este mecanismo está constituido por cinco elementos:

1.º Movilidad inherente del cerebro y médula (movilidad inherente del sistema nervioso).
2.º Fluctuación del líquido cefalorraquídeo.
3.º Movilidad de las membranas intracraneales e intraespinales (son las denominadas membranas de tensión recíproca).
4.º Movilidad articular de los huesos del cráneo.
5.º Movilidad involuntaria del sacro entre los iliacos.

Osteopatía visceral

La tercera de las vertientes de actuación de la Osteopatía se dedica al tratamiento de las alteraciones viscerales y ginecologías por lesión osteopática. Esta vertiente fue desarrollada por los osteópatas Jean Pierre Barral y Pier Mercier, quienes consideraron a las vísceras como articulaciones. Cada una de ellas tiene un movimiento específico relacionado con la respiración, el diafragma y el mecanismo respiratorio primario (MRP), por lo que la falta o bloqueo de este movimiento puede dar lugar a un trastorno funcional que, si no es corregido, puede provocar una lesión estructural.

Este movimiento del que estamos hablando se puede ver claramente alterado por dos factores:

I. Por un lado, factores gravitatorios que provocan un desequilibrio continente-contenido.
II. Por otros factores conjuntivos que ocasionan esclerosis, fibrosis con adherencias y retracción.

Las vísceras están rodeadas por envolturas serosas lubrificadas por un líquido seroso; de tal forma que con los movimientos del tronco, la respiración costal y el MRP, los órganos pueden deslizarse unos sobre otros.

Los movimientos de los órganos viscerales se realizan por medio de los ejes que se forman en el desdoblamiento embrionario.

Según la Osteopatía visceral, como las vísceras están suspendidas de las estructuras óseas y musculares vertebrales, una disfunción somática puede alterar directamente la movilidad visceral. Una mala movilidad visceral ocasiona alteraciones del drenaje linfático y congestión de los órganos.

Cualquier lesión musculoesquelética repercute a través de la fascia sobre la víscera limitando sus movimientos y provocando un estasis vascular en circuito reflejo medular. Las vísceras no tienen terminaciones sensibles al dolor pero sí sus envolturas, de manera que cuando determinados factores afectan a estas envolturas se genera un reflejo neurovegetativo.

Precisamos puntualizar que no existe Osteopatía de fascias, de músculos o de articulaciones, Osteopatía estructural, craneal, visceral u Osteopatía parietal. Existe la Osteopatía con técnicas específicas para cada problema.

Las técnicas no son nada más que un instrumento terapéutico. No es el hecho de utilizar las técnicas osteopáticas, y todavía menos sus preferencias profesionales, lo que hace que un terapeuta sea un osteópata, sino sus conceptos, su modo de razonar, de observar al paciente, de analizar su disfuncionabilidad y su diagnóstico osteopático.

QUIROMASAJE

La Quiropráctica es otro más de los sistemas de medicina alternativa. Esta técnica se centra en la relación entre la estructura (principalmente de la columna vertebral) y la función corporal y la manera en que dicha relación afecta a la preservación y la restauración de la salud. Los quiroprácticos utilizan terapias manipulativas como una herramienta para el tratamiento integral.

Cuando nos remontamos a los orígenes del masaje hemos de centrar la mirada en primer lugar en China, donde encontramos en el capítulo 12 del antiguo *Nei Ching* una cita que dice: «El tratamiento mas adecuado para la parálisis completa, los escalofríos y la fiebre, consiste en ejercicio de manos y pies, y respiratorios, y el masaje de la piel y de la carne». En esta época, en el departamento de medicina imperial ya había masajistas. Si avanzamos hacia 1.600 años antes de Cristo y nos situamos en la India, nos encontramos que en el libro del Ayurveda se analiza con amplitud la importancia del masaje. En él se hace referencia al masaje en términos de frotamientos y fricción. Como no podía ser de otra forma, en Egipto encontramos papiros e inscripciones en las pirámides sobre el masaje, cuyas técnicas fueron más tarde imitadas en Grecia.

Los griegos fueron los más interesados en la belleza y la educación física. Entre ellos, todas las clases sociales empleaban el masaje con diversos fines. Grandes nombres de la medicina van a aparecer en esta civilización, como Herodico, uno de los maestros de Hipócrates, que incluyó el ejercicio y el masaje como parte de la medicina. Hipócrates, considerado como el padre de la medicina, ha dejado en sus obras multitud de referencias a las manipulaciones y masajes, destacando su obra fundamental: *Tratado sobre las articulaciones y fracturas*.

Al llegar a Roma es donde realmente encontramos a los primeros masajistas profesionales de la historia occidental. En las culturas griega y romana, en las cuales era costumbre efectuar un saludable ritual al comenzar el día, se recibía de uno o varios sirvientes un estimulante masaje corporal y además un baño con aguas aromatizadas, para finalizar con una fricción usando suaves aceites esenciales igualmente perfumados con diferentes hierbas y/o flores, según se deseara estimular o relajar las funciones corporales e incluso eliminar toxinas. Terminado el baño, se tomaba un nutritivo desayuno.

En la Edad Media, como tantas otras técnicas, el masaje sufrió un retroceso debido a la represión sobre el cuerpo y la desnudez que se impuso en aquella época. No fue hasta ya entrado el Renacimiento cuando de nuevo volvió a surgir un profundo interés por la revisión de los tratados médicos y por la cultura del cuerpo, lo que hizo despertar de nuevo la curiosidad por el masaje y la publicación de obras de anatomía humana.

Pero la verdadera expansión del masaje llegó en el siglo xx; en este momento se crearon muchas escuelas y técnicas, y por eso cada una de las escuelas lleva el nombre de su fundador.

TENDENCIAS

Exlicamos someramente algunas de las tendencias que surgieron a partir del siglo xx, a las que hacíamos referencia en el apartado anterior:

- CORNELIUS. Es un masaje reflejo. Incluye todas aquellas técnicas manuales que se aplican en zonas distintas de las zonas dolorosas y que, sin embargo, consiguen alivio de los síntomas. Cornelius descubrió durante su tratamiento de reumatismo que al presionar las zonas afectadas, éstas no sentían dolor, pero sí que había zonas cercanas o no sensibles a la palpación. Actuando sobre ellas consiguió hacer desaparecer los dolores.

- HEAD Y MACKENZIE. Estableció la existencia de una serie de conexiones (arco reflejo) existentes entre los órganos internos y las zonas dérmicas, que se denominaron zonas de Head (área cutánea donde se refleja el dolor en relación a un órgano enfermo).

- ELISABETH DICKE. Es un masaje reflejo del tejido conjuntivo. Es una de las técnicas de masaje en las que el tratamiento tiene lugar de una forma refleja a través del sistema nervioso. Mediante un estímulo sobre el tejido conjuntivo, se crea un estímulo cutáneo que va a llegar a distintos niveles de profundidad en el organismo, afectando a músculos, vísceras, órganos, vasos linfáticos y sanguíneos, incluso el propio tejido conjuntivo.

- VOGLER. Es un masaje perióstico. Es una técnica de masaje reflexógeno caracterizada por el trabajo directo que se realiza sobre los puntos de «máxima del periostio» en fase casi aguda.

- MASUNAGA Y NAMIKOSHI. Es el masaje Shiatsu. El Shiatsu es una palabra japonesa que significa «presión con los dedos», y se aplica en los puntos llamados *tsubo*, situados a lo largo de 12 canales de energía del cuerpo conocidos como meridianos. Es otra más de las técnicas que tratamos en este libro.

- FITZGERALD E INGHAN. Es un masaje reflejo podal. Este médico americano sentó las bases de la reflexología podal. La técnica consiste en manipulaciones (presiones) efectuadas sobre los puntos sensibles de los pies que están relacionados con los distintos órganos y sistemas del organismo, provocando un reequilibrio energético del mismo.

- EMILE VODDER. Se trata de un linfodrenaje manual. Vodder desarrolló unas técnicas o métodos de drenaje linfático que permitían eliminar los desperdicios tisulares a la vez que regeneraban la linfa de los tejidos.

- CIRYAX. Es un masaje transverso profundo. Esta técnica consiste en fricciones aplicadas transversalmente a la dirección de las fibras del tejido lesionado, provocando de esta manera una movilización de las mismas, lo cual trae consigo analgesia y liberación de las adherencias, mejorando así la función que hasta entonces había estado limitada.

- STILL. Es la osteopatía, técnica que tratamos también en este libro y a cuyo apartado específico remitimos al lector. Es una terapia manipulativa que actúa sobre las estructuras del cuerpo (esqueleto, músculos, ligamentos y tejido conectivo), para aliviar el dolor, mejorar la movilidad y restablecer con efectividad la salud general.

- PALMER. Es la Quiropraxia. Llegamos así a la terapia más actual del momento y de la que nos vamos a ocupar para terminar este apartado. Fue desarrollada en Iowa, en el año 1895, por un curandero autodidacto, el magnetista David Daniel Palmer, quien cobró fama por haberle devuelto el oído a un conserje local mediante una manipulación espinal. Sus biógrafos cuentan cómo Palmer estaba convencido de que exite una «inteligencia natural» del cuerpo (que también puede llamarse fuerza interna natural) para la autocuración, y la cual quedaba limitada por restricciones vertebrales. A estos desarreglos vertebrales, Palmer les llamó «subluxaciones» y consideró que estas restricciones lo que hacían era por una parte interrumpir el flujo nervioso, pero también interrumpir el flujo de la inteligencia natural, impidiendo así la salud. También se diferencian de los osteópatas y de los fisioterapeutas en el tipo de técnicas manipulativas, ya que utilizan técnicas de corrección vertebral directas, mientras aquéllos utilizan técnicas semidirectas o indirectas con la ayuda de palancas mecánicas utilizando para ello distintas partes del cuerpo del paciente. Actualmente, la Quiropraxia ha abandonado muchas de las ideas originales de Palmer y ha intentado evolucionar hacia postulados más científicos. La profesión de quiropráctico está regulada actualmente en varios países del ámbito anglosajón, como Estados Unidos o Australia, si bien en países europeos, como por ejemplo España, no está regulada todavía esta disciplina. El fundamento básico se resume en que la estructura gobierna la función: si se manipula la estructura, se mejora la función.

INDICACIONES Y CONTRAINDICACIONES DEL QUIROMASAJE

Indicaciones

Las indicaciones son múltiples, dada su efectividad en numerosos procesos patológicos, pero sobre todo está indicado en:

- Problemas con el aparato locomotor, debido a sus pocos efectos secundarios, contraindicaciones y facilidad de aplicación no invasiva.
- Alteraciones del aparato locomotor, a nivel muscular (fallo de tono muscular, parálisis).
- Hipotonía (disminución del tono muscular o atrofia).
- Hipertonía (aumento del tono muscular, contracturas, espasmos, calambres en distintas zonas del cuerpo).
- Rigidez (aumento del tono muscular o grupos musculares completos de forma simultánea).
- Atrofia (disminución de la masa muscular por inactividad).
- Hematomas postraumáticos (acúmulos de sangre que se producen tras un traumatismo producido por rotura de vasos sanguíneos).
- Adherencias de los planos musculares a los planos contiguos como la piel o el hueso, que dificultan al movilidad de la zona.
- Artrosis, contracturas, tortícolis, neuralgia.
- Varios tipos de enfermedades referentes a la circulación: arterial, venosa y linfática.
- Muy utilizado en casos de estreñimiento o retención de gases, en caso de dolor en la zona abdominal, ya que el masaje puede dulcificar los efectos.
- En cuanto al aparato reproductor, puede ser beneficioso para las dismenorreas (menstruaciones dolorosas), con el fin de aliviar sus efectos.

Contraindicaciones

Igualmente señalamos las contraindicaciones, las cuales se pueden clasificar en estos grupos:

- Absolutas: se usa en casos de flebitis, trombosis, linfagitis; con la existencia de vasos sanguíneos artificiales (*by-pass*); alteraciones hemorrágicas graves; cardiopatías descompensadas; déficit neurológico; lesiones en las vías piramidales; traumatismos agudos con herida abierta; fracturas no consolidadas; roturas musculares o incluso tendinosas agudas; quemaduras; brotes reumáticos agudos; bursitis.

- Absolutas generales: en infecciones víricas, bacterianas y fúngicas; al igual que piedras o cálculos en la vesícula biliar, riñones, vejiga; estados febriles; tumores malignos; osteoporosis; inflamaciones agudas.
- Relativas: son aquellas situaciones en que en función del estado de la patología y la persona se realizarán o quedarán contraindicadas totales; embarazo, hipertensión arterial, reacciones cutáneas al masaje, intolerancia general por aumento del dolor, enfermedades de la piel; taquicardias; contusiones graves.

MANIOBRAS PARA PRACTICAR EL MASAJE

Vamos a describir a continuación los diferentes tipos de maniobras que pueden usarse en la práctica del masaje.

TOMA DE CONTACTO

Se trata de, como su propio nombre indica, la primera maniobra utilizada. Con cuidado, procederemos a poner las manos encima de la persona, lentamente, y notaremos su respiración, tomaremos el pulso y comenzaremos a darle un suave movimiento circular o bien de balanceo a las manos. Así se consigue relajar al que recibe el masaje y se igualan las temperaturas de manos y cuerpo del dador y del receptor.

PASES SUAVES

Conocida y agradecida maniobra que induce a la relajación, estimula el sistema nervioso vegetativo y prepara al cuerpo para recibir el resto de las maniobras. El movimiento para realizar esta maniobra es como si estuviésemos haciendo cosquillas al paciente y las realizaremos al principio y al final del masaje.

FRICCIONES

Cuya diferenciación será por parte de la mano utilizada: palmodigital, digital, pulgar, nudillar y cubital; o por la dirección que llevemos: longitudinal, transversal, circular. También depende de cuántas manos utilicemos.

FRICCIONES CON DESLIZAMIENTO

Este tipo de fricciones sirven para insensibilizar la piel y los tejidos subcutáneos con el fin de preparar las siguientes manipulaciones. Se realiza deslizando la mano sobre la piel: al principio será una maniobra más suave y al final irá ganando profundidad.

Estas fricciones se incluyen entre algunas maniobras para relajar y preparar una zona a la que posteriormente aplicaremos otro tipo de maniobras consideradas algo más profundas.

FRICCIONES SIN DESLIZAMIENTO

Este tipo de fricción se distingue de las otras en que la mano no se desplaza por la superficie, sino que buscamos mover la piel hacia delante, hacia atrás o a los lados. Mejora la flexibilidad articular, destruye y repara el tejido cicatrizal. Disminuye la excitabilidad y el dolor, ya que posee un efecto analgésico.

VASOCONSTRICCIÓN O VACIADO VENOSO

Busca producir una isquemia momentánea, o sea, dejar sin oxígeno una zona. Son maniobras que se realizan igual que una fricción, pero con una velocidad mucho más lenta.

Por lo tanto, la vasoconstricción contribuye a un mayor intercambio de los procesos biológicos en el organismo, los tejidos se nutren mejor, la oxigenación es más intensa y se acelera la eliminación de las toxinas.

AMASAMIENTO

Aumenta el flujo sanguíneo, estimula el metabolismo muscular y despega las diferentes capas de la piel, así como también contribuye a eliminar el ácido láctico y las toxinas acumuladas. Hay que hacerlo con cuidado, pues es habitual efectuarlo con firmeza, y una maniobra muy brusca puede lesionar vasos sanguíneos y tejidos subcutáneos. En la manipulación del amasamiento palmodigital interviene tanto la palma de la mano como los dedos. Se trata de tomar y estrujar alternativamente una parte del músculo y luego el siguiente y así sucesivamente. En el momento de ejercer la presión o estrujamiento, no sólo intervienen los dedos, sino que también lo hacen la palma de la mano y la región tenar. Los dedos toman una porción del músculo y lo elevan; una vez elevado, lo presionan con un giro, interviniendo los dedos y la palma de la mano.

Los tipos de amasamiento son:

- El amasamiento digital, por su parte, consiste en utilizar solamente la yema de los dedos para hacer unos pequeños círculos.
- El amasamiento nudillar es otra variedad que realiza círculos pero utilizando los nudillos.
- El amasamiento pulgar consiste en presionar y realizar círculos con los pulgares de ambas manos.

PRESIONES

Consisten en la aplicación de la palma de la mano, o de la región tenar, de los dedos o el puño, sobre una superficie determinada del cuerpo humano. Cuando se aplica la palma de la mano, superponemos sobre ella la otra mano, ejerciendo así una presión en sentido vertical. Esta presión no debe ser brusca, aunque sea profunda.

PELLIZCOS

Los pellizcos se realizan cogiendo una masa de tejido con la punta de los dedos, presionándola y soltándola sucesivamente. Con los pellizcos se estimula la piel produciendo una hiperemia local y activando la circulación sanguínea. Rompe las adherencias de las cicatrices.

TECLETEOS

Movimiento suave de los dedos alternativamente sobre la superficie de la piel, produciendo un efecto calmante y sedante del dolor.

RODAMIENTOS

Consisten en hacer rodar o girar una masa muscular determinada, desplazándola un poco, tanto hacia un lado como hacia el otro, es decir, tratando de imprimirle a la zona en cuestión movimientos de rotación y semicircunducción a un mismo tiempo. En esta manipulación intervienen ambas manos, comprimiendo la masa muscular y haciéndola rodar sobre un eje imaginario.

RETORCIMIENTOS

Consiste en realizar un movimiento de torsión en el músculo con las dos manos que se mueven en sentidos opuestos. Facilita la salida de sangre venosa y también mejora el tono.

SACUDIDAS

Consiste en agarrar el extremo de un miembro y balancearlo de un lado a otro con una mano o ambas, con la finalidad de producir una mejoría articular y además relajar el músculo.

BALANCEOS

Vamos a tratar de generar inercia a un músculo a través de un movimiento oscilante y rítmico, mejorando la movilidad articular, muscular, y produciendo un efecto calmante.

PERCUSIONES

Todas las percusiones deben de hacerse de una forma rápida: las manos de quien las ejecuta actúan con destreza y rapidez, percutiendo zonas determinadas. Según la modalidad de percusión que se lleve a cabo, tendremos diferentes tipos de manipulaciones:

– Palmoteos o cóncavos: con las palmas de las manos y de los dedos, percutimos una o varias zonas corporales, sencillamente a modo de palmadas que se suceden con rapidez, en sentido ascendente o descendente; esta manipulación no tiene que ser dolorosa, sino reconfortante y llena de estímulo.

– Cacheteos o cubital: manipulación en la que cada mano se mueve al compás, pero con vivacidad y ligereza. Mediante sucesivos giros de muñeca, se van aplicando rápidos y alternativos golpes. En el cacheteo cúbito radial los golpes se efectúan mediante la línea o borde cubital de la mano. Para realizar bien esta manipulación el dedo meñique permanecerá algo separado de los otros, de modo que al golpear, los restantes dedos recaigan sobre él.

– Golpeteos o nudillar: cerrando la mano, podemos aplicar el puño, en un músculo o en una serie de ellos y con el mismo fin y propósito que en el caso de los palmoteos.

VIBRACIONES

Consisten en aplicar la mano sobre una zona corporal determinada y al mismo tiempo ir infundiendo una trepidación, es decir, un rápido movimiento vibratorio, a modo de velocísimas sacudidas. Bien realizado, el masaje a base de vibraciones es descongestivo y sedante.

MOVIMIENTOS ARTICULARES

Son aquellas maniobras que nos sirven para movilizar las distintas articulaciones de nuestro cuerpo.

TIPOS DE MASAJE

Las direcciones en las que se aplicará el masaje dependen del tipo de masaje que queramos dar y de la zona en la que actuemos. Según el tipo de enfermedad a tratar, pueden ser:

– Centrípetos: los movimientos que parten del extremo del miembro y se dirigen a la raíz del mismo, en dirección al corazón.

– Centrífugos: los movimientos parten desde el centro (corazón) y se dirigen hacia las extremidades.

– Circulares: movimientos que describen círculos más o menos amplios, en ambos sentidos.

– Longitudinales: movimientos que siguen la dirección de las grandes masas musculares.

– Transversales: estas direcciones son perpendiculares a la dirección de las masas musculares.

Con respecto a los tipos de masaje en concreto, que es a lo que se refiere este apartado, conviene tener en cuenta los siguientes aspectos:

Masaje estético

Se trata del masaje que puede ayudar a tersar la piel, mantener cierto tono en ésta y los músculos más superficiales.

Masaje deportivo

El masaje puede servir como medio para completar el calentamiento antes de una competición, para relajar la musculatura durante ésta y poder seguir compitiendo al máximo nivel o como una efectiva manera de recuperarse tras el duro esfuerzo de la competencia.

Masaje terapéutico

Aunque podríamos decir que todo masaje tiene un fin terapéutico porque persigue una mejora determinada, se entiende específicamente como masaje terapéutico aquel que busca los acortamientos musculares, las descompensaciones producidas en el cuerpo y otros problemas, para posteriormente corregirlos y así conseguir una mejora del paciente.

Masaje mecánicos

Los masajes mecánicos son aquellos en los que se utilizan diversos implementos o aparatos, por ejemplo, los electroestimuladores, los rodillos, los vibradores o las ondas de choque.

Masaje circulatorio

Si bien los masajes ofrecen un aumento de circulación sanguínea por el hecho de estar manipulándose la zona tratada, en los circulatorios se presta una atención específica a los vaciados de sangre a nivel muscular, buscando así un mayor paso de sangre, oxígeno y nutrientes. Ayuda a eliminar toxinas y mejora el intercambio de gases y nutrientes.

Masaje anticelulítico

Este tipo de maniobras anticelulíticas se realizan con la finalidad de mejorar el tejido conjuntivo y adiposo, lo que favorece la reabsorción de líquidos y de acúmulos de grasa.

Masaje estimulante

Es rara la aplicación de este masaje, que se usa en contadas ocasiones, especialmente para competiciones o recuperaciones de algún tipo de lesión.

MASAJE TONIFICANTE

Se supone que el masaje tonificante es una variación del masaje estimulante, y sólo funcionará en casos donde el tono muscular sea mínimo y durante un periodo de tiempo no muy largo.

MASAJE RELAJANTE

Es el más usado en Occidente, donde el aumento de los spas, centros de relax y otras clínicas de relajación han conseguido popularizar este masaje que consigue la relajación del paciente o bien de alguna zona determinada de su cuerpo. Está especialmente indicado para situaciones de estrés.

MASAJE DE VACIADO VENOSO

Sus potenciales receptores son aquellos que pasan mucho tiempo sentados, de pie, con problemas de obesidad y mujeres en el paeriodo de posparto. Su objetivo es vaciar, limpiar y movilizar los productos de desecho, toxinas y residuos metabólicos.

MASAJE SEDANTE

Este tipo de masaje está especialmente indicado en personas que sufren de mucho dolor. Para llevarlo a cabo, se deben utilizar manipulaciones muy suaves, lentas y muy superficiales.

MASAJE DESCONTRACTURANTE

Su propio nombre lo indica: se usa para músculos tensos, dolorosos, contracturados y en personas que realizan esfuerzos físicos severos por su trabajo, ejercicio físico o estado nervioso.

ERRORES EN LA APLICACIÓN DE LOS MASAJES

Atenderemos finalmente a una serie de posibles errores (muy comunes) para tratar de memorizarlos y no caer en ellos cuando practiquemos esta terapia:

- Posiciones incómodas para ambos: en numerosas ocasiones la preocupación por adaptarse a la posición estándar que imaginamos para recibir o dar un masaje, nos hace forzar la postura natural y se comienza estando incómodo y se termina con dolores posturales.
- La prisa o la impaciencia son enemigos de estas terapias que se fundamentan en el relax y la comunión de espíritu y mente.
- Manos frías, uñas largas: estos dos errores son más comunes en «novatos» y resultan enormemente molestos para la persona que recibe el masaje.

- Hay que prestar atención para no realizar maniobras violentas que puedan producir dolor. No realizaremos ningún cambio brusco de una maniobra a otra.
- Ropa que impida la correcta aplicación del masaje.
- Ambiente frío, desagradable o mal ventilado.

VYAYAM

Se conoce con este nombre a la gimnasia energética más antigua del mundo, y se suele decir que quien domina el Vyayam también domina las energías y es capaz de expresar su fuerza a través de su cuerpo, su movimiento, su mirada, su habla, sus manos, su andar, y se proyecta en todas las formas de la vida. Éstas se llenan de sentido, de poder y de fuerza. En definitiva, hace a la persona más feliz porque le procura bienestar y estabilidad física, mental y espiritual.

El Vyayam procura a quien lo practica armonía en el cuerpo y la mente, fortaleza en los músculos y en los tendones, y además libera la columna vertebral, procurando la elasticidad necesaria a toda la espalda. Elimina dolores y tensiones musculares. Desbloquea las articulaciones previniéndonos de enfermedades como la artritis y la artrosis y tiene un efecto especial sobre los huesos ayudando a que se mantengan sanos y fuertes, porque se regenera y alimenta todo nuestro esqueleto; por eso tiene un efecto preventivo sobre enfermedades como la osteoporosis. Pero además, la práctica del Vyayam fortalece y da vigor a los órganos internos. Conduce la energía por todo nuestro cuerpo y de esta manera regenera los tejidos y las células. El cuerpo se vuelve compacto y fuerte, aumenta nuestra capacidad vital, equilibra nuestra mente y nos da salud, vigor y bienestar. En definitiva, podemos decir que el Vyayam regenera y restaura todo el organismo por su trabajo específico sobre la respiración.
Para la práctica del Vyayam se deben de tener en cuenta cinco reglas o principios básicos:

- El movimiento del cuerpo ha de seguir a la respiración.
- La mente observa la respiración y el movimiento del cuerpo.
- La respiración es sonora y expansiva.
- En el final de un movimiento está el principio del siguiente movimiento.
- Todos los movimientos son circulares, armónicos y expansivos.

Existen tres tipos de Vyayam

- El Vyayam Sutil (en sánscrito el término es Sukshma Vyayam) es energetizante y de movimiento energético externo.

- El Vyayam Denso (o Sthula Vyayam) es estático y de movimiento energético interno.
- El Vyayam Mental o Esencial (Karana Vyayam) es mágico y de movimiento energético psíquico.

Y existen también tres formas de practicar Vyayam:

- Meditación dinámica.
- Gimnasia energética.
- Arte marcial.

Dependiendo de la forma que sigamos, así serán los movimientos, a los que se les imprimirá una fuerza u otra según la energía que generemos y la práctica que vayamos a realizar.

Las estructuras (Kramas) se dividen en cadenas de posiciones llamadas vyangas, eslabones o miembros. Cada posicionamiento y ejercicio se denomina shakti vikashaka, que quiere decir «fortalecimiento de la energía primordial».

Existen dos tablas fundamentales:

• LA TABLA DE LOS DIEZ EJERCICIOS. Esta tabla sirve fundamentalmente para el fortalecimiento de la energía en el cuerpo y es imprescindible para iniciarse en la práctica del Vyayam.

• LA TABLA DEL TABLERO DE AJEDREZ. Esta otra tabla está dirigida hacia los ya iniciados en la práctica. Otra de las formas de práctica más sencilla es el Vyayam feliz (también llamado en sánscrito Sukha Vyayam). Es especial para personas de más edad, jóvenes o neófitos. Está compuesto de estiramientos, coordinaciones y ventilaciones. Se denomina «feliz» porque da grandes dosis de felicidad y alegría y además porque permite a la persona recuperar su salud por medio del fortalecimiento de sus tendones, la flexibilidad de las articulaciones y de su columna vertebral. Este Vyayam está indicado para todo tipo de personas y en cualquier circunstancia: minusválidos, tercera edad, niños, etc.

El origen del Vyayam se pierde en el tiempo; esta palabra yam viene del sánscrito y significa «domar el aliento». También se denomina Maipayat o Kalari Payat. El Vyayam proviene originariamente del sur de la India y ha inspirado metodológica y culturalmente a otras gimnasias energéticas y artes marciales. Se cuenta que Boddhidarma, monje hindú, lo introdujo en el siglo v en China, con el fin de permitir a los religiosos de los templos de Shaolin defenderse contra las agresiones de los bandidos y para fortalecer sus cuerpos debilitados por la vida ascética de los monasterios. De ahí nacieron las artes marciales y gimnasias energéticas chinas, seguidas de las japonesas y posteriormente lo esencial de las artes marciales en el resto del mundo. Por eso se dice que el Tai-Chi, el Qi Gong, el Kun-Fu, el Shorinji Kempo, el Aikido, etc., han sido inspirados desde las técnicas milenarias del Vyayam. Sus orígenes se remontan a miles de años y sus disciplinas eran practicadas por los guerreros antiguos de la India, de la época de los vedas, muy anteriores a la era budista. Su enseñanza se ha conservado a través de los siglos gracias a los maestros y discípulos que lo han atesorado y transmitido. Apenas se conoce nada escrito, es muy desconocido en Occidente y en la propia India, y es conocido hoy en día solamente en círculos muy selectos. Actualmente la mayoría de los maestros está en el sur de la India, en los estados de Tamil Nadu y Kerala. Es un arte auténtico y todavía guarda su esencia.

En los templos de la India se encuentran tallas con posiciones de Vyayam, que conforman prácticamente los únicos testimonios/documentos históricos que existen, pero se sabe que se practica desde hace miles de años.

Fue muy perseguido, primero por los musulmanes y después, desde del siglo XIX, por los ingleses en la época de la colonización. Fue prohibida su práctica por ley del Raj británico y desde entonces se practicó clandestinamente.

Siendo esta la situación del Vyayam, éste consiguió sobrevivir a través de los años por la transmisión secreta de algunos maestros. En la India quedan escuelas en las zonas de Kerala y Tamil Nadu, pero es sabido que son restringidas y de difícil acceso todavía en la actualidad.

El Vyayam está encuadrado dentro del gran camino de la energía. Imita movimientos de animales, obras que hacen los hombres y elementos de la naturaleza, porque a través de ello aprendemos a tomar la fuerza que tienen intrínseca cada uno de los seres o cosas que representamos.

A través de la práctica de Vyayam las personas se vuelven luminosas y radiantes y su cuerpo físico toma una energía extraordinaria porque aumenta mucho la circulación sanguínea y genera un calor que transmite alegría. Por eso una persona que practica Vyayam es una persona expansiva y con un gran sentido del humor, porque desbloquea todos los complejos y conceptos psicológicos erróneos, es decir, tiene un efecto liberador porque trabaja los centros vitales de energía que a su vez son centros de somatización psíquica. Estos conceptos se aglutinan en una palabra: «vital».

Una persona vital es una persona alegre, expansiva y saludable. Una persona no vital es una persona que se encierra en sí misma, que se oscurece, que se esconde y que se enferma. Podemos decir que el Vyayam procura bienestar y salud física y psíquica a quien lo practica. El Vyayam es un complemento ideal de las prácticas de Yoga, de la biodanza, de la danza del vientre, de gimnasias aeróbicas, terapias de rehabilitación, terapias de masaje, terapias psicodinámicas, terapias psicoenergéticas, gimnasias pasivas, gimnasias para la tercera edad, terapias pre y posparto, etc.

El Vyayam está basado en el movimiento del cuerpo y en la respiración. Esto es lo que hace que sea una gimnasia energética y no una gimnasia exclusivamente aeróbica.

Como ya dijimos, hay varios modos de realizar la práctica del Vyayam que lo transforma por completo no sólo en el estilo sino en los resultados: al modo de Yoga (Yogasthya) y al modo de combate o arte marcial (Niyuddhasthya).

- Yoga Vyayam: el Vyayam que regula la energía, la salud física, psíquica y espiritual.
- Kanga Vyayam: el Vyayam original, el Vyayam de la espada, que se hace tanto con las manos como con la espada de madera o metal y que nos ayuda a aprender a proyectar la energía.
- Ayurveda Vyayam: es el Vyayam de la salud en el que a través del masaje, a través del conocimiento de los 108 puntos vitales, a través de la imposición de las manos y de los talas junto con el conocimiento de las energías, ayudamos a restablecer la salud.
- Vyayam de la sanación o del masaje, donde estudiamos los centros vitales para saber cómo mover la energía en el cuerpo, para reajustar el esqueleto.
- Natya Vyayam: es el Vyayam de la danza y del teatro. Todo forma parte del tronco de la misma disciplina. Todas las danzas indias tienen su origen en las artes militares, las artes principescas. Es el Vyayam aplicado a la danza, donde surgen diferentes estilos: Bharatha, Natyam, KathaKali, Kathak o cualquiera de los que existen en la India.

CONSEJOS PARA PRACTICAR EL VYAYAM

Estimamos recomendable que el lector tenga en cuenta los siguientes consejos para la práctica del Vyayam:

- El Vyayam se puede realizar a cualquier hora del día, aunque es recomendable hacerlo por la mañana antes de empezar nuestra actividad del día.
- Se debe de realizar con ropas de algodón y descalzo, con zapatillas chinas o tabis japoneses, pero no es recomendable usar calcetines o calzado rígido.

- Es muy agradable practicarlo al aire libre o en una habitación que esté bien ventilada.
- El Vyayam es una gimnasia energética basada en la respiración, hasta el punto de que podemos decir que si no hay respiración, no hay Vyayam. Uno de los secretos del Vyayam para saber si estamos haciendo una buena respiración es la sudoración; si sudas, es señal de que tu práctica está siendo bien efectiva.
- Todo movimiento ha de realizarse con las piernas flexionadas porque ahí el Tan (manifestación singular e interna de la energía primordial) se desprende hacia las rodillas y es tan estable la posición como si estuviéramos a cuatro patas.
- El Vyayam exige que todo movimiento (de la mano o del cuerpo entero) sea un movimiento circular y continuo, que la energía no se pierda, que la energía esté siempre circulando, que siempre esté en una espiral continua y que cuando un movimiento acabe, entonces empiece otro. Los movimientos de las manos (mudras) son fundamentales. No puede haber un movimiento sin que con el gesto indiquemos dónde va dicho movimiento. Es absolutamente fundamental mantener el alineamiento perfecto del cuerpo, si no el movimiento saldrá torpe e inadecuado.
- No existen condiciones especiales para poder practicar Vyayam, puede hacerlo cualquier persona y en cualquier condición física porque se adapta a todas las circunstancias. Hemos de tener en cuenta que el Vyayam se puede practicar simplemente con el movimiento de los dedos de las manos, porque lo importante es la respiración y el movimiento de nuestra energía desde la misma.
- Una vez aprendido y con cierta práctica, el Vyayam se puede practicar en casa sin que acarree ningún tipo de problema de salud.
- Cuando se realice diariamente, notaremos grandes cambios en nuestro cuerpo y en nuestra mente, sintiéndonos más equilibrados y más revitalizados, y además nos daremos cuenta de que nuestra mente está entonces más despierta, centrada y despejada.

MUDRAS

Iniciémonos ahora con los mudras o los movimientos de las manos; a la hora de practicar esta terapia, son fundamentales. Las manos nos ayudan a escenificar nuestra respiración y equilibrar nuestros meridianos magnéticos de energía. Todos los movimientos del cuerpo son gobernados por las manos. Cuando movemos las manos estamos magnéticamente disponiendo las coordenadas de los distintos meridianos y los talas (los centros de distribución de la energía en el cuerpo). Cuando movemos las manos, no sólo movemos una articulación con sus apéndices, sino que estamos movilizando nuestra energía. Los movimientos de las manos son los que nos van a indicar el control de la respiración y el control de la mente. La maestría de un practicante de Vyayam se nota en la expresión del movimiento de sus manos en cualquier momento de su vida cotidiana.

RESPIRACIÓN

Existe un gran conocimiento sobre la respiración especialmente en la práctica del Vyayam y se aplica de muy diversas maneras tanto en la danza y las artes marciales como en el teatro, influyendo de manera muy profunda en la expresión, el gesto y en el tono de la voz. «Donde esté la respiración, estará siempre la mente. La mente es la que determina el poder y la fuerza», ésta es la enseñanza del Katha Upanishad y el lema de la escuela tradicional de Vyayam.

EJERCICIOS DE VYAYAM

A continuación sugerimos diez ejercicios que fortalecen la energía primordial. La práctica de esta tabla asiduamente movilizará y despertará la energía de los chakras (centros de generación y regeneración de la energía en el cuerpo), permitiendo que ésta se distribuya por los meridianos y canales de energía vital y se equilibren en los centros de condensación y distribución de la misma.

PRIMER VYANGA

Es la figura de la montaña invertida. Este vyanga es uno de los más importantes, se puede considerar «el rey». Los beneficios de cada vyanga son múltiples, pero básicamente, este tiene sus principales beneficios sobre los hombros, codos y manos, otorgándoles fortaleza, desbloqueando las tensiones y liberando la energía inerte de esta zona. Fortalece y desbloquea los hombros. Es revitalizante y equilibra física, energética y mentalmente. Por eso esta posición no sólo afecta al cuerpo, sino también a la mente, dándole fortaleza, armonía y equilibrio. Tonifica el sistema nervioso central. Drena los pulmones, expande la caja torácica, fortalece la fascia de la pleura, incrementa la capacidad respiratoria, protege el corazón y reinvierte el torrente sanguíneo junto con la reinversión del torrente linfático. Aumenta el volumen de la caja torácica, el cuerpo se ensancha mucho más y se fortalecen los músculos.
Esta figura de Vyayam es la equivalente a la postura de la cabeza (*shirsasana*) en el Yoga. Trabaja sobre los núcleos de la energía vital y el eje cordial (chakras Manipura y Anahata).

SEGUNDO VYANGA

Es la figura de construir y levantar la cúpula del tiempo. Es una postura preparatoria y energética de los guerreros. Al subir las manos, visualizamos que estamos elevando la cúpula de un templo. Fortalece y libera los hombros, los brazos, las muñecas y el cuello. Libera las tensiones musculares del pecho, abriendo el timo. Desbloquea las tensiones emocionales. Drena los riñones y los pulmones. Ayuda a corregir los problemas de espalda, dejando derramar sobre la columna el prana o energía vital reparadora al separar de su cuna cada vértebra, liberando el impulso nervioso de los nódulos principales que tonifican en forma radial los órganos vitales del cuerpo. Trabaja sobre los núcleos del eje cordial, el asiento de la fuerza del cuerpo y los tres grandes ríos vitales (Anahata Chakra, Nabhi Adi Tala y el Brahma, Ida y Pingala Nadi).

TERCER VYANGA

Es la figura con la que encendemos la lámpara que ilumina el corazón. Simbólicamente es la representación del conocimiento del corazón: la sabiduría esencial.

Despierta los sentimientos, el amor, la compasión. En la India antigua los maestros cuando estaban dispuestos a enseñar se establecían en el mudra que escenifica esta figura. Esta figura nos procura equilibrio físico y emocional; por lo tanto, nos nutre de pensamientos rectos y equilibrados, dando apertura a nuestro centro de energía del corazón. Proporciona serenidad mental y purificación del núcleo de la atención externa. Trabaja el núcleo cordial y el de la proyección de la atención externa (Anahata Chakra y Nasagra Adi Tala).

CUARTO VYANGA

Es la figura del arquero que dispara el arco grande: se sujeta el arco con las manos, enfocando la mente en un punto y disparando la flecha hacia ese punto. Es una postura propiamente de los guerreros. Simboliza el proceso del Yoga: el arco es el cuerpo, la flecha es la mente y la diana es el objeto de la concentración y la cuerda, la disciplina del método. «Aquel que se concentra, se hace uno fluyendo con el objeto de su atención». Expande el pecho, fortalece los brazos y el tronco. Nos otorga buena postura, da pecho abierto, fortaleza y seguridad. Regula las energías acumuladas, equilibra el timo y reinstaura la autoestima. Trabaja sobre el núcleo del asiento del aliento y de la proyección de la atención interna (Vishuddha Chakra y Brumadhya Adi Tala).

QUINTO VYANAGA

Es la figura del paso del león potente o dragón tántrico. Estos son los pasos aplicados a las artes marciales, los pasos de lucha, que dan gran seguridad al guerrero. Otorga una gran fuerza a los muslos y también a las piernas. Estimula el funcionamiento del corazón y regula el latido del mismo. Se trata de un gran ejercicio físico, cuya práctica habitual puede ser el equivalente a hacer *footing*. Aumenta la capacidad respiratoria y trabaja activamente los riñones y la regulación de la temperatura del cuerpo, equilibrando así el metabolismo. Ayuda al movimiento peristáltico desinflamando los intestinos. Activa el rendimiento sexual por medio del incremento adrenalínico. Trabaja los núcleos del eje cordial, el asiento de la fuerza del cuerpo y la morada de la energía creativa sexual y los tres grandes ríos vitales (Anahata Chakra, Manipura Chakra, Svadhisthana Chakra, Nabhi Adi Tala y el Brahma, Ida y Pingala Nadi).

Sexto vyanga

Es la figura del águila que extiende sus alas en busca de su presa. El águila representa la capacidad de concentración activa de un yogui, es decir, la concentración externa. Se realiza proyectando primero hacia la derecha y después hacia la izquierda. La cabeza se proyecta hacia delante. Los ojos están bien abiertos. Hay que mantenerse fijos, inmóviles. En esta posición es muy importante la mentalización. Visualizar e introducirse en la naturaleza del águila. También se puede realizar en movimiento, como si el águila estuviera volando. Potencia el estado de «alerta» en la mente. Actúa sobre el equilibrio de la columna vertebral, liberando bloqueos energéticos de la misma. Tonifica los riñones. Trabaja potenciando la apertura de los centros energéticos de las manos y los pies (Hasta Adi Tala y Pada Adi Tala).

Séptimo vyanga

Es la figura del junco. Se aprieta todo el cuerpo, tensando el vientre para colocar la posición bien erecta. Con los pies juntos, la cabeza tira hacia arriba. El cuerpo asemeja a un junco que sale de las aguas. Después se suelta y se relajan los glúteos y el vientre. Se mantiene una mínima tensión y la posición está en inmovilidad absoluta. Sólo se mueve el cuerpo si la energía interna lo mece. Los ojos permanecen cerrados y la atención en el Tan. Ésta es una de las posturas más tonificantes de la tabla. Si se realiza bien y se mantiene algún tiempo, regenera por completo toda la energía del cuerpo: lo convierte en un canal por el que entran y salen las energías, desde las más sublimes a las más densas. Después de la realización de esta posición, nuestro Vyayam cambia, se hace más armónico y equilibrado. Es muy bueno practicarla cuando hay enfado, agresividad y falta de sueño. Trabaja el núcleo de la energía básica y el eje psíquico (Muladhara Chakra y Shira Akasha Tan Tala).

Octavo vyanga

Es la figura del árbol místico que tiene sus raíces en el cielo y las cuales caen hacia la tierra. El ashsvatta es el árbol sagrado de la India, donde antiguamente vivían los yoguis. De sus ramas se proyectan otras que tienden hacia la tierra y se enraizan, creando de esta forma pequeñas cuevas. Es importante hacer el proceso de identificación (sammyama) para así tomar la energía del árbol. Se trata de una posición de meditación. Se puede estar en ella durante un gran periodo de tiempo. Las rodillas se quedan dobladas y los dedos de las manos sueltos, colocando las manos a la altura de los talas de los hombros. Es una postura muy buena para poder dormir mejor. Aumenta la introversión y seda. Descansan los riñones y la columna vertebral se libera, dejando que las energías suban hacía la cabeza, por eso es también bastante buena para meditar. Su finalidad es captar las energías de la tierra (de ahí el que permanezcan las rodillas dobladas) y del cielo (por eso la cabeza se estira desde la nuca). Activa la circulación de energía por los meridianos principales. Trabaja equilibradamente los núcleos de la conciencia y la energía básica armonizándolos con los tres grandes ríos de la energía vital (Chakras Agñya y Muladhara, Brahma, Iday Pingala Nadi).

NOVENO VYANGA

Es la figura de la torre fortificada. Esta es una de las posiciones de la «Tabla Maestra del Tablero de Ajedrez». Se crea una gran densidad en el cuerpo porque se compacta por completo, y por eso mismo da una gran fuerza interior y elimina la energía inerte. Fortalece la estructura de todo el cuerpo, todo el esqueleto, y hace que la mente se vuelva fuerte, además de adquirir grandes dotes de observación y estado de alerta. Se trata de un gran drenador de la tensión ciática, fortalecedor de los riñones y activador del diafragma. Trabaja el asiento de la fuerza de la energía del cuerpo (Manipura Chakra).

DÉCIMO VYANGA

Es la figura del vigía que señala los cuatro puntos cardinales. Girando todo el cuerpo comenzando por la cabeza, hombros, torso, cadera y volviendo desde las caderas, torso, hombros y cabeza. El brazo permanece estirado y la mirada fija en el dedo índice. Masajea la columna vertebral y estimula el funcionamiento de los órganos internos. Tonifica el sistema nervioso y la circulación cerebral. Favorece la concentración de la mente, despierta nuestro intelecto. Trabaja el núcleo del asiento del aliento vital y los nudos principales de condensación de la energía vital (Vishudha Chakra y Sushumna Maha Nadi).

CONCLUSIÓN

Como arte marcial, el Vyayam es la columna vertebral de las disciplinas guerreras, a las que aporta el entrenamiento personal del guerrero, el espíritu noble, el conocimiento interno y la luz para seguir el camino de la iluminación.

Este arte antiguamente se ejecutaba entre las familias guerreras y los príncipes. Los guerreros se forman en el arte de la guerra, lucha con arco, lucha con espada y lucha con el cuerpo a través de las prácticas del Vyayam, porque les preparaba física y energéticamente dándoles gran fortaleza muscular y aprendiendo a proyectar su energía en cada parte de su cuerpo. Eran los guerreros perfectos, poderosos en el cuerpo y en la mente.

El Vyayam de la salud es con el que a través del masaje, a través del conocimiento de los 108 puntos vitales, a través de la imposición de las manos y de los Talas junto con el conocimiento de las energías, ayudamos a restablecer la salud.

El Vyayam es la terapia psicoenergética (ayurvidya) de las dos variantes de la medicina de la India que son: Ayurveda (es el conocimiento de la salud desde el equilibrio de las energías y según las características del individuo; tiene fundamentos fitoterapéuticos, químicos, farmacológicos, dietéticos, quirúrgicos, fisioterapéuticos, etc.). Ayursiddha (es el encuentro con la salud perfecta por el método de la tradición de los yoguis tántricos; es una ciencia secreta y oculta; es la ciencia del poder; conocida por muy pocos). Los grandes maestros de Vyayam poseen poderes ocultos, de los que ellos no se jactan y ni siquiera los demuestran; los aplican en situaciones y casos concretos, pero siempre con la máxima discreción. Son poseedores de una ciencia oculta y mágica. Pero no se habla de ella.

Parte 2

ENFERMEDADES

SISTEMA MÚSCULO-ESQUELÉTICO

La capacidad del cuerpo humano para desplazarse y conservar la posición vertical está ligada a la presencia del sistema locomotor, constituido por huesos, articulaciones y músculos. Los huesos son cerca de 208, regiones fundamentales: el tronco, con la columna vertebral, la cabeza con los huesos del cráneo y la cara, los miembros superiores e inferiores. Según su forma, los huesos se dividen en largos (fémur, tibia, húmero, radio), planos (omóplato) y breves (vértebras). Los huesos se componen de sales inorgánicas, calcio y fósforo (que garantizan su solidez), de una sustancia elástica, el colágeno (que asegura elasticidad y resistencia en los movimientos) y de células.

Los huesos de la cadera presentan diferencias en los dos sexos: la cadera masculina es más maciza y alargada; la femenina es más amplia e inclinada hacia delante. La columna vertebral, integrada por 33-34 huesos (vértebras) separados entre sí por discos intervertebrales; la columna tiene una longitud global de 73-74 centímetros. Los huesos del cráneo, en número de ocho, se unen mediante un tipo particular de articulación, la sutura, que garantiza solidez y elasticidad. Constituyen una excepción el esfenoides y el occipital, que se funden en un bloque compacto. El ejemplo opuesto, en cambio, es el representado por los huesos del pie, 26 en total, unidos de tal modo que se forma una estructura de bóveda, capaz de soportar, por un lado, todo el peso del cuerpo y, por el otro, de permitir una elevada movilidad.

CÓMO FUNCIONA

Los 208 huesos de nuestro cuerpo serían inútiles si no existieran las articulaciones. Cuando las superficies articulares no concuerdan, hay una lámina fibrosa, el menisco, que restablece la concordancia entre los diferentes segmentos articulares. Todas las articulaciones están incluidas dentro de cápsulas fibrosas, dotadas de ligamentos robustos, que refuerzan los extremos articulares. En el interior de la cápsula articular, el líquido sinovial sirve de lubricante.

Considerando la conformación y el modo en que los diferentes huesos entran en contacto, las articulaciones se subdividen en tres: sinartrosis, diartrosis y anfiartrosis.

- SINARTROSIS. Están constituidas por dos superficies articulares enfrentadas, con interposición de tejido conjuntivo o cartilaginoso: en el primer caso, hay una sindesmosis (cráneo); en el segundo, una sincondrosis (entre el esternón y la primera costilla).

- DIARTROSIS. La característica principal de estas articulaciones es la de tener una cavidad articular entre las dos superficies óseas, que de este modo, pueden deslizarse ampliamente una encima de otra. Las diartrosis presentan una notable variedad de formas: articulaciones de silla, cuando una superficie articular es cóncava en un sentido y convexa en el sentido perpendicular al primero; las articulaciones del pie, las que unen húmero y radio, y húmero y cúbito; las articulaciones trocoide o ginglimo lateral, cuando un cabo articular presenta una forma cilíndrica y gira en un anillo osteofibroso.

- ANFIARTROSIS. Los extremos articulares están rodeados por cartílagos y existe también una cápsula fibrosa (sínfisis púbica).

PARA QUÉ SIRVE

Los huesos y las articulaciones serían inútiles si no existieran los músculos. Los voluntarios, que obedecen a nuestras órdenes, son 50, con un peso de cerca de 35 kg, y presentan unos extremos duros, resistentes, blancos (los tendones) y una porción central en la que se produce la contracción. En relación con su estructura, los músculos se dividen en lisos, o de la vida vegetativa, estriados o voluntarios y músculo miocárdico. El tejido muscular liso está formado por células alargadas (fibrocélulas) de una longitud media de 0,02 milímetros. Este tipo de tejido está en las paredes de las vísceras de muchos órganos, de los vasos sanguíneos y de los linfáticos. La fibrocélula muscular está constituida por un núcleo alargado y por el citoplasma, formado por un material fluido, el sarcoplasma, en el cual yacen las miofibrillas. El tejido muscular estriado se compone de fibras musculares estriadas de una longitud de 1-40 milímetros y de una altura de 10-40 milésimas de milímetro; cada una está envuelta en una membrana de naturaleza conjuntiva, el sarcolema. En la periferia de la fibra están los núcleos, numerosos y alargados. El sarcoplasma representa la matriz de la fibra, que está formada por pequeñas columnas musculares, rodeadas por un estrato fino de sarcoplasmas, en el que están las miofibrillas musculares. Cada miofibrilla puede ser descompuesta en filamentos primarios y secundarios; se contrae involuntariamente.

❏ ARTRITIS

DESCRIPCIÓN DE LA ENFERMEDAD

Cualquier trastorno inflamatorio de las articulaciones, caracterizado en general por hinchazón y dolor. Existen dos variedades principales:

– Artritis reumatoide: enfermedad del colágeno crónica, degenerativa y a veces deformante. Suele aparecer entre los 36 y los 50 años de edad, y es más frecuente en mujeres.
– Osteoartritis o artrosis: enfermedad en la que una o más articulaciones sufren cambios degenerativos, con desaparición del cartílago que separa las articulaciones. Es la forma más frecuente de artritis, y su causa es desconocida.

Síntomas

Los primeros síntomas de la artritis reumatoide suelen ser debilidad y pérdida del apetito, acompañados en ocasiones de febrícula y anemia. Poco a poco se va desarrollando rigidez matutina, hinchazón de al menos dos articulaciones, nódulos subcutáneos y cambios estructurales en las articulaciones observables por radiografía. La osteoartritis se caracteriza por rigidez y dolor en las articulaciones, hinchazón y ataques agudos acompañados de rojeces e inflamación.

Tratamientos

Fitoterapia occidental

La artritis de cualquier tipo suele responder bastante bien a las terapias naturales. Se recomiendan especialmente las infusiones, por vía interna, de fresno, cola de caballo, ortiga y tilo, aunque también resultan efectivos el trébol de agua y la bardana. Por vía externa, se puede administrar decocción de aloe vera o alcohol de romero haciendo fricciones sobre la zona afectada, o maniluvios y pediluvios de equiseto menor, acebo y ulmaria.

Para proporcionar calor a las articulaciones doloridas, frote la zona afectada con un remedio casero compuesto por una cucharadita de cayena molida y una tacita de aceite de oliva. También puede aplicar sobre la zona afectada unas compresas empapadas en un remedio frío compuesto por una cucharadita de cayena hervida en 600 mililitros de vinagre de sidra. La cayena puede causar irritación en la piel, por lo que es recomendable que se asegure de que la zona afectada se calienta sin que se produzcan escoceduras.

Fitoterapia china

Para tratar la artritis, la Fitoterapia china se basará en el tipo de dolor que siente el paciente:

• PESADO Y RÍGIDO. Se trata de dolor general y molesto que empeora con el tiempo húmedo y por la mañana. Mejora con el movimiento y con la aplicación de calor o tras una ducha caliente. Puede ser fuerte y tirante. Se debe a la presencia de frío y humedad en los meridianos, y se trata con la decocción para caldear los meridianos.

- DOLOR CORTANTE. En un dolor fuerte y localizado, quizá sensible al tacto: nada parece aliviarlo. Se debe al estancamiento de ki y sangre, y se trata con la decocción para regular la sangre modificada (añadir Ji Xue Teng y Yan Hu Suo).

- INFLAMACIÓN. Inflamación localizada de articulaciones con rojeces y dolor, a menudo acompañada de síntomas sistémicos como cambios en el recuento globular o fiebre. Empeora con el consumo de estimulantes y alcohol. Se debe al calor y a la insuficiencia de yin, y suele localizarse en los dedos y se trata con la decocción para nutrir el riñón añadiendo Dan Shen.

Homeopatía

La Homeopatía trata de forma distinta la artritis reumática y la artrosis:

1. Para la artritis reumática, se puede recomendar:
   - *Bryonia alba*: afecta a una persona de constitución morena y fuerte; come bien, no aguanta el calor y además es colérico e irascible. El dolor empeora con el movimiento, con el calor en cualquiera de sus formas y hacia las 9 de la noche aproximadamente; y mejora con el reposo, ejerciendo una fuerte presión o acostándose del lado que duele, con el frío y con el sudor. Es frecuente sentir sed de grandes cantidades de agua fría.
   - *Sulfur*: en personas delgadas, débiles, aunque conservan un buen apetito; activas, optimistas, desordenadas y olvidadizas. El dolor empeora en reposo, al permanecer de pie sin moverse, con el calor de la cama, con el agua, después de haber dormido y hacia las 11 de la mañana; sin embargo, mejora con todas las eliminaciones fisiológicas (sudor, diarrea matinal, etc.), con el movimiento y con el tiempo seco.

2. Para la artrosis:
   - *Apis mellifica* (veneno de abeja): personas torpes y llorosas. El dolor mejora con el frío y empeora con el calor y al moverse.
   - *Calcarea carbonica*: tipo constitucional pequeño y rechoncho, con personalidad metódica y organizada. Se desaniman con facilidad y no son demasiado activas. El dolor empeora con el frío, con el esfuerzo y con la Luna llena; y mejora con el tiempo seco y cuando se está estreñido.
   - *Ledum palustre*: personas fuertes, que sangran fácilmente y suelen presentar granos rojos en las mejillas y en la frente. El dolor empeora con el movimiento y por la noche, y mejora con el reposo y con el frío.

Sales de Schüessler

Es fosfato sódico para la artritis reumática.

Oligoterapia

Se recomienda tomar una combinación de cobre, oro, plata, manganeso, cobalto, potasio y vanadio contra la artrosis.

Flores de Bach

Contra la artritis se recomienda brezo, pino o agua de roca; contra la artrosis, conviene usar agua de roca.

Aromaterapia

Se recomiendan las esencias de benjui, manzanilla, romero y salvia para la artritis, y de alcanfor, eucalipto, lavanda, manzanilla, mejorana, melaleuca y romero para la artrosis.

Terapia nutricional

Una alimentación adecuada es imprescindible para mantener los huesos y las articulaciones en buen estado: son especialmente importantes los alimentos que contienen calcio, así como vitaminas A, C y E. Los siguientes alimentos están aconsejados para prevenir y tratar tanto la artritis como la artrosis:

- Pescado azul (sardinas, caballa, atún, arenques), debido principalmente a su riqueza en ácidos grasos omega 3.
- Aceites vegetales, como el aceite de oliva o el aceite de linaza.
- Verduras y hortalizas ricas en vitaminas A, C y E. Hay que destacar los cítricos, zanahorias, pimientos, apios, el ajo y la cebolla.
- Frutas, frutos secos y semillas, especialmente las manzanas, los plátanos y las fresas.
- Cereales integrales.
- Soja y todos sus derivados, como el tofu o la leche de soja.
- Leche y derivados lácteos, procurando siempre que sean desnatados.

Hay una serie de alimentos que los pacientes de artritis deberían tomar con prudencia:

- Las grasas saturadas.
- Algunos alimentos producen un empeoramiento de los síntomas de la artritis reumatoide debido a una reacción alérgica del organismo. Habrá que hacer pruebas específicas para ver de qué alimentos se trata en el caso de cada individuo, pero los que más a menudo producen este tipo de reacciones son el trigo, el maíz, los pimientos, los tomates, las berenjenas, las patatas y los productos lácteos.

– Alimentos ricos en oxalatos, que impiden la absorción del calcio y se depositan en las articulaciones en forma de cristales produciendo daños en las mismas. Alimentos ricos en oxalatos son el ruibarbo, las espinacas y las remolachas.

Como terapia de choque se puede realizar una dieta de zumos que ayude a mejorar los trastornos circulatorios. En la primera semana, se elegirá un único día en el que sólo se consumirán zumos de zanahoria, apio y col, llevando una dieta normal el resto de los días. En la segunda semana, se extenderá a dos días, y en la tercera semana a tres días.

Naturopatía

Se recomiendan los siguientes suplementos:

– Vitamina C: de 500 a 1.000 mg al día.
– Vitamina E: entre 400 y 500 mg al día.
– Ácido fólico.
– Sulfato de glucosamina: la dosis habitual es de 1.500 mg diarios repartidos en tres tomas, que se harán durante las comidas.
– Crema de cayena, de aplicación externa.
– Pepino de mar: la dosis habitual es de 1.000 mg diarios.
– SAM e (sadenosil-metionina): con propiedades antiinflamatorias y regeneradoras. La dosis habitual es de 800 mg en dos tomas durante 15 días y, posteriormente, 400 mg en dos tomas diarias.
– Omega 3: la dosis habitual es de 350 mg diarios.

Acupuntura

Se estimularán los siguientes acupuntos para tratar la artritis: dabao, xiaguan, tianzong, xiaohai, jianzhen, weiyang y jinmen.

Hipnoterapia

Las terapias de relajación y sugestión pueden ayudar a controlar el dolor, y la visualización podría contribuir a recuperar movilidad en las articulaciones.

Curación espiritual o Reiki

1. Se colocan ambas manos sobre los músculos trapecio, permaneciendo en esta posición hasta que la energía se haya disipado.
2. Se desciende por toda la espalda, imponiendo sucesivamente las manos a lo largo de la misma.
3. Para firnalizar, lo que se hace es colocar las manos sobre la parte inferior de la espalda.

❑ BURSITIS

DESCRIPCIÓN DE LA ENFERMEDAD

Se trata de una inflamación de la bolsa, esto es, una estructura de tejido conjuntivo que rodea a ciertas articulaciones. Esta enfermedad puede ser precipitada por una artritis, una infección, una lesión traumática o incluso un esfuerzo o ejercicio físico excesivo.

SÍNTOMAS

El más importante es un dolor intenso en la articulación afectada, particularmente con el movimiento.

TRATAMIENTOS

Fitoterapia occidental
Aplique sobre la zona afectada una cataplasma caliente compuesta de hojas de col cocidas y aplastadas, y con posterioridad colocadas entre dos capas de gasa o muselina. La linaza, el olmo americano y el malvavisco son, así mismo, remedios muy reconfortantes que pueden tomarse como complemento. Y al igual que en el caso de la artritis, aplique sobre la zona afectada compresas de cayena hervida en vinagre de sidra.

Fitoterapia china
Al tratarse de lo que se conoce como un «dolor cortante» (ver artritis), puede responder bien a la decocción para regular la sangre modificada (añadir Ji XueTeng y Yan Hu Suo).

Flores de Bach
Se puede complementar el tratamiento tomando violeta de agua, achicoria, pino, agua de roca y vid.

Terapia nutricional
Una alimentación rica en vegetales puede ayudar a prevenir o a tratar la bursitis, especialmente aquellos que contienen los siguientes elementos:

– Magnesio: espinacas, lechugas y espárragos.
– Silicio: perejil, ortigas y nueces.
– Bromelina de la piña.

❏ CALAMBRES

Descripción de la enfermedad

Contracción espasmódica y habitualmente dolorosa de uno o más músculos. En general afecta a las piernas, los pies y los dedos de los pies. Durante un calambre, las fibras del músculo se tensan de forma continua, sin ninguna relajación, de modo que se acumula el ácido láctico y otras sustancias de desecho de los músculos causando el dolor. Las causas no están del todo claras. Se da más en atletas o ancianos. Entre las posibles causas se encuentran la falta de sal, los problemas en la columna vertebral, los desórdenes neurológicos, el endurecimiento de las arterias o la arteriosclerosis.

Síntomas

El dolor puede ser extremadamente intenso, y es posible que dure tan sólo unos minutos o que se prolongue o se repita.

Tratamientos

Fitoterapia occidental
Para calmar el dolor de los calambres, se recomiendan cataplasmas de lino y manzanilla sobre la zona afectada, así como las fricciones con vinagre de manzana.

Fitoterapia china
Se trata de un «dolor cortante» que puede tratarse con la decocción para regular la sangre modificada (añadir Ji Xue Teng y Yn Hu Suo).

Quiromasaje
El quiromasaje se centrará en calentar los músculos para que así puedan enfrentarse a la realización del ejercicio. Se realiza de manera circular, en todo el grupo muscular, suavemente y favoreciendo la distensión y el riego sanguíneo.

Homeopatía
Existen cuatro remedios básicos para tratar los calambres:

– *Belladona*: tipo de calambre que empeora con el aire frío y mejora en reposo, incluso en la cama.
– *Colocynthis*: tipo constitucional irascible, con tendencia a malas digestiones y a los ataques de ira. El dolor mejora al presionar la zona afectada, con el calor y con el movimiento, y por el contrario empeora con el reposo o ante la indignación.

- *Nux vomica*: persona hipersensible, nerviosa y friolera, con tendencia a las malas digestiones. Es irascible, colérica y no le gusta que le lleven la contraria. Los síntomas empeoran con el frío y con el mal humor, y mejoran con el calor, la humedad y al dormir. Especialmente indicado para calambres que se han producido durante la actividad sexual.
- *Platina* (platino): especialmente indicado para las mujeres que son delgadas y arrogantes, que llevan muchas joyas puestas y tienden a aburrirse con prácticamente todo. Tienen un apetito sexual muy desarrollado. Los calambres se producen sobre todo durante la menstruación, y parecen mejorar al salir al aire libre.

Oligoterapia

El magnesio resulta de mucha utilidad.

Sales de Schüessler

Se recomienda el fosfato magnésico, el fosfato cálcico y el fosfato potásico.

Flores de Bach

Se recomienda impaciencia o castaño rojo.

Aromaterapia

Se aplicará un masaje con esencias de albahaca, lemongras y mejorana.

Terapia nutricional

Algunos alimentos que en ocasiones ayudan a evitar el que aparezcan calambres son el apio, la manzana y los frutos secos, especialmente los higos secos así como las avellanas.

Acupuntura

La acupuntura podrá utilizarse principalmente para tratar la predisposición que se tenga por naturaleza a los calambres. Los acupuntos más recomendados son quanliao y weiyang.

❏ CIÁTICA

DESCRIPCIÓN DE LA ENFERMEDAD

La ciática es un dolor neurálgico o nervioso que afecta al nervio ciático, que recorre la cadera, el muslo y la pierna. Generalmente, el término ciática se utiliza para definir una afección relativamente frecuente, caracterizada por dolores que se extienden a lo largo de toda la parte posterior de la cadera, muslo y pierna, siguiendo el trayecto del nervio ciático y de sus ramas. Sus causas pueden ser varias, aunque principalmente son de naturaleza mecánica, tales como luxaciones o hernias intervertebrales, varices de las venas epidurales o tumores vertebrales.

SÍNTOMAS

Dolor constante o intermitente, que se acentúa al estirar la pierna, al levantarla y al abandonar la cama.

TRATAMIENTOS

Fitoterapia occidental

Para tratar la ciática, lo más recomendable es tomarse cada ocho horas una infusión elaborada a base de milenrama, hipérico, diente de león, flor de saúco y menta. También está indicado el uso de las cataplasmas hechas con infusión concentrada de orégano o bien con la decocción de 100 gramos de hojas de hiedra en medio litro de agua.

Homeopatía

Existen numerosos remedios homeopáticos que pueden tratar la ciática:

Síntomas	Factores de mejoría y agravamiento	Remedio
Dolores como calambres, espasmos o ardor de la cadera a la rodilla, asociados con entumecimiento, sensación de músculos acortados. Pueden aparecer después de una contrariedad en una persona colérica.	Mejoría por la presión, el calor y al flexionar la pierna afectada sobre el abdomen. Agravamiento por el movimiento continuo y de noche, cerca de las 4 de la madrugada.	*Colocynthis.*
Dolores irradiados de tipo calambres, asociados con debilidad muscular y tendencia general a espasmos. Aparecen y desaparecen bruscamente, sobre todo al descubrir la extremidad.	Mejoría por la presión, el calor y al flexionar la pierna afectada sobre el abdomen. Agravamiento por el movimiento continuo y de noche, cerca de las 4 de la madrugada.	*Colocynthis.*

Síntomas	Factores de mejoría y agravamiento	Remedio
Dolores irradiados de tipo calambres, asociados con debilidad muscular y tendencia general a espasmos. Aparecen y desaparecen bruscamente, sobre todo en la extremidad.	Mejoría al estar de pie, por el calor, la presión y la fricción. Agravamiento por el frío y las aplicaciones frías, el esfuerzo intelectual, el movimiento.	*Magnesia phosphorica.*
Dolor ardoroso que empieza en la espalda y se irradia hacia la cadera y el muslo. Se asocia con una sensación de dolor de todo el cuerpo y agitación general.	Mejoría al caminar, por el movimiento (sin embargo, el dolor se agrava al iniciar el movimiento y al estirar la extremidad). Agravamiento por la noche y al despertar por la mañana, al levantarse de un asiento, al bajar las escaleras, por las aplicaciones de frío.	*Ruta graveolens.*
Dolor de tipo ardoroso asociado con agitación e imposibilidad para la persona de encontrar una posición que le acomode, ya sea de pie, sentada o acostada.	Mejoría por el movimiento continuo, la marcha, el calor, la presión. Agravamiento después de medianoche, por el frío, al estar acostado sobre el lado doloroso y al iniciar cada movimiento.	*Rhus toxicodendron.*
Dolor caracterizado por agravamiento con el mínimo movimiento y con el frío, lo que obliga al reposo completo e incluso a la inmovilidad.	Mejoría por la presión y, por ende, acostado sobre el lado doloroso.	*Bryonia alba.*
Dolor como descarga eléctrica, que se ubica sobre todo hacia la derecha, cambia de localización y recorre la cara externa de la extremidad de arriba abajo, asociado con una sensación de agujetas y entumecimiento.	Mejoría por la presión. Agravamiento por el movimiento.	*Phytolacca decandra.*

Síntomas	Factores de mejoría y de agravación	Remedio
Dolor que aparece y desaparece bruscamente, sobre todo hacia la izquierda, y se extiende hacia abajo. Asociación con una intensa debilidad general.	Mejoría por el movimiento, el calor de la cama y al flexionar la pierna afectada. Agravamiento por la presión, antes de evacuar el intestino, por los cambios del tiempo.	*Kali bichromicum.*
Dolor que impide descansar en la cama porque se agrava al estar acostado.	Mejoría por el movimiento, al aire libre, al flexionar la pierna. Agravamiento cuando la persona está acostada sobre el lado doloroso.	*Kali iodatum.*

Estos remedios deben tomarse diluidos, tres glóbulos en cada toma, no más de cuatro tomas.

Flores de Bach

La verbena resulta muy útil para tratar la ciática.

Aromaterapia

Se recomiendan los masajes con aceites esenciales de cayeputi, lavanda y manzanilla.

Cromoterapia

El color azul añil es el más apropiado.

Naturopatía

Para aliviar el dolor de ciática, especialmente el producido por el frío y la humedad, puede ser muy efectivo tomar un baño caliente con sales de magnesio. Para cualquier tipo de dolor de espalda es muy recomendable tomar un suplemento diario de extractos de algas por su elevado contenido en yodo. Los baños calientes y el descanso en una cama firme alivian los dolores de espalda. Prepare un baño con una cucharadita de mostaza o cayena, o bien con ortigas en infusión.

Curación espiritual o Reiki

1. Se coloca una mano sobre el hueso sacro, con los dedos de la mano mirando hacia abajo, en dirección a la punta de dicho hueso. Al mismo tiempo, se sitúa la otra mano junto a la primera con los dedos apuntando en la dirección opuesta.

2. Se va bajando la segunda mano por la pierna palmo a palmo hasta la rodilla.
3. Partiendo de la rodilla, se colocan las manos a ambos lados de la pierna, presionándola levemente desde los laterales. Se baja palmo a palmo hasta que se haya tratado toda la parte inferior de la pierna y la planta del pie.

❑ CONTRACTURA FISIOLÓGICA

Descripción de la enfermedad

Trastorno temporal caracterizado por la contracción y el acortamiento muscular durante un periodo considerable de tiempo. Algunas de sus causas son las temperaturas extremas, el consumo de determinadas sustancias y la acumulación local de ácido láctico.

Síntomas

La contractura es más bien un síntoma que una enfermedad. Aún así, se caracteriza porque el músculo opone cierta resistencia a la tracción y puede producirse dolor.

Tratamientos

Masaje terapéutico chino
La medicina tradicional china recomienda el masaje sólo como un tratamiento sintomático: habrá que investigar la causa de la contractura para tratarla al mismo tiempo. El masaje en sí se realiza siguiendo los siguientes pasos:

- Se empieza aplicando el método de fricción con el talón de la palma o el método de presión con el pulgar en la zona contraída. Se prosigue con los métodos de amasamiento y pellizco de una forma paulatinamente más profunda.

- Se trabajarán los siguientes acupuntos de los miembros superiores: jianyu, quchi, shaohoi, hegu y neiguan. En los miembros inferiores se utilizarán los acupuntos xuehai, weizhong, chengshan, chengjin (que se encuentra por encima de chengshan, en la mitad del músculo gastronemio) y taixi. En todo caso, se usarán los métodos de hurgamiento y amasamiento.

- Se procederá a aplicar tracción a los músculos contraídos, tirando de ellos con fuerza al tiempo que se aplica masaje en el grupo de músculos contraídos y sobre los acupuntos más próximos a la articulación.

- Para terminar, se aplican las técnicas de amasamiento, pellizco, fricción-rodillo y vibración en la zona contraída.

Homeopatía
- *Rhus toxicodendron*: se recomienda cuando el dolor se exacerba al inicio de los movimientos y mejora con el calor.

Flores de Bach
El roble alivia las contracturas y la verbena, la tensión muscular.

Quiromasaje
El objetivo principal es relajar el músculo, así pues, hay que aplicar calor en el músculo afectado. Si no se dispone de una fuente de calor, otra persona o uno mismo, si es capaz de alcanzar el músculo afectado, puede aplicar calor frotándose enérgicamente las manos y, a continuación, apretando ligeramente las palmas sobre el músculo. Hacer estiramientos suaves, sin forzar ni rebotar. Masajear la región muscular lesionada. Puede hacerse «en seco» con mucho cuidado, pero lo ideal es tener en el botiquín algo de aceite para masajes o incluso una pomada calmante.

Aromaterapia
Se utilizarán aceites de ciprés, mejorana, pimienta negra, romero y tomillo.

❑ CONTUSIÓN

DESCRIPCIÓN DE LA ENFERMEDAD

Una contusión es una lesión corporal sin solución de continuidad causada por un golpe. La aplicación inmediata de frío reduce la extensión.

SÍNTOMAS

Se caracteriza por tumefacción o hinchazón, cambio de coloración y dolor. Se puede producir una hemorragia y formar un hematoma bajo la piel.

TRATAMIENTOS

Fitoterapia china
Se puede aplicar el mismo tratamiento que para los esguinces (ver el apartado correspondiente). Existe también un remedio patentado, el Yunnan Bai Yao.

Masaje terapéutico chino

Este tratamiento que pasamos a explicar a continuación es especialmente eficaz para tratar contusiones en las extremidades.

1. Si la contusión se encuentra en estado agudo (síntomas muy evidentes), se procederá de la siguiente forma:

   a) Se coloca la extremidad lesionada en posición elevada.
   b) Se escoge un acupunto cercano al lugar de la lesión y se aplican los métodos de hurgamiento y vibración digital hasta que remita el dolor.
   c) Utilizando los métodos de presión, fricción, amasamiento y presión divergente, se masajeará la zona lesionada avanzando de arriba abajo y de un lado al otro.
   d) Para terminar, se amasará muy suavemente la yema del pulgar.

2. Estadio avanzado, es decir, dos o tres días después de la lesión, cuando el dolor y la hinchazón han empezado a remitir:

   a) Se escoge un acupunto cercano a la zona afectada y se aplican los métodos de hurgamiento y vibración digital.
   b) Avanzando desde el punto más lejano hacia el centro, se aplica el método de presión del pulgar alrededor de la zona lesionada.
   c) Si al presionar con el dedo queda marca en la zona de la hinchazón, se emplea el punzón digital de forma ligera pero insistente.
   d) En caso de alteración de la movilidad, se utilizan manipulaciones pasivas como la rotación, la extensión o la flexión.

Aromaterapia

Las siguientes esencias pueden combinarse perfectamente con el masaje terapéutico chino para de esta forma aliviar las contusiones: ciprés, mejorana, pimienta negra, romero y tomillo.

❑ DOLOR DE ESPALDA O LUMBAGO

DESCRIPCIÓN DE LA ENFERMEDAD

Se trata del dolor de las regiones lumbar, lubosacra o cervical de la espalda, variable en intensidad y presentación. Algunas de las causas que lo producen son la tensión o algún otro trastorno muscular, o la compresión de alguna raíz nerviosa, como la del ciático mayor.

SÍNTOMAS

Los síntomas son muy variables, pero incluyen espasmos musculares, con el dolor descendiendo por las piernas. El dolor lumbar es común, al igual que el agarrotamiento de la parte superior de la espalda y los hombros.

TRATAMIENTOS

Fitoterapia occidental

Para tratar el dolor de espalda, se recomienda la infusión de 10 g de hojas de sauce, 10 g de matricaria, 15 g de menta, 10 g de hipérico, 20 g de romero y 15 g de tila en un litro de agua, una taza cada ocho horas hasta que remita el dolor. Para uso externo, se recomienda aplicar a modo de cataplasma la decocción de 50 g de hipérico, 50 g de menta y 30 g de romero en medio litro de agua.

Fitoterapia china

En algunos casos, el dolor lumbar crónico puede deberse al frío en los riñones, por lo que iría acompañado de orina frecuente, clara y abundante, necesidad de orinar por la noche, sensación de frío, retención de líquidos en la parte inferior del cuerpo y tez pálida. La lengua estará pálida, hinchada y con saburra blanca, y el pulso será débil. Se recomienda la decocción para fortalecer el riñón.

Por otro lado, se pueden recomendar diferentes tratamientos en función del tipo de dolor:

• PESADO Y RÍGIDO (ver Artritis): decocción para caldear los meridianos.

• DOLOR CORTANTE (ver Artritis): decocción para regular la sangre modificada (añadir Ji XueTeng y Yan Hu Suo).

• INFLAMACIÓN (ver Artritis): decocción para nutrir el riñón modificada y añadir Dan Shen.

Masaje terapéutico chino

Cuando el síntoma principal consiste en un dolor en la zona inferior de la espalda, que se agrava por exceso de cansancio, con el tiempo húmedo y por permanecer sentado durante largos periodos de tiempo, el masaje terapéutico está muy recomendado:

• Con el paciente tumbado boca abajo, se aplica el método de fricción con la palma, empezando en la zona indolora de la espalda para ir acercándose al área dolorida.

- A continuación se emplea el método de amasamiento con el talón de la palma o el método del rodillo a ambos lados de la columna vertebral.

- En tercer lugar, con el pulgar se aplica un amasamiento profundo en punto de máximo dolor, alternando este movimiento con el de hurgamiento con el dedo y el de vibración digital. Estas técnicas son especialmente eficaces en los acupuntos shenshu, mingmen y los ocho liao.

- Se concluye el masaje con los métodos de rodillo y amasamiento.

  Existe también un programa de gimnasia terapéutica que se puede emplear para evitar el riesgo de esguince lumbar:

  - Restregar el lumbus: en la posición normal de trabajo, se utilizan los puños para restregar repetidamente los dos lados de la espina lumbar.
  - Distensión del lumbus: de pie, con los pies separados a la altura de los hombros, se levantan los brazos, se inspira, se distiende el abdomen y se proyecta la cintura hacia atrás tanto como sea posible, presionando todos los músculos del cuerpo. Tras unos segundos, se vuelve a la posición de partida y se repite el ejercicio.
  - Enderezar la cintura: se adopta la posición del arquero, con la pierna derecha adelantada, la mano derecha sobre el muslo derecho y la mano izquierda sosteniendo el lado izquierdo de la zona lumbar. Se baja el centro de gravedad del cuerpo, presionando la zona lumbar con la mano izquierda y la rótula con la mano derecha. Se inclina el torso hacia atrás desde la cintura, y se empuja hacia atrás varias veces aumentando gradualmente el alcance del movimiento. A continuación, se cambia de pierna y de mano y se repite el ejercicio.

Shiatsu

El planteamiento inicial más simple puede ser el tratamiento de los tsubos situados en la zona dolorida con vistas a corregir el kyo o jitsu excesivo, evitando presionar directamente sobre la columna vertebral si está dolorida, y liberar la tensión asociada que pueda detectar en otras zonas de la espalda.

Los problemas recurrentes en la espalda suelen reflejar una debilidad subyacente en los órganos locales. El dolor lumbar suele indicar problemas de riñones o de vejiga, y para tratarlo, se recomienda el punto VB 30. Por otro lado, el punto situado en el centro de la parte posterior de las rodillas es un tsubo muy usado para mitigar toda clase de dolores de espalda. Nunca se aplicará presión directa sobre zonas lesionadas, como discos desviados.

Homeopatía

Hay numerosos remedios disponibles:

- *Dulcamara*: el tipo constitucional es gordo, débil y friolero. Es especialmente recomendado cuando el lumbago ha aparecido tras una exposición al calor o al frío, o por el tiempo húmedo, incluso en verano.
- *Rhododendron chrysantum*: es muy indicado para dolores de espalda que empeoran antes de las tormentas, con el frío, con el viento, con la humedad y con el reposo.
- *Ruta graveolens*: individuos con tendencia al agotamiento físico cuyo dolor empeora con el frío, la humedad y el reposo.
- *Calcarea fluorica*: individuos muy ordenados con un dolor que comienza al moverse y que empeora con la humedad y el reposo, mejorando visiblemente con el calor.
- *Kalium bichromicum*: individuos gordos con aversión al agua. El dolor empeora con el frío y de madrugada, y mejora con el calor.

Flores de Bach

El remedio más utilizado es la mostaza.

Aromaterapia

Se recomiendan masajes en la zona afectada con aceites esenciales de ciprés, mejorana, pimienta negra, romero y tomillo. En este caso, la Aromaterapia resultará especialmente eficaz combinada con el masaje terapéutico chino.

Acupuntura

Se estimularán los mismos acupuntos que para la hernia de disco (ver Hernia de disco).

❑ ESGUINCES y TORCEDURAS

Descripción de la enfermedad

El esguince es una lesión traumática de los tendones, los músculos o los ligamentos que rodean una articulación. Los más habituales son el de tobillo, la lumbar o de los ligamentos accesorios de la rodilla.

Síntomas

El esguince se caracteriza sobre todo por dolor, hinchazón y cambio de color de la piel. Además, generalmente, después de la lesión suele aparecer una paralización reactiva.

TRATAMIENTOS

Fitoterapia occidental

Se recomiendan cataplasmas de consuelda mayor e infusiones de toronjil silvestre.

Fitoterapia china

La hinchazón es el efecto de un estancamiento localizado, debido a frío o calor. Si la piel está hinchada, no está roja ni caliente, se debe al frío o humedad. Si la inflamación es notable, roja y hay sensación de calor en esa zona, la causa es atribuible al calor. Es trascendental diferenciarlos porque se aplica calor a las afecciones originadas por frío, y viceversa.

La siguiente receta es muy útil para tratar los diferentes esguinces y torceduras:

– Chuanwu (6 qian): *Aconitum carmichaeli Debx.* (raíz).
– Caowu (6 qian): *Aconitum sinensis Pext.* (raíz).
– Baizhi (1 liang): *Angelica anomala* (raíz).
– Xiaoghuixiang (2 liang): *Foeniculum vulgare Mil.* (hinojo: fruto).
– Rougui (2 liang): *Cinnamomum cassia Bl.* (sangre de dragón).
– Ruxiang (3 liang): *Boswellia glabra* (incienso).
– Moyao (3 liang): *Commiphora myrrha* (mirra).
– Xuejie (3 liang): *Daemonorops draca Bl.* (sangre de dragón).
– Qianghuo (3 liang): *Notopterygium incisum Ting.* (raíz).
– Duhuo (3 liang): *Angelica pubescens Maxim.* (raíz).
– Xiangfu (3 liang): *Cyperus rotundos L.* (rizoma).
– Niuxri (3 liang): *Achyranthes bidentata Bl.* (raíz).
– Xuduan (3 liang): *Dipsacus japonicus Mig.* (raíz).
– Chuanxiong (3 liang): *Ligusticum wallichii Franch* (rizoma).
– Chishao (3 liang): *Paeonia lactiflora Pall.* (raíz de peonía).
– Zirantong (3 liang): cobre nativo.
– Danggui (5 liang): *Angelica sinensis* (raíz).
– Zijingpi (5 liang): *Cercis sinensis Bge.* (corteza).

Estas hierbas se pulverizan y se mezclan con agua caliente hasta que se obtiene una pasta. Ésta se pone sobre una gasa, que se extiende sobre la zona afectada y se mantiene en posición con un vendaje.

Masaje terapéutico chino

1. Torcedura de la articulación del tobillo: es mejor actuar en el momento agudo de la lesión, para reactivar el flujo de sangre y de ki:

a) Se aplica un ligero masaje de fricción alrededor de la zona torcida.

b) Se continúa con una fuerte manipulación estimulante, utilizando el método de hurgamiento digital o el método de vibración digital sobre el acupunto juegu (espacio entre la tibia y el peroné) del miembro afectado. De esta forma se debe conseguir suprimir el dolor.

c) Se utilizan los métodos de presión, fricción y amasamiento alrededor de la zona afectada, en el sentido del retorno venoso.

d) Se aplican masajes de presión y fricción cada vez más fuertes, pasando gradualmente de la periferia al centro de la zona lesionada. En el caso de que haya hinchazón o hematoma, se recurrirá también a los métodos de presión y de punzón digital ligera, insistiendo en el área inflamada con hematoma.

e) Para concluir, se usarán los métodos de hurgamiento y de vibración digital a los acupuntos juegu, chengshan, kuenlun, taxi, jiexi, pushen y rango.

2. Torcedura lumbar:

a) Con el paciente tumbado boca abajo, se aplican los métodos de fricción o de presión con el pulgar en la región lumbar, con el objetivo de relajar los músculos.

b) Se utiliza el método de rodillo en ambos lados de la zona lumbar, para después amasar en círculo alrededor de la lesión con el pulgar, con la palma y con el borde exterior de la mano, avanzando lentamente hacia el centro al tiempo que se aumenta la fuerza empleada.

c) Se usan las técnicas de amasamiento y hurgamiento en los acupuntos shenshu, mingmen, shangliao, ciliao, huantiao, chengfu y weizhong.

d) Se presiona la columna lumbar con la mano derecha, mientras con la izquierda se levanta la pelvis.

e) A continuación, golpear de la región lumbar con la palma de la mano.

f) Con el paciente de pie, se le aplican los métodos de amasamiento y de estiramiento en la región lumbar.

3. Torcedura de los ligamentos accesorios de la rodilla: el masaje sólo es efectivo si el ligamento no está completamente desgarrado; en caso de que lo esté, habrá que recurrir probablemente a la cirugía. En caso de lesiones leves se procederá del siguiente modo:

a) Con el paciente tumbado de espaldas, se suprime el dolor aplicando la técnica de hurgamiento en el acupunto xuehoi.

b) A continuación, lo que debe hacerse es aplicar el método de presión con el pulgar en la parte superior de la zona afectada, seguido inmediatamente por el método de amasamiento.

c) Se utiliza el método del punzón digital en la zona inflamada y sensible, progresando desde el punto más distante hasta el más próximo hasta que desaparezca la hinchazón, momento en que se aplica el método de amasamiento con la palma de la mano en la zona afectada.

d) Se utilizan el amasamiento y el hurgamiento en los acupuntos xiyan, yinlingquan, yanglingquon, weizhong y heding.

e) Se proseguirá con una manipulación pasiva, doblando y extendiendo la articulación de la rodilla con mucha suavidad.

f) Para concluir, se aplican los métodos de amasamiento y del pellizco a los músculos situados alrededor de la rodilla.

Homeopatía

Hay algunos remedios que pueden ser de utilidad para tratar un esguince, como por ejemplo:

- *Calcarea fluorica*: indicado para individuos muy ordenados, cuyo dolor se va incrementando con el reposo.
- *Natrum carbonicum*: individuos débiles, depresivos, frioleros y fatigados. El dolor empeora tanto con el frío como con el calor, y mejora al moverse.
- *Symphytum*: indicado para esguinces en general.

Aromaterapia

Los aceites de ciprés, mejorana, pimienta negra, romero y tomillo pueden ayudar a aliviar el dolor producido por un esguince.

Terapia nutricional

Para recuperarse de un esguince, se procurará consumir alimentos ricos en magnesio (espinacas, lechuga, espárragos) y en silicio (ortigas y perejil), así como piñas.

❏ ESPONDILITIS ANQUILOSANTE

Descripción de la enfermedad

Enfermedad inflamatoria crónica que afecta principalmente a la columna vertebral y estructuras próximas, que por lo general evoluciona hasta la fusión final (anquilosis) de las articulaciones afectadas. En algunos casos extremos, el paciente puede presentar una flexión de la columna hacia delante que se denomina «columna vertebral rígida» o «columna en caña de bambú». Existe una fuerte tendencia hereditaria y afecta especialmente a varones menores de 30 años.

SÍNTOMAS

En algunas ocasiones, los síntomas de una espondilitis anquilosante aparecen después de un catarro: fiebre y un dolor persistente en todo el cuerpo. Hay un gran dolor en la columna vertebral, así como dificultad para girar el cuello o para mover la espalda.

TRATAMIENTOS

Masaje terapéutico chino

El médico tradicional chino la considera como un tipo de parálisis y la divide en tres formas diferentes: parálisis al andar, parálisis dolorosa y parálisis localizada. La enfermedad es causada por el viento, el frío y la humedad, los llamados tres males externos. El viento causa la parálisis al andar; el frío, la parálisis dolorosa; y la humedad, causa la localizada. En cualquier caso, el masaje terapéutico puede obtener resultados muy positivos:

- Con el paciente tumbado boca abajo, se aplica el método de presión con la yema del pulgar en cada lado de la columna vertebral, seguido de una fricción circular de la espalda.

- Si el problema está localizado en la parte superior de la espalda, se estimularán los acupuntos fengchi, fengfu, jianjing y dazhiu. Si el problema está en la zona lumbar y de la cadera, se usarán los puntos shenshu, mingmen, los ocho liao y huantiao. Los métodos principales serán el hurgamiento digital, el vibratorio digital y la presión con la punta del pulgar.

- Se realizarán diferentes ejercicios de rotación y estiramiento según la zona afectada. Cuando la degeneración implica principalmente anquilosis, se utilizarán varios tipos de manipulación pasiva para aflojar las articulaciones anquilosadas.

Fitoterapia china

En los casos en que la enfermedad empeore durante el invierno o en general con la llegada del frío, se puede utilizar la receta elaborada con las siguientes hierbas:

- Shudi (3 liang): *Rehmannia glutinosa* (raíz cocida).
- Shouwu (3 liang): *Polygonum multiflorum Thunb.* (raíz).
- Congrong (1 liang): *Cistanche deserticola*.
- Fui (3 liang): *Aconitum carmichaeli Debx.* (raíz).
- Xiongfu (3 liang): *Cyperus rotundus L.* (rizoma).
- Yanhusuo (3 liang): *Corydalis yanhusuo* (rizoma).

- Qinjiao (3 liang): *Gentiana macrophylla* (raíz).
- Mugua (3 liang): *Chaenomeles lagenaria Koidz.* (fruto).
- Danggui (3 liang): *Angelica sinensis* (raíz).
- Chenpi (2 liang): Corteza de naranja o mandarina.

Se pulverizan las hierbas y se elaboran píldoras que se administran dos veces al día.

❑ GOTA

DESCRIPCIÓN DE LA ENFERMEDAD

La gota es una inflamación de las articulaciones producida por el almacenamiento de ácido úrico, que se deposita en forma de cristales, dañando las articulaciones y produciendo un gran dolor.

SÍNTOMAS

Los síntomas más habituales son el ataque agudo al dedo del pie, dolor que afecta a varias articulaciones y degeneración articular.

TRATAMIENTOS

Fitoterapia occidental
El tratamiento combianará el uso de plantas depurativas con el de remedios que combatan el ácido úrico. Entre las primeras, cabe citar la decocción de 50 g de copos de avena, 50 g de cola de caballo, 20 g de bayas de enebro y 20 g de verbena en medio litro de agua, tres tazas al día. Con efectos hipouricemiantes, se recomienda la infusión de 20 g de brezo, 40 g de hojas secas de abedul y 15 g de ulmaria en un litro de agua, tres tazas al día.

Homeopatía
Para tratar la gota, se recomienda *Calcarea carbonica* (adultos pequeños y rechonchos cuyos síntomas empeoran con la Luna llena), *Ledum palustre* (individuos fuertes y pletóricos cuyos síntomas mejoran notablemente con el reposo) y *Sulphur* (personas delgadas y débiles que detestan el agua).

Terapia nutricional
Se deben eliminar por completo los alimentos ricos en pruinas, que se transforman en ácido úrico. Las pruinas se encuentran principalmente en las carnes grasas (y sobre

todo en las vísceras como el hígado o los riñones), en el caldo de carne con grasa, en algunos pescados azules y en las bebidas alcohólicas, así como en el café.

Hay otros alimentos cuya ingesta debe limitarse en la medida de lo posible a dos o tres veces por semana: carnes y mariscos, pescado y algunos vegetales como las habas, coliflores, lentejas, espárragos y guisantes. Los alimentos permitidos son el resto de los vegetales, los frutos secos, la fruta, la leche desnatada y sus derivados y los huevos.

Sales de Schüessler
Se prescribirá fosfato sódico.

❏ HERNIA DISCAL

Descripción de la enfermedad

Rotura del fibrocartílago que rodea un disco intervertebral con salida del núcleo pulposo que sirve de amortiguador entre las vértebras superior e inferior. La hernia de disco se da sobre todo en la región lumbar.

Síntomas

Los síntomas principales de esta dolencia suelen presentarse bajo la forma de un dolor en la parte inferior de la espalda que se irradia hacia las extremidades inferiores.

Tratamientos

Masaje terapéutico chino
La medicina tradicional china recomienda el masaje terapéutico como uno de los medios más eficaces para tratar esta dolencia. Hay varias técnicas que se pueden usar:

1. Manipulación ligera, especialmente en casos leves o para comenzar el tratamiento de casos más graves:

   a) El paciente se tumba boca abajo, con los brazos al lado del cuerpo.
   b) Relajación muscular: se aplica un masaje con el pulgar en cada lado de la columna lumbar y en las nalgas, aumentando gradualmente la fuerza. Se aplicará presión en acupuntos como mingmen, shenshu, los ocho liao, huantiao, wefzhong y chengshan. Para concluir, se utiliza el método del rodillo, avanzando de arriba abajo a lo largo de la región lumbar y la pierna del lado afectado.

c) Tracción: el paciente se tumba de lado, con el lado afectado hacia arriba. Se aplica el método de estiramiento lumbar, tipo 1, doblando enérgicamente las articulaciones de la cadera y de la rodilla hacia adelante.

d) Movimiento de la pierna: se usa el método de estiramiento del miembro inferior.

2. Fuerte extensión posterior, indicada cuando los síntomas dolorosos han mejorado o en casos crónicos:

a) Relajación del paciente con los métodos del amasamiento y de rodillo en el área lumbar y en la pierna.

b) Se lleva a cabo el método lumbar, tipo 3.

c) Ejecutar el método de estiramiento lumbar, tipo 4.

d) Estiramiento del miembro inferior.

Fitoterapia china

Existe una receta muy eficaz para tratar la hernia de disco. Se molerán las siguientes hierbas hasta convertirlas en polvo:

– Caowu (fresco): *Aconitum chinense Pext.* (raíz).

– Ruxiang (fresco): *Boswellia glabra* (incienso).

– Moyao (fresco): *Commiphora myrha Engler* (mirra.)

– Xuejie: *Daemonorops draco Blume* (sangre de dragón).

– Jixingzi: *Impatiens balsamiha L.* (semillas).

– Dibiechong: *Larrada aurulenta* (escarabajo).

– Shangrougui: *Cinnamomum casia Blume.*

– Qianghuo: *Notoptetygium incisum Tung.* (raíz).

– Duhuo: *Angelica pubescens Maxim.* (raíz).

– Chuanwu (fresco): *Aconitum carmichaeli Debx.* (raíz).

Se macera en vinagre y se amasa hasta conseguir una pasta homogénea, que se aplicará en forma de cataplasmas calientes en la zona lumbar dolorida.

Homeopatía

Se recomienda el *Aesculus hippocastanum*, que es especialmente eficaz en aquellos individuos venosos que suelen padecer hemorroides, que son lentos física y mentalmente al tiempo que irritables. El dolor empeora con el reposo nocturno y mejora con el frío.

Sales de Schüessler

Se recomienda el fluoruro cálcico.

Acupuntura

Trabajar los acupuntos: shuigou, yaoyangguan, mingmen, futu, jiaji, yaoyan, houxi, taixi, sanyangluo, pangguangshu, baihuanshu, chengfu, yinmen, weiyang, zhibian, chengshan, fuyang, jinggu, shugu, jingmen, daimai, juliao, huantiao, fengshi y yangfu.

❑ JUANETES

Descripción de la enfermedad

Se denomina popularmente juanete a la protusión de la articulación del dedo gordo del pie. El juanete está producido por una angulación indebida del dedo gordo del pie, el cual se ve obligado con el paso del tiempo a inclinarse sobre los dedos adyacentes atrofiándose él mismo y los dedos vecinos.

Síntomas

Dolor muy intenso al caminar o al llevar cierto tipo de calzado.

Tratamientos

Fitoterapia occidental

Se recomiendan los pediluvios con la decocción de 50 gramos de semillas de lino, 30 g de malvavisco y 50 g de consuelda mayor en un litro de agua.

Naturopatía

Vitaminas A y C, calcio y vitamina D para fortalecer los huesos.

Shiatsu

El popular masaje de pies de la técnica Shiatsu puede ayudar a aliviar el dolor e incluso lograr que las articulaciones no sigan deformándose.

❑ LACERACIÓN MUSCULAR O ROTURA DE LIGAMENTOS

Descripción de la enfermedad

Lesión muscular producida por un desgarro. Suele ser el resultado de una contracción brusca del músculo, por lo que es muy frecuente en atletas y gente que realiza trabajos pesados.

SÍNTOMAS

En el momento de la lesión, hay una sensación de desgarrón, seguida de un dolor de contracción en el grupo muscular afectado. A continuación se forma una hinchazón, y al día siguiente pueden aparecer pequeñas manchas contusionadas cerca de la lesión. Al cabo de algún tiempo, la hinchazón degenera en un nódulo.

TRATAMIENTOS

Fitoterapia china
Se pulverizan las siguientes hierbas:

- Huangbo (1 liang): *Phellodendron chinenese Schneid.* (corteza).
- Xuejie (1 liang): *Daemonorops draco Bl.* (sangre de dragón).
- Dahuong (2 liang): *Rheum officinale Baill.* (corteza del tallo).
- Mutong (1 qian): *Akebia trifoliata* (Thumb.) Koidz (fruto).
- Yanhusuo (2 qian): *Colydalis yanhusuo* (rizoma).
- Qianghuo (5 qian): *Notopterygium incisum Ting.* (raíz).
- Duhuo (5 qian): *Angelita pubescens Maxim.* (raíz).
- Baizhi (5 qian): *Angelita anomala* (raíz).
- Muxiang (5 qian): *Saussurea lappa Clarke.*
- Xixin (5 qian): *Asamm sieboldi Mig.* (raíz).

A continuación, se mezclan con jarabe formando una masa que se ha de aplicar sobre la lesión.

Masaje terapéutico chino
- Si se aplica en el momento de la lesión o en las 24 horas siguientes, el masaje no debe ser profundo. Se aplicará el método de fricción con la palma de la mano.

- Después de dos o tres días, cuando hayan aparecido las pequeñas manchas contusionadas en la piel, se puede variar el masaje, utilizando el método de presión con la palma de la mano por encima y debajo de la zona afectada. Tras repetirlo unas diez veces, se realiza el amasamiento del área lesionada con el borde de la palma, cuidando de no emplear demasiada fuerza. El método del punzón digital en las contusiones superficiales de alrededor de la lesión es muy recomendable.

- Si pasado el tiempo persiste la presencia del nódulo (pero no se diagnostica calcificación muscular, en cuyo caso el masaje no está recomendado), realice un amasamiento profundo, añadiendo manipulaciones pasivas como la rotación o el estiramiento.

❏ MALACIA ROTULAR

DESCRIPCIÓN DE LA ENFERMEDAD

Es un reblandecimiento o espongiosis patológica de la rótula. La superficie articular de la rodilla, en particular la de la rótula, se ve afectada por una incorrección excesiva y prolongada en su movimiento, lo cual produce una dislocación.

SÍNTOMAS

El problema comienza con molestias en la rodilla, seguido de dolor y una sensación de rozamiento que desaparece después de haber realizado algunos movimientos. Después de un periodo de descanso, el dolor se intensifica, llegando a producir cojera.

TRATAMIENTOS

Masaje terapéutico chino
- Con el paciente tendido boca abajo, se aplica el masaje de rodillo o de pellizco en el muslo y la pantorrilla. Se repite la operación con el paciente tendido boca arriba.

- A continuación, se dobla ligeramente la rodilla del paciente y se apoya sobre una almohada. Se presiona con la punta y la yema del pulgar a los lados del espacio que hay debajo de la rótula, continuando con la presión alrededor de la rodilla.

- Con las puntas de los cinco dedos, se sujetarán los bordes interior y exterior de la rótula para aplicar fricción. A continuación se aplicarán las técnicas de hurgamiento y vibración digitales en los acupuntos zusonli, xuehai, yinlingquan y yanglingquan. y para terminar, se emplean el amasamiento y la fricción en el muslo y la pantorrilla.

❏ OSTEOPOROSIS

DESCRIPCIÓN DE LA ENFERMEDAD

La osteoporosis es un proceso caracterizado por la pérdida anormal de densidad del hueso, que sucede en mayor frecuencia en mujeres posmenopáusicas, en personas sedentarias o inmovilizadas y en enfermos con tratamiento prolongado con corticosteroides.

SÍNTOMAS

Puede causar dolor, en especial en la parte inferior de la espalda, fracturas patológicas, pérdida de estatura y diferentes deformaciones.

TRATAMIENTOS

Fitoterapia occidental
Las siguientes plantas están recomendadas para el tratamiento de la osteoporosis:

- Cola de caballo: se administrará la decocción de 5 gramos de hojas secas en un vaso de agua, un vaso al día.
- Aguacate: se recomienda tomar esta fruta a diario, por ejemplo en el desayuno.
- Cebolla: se puede optar por la decocción de una cebolla en un litro de agua, y tomar dos vasos al día.

Homeopatía
El tratamiento homeopático presenta algunos remedios generales:

- *Ruta graveolens*: está especialmente indicado cuando el dolor empeora con el frío, la humedad y el reposo, mejorando con el movimiento.
- *Bryonia*: el tipo constitucional es fuerte e irritable. El dolor empeora al contacto, con el calor y con el movimiento y por la tarde; mejora con frío y reposo.

Oligoterapia
Se recomienda tomar o bien una combinación de calcio, fósforo y silicio, o bien magnesio.

Flores de Bach
Se recomienda usar pino.

Terapia nutricional
Hay varios alimentos cuya ingesta puede ayudar a prevenir o tratar la osteoporosis:

- Alimentos ricos en calcio: la principal fuente de calcio la constituyen la leche y sus derivados; sin embargo, se recomienda tomarlos siempre desnatados. Los frutos secos también son muy ricos en este elemento; de entre los más adecuados para este trastorno, se pueden citar las almendras, las nueces del Brasil, las avellanas y los pistachos. Otros alimentos vegetales muy ricos en calcio son los ajos, cebollas, coles, manzanas, plátanos, aguacates y avena.

– Alimentos ricos en magnesio, ya que éste interviene junto con el potasio en la formación de los huesos. Así pues, alimentos ricos en magnesio son la avena, la lechuga, el espárrago, la patata, las lentejas y la calabaza.

– Alimentos ricos en vitamina D, cuya función consiste en fijar el calcio de los alimentos en los huesos e impedir que éste se disuelva en la sangre y se vaya a los músculos y los nervios. La vitamina D se puede encontrar en alimentos de origen animal como la leche, los huevos, la mantequilla, el aceite de hígado de bacalao y los pescados grasos.

– Un exceso de proteínas de origen animal no ayuda a la osteoporosis, de modo que se recomienda sustituir la carne en algunas comidas por otras fuentes de proteínas como las legumbres o la soja.

Naturopatía

Algunos suplementos que pueden ayudar a tratar la osteoporosis son:

– Suplementos de calcio: la dosis habitual se establece en 1.200 mg diarios repartidos en las comidas principales, y en general no debe sobrepasarse esta cantidad, ya que podría impedir que se absorbieran otros minerales necesarios para el organismo.

– Suplementos de vitamina D: la dosis usual será de 500 mg diarios, repartidos en dos tomas.

– Suplementos de vitamina C, para prevenir la oxidación de las células de los huesos. La dosis habitual es de 2.000 mg diarios, repartidos en dos tomas.

– Suplementos de boro: este mineral interviene en la producción de estrógenos, que ayudan a fijar el calcio. La dosis se establece en 3 mg diarios.

– Suplementos de magnesio: la dosis se establece en unos 500 mg al día repartidos en las dos comidas principales.

– Suplementos de manganeso: 20 mg diarios, repartidos en dos tomas, preferiblemente en los extremos del día.

❏ PERIARTRITIS DEL HOMBRO U HOMBRO CONGELADO

Descripción de la enfermedad

La periartritis del hombro es la inflamación de los tejidos que rodean las articulaciones de esta zona. En ocasiones hay emigración de una calcificación.

Síntomas

Los dolores, crónicos o agudos, a veces se acompañan de una limitación de los movimientos del hombro. Si hay calcificación, el dolor resulta extremadamente agudo y violento. En un estado más avanzado, los síntomas dolorosos suelen disminuir paulatinamente, pero la movilidad de la articulación del hombro es cada vez más problemática.

Tratamientos

Masaje terapéutico chino
- Con el paciente sentado y con los hombros relajados, se aplicarán los métodos de fricción con el pulgar y presión con la yema del pulgar sobre la espalda y la zona escapular de ambos hombros. A continuación, se procederá con los métodos de amasamiento y fricción sobre el área escapulodorsal del hombro afectado, aumentando poco a poco la intensidad hasta que el paciente experimente una sensación de bienestar.

- Se aplicará el método del pellizco avanzando desde el hombro hasta la parte superior del brazo, concentrándose en el lado anterior del hombro y estimulando al mismo tiempo los acupuntos jianjing, fengchi, jianliao, jianyu, jianzhen y hegu.

- Con suavidad, utilizar los métodos del martillo o palmoteo en la zona del hombro.

- Para terminar, se emplearán los métodos de amasamiento y fricción en el hombro, el cuello, la parte superior de la espalda y el brazo del lado afectado.

- Cuando la enfermedad esté en sus últimas fases y el paciente apenas pueda mover el hombro, se intentará mover la articulación utilizando un movimiento pasivo con los métodos de amasamiento, fricción y rotación.

Homeopatía
El tratamiento homeopático puede ayudar a reducir el consumo de antiinflamatorios clásicos y el empleo de infiltraciones de corticoides. Se pueden recomendar los siguientes remedios:

- *Ferrum metallicum*: tipo constitucional pálido, aunque se ruboriza con facilidad al hacer esfuerzos. Meticuloso, incluso puntilloso, no soporta la contradicción, la espera ni el menor ruido. El dolor es mayor al levantarse por la mañana y se irradia hasta el codo, pero se alivia parcialmente tras hacer algunos movimientos.

– *Nux moschata:* con temperamento caprichoso, se queja de que no puede permanecer mucho tiempo de pie sin sentirse desfallecer, de que sufre de dolor de estómago después de las comidas, con boca seca pero sin sed y tiene todas las vértebras sensibles a la presión. El dolor en el hombro se acompaña de entumecimiento, sensación de pinchazos y debilidad paralizante del brazo, junto con dolor en la cadera del lado opuesto.

❏ PIES PLANOS

DESCRIPCIÓN DE LA ENFERMEDAD

Anomalía relativamente común que está caracterizada por el aplanamiento del arco del pie.

SÍNTOMAS

Debilidad en el pie afectado, cansancio leve e incapacidad para andar muy lejos. En las primeras fases hay dolor en la planta del pie, pero desaparece con el tiempo.

TRATAMIENTOS

Masaje terapéutico chino
- El paciente se tumba boca abajo, apoyando la espinilla sobre una almohada. El masajista le aplicará el método de presión con la yema del pulgar desde el lado opuesto a la rodilla hacia abajo, llegando hasta el tendón de Aquiles, y el método del rodillo en la pantorrilla. Se aplicarán el hurgamiento digital y el amasamiento en los acupuntos weizbong, chengs-han, taixi y kunlun.

- Con el paciente tumbado boca arriba, se le aplica el método de presión con el pulgar o el del rodillo en el músculo extensor de la cara anterior de la tibia hacia arriba y hacia abajo hasta alcanzar la zona del empeine. Se trabajarán también los acupuntos zusanli, yanglingquan y jiexi.

- Sujetando firmemente con una mano el talón del pie del paciente, se aplicará el método del pellizco en el empeine, para después pellizcar en profundidad a lo largo de los músculos peroneo largo y peroneo corto.

- El paciente habrá de sacudir el tobillo, para después terminar utilizando el método de fricción y el de vibración digital en la pantorrilla y el pie.

❑ REUMATISMO

DESCRIPCIÓN DE LA ENFERMEDAD

El reumatismo es un término no técnico que se utiliza para referirse a los diversos procesos inflamatorios de las bolsas y ligamentos articulares, de las articulaciones mismas y de los músculos. Generalmente se agudiza con el frío, y aparece asociado a disfunciones del metabolismo, deficiente actividad glandular o nerviosa, estrés, mala alimentación, falta de ejercicio físico o infecciones. Aunque no se trata en absoluto de un término médico, podría hablarse de varias clases de reumatismo, como el muscular agudo (que afecta a uno o varios músculos, con intensidad variable de los dolores), el que afecta a los músculos de la cabeza o del cuello, el de los músculos de la espalda y de los hombros (que se manifiesta al levantar objetos pesados), el de la región lumbar (lumbago) y el reumatismo de los músculos de la cadera y de las piernas.

SÍNTOMAS

Los síntomas más habituales del reumatismo son la sensación de pesadez en los músculos, aflojamiento de las articulaciones, cansancio muscular, dolores de cabeza, adormecimiento de los miembros y calambres.

TRATAMIENTOS

Fitoterapia occidental
Para combatir todos los tipos de reumatismo, se recomienda tomar una taza diaria de la infusión de 10 g de diente de león, 15 g de milerama, abedul y manzanilla, y 10 g de corteza de frángula, pensamiento e hipérico. También se recomiendan los maniluvios, pediluvios y baños completos con énula, enebro y laurel. Pueden resultar igualmente eficaces las fricciones locales con alcohol de romero.

Fitoterapia china
Al ser un término tan amplio, existen numerosas recetas chinas que pueden tratar el reumatismo. Se clasifican en función del dolor que siente el paciente:

• PESADO Y RÍGIDO (ver Artitis). Se trata con la decocción para caldear los meridianos.

• DOLOR CORTANTE (ver Artitis). Se recomienda la decocción para regular la sangre modificada (añadir Ji XueTeng y Yan Hu Suo).

- INFLAMACIÓN (ver Artritis). Se utilizará la decocción para nutrir el riñón añadiendo Dan Shen.

- GENERALIZADO. Es un dolor no punzante. Empeora con cansancio y hambre, mejora tras haber descansado y comido, y con masaje y presión. Se debe a una insuficiencia de ki o sangre, y se trata con la decocción para fortalecer los meridianos.

- DOLOR REFERIDO. Es un posible dolor en todo el meridiano, en la zona bloqueada o a poca distancia del lugar afectado. En los tres casos, el meridiano a tratar se puede aislar casando la vía de dolor con uno de los meridianos. Se puede localizar en cualquiera de los 12 canales, comúnmente los yang, y se trata con decocciones para fortalecer y caldear los meridianos.

- ADORMECIDO O ENTUMECIDO. Ambos son causados por la falta de riego sanguíneo, pero por dos motivos distintos. El adormecimiento se debe a una insuficiencia de la sangre y una falta de alimentación en esa zona, y puede provocar calambres. El entumecimiento tiene lugar cuando el meridiano está obstruido y el ki no fluye hasta las extremidades. Se localiza en las extremidades y se trata con la decocción para nutrir la sangre modificada (añadir Ji XueTeng, e incrementar en media la dosis de Bai Shao), si se trata de insuficiencia de sangre, y la decocción para fortalecer los meridianos, si éstos últimos se encuentran obstruidos.

Homeopatía

Hay una infinidad de remedios homeopáticos que actúan sobre el reumatismo. Se elegirá uno u otro dependiendo de los síntomas y del tipo constitucional:

- *Ammonium muriaticum* (cloruro de amonio): para un individuo gordo, indolente, fofo, con gran abdomen y miembros delgados, que siente a menudo deseos de llorar.
- *Bryonia alba:* para tipo constitucional fuerte, que no aguanta el calor e irascible. Los síntomas empeoran con el movimiento y el calor, y mejoran con el frío y el reposo.
- *Dulcamara*: para individuo gordo, edematoso, de tejidos blandos, con gran sensibilidad al frío húmedo y piel helada. El dolor empeora por la noche y con la humedad, y mejora con el calor seco y con el movimiento.
- *Ferrum metallicum* (hierro metálico): para persona con debilidad, palidez, cansada y friolera. Es incapaz de realizar esfuerzos rápidos y continuados. Es emotiva, hipersensible y se ruboriza o enfada con facilidad. El dolor empeora con la inmovilidad, el frío y por la noche, y mejora con el calor.
- *Ledum palustre:* para tipo constitucional fuerte, con la cara congestionada y granos rojos en las mejillas y en la frente. El reumatismo empeora con el movimiento y por la noche, y mejora con el reposo y el frío.

– *Rhus toxicodendron*: para persona triste y puede que hasta con ideas de suicidio. Siente gran inquietud con cambios continuos de posición. El dolor mejora con el movimiento lento y el tiempo cálido y seco, y empeora con la humedad y el reposo.

Flores de Bach

Sauce, olmo, brezo, mostaza, castaño rojo, agua de roca y violeta de agua.

Aromaterapia

Se prescribirán esencias de enebro, eucalipto, mejorana y romero.

Oligoterapia

Se recomienda el compuesto cobre-oro-plata-manganeso.

Sales de Schüessler

Se podrán utilizar las siguientes sales: anhídrido silícico, cloruro sódico, fosfato ferroso, fosfato sódico y sulfato cálcico.

Acupuntura

Se tratarán los acupuntos dabao y huantiao.

❑ ROTURAS Y FRACTURAS

DESCRIPCIÓN DE LA ENFERMEDAD

Lesión traumática de un hueso caracterizada por la interrupción de la continuidad del tejido óseo. Las fracturas se clasifican de acuerdo con el hueso afectado, la parte del hueso interesada y la naturaleza de la rotura.

SÍNTOMAS

Los síntomas incluyen hinchazón y sensibilidad, y puede haber extrañas deformidades y decoloración de la piel, así como incapacidad de mover la parte afectada. Puede haber un hueso que sobresalga, o una sensación chirriante cuando se intenta moverlo.

TRATAMIENTOS

Masaje terapéutico chino

- Inmediatamente después de producirse la herida: los métodos de masaje más importantes son los de presión y de fricción palmar, o de amasamiento y de pellizco moderados. Se harán desde el extremo del miembro hacia el cuerpo. En el área de la fractura se aplica un masaje muy suave, acentuándose la fuerza en las zonas más alejadas. Las manipulaciones pasivas de extensión, flexión y rotación pueden aplicarse en las articulaciones alejadas del punto de fractura. En la parte superior del miembro fracturado se seleccionarán algunos acupuntos comunes que se tratarán con el punzón digital, la presión del pulgar o la vibración digital. El masaje no durará más de 15 minutos.

- Cuando la fractura ha cicatrizado, se aplicarán los métodos de pellizco y amasamiento a la fractura y al resto del miembro. Las manipulaciones pasivas, como la extensión, flexión, rotación o agitación, deben aplicarse al miembro dañado en las cantidades apropiadas para la capacidad de movimiento de la articulación del miembro dañado.

Homeopatía
El remedio más empleado es *Arnica montana*.

Sales de Schüessler
Se recomienda el fosfato cálcico.

Flores de Bach
Pino es el remedio general para las afecciones de huesos.

SISTEMA CIRCULATORIO

Si pudiéramos abrir un cuerpo humano y ver el sistema cardiocirculatorio en su conjunto, observaríamos la existencia de dos círculos casi perfectos, uno que se extiende por todo el cuerpo y otro, más pequeño, que se dirige a los pulmones; en el centro, allí donde se cruzan, veríamos una masa pulsátil: el corazón. Los dos círculos representan respectivamente la grande y la pequeña circulación, cuya función es llevar la sangre a cada rincón de nuestro cuerpo. Veamos ahora los distintos componentes de este sistema.

COMPONENTES DEL SISTEMA CIRCULATORIO

El corazón pesa alrededor de 300 gramos, tiene el tamaño de un puño cerrado (su volumen tiene cierta relación con la talla y peso del organismo) y está más o menos a la altura del pezón izquierdo. La superficie de este órgano es lisa y marcada por dos surcos, uno horizontal y otro vertical, fiel reflejo de su división interna. Se notan también las arterias coronarias que garantizan la alimentación del corazón. Del exterior hacia el interior, encontramos tres capas sucesivas:

- El pericardio, especie de saco protector.
- El miocardio, que es el tejido muscular del corazón, capaz de asegurar los movimientos de contracción y relajación
- El endocardio, la túnica interior, de especial importancia, puesto que forma las válvulas cardíacas.

Si partimos el corazón en dos mitades comprobaremos que se encuentra dividido en cuatro cavidades: dos superiores y dos inferiores.

- Las cavidades superiores son las aurículas.
- Las cavidades inferiores son los ventrículos.

La aurícula superior comunica con el ventrículo del mismo lado, pero no con la aurícula ni el ventrículo del lado opuesto. De este modo tenemos un «corazón derecho», integrado por la aurícula y el ventrículo derechos, y un «corazón izquierdo», integrado por la aurícula y el ventrículo izquierdos. Las dos mitades del corazón están separadas por un robusto tabique, llamado respectivamente septum interauricular (a la altura de las aurículas) y septum interventricular (a nivel de los ventrículos).

La comunicación entre las aurículas y los ventrículos está asegurada por una especie de embudo que, en su parte más estrecha, contiene dos válvulas: la tricúspide, a la derecha, y la bicúspide o mitral, a la izquierda. Las válvulas están ancladas a las paredes del corazón mediante un sistema de músculos parecidos a una telaraña y que se llaman músculos papilares. A la aurícula derecha llegan dos venas: la cava superior, que mide 6-8 centímetros de largo, y la cava inferior, de 22-26 centímetros. Del ventrículo derecho parte la arteria pulmonar, muy corta (2-3 centímetros) y robusta. A la izquierda llegan las venas pulmonares, mientras del ventrículo izquierdo parte la aorta, vena fundamental para el organismo. Este conducto sanguíneo se divide en la aorta ascendente, el cayado o arco de la aorta, desde el que salen todas las arterias que van hacia la cabeza y los miembros superiores, la aorta torácica y la abdominal, que a su vez se subdivide en las arterias ilíacas internas y externas, que llevan la sangre a la parte inferior del cuerpo y a las piernas.

Las arterias se unen a las venas mediante los capilares, una tupida red de conductos sanguíneos cuyo diámetro varía entre 50 y 200 milésimas de milímetro. La red de los capilares alcanza una longitud total de casi 100.000 kilómetros y una superficie total de unos 6.000 metros cuadrados.

Setenta y ocho contracciones por minuto, 112.320 al día, 41 millones al año: esta es, en síntesis, la actividad del más dinámico sistema del cuerpo humano y nuestra vida depende precisamente de su dinamismo.

El corazón cumple básicamente la función de una bomba. Cuando ésta se contrae (sístole ventricular), la sangre contenida en los ventrículos es expulsada con una presión muy elevada, que se puede comparar diciendo que sería suficiente para llevar agua al quinto piso de una casa, entrando en la arteria pulmonar (desde el ventrículo derecho) y en la aorta (desde el ventrículo izquierdo). Cuando se relaja (sístole ventricular) la sangre, desde las venas cavas, llega a la aurícula derecha, y desde las venas pulmonares, a la aurícula izquierda.

A cada contracción auricular, 100 centímetros cúbicos de sangre salen de la aurícula derecha y otros tantos de la izquierda. La sangre expulsada por la aurícula derecha pasa al ventrículo derecho y de allí a la arteria pulmonar, alcanzando los pulmones, donde, al pasar a los capilares pulmonares, entra en contacto con el aire que respiramos. Es precisamente a este nivel donde se produce el fenómeno más importante de la circulación sanguínea: la oxigenación de la sangre. De hecho, la sangre que procede del lado derecho está cargada de anhídrido carbónico. En los capilares pulmonares se produce un intercambio: el anhídrido carbónico pasa a los alvéolos pulmonares, de donde es expulsado con el aire que espiramos, mientras el oxígeno entra en los capilares y, mediante las venas pulmonares, llega a la aurícula izquierda, de donde pasará después al ventrículo izquierdo y, por fin, a la aorta.

El paso entre las aurículas y los ventrículos se asegura mediante unas válvulas que funcionan como las de los neumáticos de la bicicleta. Cuando la sangre debe entrar en el ventrículo, la válvula se abre y el líquido pasa; cuando el ventrículo se contrae para empujar la sangre hacia la aorta o hacia la arteria pulmonar, la válvula se cierra para impedir el reflujo hacia la aurícula.

Una vez que la sangre oxigenada ha vuelto al corazón y, desde éste, ha sido expulsada hacia la aorta, empieza su dilatado recorrido a lo largo y ancho de todo el organismo. Las distintas ramas de la aorta aseguran el paso de la sangre oxigenada a los diferentes órganos y tejidos. A estos niveles constatamos un progresivo estrechamiento del diámetro de las arterias, que se convierten en arteriolas y, finalmente, en capilares. De los capilares arteriales la sangre pasa a los capilares venosos, luego a las vénulas, a las venas y así progresivamente hasta que todas las venas del cuerpo se unen en las venas cavas superiores e inferiores, que a su vez llegan hasta la aurícula derecha. Como promedio, cada minuto pasan por el corazón alrededor de 5 litros de sangre y, al cabo de 24 horas, una cantidad equivalente al contenido de un camión cisterna.

❏ TORTÍCOLIS

Descripción de la enfermedad

Situación anormal consistente en la inclinación de la cabeza hacia un lado debido a una contractura muscular en el cuello. Puede ser congénita o adquirida.

Síntomas

Fuerte dolor en el cuello que se acentúa al girarlo. En ocasiones comienza con una sensación de tirón en el cuello; los síntomas aparecen gradualmente.

Tratamientos

Masaje terapéutico chino
a) Con el paciente sentado, se aplica el método de presión con la yema del pulgar sobre los hombros y la parte superior de la espalda.
b) Se emplean los métodos de amasamiento y de pellizco con el pulgar y el índice, empezando por el acupunto fengchi para ir bajando a lo largo del músculo hasta llegar al acupunto jianjing del lado afectado, pellizcándolo 23 veces para restaurar el ki.
c) A continuación se procede con el método de rotación del cuello. Cuando los músculos estén totalmente relajados y no opongan ninguna resistencia a la rotación, el masajista girará bruscamente el cuello del paciente con un golpe seco.
d) Para concluir, se amasan y pellizcan los músculos de la parte posterior del cuello 23 veces.

Homeopatía
Entre los medicamentos homeopáticos que se prescriben pueden mencionarse:

– *Cuprum metallicum*: tipo constitucional propenso a los calambres, con la cabeza vuelta hacia la derecha y gran sensibilidad en la columna vertebral. El dolor es ardoroso y parecido a un desgarro.
– *Ranunculus bulbosus*: la tortícolis está asociada con dolor muscular a lo largo del omóplato izquierdo, que aparece a menudo por un cambio de clima, después de estar sentado mucho tiempo con la cabeza baja, y se agrava por el movimiento de los brazos, con el frío o con la humedad.

Flores de Bach
Impaciencia puede ayudar a calmar el dolor asociado con la tortícolis.

❏ ANEMIA

DESCRIPCIÓN DE LA ENFERMEDAD

Es una deficiencia en la hemoglobina, que es el producto químico que permite a los glóbulos rojos transportar el oxígeno. Se detecta por un bajo nivel de hierro en sangre.

SÍNTOMAS

Esta afección tiene amplísimos efectos, entre ellos, debilidad, fatiga, dolores de cabeza, aturdimiento, vértigo y falta de energía. Si la anemia es muy grave, puede causar palidez en los labios y en los párpados, así como hinchazón en la lengua, palpitaciones y taquicardias.

TRATAMIENTOS

Cromoterapia
El rojo es el color más apropiado.

Fitoterapia
Para combatirla, se recomienda tomar después de cada comida una taza de la infusión de 20 gramos de abedul, diente de león, ortiga y roble en un litro de agua. También resulta muy eficaz la infusión de un puñadito de flores de salvia por litro de agua. En general, las siguientes plantas pueden ser de utilidad:

– Diente de león: además de un buen aperitivo, contiene mucho hierro. Se tomarán tres tazas al día de la infusión de 50 gramos de planta seca por litro de agua.
– Ortiga y achicoria: se tomará tres veces al día la infusión de una cucharadita en un vaso de agua.

Algunas plantas son desaconsejables para los enfermos de anemia, ya que dificultan la absorción del hierro. Hay que tener especial cuidado con el té, el café, el tomillo, la salvia y la rosa canina.

Fitoterapia china
La anemia podría deberse a una insuficiencia en el corazón, que se caracteriza por palpitaciones, cansancio, falta de aire tras un esfuerzo, tez pálida y amarillenta, insomnio, sueño excesivo y ansiedad. La lengua aparece pálida y con una grieta en la punta. Además el pulso es débil. Se recomienda usar la decocción para nutrir el corazón.

Homeopatía

El remedio más habitual para la anemia suele ser el *Ferrum metallicum*, que será especialmente eficaz en todos aquellos pacientes que presentan debilidad, palidez, cansancio, sensación de frío e incapacidad de realizar esfuerzos continuados, así como en las personas emotivas, que suelen ruborizarse con cierta facilidad, o en uñas hipersensibles, que, por lo general, se enfadan bastante a menudo. Sin embargo, según los síntomas y el tipo constitucional que se tengan, se podrán recetar otros remedios:

Tipo constitucional	Mejoría/empeoramiento	Remedio
Individuo agitado, débil, delgado, friolero, miedoso y sensible.	Mejora con el calor y empeora con el frío y hacia las dos de la madrugada.	*Arsenicum album.*
Individuo alto con miembros largos, introvertido, nervioso y sensible.	Mejora con calor y tiempo seco, y empeora con la actividad intelectual.	*Calcarea phosphorica.*
Especialmente en aquellas mujeres con tendencia al llanto.	No se advierte ningún tipo de variación en los síntomas.	*Cyclamen europaeum.*
Tipo constitucional gordo, sensible y melancólico, con impotencia o frigidez.	Se siente mejor después de comer.	*Graphites.*
Individuo gordo, débil y fatigado, con deseo de alimentos ácidos.	Los síntomas empeoran hacia las 2 de la madrugada.	*Kalium carbonicum.*
Personas fatigadas y depresivas, con tendencia a la afonía.	Empeoran con tiempo frío y húmedo.	*Manganum.*
Individuos delgados y fatigados.	Empeoran con el movimiento.	*Stannum.*

Oligoterapia

Se recomiendan los siguientes: cobalto, cobre o el compuesto hierro-cobre-cobalto-molibdeno.

Sales de Schüessler

Se recomiendan las siguientes sales de Schüessler: cloruro sódico, fosfato cálcico y fosfato ferroso.

Flores de Bach

Los dos remedios más indicados para tratar la anemia son hojarazo y rosa silvestre.

Aromaterapia

Se recomiendan los aceites de manzanilla, cilantro, clavo, comino, jengibre, limón, menta y melaleuca.

Terapia nutricional

Una de las causas principales de la anemia es la deficiencia en la nutrición; por tanto, un cambio en los hábitos alimentarios puede ser de enorme utilidad para combatir esta enfermedad.

Dado que la anemia suele deberse a la falta de hierro o a la mala absorción del mismo por el organismo, se procurará tomar alimentos ricos en este elemento, como por ejemplo:

- Hígado (de todos los animales, desde el pollo o el cerdo al cordero). Patés confeccionados con hígado.
- Carne roja, especialmente ternera, pavo y cerdo.
- Frutos secos y frutas deshidratadas, como almendras, nueces, pasas, avellanas, pistachos o pipas de girasol.
- Legumbres, especialmente los garbanzos, los frijoles, las lentejas, las habas, los guisantes y la soja.
- Verduras verdes, sobre todo las espinacas, coles, coles de Bruselas, acelgas y el brócoli.
- Cereales, especialmente si son integrales.
- Melaza negra.
- Chocolate.
- Aceitunas.
- Frutos deshidratados, como ciruelas, pasas, dátiles y albaricoques.
- Mariscos, especialmente mejillones, almejas, langostinos, gambas, cigalas, bogavantes, ostras y caracoles.

Además de estos alimentos ricos en hierro, se recomienda comer también otros que sean ricos en vitamina B12 (hígado, carne, leche y sus derivados) y en ácido fólico (cereales integrales, verduras de hoja verde y algunas frutas), ya que ayudan a absorber el hierro. Por el contrario, los taninos dificultan el metabolismo de este elemento, y por tanto conviene abstenerse de tomar té verde, café, tomillo, salvia, poleo y rosa canina durante las comidas.

Naturopatía

Entre los principales complementos para la anemia, hay que mencionar:

- Complementos de hierro: la dosis usual se establece en 90 mg diarios repartidos en tres tomas, junto con 1.500 mg diarios de vitamina C repartidos en tres tomas para favorecer la absorción del hierro.
- Complementos de ácido fólico y vitamina B12: la dosis habitual es de 800 mcg de ácido fólico diarios repartidos en dos tomas, junto con 1.000 mcg de vitamina B12.
- Complementos de diente de león o de equinácea, que ayudan a absorber el hierro.

Acupuntura

Se estimularán los puntos geshu, dazhui y zusanli.

Hipnoterapia

Cuando el paciente sufre anemia a pesar de consumir una cantidad adecuada de hierro, puede que la terapia de sugestión «enseñe» al organismo a asimilar mejor este elemento.

Curación espiritual o Reiki

La anemia puede estar relacionada con una inhabilidad del cuerpo para recibir la energía cósmica universal. Según algunos sanadores, el paciente de anemia podría encontrar problemas para vincularse con su yo superior: tendrá, por tanto, que liberar sus canales de energía, limpiar sus chakras y meditar con frecuencia. También es posible que alguna persona esté «robando» su energía, lo cual normalmente puede verse reflejado en relaciones de dependencia psicológica que habrá que resolver.

❏ ANGINA DE PECHO

DESCRIPCIÓN DE LA ENFERMEDAD

Esta dolencia se detecta por un fuerte dolor constrictivo que se produce en la mitad del pecho, extendiéndose hasta el cuello, el lado izquierdo de la mandíbula y el brazo izquierdo. Se debe a un estrechamiento de las arterias, que produce una falta de riego sanguíneo en el corazón. El dolor suele llegar con el ejercicio, y aunque suele aliviarse a los pocos minutos, puede ser severo y aterrador.

Normalmente, la angina de pecho se produce cuando existen enfermedades cardíacas coronarias, cuando se abusa del tabaco o a causa de la diabetes, la hipertensión o los niveles altos de colesterol en sangre. A modo de prevención, se recomienda:

- La persona con angina de pecho o con riesgo a padecerla debe dejar de fumar y de beber alcohol y bebidas que contengan cafeína.
- Seguir una dieta sana y equilibrada rica en frutas y verduras frescas, y en la que el consumo de grasas y sal esté limitado.
- Evitar el exceso de peso.
- Es muy importante realizar ejercicio físico, aunque sin excederse.
- Evitar situaciones de estrés y tensión nerviosa
- Si en la familia existiesen antecedentes de enfermedades cardíacas, es especialmente importante evitar los riesgos, puesto que este tipo de enfermedades son hereditarias.

SÍNTOMAS

Fuerte dolor en el pecho, que se extiende hacia el cuello, la mandíbula izquierda y el brazo izquierdo.

TRATAMIENTOS

Fitoterapia occidental

La angina de pecho es una dolencia tan grave que siempre requiere de las atenciones de un médico. Sin embargo, si se sufre un ataque, en espera de que llegue ayuda profesional, se puede tomar cada diez minutos una taza de la infusión de 5 g de las siguientes plantas por litro de agua: muérdago, espino albar, valeriana, melisa, marrubio blanco, lúpulo y espliego.

Para prevenir la angina de pecho, se puede combinar la utilización de plantas que luchen contra el colesterol (evitando la formación de placas en las arterias), plantas vasodilatadoras y platas analgésicas. Las más importantes son las siguientes:

- Ajo: ayuda a evitar la formación de trombos, reduce el colesterol y hace que la circulación sea más fluida. Se puede tomar en maceración de 100 g de ajo en 400 cl de vino, media cucharadita antes de acostarse.

- Cebolla: tiene propiedades similares al ajo. Se puede administrar en decocción de 300 gramos de cebolla en un litro de agua, tres vasos al día.
- Alcachofa: reduce el nivel de colesterol en la sangre, disminuye la presión arterial y previene la arteriosclerosis. Se administrará en infusión de dos cucharadas de hojas secas por litro de agua, una taza tres veces al día, antes de las comidas.
- Jengibre: fluidifica la sangre, previene la formación de trombos y rebaja la tensión arterial. Es preferible administrarlo en cápsulas: tres dosis de 250 mg al día.
- Sauce: tiene propiedades anticoagulantes, impidiendo la formación de trombos o coágulos. Por otra parte, sus propiedades analgésicas pueden ayudar a disminuir el dolor producido por una angina de pecho. Se tomará en infusiones de una cucharadita de corteza por vaso de agua, como máximo cada dos horas.
- Té verde: disminuye el colesterol, fluidifica la sangre, tonifica el corazón y protege contra la angina de pecho o el infarto de miocardio. Se preparará una infusión con una cucharada de planta seca por vaso de agua, tres vasos al día.
- Espino blanco: disminuye la tensión arterial. Se tomará la infusión de una cucharada de flores secas, tres veces al día.
- Limón: actúa como tónico para el corazón, mejora la circulación sanguínea y previene el colesterol. Se puede hacer una «cura del limón», tomando el primer día el zumo de un limón mezclado con agua, el segundo día el zumo de dos limones, el tercero el de tres limones, y así progresivamente hasta llegar a 12 limones, momento en que se invertirá el proceso tomando cada día un limón menos, hasta llegar a cero.

Cromoterapia

El verde es el color más apropiado.

Flores de Bach

Para prevenir la angina de pecho, se recomienda castaño rojo.

Terapia nutricional

Hay una serie de consejos alimentarios que conviene seguir si se ha padecido angina de pecho o si se desea prevenir su aparición:

- En primer lugar, es esencial reducir al máximo el consumo de alimentos que contengan grasas saturadas, como la carne grasa, la mantequilla, la leche entera y sus derivados (quesos, natas, yogures, cuajadas enteras). Por el contrario, se aumentará el consumo de legumbres, aceites vegetales (oliva y girasol), pollo y pescado azul (sardinas, caballa, salmón, atún).
- Se intentará reducir el riesgo de sobrepeso, reduciendo los alimentos de repostería, así como todos aquellos ricos en azúcares refinados y en grasas animales.

- Se elegirán alimentos ricos en fibra soluble, que dificulta la absorción del colesterol a través de las paredes del intestino; entre ellos, cabe destacar la avena, las alubias, las peras y las manzanas.
- Se recomienda consumir alimentos que sean muy ricos en potasio y también bajos en sodio, como pueden ser las patatas, los plátanos, los tomates, los melocotones o las uvas.
- Se evitará a toda costa el consumo de bebidas alcohólicas, que aumentan la presión arterial y empeoran los síntomas de la angina de pecho. Sin embargo, hay estudios que demuestran que un vasito de vino (unos 150 ml) en la comida puede resultar beneficioso.

Gemoterapia y Cristaloterapia

La esmeralda es la más indicada.

Naturopatía

Algunos suplementos útiles para combatir la angina de pecho son los siguientes:

- Vitamina A: tiene propiedades antioxidantes que pueden ayudar a evitar la oxidación de las paredes de las arterias. La dosis habitual es de 20.000 mg en forma de betacaroteno.
- Vitamina C con bioflavonoides: tiene también propiedades antioxidantes, por lo que ayuda a conservar las paredes de las arterias en buen estado. La dosis usual suele ser de unos 500 mg de vitamina C y unos 300 de bioflavonoides diarios repartidos en dos tomas.
- Vitamina E: evita la oxidación del colesterol de baja densidad y su adherencia a las arterias. La dosis usual es de 400 mg diarias.
- Aceite de linaza: previene la arteriosclerosis y disminuye el colesterol.
- Calcio: previene la osteoporosis e impide que el calcio extraído por el organismo se adhiera a las arterias. La dosis recomendada es de 800 mg diarios.
- Magnesio: ayuda a asimilar el calcio y previene la arritmia cardiaca. La dosis suele ser de 400 mg diarios.
- Selenio: reduce la hipertensión y disminuye el dolor que producen los ataques de la angina de pecho. La dosis más habitual se establece en unos 100 miligramos diarios.
- Lecitina de soja: reduce el colesterol y ayuda a deshacer las placas de las arterias. Se tomarán dos cucharadas diarias.

Curación espiritual o Reiki

En primer lugar, se tratará la zona situada por debajo del pecho. Esta posición permitirá al paciente poder eliminar cualquier presión que sienta debido a gas acumulado. A continuación, se procederá a imponer las manos directamente sobre el corazón.

❏ ARRITMIA CARDÍACA

Descripción de la enfermedad

Frecuencia o ritmo anormal de las contracciones del corazón, ya sean auriculares o ventriculares. Un corazón normal late entre las 60 y 100 palpitaciones por minuto en estado de reposo; esta frecuencia puede aumentarse con el ejercicio físico, con las emociones, con el estrés o con la presencia de algunas enfermedades. Los distintos tipos de arritmia son:

– Taquicardia: ritmo demasiado rápido del latido cardíaco.
– Bradicardia: ritmo demasiado lento del latido cardíaco. Hay que mencionar la bradicardia fisiológica de los deportistas, quienes por aumento de las cavidades cardíacas y mayor desarrollo de la musculatura del corazón pueden bombear más sangre sin aumentar el ritmo cardíaco, llegando por tanto a los 30 o 35 latidos por minuto en estado de reposo.
– Arritmia real: latidos irregulares del corazón.

Síntomas

Las arritmias pueden ser asintomáticas, aunque también pueden producir algunas palpitaciones, mareos, problemas respiratorios, desmayos y falta de aire.

Tratamientos

Homeopatía
Son recomendables: *Sepia officinalis* (palpitaciones en reposo que mejoran con la actividad), *Aconitum napellus* (palpitaciones que aparecen después de un gran susto o se acompañan de angustia intensa) o *Naja tripudians* (palpitaciones al hablar).

Fitoterapia occidental
Existen numerosas plantas medicinales que pueden emplearse para tratar las arritmias, entre las cuales hay que mencionar:

– Espino blanco: regulariza las pulsaciones del corazón y rebaja la presión arterial. Se recomienda la infusión de una cucharada de flores por taza de agua, dos tazas al día.

- Marrubio: regulariza el ritmo cardíaco. Se tomará la infusión de una cucharada por taza de agua, dos tazas al día.
- Valeriana: tiene efecto tranquilizante y ayuda a estabilizar el ritmo cardíaco. Se recomienda la infusión de una cucharadita de hierba seca por taza, dos tazas al día.
- Apio: para regularizar el ritmo cardíaco se pueden tomar unos 30 gramos de polvo de semillas en tres tomas diarias.

Fitoterapia china

Según el tipo de arritmia, la causa podrá hallarse en una insuficiencia en el corazón (ver Anemia) o a un exceso de calor en el corazón (ver Hipertensión).

Flores de Bach

Para la taquicardia, se recomiendan olmo y heliantemo.

Aromaterapia

Contra las palpitaciones, resultan eficaces las esencias de azahar, melisa, menta, romero e ylang-ylang.

Naturopatía

Los principales suplementos que se recomiendan para tratar las arritmias son:

- Magnesio: controla los estímulos nerviosos, por lo que su carencia podría ser responsable de arritmias cardíacas. La dosis diaria es de 800 mg en dos tomas.
- Aceite de pescado: al ser rico en ácidos omega 3, contribuyen a reducir las arritmias. La dosis diaria es de 3.000 mg repartidos en tres tomas.

Hipnoterapia

Por medio de la autohipnosis es posible regular la frecuencia de los latidos del corazón, hasta el punto de que algunos faquires logran incluso detener su pulso por completo. En el caso de taquicardias producidas por estrés o ansiedad, las técnicas de relajación pueden aportar la solución definitiva.

❏ ARTERIOSCLEROSIS

DESCRIPCIÓN DE LA ENFERMEDAD

Enfermedad arterial relativamente frecuente que se caracteriza por el engrosamiento, pérdida de elasticidad y calcificación de las paredes arteriales, provocando de esta manera una disminución del riego sanguíneo. Suele desarrollarse asociada con el envejecimiento, aunque aumenta en pacientes con hipertensión, diabetes e hiperlipidemia.

SÍNTOMAS

Los signos más típicos son la claudicación intermitente, las alteraciones en la temperatura o en el color de piel, la modificación de los pulsos periféricos, dolores de cabeza, vértigo y trastornos de memoria.

TRATAMIENTOS

Fitoterapia occidental

Se trata de una afección bastante grave que requiere la intervención de un médico. Sin embargo, existen plantas medicinales que pueden ayudarnos a combatir este problema. Se recomienda tomar dos tazas al día de la infusión de 10 g de cada uno de los siguientes ingredientes en un litro de agua: espliego, valeriana, espino blanco, romero y melisa.

También resulta muy eficaz hacer la cura de ajo tibetana que se explica a continuación:

– Hay que añadir 350 gramos de ajo triturado a un cuarto de litro de aguardiente.
– La mezcla se depositará en un frasco de cristal que se cerrará herméticamente y se dejará reposar en un lugar fresco (la nevera, por ejemplo) durante al menos unos diez días, al cabo de los cuales se filtrará el preparado.
– Después de transcurridos otros dos días de reposo en el refrigerador, se podrá empezar el tratamiento, que debe seguir la tabla que se expone en la página siguiente.
– Seguida la tabla, se continuará tomando 25 gotas en el desayuno, 25 en la comida y 25 en la cena hasta que se agote el contenido del tarro. No debe repetirse el tratamiento antes de cinco años.

Homeopatía

Se recomiendan tres remedios principales:

– *Arsenicum iodatum:* para tipo constitucional pálido, delgado e impaciente.
– *Baryta carbonica:* recomendada para ancianos.
– *Sulfur:* para personas delgadas, débiles, optimistas y desordenadas.

Oligoterapia

Se administrará magnesio.

DÍA	NÚMERO DE GOTAS DISUELTAS EN AGUA		
	DESAYUNO	COMIDA	CENA
1	1	2	3
2	4	5	6
3	7	8	9
4	10	11	12
5	13	14	15
6	16	17	18
7	17	16	15
8	14	13	12
9	11	10	9
10	8	7	6
11	5	4	3
12	2	1	25

Flores de Bach

Se elegirá uno de los siguientes remedios: brote de castaño, agua de roca o vid.

Aromaterapia

Se recomiendan aceites de enebro y romero.

Acupuntura

Se estimulará el acupunto shangxing. Si la arteriosclerosis afecta al cerebro, se trabajarán también baihui y renying.

Gemoterapia y Cristaloterapia

La piedra idónea es la esmeralda.

Terapia nutricional

Se recomienda seguir una dieta baja en grasas animales, sal y azúcar, sustituyéndolos por abundantes frutas, verduras, legumbres y cereales integrales.

Yoga

«Sarvangasana» o «postura de todo el cuerpo»:

- EJECUCIÓN. Extendido boca arriba, en el suelo, colocar los brazos junto al cuerpo y las palmas de las manos en el piso. Inspire. Levante poco a poco las piernas del suelo hasta que formen un ángulo recto con el tronco. Apoyándose con las manos en el suelo, eleve poco a poco el tronco, conservando más o menos el mismo ángulo recto formado por las piernas y el tronco, hasta que los pies sobrepasen la línea de la cabeza. Apóyese ahora con los codos y, doblando los antebrazos, aplique las manos a las costillas, en la espalda, para sostener el equilibrio. Acto seguido eleve por completo el tronco y también las piernas, de modo que queden en perfecta línea recta, vertical sobre el suelo y formando ángulo recto con la cabeza. En este momento deberá rectificar la posición de las manos, acercándolas a los omóplatos para facilitar el mejor mantenimiento del equilibrio. Procure que todo el cuerpo y las piernas estén realmente en posición vertical. Una vez lograda la posición correcta, relaje todos los músculos que le sea posible. Para deshacer la postura, proceda exactamente en sentido inverso.

- OBSERVACIONES. Este ejercicio debe hacerse una sola vez. Su duración será los primeros días de 30 segundos, y puede ir aumentándose hasta que a los dos o tres meses se consiga estar, sin que experimente fatiga alguna, 12 minutos.

- EFECTOS. Mejora la circulación de las piernas; alivia el trabajo normal de corazón; estimula la glándula tiroides. Facilita el dominio del impulso sexual por absorción de la secreción intersticial. Aumenta la vivacidad intelectual, afectiva y motora.

❏ ATAQUE CARDÍACO O INFARTO DE MIOCARDIO

DESCRIPCIÓN DEL LA ENFERMEDAD

Oclusión de una arteria coronaria por arteriosclerosis o embolia, que provoca un área de necrosis en el miocardio. La lesión causada en el corazón depende de la cantidad de músculo afectado y del tiempo que éste permanece sin riego sanguíneo. Una quinta parte de los que sufren ataques cardíacos suele fallecer; el resto puede sufrir secuelas o recuperarse completamente.

SÍNTOMAS

El comienzo de un infarto de miocardio se caracteriza por dolor torácico opresivo que puede irradiarse al brazo izquierdo, el cuello o el epigastrio, y que a veces es similar a la sensación de indigestión aguda o de cólico vesicular. El paciente suele presentar color ceniciento, sudores y disnea, y en muchas ocasiones tiene sensación de muerte inminente. Los signos típicos son taquicardia, pulso apenas perceptible, presión arterial baja, temperatura corporal elevada y arritmia cardiaca.

TRATAMIENTOS

Fitoterapia occidental

El uso de plantas medicinales puede ayudar a prevenir el infarto de miocardio o puede ser muy útil para tratar a los pacientes que se han recuperado del mismo; en ningún caso estarán indicadas las plantas medicinales para alguien que esté sufriendo un ataque en ese momento. Las plantas más recomendadas son las mismas que para la angina de pecho, explicadas anteriormente.

·Flores de Bach

Los remedios más indicados para prevenir el infarto de miocardio son acebo, castaño rojo y vid, aunque cuando el infarto se debe a una enfermedad previa, se usarán los remedios recomendados para la misma.

Tras un ataque, se pueden usar remedios florales que ayuden a combatir los síntomas psicológicos, como álamo o agrimonia para la angustia, cerasifera para el miedo o remedio de urgencia si la situación es crítica.

Naturopatía

En primer lugar, la Naturopatía sirve más que para tratar a pacientes que han sufrido un infarto, para prevenirlo, haciendo una serie de recomendaciones generales para tal fin:

– Evitar el tabaco, ya que el monóxido de carbono impide una correcta oxigenación de las células, por lo que el corazón tiene que bombear más sangre de la necesaria.
– Realizar ejercicio, sobre todo del tipo cardiovascular, como aeróbic, yoga, ciclismo, caminar…

Evitar el estrés

Por otro lado, existen una serie de complementos que pueden ayudar a reducir el riesgo de infarto, y que son los mismos que se recomendaron anteriormente para combatir la angina de pecho.

Terapia nutricional

Además de seguir los consejos generales que se dieron al hablar de la angina de pecho, hay una serie de alimentos concretos que son beneficiosos o perjudiciales para el corazón:

Alimentos beneficiosos para el corazón	Propiedades
Ajo	Facilita la circulación al fluidificar la sangre. Disminuye la hipertensión y rebaja el colesterol.
Aceite de oliva	El aceite de oliva facilita la circulación al disminuir el colesterol «malo» (LDL) y aumentar el «bueno» (HDL). Fluidifica la sangre y previene la trombosis.
Col	Por sus propiedades antioxidantes, previene las enfermedades cardiovasculares.
Zanahoria	Poderoso antioxidante, fuente de betacarotenos, que previene las enfermedades cardiovasculares. Neutraliza los efectos negativos del tabaco en el corazón.
Apio	Disminuye la hipertensión.
Alcachofas	Disminuyen el nivel de colesterol y triglicéridos de la sangre.
Calabazas	Tienen propiedades antioxidantes que previenen las enfermedades cardíacas.
Remolachas	Por su contenido en folato, previene las enfermedades
Soja, judías, alubias, lentejas y otras legumbres	Por su contenido en fibras y fitoestrógenos, las legumbres facilitan la circulación al disminuir el colesterol «malo» (LDL) y aumentar el «bueno» (HDL). Fluidifica la sangre y previene la trombosis.
Nueces	Los aceites del fruto del nogal mejoran la circulación y previenen la arteriosclerosis. El ácido linoleico reduce el colesterol, baja la hipertensión y previene la formación de trombos.
Avena	Reduce los niveles de colesterol en la sangre.
Perejil	Es uno de los mejores diuréticos, siendo muy adecuado en casos de obesidad, enfermedades reumáticas y cardíacas que se asocian con la acumulación de agua en el cuerpo.
Manzana	Rebaja la hipertensión, reduce el colesterol y ayuda a prevenir la aparición de enfermedades cardíacas.
Pescado azul	Reduce el colesterol «malo» (LDL) y aumenta el colesterol «bueno» (HDL). Su consumo previene la formación de trombos y el aumento de los triglicéridos en la sangre.

Alimentos perjudiciales para el corazón	Razones	Alimentos
Alimentos con grasas saturadas	Favorecen la obesidad y aumentan el colesterol	– Carnes rojas grasas, manteca de cerdo, vísceras de animales (hígado, riñones, sesos), panceta, jamón curado, embutidos. – Marisco. – Huevos y pastelería realizada con huevos. – Leche entera y derivados no desnatados. – Aceites vegetales saturados (coco, palma, de semilla de algodón) y mantecas y margarinas vegetales. – El alcohol.
Alimentos con sal	Favorecen la hipertensión	– Alimentos cárnicos curados (embutidos). – Salazones de pescado. – Semillas y frutos secos salados. – Pan con sal. – Alimentos vegetales en conserva. – Productos vegetales o animales fritos y salados.
Alimentos ricos en azúcares refinados	Favorecen la obesidad y el colesterol	– Pastelería y repostería. – Caramelos. – Chocolate – Bebidas azucaradas.
Cafeína	Favorece la aparición de arritmias cardíacas y la hipertensión	– El café (excepto el descafeinado). – Las bebidas de cola. – El té.
Alcohol	Favorece la hipertensión	– Bebidas alcohólicas (excepto un vasito de vino en la comida).

Hipnoterapia

Los pacientes que han sufrido un infarto de miocardio encontrarán muy útiles las técnicas de relajación. La Hipnoterapia es útil en el momento de sufrir el ataque, ya que el paciente podrá relajarse, eliminar la angustia y la ansiedad y concentrarse en hacer latir a su corazón, controlando la respiración.

Curación espiritual o Reiki

En caso de infarto de miocardio, se podrá aplicar energía directamente sobre el corazón a la espera de lograr atención médica convencional. Cuando haya pasado el ataque, se podrá seguir utilizando la curación espiritual para ayudar al corazón a volver a su funcionamiento normal. Por su parte, el enfermo deberá utilizar la meditación para comprender el porqué de su enfermedad y conseguir la fuerza para emprender los cambios en el estilo de vida que implica un infarto.

Gemoterapia y Cristaloterapia
La piedra idónea es la esmeralda.

❑ FLEBITIS O TROMBOFLEBITIS

DESCRIPCIÓN DE LA ENFERMEDAD

Se trata de la inflamación de una vena, acompañada a menudo de un trombo. Suele deberse a un traumatismo vascular, hipercoagulación sanguínea, infección, irritación química, posición de pie o sentado demasiado tiempo o inmovilidad prolongada.

SÍNTOMAS

La tromboflebitis de una vena superficial suele ser evidente a simple vista: los vasos aparecen duros y tensos, como una cuerda, extremadamente sensibles a la presión. El área circundante está caliente al tacto, y el resto del miembro puede aparecer pálido, frío e hinchado. La flebitis de venas profunda se caracteriza por un dolor hiriente acompañado de hormigueo, especialmente en el talón al andar o flexionar el pie.

TRATAMIENTOS

Fitoterapia occidental
Se recomienda la decocción de 50 gramos de corteza de castaño de Indias en un litro de agua, dos tazas al día. Para uso externo, se recomiendan las cataplasmas de aceite de oliva o de aceite de onagra.

Naturopatía
Se recomienda el aceite de onagra.

❑ HIPERCOLESTEROLEMIA

DESCRIPCIÓN DE LE ENFERMEDAD

El colesterol es una sustancia cérea que aparece en la sangre y otros tejidos animales. Se trata de un esteroide necesario para el buen funcionamiento del organismo, en funciones tan importantes como la formación de la vitamina D o de las hormonas. Sin el colesterol nuestro organismo sería incapaz de absorber grasas. Sin embargo, el exceso del mismo, denominado hipercolesterolemia, puede producir un deterioro de la salud. La acumulación de colesterol en las paredes arteriales es una de las causas de la aterosclerosis, y también aumenta el riesgo de sufrir alguna enfermedad vascular, como infartos o hemorragias cerebrales.

Síntomas

Desgraciadamente, la hipercolesterolemia en sí misma no produce síntomas externos hasta que no ha causado otra afección, como la arteriosclerosis. Por lo tanto, la única forma de detectarla es por medio de análisis periódicos de sangre.

Tratamientos

Homeopatía

El remedio más adecuado es el sulfur, aunque será necesario que el especialista haga un diagnóstico completo para encontrar una solución de fondo.

Cromoterapia

Se recomienda el amarillo.

Oligoterapia

Se recomienda el magnesio.

Fitoterapia occidental

Las siguientes plantas reducen o regulan el colesterol:

- Alcachofa: se prescribirá la infusión de dos cucharadas de hojas secas por litro de agua, una taza tres veces al día antes de las comidas.
- Ajo: maceración de 100 g de ajo en 400 g de alcohol de vino, media cucharadita antes de acostarse.
- Apio: se recomienda tomar un vaso de zumo de la planta fresca por la mañana en ayunas.
- Cebolla: decocción de 300 g de cebolla en un litro de agua, tres vasos al día.
- Diente de león: infusión de 30 g de hojas secas en un litro de agua, tres tazas al día.
- Fresa: un cuenco de fresas a media mañana.
- Achicoria: decocción de 50 g de raíz seca por litro de agua, dos veces al día.
- Zanahoria: un vaso de zumo en el desayuno.

Gemoterapia y Cristaloterapia

La esmeralda y el diamante son idóneos.

Terapia nutricional

La siguiente tabla contiene algunos consejos útiles para evitar el consumo excesivo de colesterol:

Alimentos	Comer diariamente	Comer con moderación 2 o 3 veces a la semana	Alimentos no recomendados
Huevos	Solamente la clara	Tres veces como máximo.	
Carne	El pollo y el pavo sin piel.	Cordero, cerdo, jamón, buey, ternera o vaca (solamente las partes magras). Salchichas que sean de pollo o de ternera.	Embutidos, vísceras, patés, salchichas, hamburguesas, beicon, patés, pato.
Pescado y marisco	Pescado azul, pescado blanco, Atún en lata, almejas u ostras.	Sardinas en conserva, caballa en conserva, gambas, langostinos, mejillones, cangrejos, bacalao salado.	Mojama, pescado frito en aceite no vegetal.
Leche	Leche desnatada y derivados de leche desnatada.	Leche semidesnatada o derivados de esta leche. Queso fresco o poco graso.	Leche entera, flanes, nata, cremas o quesos grasos o muy hechos.
Aceites o grasas	Aceite de oliva.	Margarina o aceite de semillas que no contengan ácidos grasos hidrogenizados.	Aceite de palma, aceite de coco, mantecas, mantequillas, margarinas, tocino.
Salsas y especias	Ajo, aceite, mostaza, pimienta, sofritos, vinagre.	Bechamel o mayonesa.	Salsas con leche no desnatada, grasas de animales, mantequilla o margarina.
Hortalizas, verduras, legumbres y frutas	En general, todas son adecuadas.	Aceitunas, aguacates, patatas fritas en aceites adecuados (se deben limitar en caso de obesidad o hipertriglicéridos).	Coco, vegetales fritos en aceites saturados, patatas fritas industriales.

Alimentos	Comer diariamente	Comer con moderación 2 o 3 veces a la semana	Alimentos no recomendados
Cereales	Preferiblemente integrales, galletas, pan, pastas, harinas (limitar en caso de obesidad).	Pastas preparadas en aceite de semillas o aceite de oliva, pasta italiana con huevo (se deben limitar en caso de obesidad o hipertriglicéridos).	Magdalenas, galletas, ensaimadas o productos industriales que contengan aceites no adecuados.
Frutos secos	En general, todos (pipas sin sal).	Cacahuetes.	Cacahuetes con sal, coco y pipas saladas.
Bebidas	Agua mineral, zumos caseros, bebidas sin azúcar. Infusiones (limitar el café o el té a tres raciones diarias).	Bebidas con azúcar.	
Dulces	Miel, azúcar, mermelada. Postres elaborados con leche desnatada.	Caramelos, mazapán, turrón, pastas hechas en casa, flan sin huevo. Dulces elaborados con aceites de semillas o de oliva.	Chocolate, pasteles no caseros, tartas industriales, dulces realizados con leche entera.

Naturopatía

Los suplementos que enunciamos a continuación pueden ayudar a reducir el colesterol:

- Vitamina C: previene la oxidación del colesterol y su adhesión a las arterias. La dosis se establece en 2.000 mg diarios repartidos en dos tomas.
- Vitamina E: ayuda a que el colesterol no se adhiera a las arterias produciendo arteriosclesosis. La dosis es de 800 mg diarios.
- Vitamina B6: aumenta los niveles de colesterol «bueno» (HDL) en la sangre, especialmente en fumadores. La dosis es de 100 mg diarios.
- Vitamina B3: evita que el colesterol afecte al hígado o que produzca enrojecimiento facial, al tiempo que disminuye el nivel de colesterol LDL y aumenta los niveles de colesterol «bueno» o HDL. La dosis recomendada es de 1.500 mg diarios repartidos en tres tomas.
- Cromo: sus efectos son parecidos a la vitamina B3. La dosis debe ser de 200 mg diarios durante mes y medio.

- Levadura roja: tiene la capacidad de disminuir la producción de colesterol, ya que inhibe las enzimas del hígado responsables de la transformación de las grasas en esta sustancia.
- Onagra: reduce los niveles de colesterol «malo» (LDL) y previene la formación de placas en las arterias.
- Gamma-oryzanol: compuesto obtenido a partir del germen y salvado del arroz que se utiliza para disminuir el nivel de colesterol LDL en la sangre.
- Lecitina de soja: ingerir gránulos de lecitina de soja.

Aromaterapia

El aceite esencial de romero contribuye a disminuir el colesterol.

❑ HIPERTENSIÓN

DESCRIPCIÓN DE LA ENFERMEDAD

Se trata de un trastorno muy frecuente que se caracteriza por la elevación mantenida de la tensión arterial. La hipertensión esencial, que es la más común, carece de causa identificable, aunque el riesgo de padecerla aumenta con la obesidad, la hipercolesterolemia o los antecedentes familiares. La presión elevada se asocia con la apoplejía, incrementa el riesgo de infarto, obstruye las vías circulatorias y agrava las enfermedades renales. La siguiente tabla muestra los valores de tensión arterial considerados normales:

Interpretación de las lecturas de la presión arterial		
Valor	Presión sistólica	Presión diastólica
Normal	Menos de 130	Menos de 85
Normal alta	Entre 130 y 139	Entre 85 y 89
Hipertensión leve	Entre 140 y 159	Entre 90 y 99
Hipertensión moderada	Entre 160 y 179	Entre 100 y 109
Hipertensión grave	Entre 180 y 209	Entre 110 y 119
Hipertensión muy grave	210 o superior	120 o superior

SÍNTOMAS

La hipertensión leve o moderada puede carecer de síntomas, aunque también pueden producirse dolores de cabeza, sensación de inestabilidad, cansancio y palpitaciones. La hipertensión llamada maligna ocasiona cefaleas graves, visión borrosa y confusión: hay que tener cuidado con ella, ya que puede provocar infarto de miocardio.

TRATAMIENTOS

Fitoterapia occidental

Se recomienda tomar cada ocho horas una infusión de 20 g de ajo, anís, muérdago y tomillo por litro de agua. Resulta muy eficaz beber todas las noches una infusión de menta, albahaca, verbena y camomila. También son muy recomendables los maniluvios y pediluvios de la siguiente decocción: una cabeza de ajos y 30 g de oxiacanta, celidonia y flores de retama negra en dos litros de agua.

Se debe seguir una dieta muy rica en frutas y verduras, y consumir de forma regular aceite de pescado (por ejemplo, aceite de hígado de bacalao). Conviene racionar la sal y el azúcar, así como los alimentos grasos.

Musicoterapia

Serenata n.º 13 en Sol mayor de Mozart.

Fitoterapia china

La hipertensión podría asociarse con un exceso de calor en el corazón, cuyos síntomas son: palpitaciones, agitación, ansiedad, insomnio, tez roja o mejillas coloradas, orina oscura, sed y úlcera bucal o lingual. La lengua tendrá la punta roja, posiblemente con una grieta en el centro que se extiende hasta la punta, y el pulso será débil o fuerte según la gravedad, pero siempre rápido. Las hierbas que se recomiendan son en decocción para nutrir y calmar el corazón.

Masaje terapéutico chino

El masaje terapéutico que se propone a continuación tiene sobre todo efectos a corto plazo. Para consolidar la mejoría experimentada, se deberá combinar con otros tratamientos. Estos son los pasos a seguir:

- El paciente está sentado, con la cabeza envuelta con una toalla. Se aplica el método de presión con la yema del pulgar en el cuero cabelludo y en la frente, alternándolo con los métodos de presión y fricción con la palma de la mano. A continuación, se estimularán los acupuntos fengchi con los métodos de hurgamiento y vibración digital, y los acupuntos jianjing con el método del agarrón.

- Se aplica el método de presión con la yema del pulgar a ambos lados de la espalda, desplazándose de arriba abajo de forma que se abarque un área lo más amplia posible. A continuación el paciente debe tumbarse boca arriba: con la palma de la mano, se le friccionará y amasará profundamente la zona abdominal.

- Finalmente, se presionarán y pellizcarán las extremidades, prestando especial atención a los acupuntos hegu, shenmen y shaohoi en las superiores, y los acupuntos weizhong, chengshan, xingjian, tusadi, sanyinjiao, fuliu y yongquan en las inferiores. Si hay síntomas de cefalea y aturdimiento, se estimularán los puntos xingjian, shenmen y shaohai; si los síntomas son de insomnio, fatiga, anemia y debilidad, se prestará especial atención a los acupuntos zusonli, sanyinjiao, shenmen y yongquan. Si aparece micción clara y abundante, se insistirá en los acupuntos shenshu y mingmen.

Un segundo método que se utiliza para tratar la hipertensión, consiste en una combinación de automasaje y gimnasia médica:

- Se comienza utilizando el borde de la palma de ambas manos para amasar ambos lados de la cabeza, desde el acupunto taiyang al acupunto fengchi, que se amasará en profundidad hasta que se produzca una fuerte sensación de hinchazón e irritación.

- Alternando los pulgares de ambas manos, se emplea el método de amasamiento en los acupuntos hegu, zusanli y sanyinjiao hasta que se produzca una sensación de inflamación e hinchazón. A continuación, aplicar el método de estregamiento en el acupunto yongquan de cada pie hasta que se sienta calor en la planta del pie.

- Con la palma derecha e izquierda alternativamente, se amasa profundamente el abdomen, girando lentamente en el sentido de las agujas del reloj. A continuación, se restriega la parte inferior de la espalda con los puños cerrados hasta que la piel se caliente ligeramente.

- De pie con las piernas separadas, se levantan las manos hasta la altura del pecho. En primer lugar se mueve la mano izquierda: se extiende lo máximo posible hacia la izquierda, siguiéndola con los ojos y volviendo al mismo tiempo la cabeza y el tronco también hacia la izquierda lo máximo posible. Se dejará que la mano derecha cuelgue naturalmente, con la palma mirando hacia adentro y los dedos ligeramente doblados. Empleando un máximo de concentración, se lleva muy despacio la mano derecha hasta el rostro, para a continuación extenderla hacia la derecha. Los ojos seguirán la mano, y la cabeza y el tronco girarán hacia el mismo lado. A continuación, se deja colgar la mano izquierda del mismo modo que habíamos hecho con la derecha. Se repite el ejercicio las veces que se desee.

- Para terminar el programa de ejercicios, se adopta la posición del arquero, con el pie izquierdo adelantado. Se gira el tronco hacia la izquierda, levantando los brazos y juntando las manos sobre la cabeza. Con los ojos, se irá siguiendo el desplazamiento de las manos, volviendo la cabeza y el tronco ligeramente inclinados hacia atrás. Se dejan caer los brazos lentamente, siguiendo con la mirada el movimiento de las manos. Se intercambia a continuación la posición de los pies y se repiten los mismos movimientos, pero girando el cuerpo hacia la derecha.

Homeopatía

El remedio dependerá de los síntomas y del tipo constitucional:

- *Aconitum napellus.* Individuos fuertes y vigorosos en los cuales la hipertensión viene acompañada de angustia. Se tomarán 5 gránulos en disolución cada seis horas.
- *Aurum metallicum.* Tipo constitucional moreno y pletórico, con muchas venillas en la nariz, irascible y con poca confianza en sí mismo. La hipertensión produce palpitaciones, que parecen mejorar en verano.
- *Baryta carbonica.* Indicado para ancianos que padecen arteriosclerosis.
- *Calcarea carbonica.* Adultos pequeños y rechonchos que se desaniman con facilidad. Les sube la tensión ante el más mínimo esfuerzo físico o intelectual.
- *Lachesis.* Individuos obesos que hablan mucho cuando están excitados, pero que se deprimen con facilidad. La presión se modera al aire libre.
- *Phosphorus.* Individuos altos y delgados, así como adolescentes con intensos deseos sexuales.

Oligoterapia

Se recomienda cobalto, yodo y los compuestos manganeso-cobalto-yodo y manganeso-yodo.

Flores de Bach

Los remedios más usuales son impaciencia, verbena y vid.

Aromaterapia

Se usarán esencias de lavanda, mejorana, melisa, salvia y ylang-ylang.

Terapia nutricional

En caso de padecer hipertensión, se recomienda consumir los siguientes alimentos:

- Alimentos ricos en potasio: el potasio contrarresta al sodio, ayuda a eliminar el agua sobrante del organismo y además reduce la presión arterial. Como alimentos especialmente ricos en potasio podemos mencionar las lechugas, las patatas o los tomates.

– Alimentos ricos en calcio: el calcio protege el corazón, relaja las arterias y ayuda a mantener un equilibrio entre el sodio y el potasio. Se recomienda tomar brócoli y coles, así como avena y almendras.

– Alimentos ricos en vitamina C, que ayuda a rebajar la hipertensión. Está presente en cítricos y pimientos.

– Alimentos ricos en ácidos grasos esenciales, que ayudan a reducir el nivel de colesterol, previenen la obstrucción de las arterias y facilitan el paso de la sangre. Los ácidos grasos esenciales están presentes en el pescado azul y en las nueces, la soja o la linaza.

– Los siguientes alimentos están especialmente indicados para luchar contra la hipertensión: ajo, tomate, apio, zanahoria y col.

Por el contrario, los alimentos que mencionamos a continuación están desaconsejados para los enfermos de hipertensión:

– Alimentos ricos en cloruro de sodio (sal común). La sal es uno de los principales enemigos de la tensión arterial, ya que contribuye a que el organismo retenga más líquidos, lo que produce mayor presión sobre las arterias, aumentando así la tensión arterial. Se evitará, por tanto, sazonar los alimentos con sal, procurando darles sabor con hierbas y especias como el romero, la salvia, el laurel o la albahaca. El siguiente cuadro muestra el contenido de sal de algunos alimentos utilizados habitualmente:

LISTA DE ALIMENTOS RICOS EN SODIO		
Alimentos	Cantidad	Contenido de sal
Alimentos para «picar»		
Patatas fritas	100 gramos	656 miligramos
Palomitas de maíz	100 gramos	365 miligramos
Avellanas saladas	100 gramos	780 miligramos
Pistachos salados	100 gramos	780 miligramos
Almendras saladas	100 gramos	780 miligramos
Cacahuetes salados	100 gramos	400 miligramos
Pipas	100 gramos	603 miligramos
Galletas	100 gramos	600 miligramos

ALIMENTOS RICOS EN SODIO		
Alimentos	Cantidad	Contenido de sal
Comidas en lata		
Sardinas	100 gramos	280 miligramos
Atún	100 gramos	310 miligramos
Tomate en conserva	100 gramos	420 miligramos
Espárragos escurridos sin enjuagar	100 gramos	240 miligramos
Sopa de pollo	100 gramos	386 miligramos
Maíz	100 gramos	335 miligramos
Condimentos		
Sal de mesa	100 gramos	2.300 miligramos
Sal de ajo	100 gramos	2.060 miligramos
Salsa de soja	100 gramos	1.032 miligramos
Bicarbonato de soja	100 gramos	1.260 miligramos
Productos cárnicos ahumados, curados o procesados		
Embutido	100 gramos	1.235 miligramos
Salchichas de pavo	100 gramos	878 miligramos
Salmón ahumado	100 gramos	784 miligramos
Hamburguesa	100 gramos	561 miligramos
Leche y derivados		
Queso Cheddar	100 gramos	620 miligramos
Mozzarella	100 gramos	373 miligramos
Queso de cabra duro	100 gramos	346 miligramos
Mantequilla	100 gramos	286 miligramos
Margarina 40% de grasa vegetal	100 gramos	959 miligramos
Cereales		
En general (mirar en cada envase)	100 gramos	unos 900 mg

- Alimentos ricos en grasas saturadas.
- Bebidas alcohólicas, aunque numerosos estudios demuestran que una copa de vino en la comida puede ayudar a regular la tensión arterial.
- Alimentos ricos en azúcar o glúcidos, como las pastas, caramelos y postres dulces en general.

Naturopatía

Se recomiendan los siguientes suplementos:

- Calcio: protege al corazón, relaja las arterias y ayuda a mantener un equilibrio entre el sodio y el potasio. La dosis será de 1.000 mg diarios combinados con 500 mg de magnesio.
- Vitamina C: disminuye la contracción de las arterias, por lo que las flexibiliza y facilita el fluido de la sangre, reduciendo la presión arterial. La dosis usual se sitúa en torno a los 500 mg diarios, aunque a veces se necesitan tratamientos de hasta 3.000 mg al día.
- Vitamina E: previene la arteriosclerosis, que es una de las principales causas de la hipertensión. La dosis habitual es de 100 mg diarios, con posibilidad de llegar hasta los 400 mg.
- Vitamina B: ayuda a mejorar la circulación y disminuye la ansiedad.
- Aceites de borraja, onagra, pescado y linaza: contienen ácidos grasos esenciales con propiedades anticoagulantes y antitrombóticas.
- Lecitina de soja: previene que el colesterol se deposite en las arterias, favoreciendo la circulación de la sangre y evitando la hipertensión.
- Arginina: disminuye la hipertensión al dilatar las arterias. La dosis será de 1.000 mg diarios repartidos en dos tomas, antes de las comidas.
- Ginkgo: mejora la circulación sanguínea. La dosis es de 120 mg de extracto al día repartidos en tres tomas.
- Alcachofera: mejora la circulación y previene la arteriosclerosis.

Acupuntura

La acupuntura ha demostrado ser muy buena en el tratamiento de la hipertensión, ocupándose de la debilidad subyacente y de los bloqueos en el sistema energético. En general, se estimularán los siguientes acupuntos: sanyinjiao, baihui, mingmen, zusanli, fenglong, chongyang, renying, yintang, taichung, tianchuang, quchi, hegu, yongquan, taixi, jueyinshu, shenshu y zuqiaoyin.

Hipnoterapia

Las técnicas de relajación pueden ayudar a bajar la tensión arterial cuando la enfermedad tiene motivos psíquicos o emocionales.

Curación espiritual o Reiki

Se coloca una mano en la parte posterior de la cabeza en un lado y la otra en el cuello, en el lado contrario, sobre la arteria carótida. Se trata esta zona hasta que el flujo de energía se haya equilibrado. A continuación, se colocan las manos a la inversa.

En casos de hipertensión muy elevada (por encima de 180), se aconseja comenzar el tratamiento imponiendo una mano en el cuello sólo por espacio de cinco a diez segundos. Se va aumentando la duración del tiempo de terapia del cuello cada vez que se trata al paciente. Esta medida de precaución impedirá un cambio brusco en la tensión arterial, lo que podría provocar un desmayo o náuseas.

Así mismo, también es importante resaltar que esto no constituye la solución definitiva a los problemas de tensión arterial: con gran frecuencia, éstos se producen como consecuencia de otros desequilibrios o trastornos del cuerpo. Siempre resulta más recomendable realizar un tratamiento de cuerpo entero.

❏ HIPOTENSIÓN ARTERIAL

DESCRIPCIÓN DE LA ENFERMEDAD

Se denomina hipotensión o presión arterial baja cuando está por debajo de 90/60. Las cifras no afectan a todo el mundo por igual. Hay personas cuya presión normal es siempre baja y no tienen ningún tipo de molestia. El problema es cuando nos produce sensación de fatiga, mareo y falta de tono muscular. La persona puede llegar incluso a desvanecerse, ya que el cerebro no recibe el flujo necesario de sangre.

Sus causas son muy diversas y van desde el exceso de calor (muchas personas sufren de hipotensión en verano), deshidratación, efectos secundarios de algunos medicamentos, problemas cardíacos, un impacto emocional, muchas horas sin comer, incorporarse demasiado rápido tras un descanso prolongado (hipotensión ortostática), una hemorragia, etc. Siempre es conveniente consultar al médico o especialista si nos desmayamos con frecuencia o si la hipotensión dificulta nuestra calidad de vida.

SÍNTOMAS

Los síntomas más habituales de hipotensión son dolor de cabeza, debilidad general, fatiga y somnolencia.

TRATAMIENTOS

Fitoterapia

Algunas de las plantas medicinales más habituales en el tratamiento de la hipotensión son el regaliz (cuyo efecto es casi instantáneo), la ajedrea (que tonifica las glándulas suprarrenales), la fumaria, el ginseng, el espino blanco y el romero.

Una receta adecuada para tratar la hipotensión sería la siguiente: infusión de 10 g de flores secas de fumaria, 15 g de flores secas de espino blanco y 5 g de raíz seca de genciana por litro de agua, una taza tres veces al día.

Flores de Bach

Se recomienda rosa silvestre.

Aromaterapia

Para la hipotensión se recomiendan alcanfor, hisopo y romero.

Terapia nutricional

Desde el punto de vista de la terapia nutricional, se recomienda en primer lugar comer muchas veces al día pero poca cantidad: de esta forma, se evita que el organismo sufra lo que se denomina una bajada de azúcar. Por otro lado, abusar de la sal o del café para subir la tensión no es en ningún caso un remedio recomendable; sin embargo, las personas que están habituadas a su consumo, no deben interrumpirlo drástica y súbitamente, sino ir reduciéndolo poco a poco. Los alimentos que ayudan a combatir la hipotensión son: el polen de abejas, la levadura de cerveza, el alga *Espirulina*, la remolacha, el sésamo, los germinados de alfalfa y las acelgas.

Acupuntura

Se trabajarán los acupuntos suliao y neiguan.

Curación espiritual o Reiki

(Ver Hipertensión.)

❑ INSUFICIENCIA CARDÍACA

DESCRIPCIÓN DE LA ENFERMEDAD

Trastorno debido a la incapacidad del corazón de bombear la suficiente cantidad de sangre para compensar el retorno venoso y el requerimiento metabólico de los tejidos corporales. Hay dos tipos principales de insuficiencia cardíaca: la que afecta al lado derecho del corazón y la que afecta al lado izquierdo.

Síntomas

La insuficiencia del lado derecho del corazón suele manifestarse con ahogos y falta de aliento; la del lado izquierdo, con la congestión de los intestinos, provoca indigestiones. Es posible que una misma persona sufra las dos variedades de insuficiencia, y por lo tanto tenga ambos tipos de síntomas.

Tratamientos

Fitoterapia occidental

Se recomiendan las infusiones de 25 g de anís y 15 g de escaramujo por litro de agua. En algunos casos, también puede resultar efectivo el ginseng. Otras plantas que pueden resultar de utilidad son la retama negra (decocción de una cucharadita de flores secas por taza de agua, tres tazas diarias) y la fumaria (infusión de cuatro cucharadas por litro de agua, dos tazas al día).

Flores de Bach

Los remedios más indicados son acebo, castaño rojo, heliantemo y vid.

Aromaterapia

Puede utilizarse aceite esencial de alcanfor.

Naturopatía

Se recetarán suplementos de vitamina E, magnesio y potasio.

Homeopatía

Aunque el remedio debe ser constitucional y recetado para cada paciente concreto, los siguientes son los más habituales:

- *Arsenicum album*: es para individuos frágiles, delgados y muy ordenados.
- *Carbo vegetabilis*: hay escalofríos y extremidades azuladas.
- *Cactus grandiflorus*: síntomas acompañados por los de la angina de pecho, con dolor en el brazo izquierdo.
- *Spigelia anthelma*: los síntomas mejoran al alzar la cabeza y tenderse a la izquierda.

Oligoterapia

Se recomienda el cobalto y el compuesto manganeso-cobalto.

❑ LEUCEMIA

DESCRIPCIÓN DE LA ENFERMEDAD

La leucemia es una neoplastia maligna de los órganos hematopoyéticos; es decir, es un tipo de cáncer que afecta a los glóbulos blancos de la sangre, que se encargan de proteger al organismo de los agentes infecciosos. Se caracteriza, en general, por la sustitución difusa de la médula ósea por precursores de los leucocitos, así como por la progresiva sustitución de los glóbulos blancos normales por glóbulos blancos cancerosos, que se reproducen de forma incontrolada afectando especialmente al hígado, bazo, nódulos linfáticos, riñones, ovarios y sistema nervioso central. Hay dos tipos principales de leucemia: aguda y crónica.

SÍNTOMAS

La leucemia aguda suele tener un comienzo repentino con fatiga, palidez, pérdida de peso y formación repentina de hematomas. Progresa rápidamente causando fiebre, hemorragias, debilidad extrema, dolor óseo o articular e infecciones repetidas.
La leucemia crónica evoluciona lentamente y los síntomas descritos anteriormente pueden no aparecer durante años.

TRATAMIENTOS

Hay que dejar claro que la leucemia es una enfermedad extremadamente grave que en todos los casos debe tratarse con medicina convencional siguiendo rigurosamente las instrucciones de un equipo oncológico. Sin embargo, existen algunas terapias naturales que pueden ayudar al tratamiento de forma complementaria, y siempre que los médicos den su visto bueno a su realización.

Fitoterapia occidental
Se recomienda seguir las mismas orientaciones que se dieron para otros tipos de cáncer (ver Cánceres digestivos).

Flores de Bach
En general, las flores de Bach podrán ayudar al paciente a tener un estado de ánimo positivo para así poder luchar con fuerza y energía contra la enfermedad. Según la naturaleza del individuo y su estado de ánimo concreto, se puede tomar alguno de los siguientes remedios: acebo, leche de gallina, nogal, aulaga, castaño dulce, madreselva, sauce, agua de roca, roble, castaño rojo, pino, violeta de agua, clemátide o remedio de urgencia.

Cromoterapia
El amarillo es el color más apropiado.

Terapia nutricional
Se seguirán los consejos de otros tipos de cáncer (ver Cánceres digestivos).

Hipnoterapia
(Ver Cánceres digestivos.)

Curación espiritual o Reiki
(Ver Cánceres digestivos.)

❏ SABAÑONES

DESCRIPCIÓN DE LA ENFERMEDAD

Enrojecimiento e hinchazón de la piel por excesiva exposición al frío. Se trata de una reacción anormal al frío de los vasos sanguíneos que hay debajo de la piel.

En circunstancias normales, los vasos se contraen ante el frío, de modo que conservan mejor el calor, pero cuando aparecen sabañones, el área se vuelve extremadamente pálida y entumecida, con presencia de un hormigueo rojo o azul.

SÍNTOMAS

Sensación de quemazón y picor, que puede evolucionar a la formación de ampollas y úlceras similares a las provocadas por una quemadura térmica. Los sabañones suelen aparecer en manos, pies y orejas como resultado de la mala circulación, aunque se ven agravados por el tabaquismo.

TRATAMIENTOS

Fitoterapia occidental
Ante todo, hay que evitar la tentación de acercar los pies a un radiador o a una bolsa de agua caliente. Se puede comenzar activando la circulación frotando de forma enérgica los pies con una toalla.

Cuando no existan heridas en la piel, se recomienda aplicar cayena molida sobre los sabañones. En el caso de que haya heridas, se utilizará preferentemente un ungüento de caléndula para favorecer la cicatrización. También se recomiendan los baños templados con la decocción de 30 g de corteza de roble y 40 g de cola de caballo por litro de agua. Además se puede combinar la aplicación externa e interna de la decocción de 50 g de hojas de vid por litro de agua.

Fitoterapia china

Se recomienda la tintura que se prepara con 50 g de Dang Gui, 50 g de Sbeng Jiang, 30 g de Hong Hua, 30 g de Hu Jiao, 60 g de Gui Zhi y 15 g de Zhang Nao. Trocear las hierbas y colocarlas en un frasco con 500 ml de alcohol puro. Colar el líquido y guardar en botellas después de una semana. Verter tintura en las manos y darse friegas con ellas hasta que se sequen. No es apta para uso interno.

Homeopatía

Hay dos remedios homeopáticos principales:

- *Agaricus muscarius*: para individuos fatigados que de niños tuvieron problemas escolares.
- *Pulsatilla*: para individuos sensibles e introvertidos, con tendencia al estreñimiento.

Aromaterapia

Se recomiendan los masajes enérgicos para restaurar la circulación con esencias de enebro, jengibre o pimienta negra.

Hipnoterapia

Por medio de la autohipnosis y de la terapia de sugestión se puede condicionar al organismo para que genere más calor en determinadas zonas más vulnerables al frío. Por ejemplo, una persona con tendencia a padecer sabañones en los pies podrá visualizar, antes de salir de casa con tiempo frío, que tiene los pies sumergidos en agua muy caliente: conforme vaya funcionando la sugestión, notará cómo el calor fluye hacia las extremidades inferiores.

❑ SÍNDROME DE RAYNAUD o ACROCIANOSIS

DESCRIPCIÓN DE LA ENFERMEDAD

Trastorno caracterizado por la aparición de una coloración cianótica con frialdad y sudoración en las extremidades, sobre todo las manos, debido al espasmo arterial producido por el frío o la tensión emocional. El calentamiento produce la dilatación de los vasos sanguíneos, por lo que aperecen áreas rojas sobre el fondo azulado.

SÍNTOMAS

Palidez, frialdad y entumecimiento de los dedos. Al calentarlos, se ponen rojos, y el paciente sufre fuertes dolores. En los casos más graves, estos ataques duran el tiempo suficiente como para que los tejidos sufran daños por la falta de riego sanguíneo.

TRATAMIENTOS

Fitoterapia occidental

El síndrome de Raynaud puede aliviarse tomando infusiones de espino albar o decocciones de alcachofa. Están igualmente recomendados los maniluvios y pediluvios con 100 gramos de hojas de menta y tilo por litro de agua.

Homeopatía

Hay algunos remedios que pueden resultar útiles:

– *Carbo animalis*: para individuos melancólicos que empeoran con el frío.
– *Carbo vegetabilis*: para individuos frioleros, débiles y fatigados con aversión a la leche.
– *Cicuta virosa*: cuando los síntomas mejoran comiendo y con el calor.
– *Drosera rotundifolia*: cuando los síntomas mejoran con el movimiento y empeoran con el calor de la cama.

❑ TROMBOANGEÍTIS OBLITERANTE

DESCRIPCIÓN DE LA ENFERMEDAD

Estado de oclusión vascular, generalmente en una pierna o pie, debido a inflamación y trombosis de las arterias de pequeño y mediano calibre.

SÍNTOMAS

Los signos precoces son calor, tumefacción, hormigueo y entumecimiento en el área de la lesión. Si la enfermedad progresa, puede aparecer flebitis o gangrena. A menudo desaparece el pulso en el miembro afectado.

TRATAMIENTOS

Masaje terapéutico chino
• Con el paciente tumbado boca abajo, se utiliza el método de presión con la punta del pulgar en la parte inferior de la espalda y la zona del sacro, prestando al mismo

tiempo atención a los acupuntos shenshu, mingmen y los ocho liao, donde se empleará el método de presión con la punta del pulgar. Después se aplica el método del rodillo desde los glúteos hasta alcanzar el miembro afectado. Este método se debe alternar con la presión con la palma de la mano, desde la pantorrilla.

- El paciente se da la vuelta y se le aplica el método de presión con la palma de la mano subiendo desde la pantorrilla al muslo; para bajar se cambiará al método del rodillo.

- Se ejerce presión con los pulgares a ambos lados del acupunto pichong. Al cabo de 2-3 minutos, el paciente empezará a tener una sensación de tumefacción e hinchazón en toda la pierna. En este momento se retiran los pulgares, y el paciente sentirá que una corriente de calor le recorre la pierna desde arriba hacia abajo. En el caso de que haya el más mínimo dolor, se interrumpirá el masaje.

- Para terminar, aplicar el método de vibración suave en el músculo afectado.

❏ VARICOSIS

DESCRIPCIÓN DE LA ENFERMEDAD

Trastorno bastante frecuente, caracterizado por la presencia de una o más venas varicosas anormalmente dilatadas y de curso tortuoso localizadas generalmente en las piernas o en la parte inferior del tronco. La varicosis puede deberse a defectos congénitos de las válvulas o de las paredes venosas, o a la congestión producida por malas posturas, estar demasiado tiempo de pie, embarazo o tumores abdominales.

SÍNTOMAS

Los más importantes son dolor y espasmos musculares, con sensación de pesadez en las piernas. Antes de que el trastorno produzca molestias, suele ser evidente la dilatación de las venas superficiales.

TRATAMIENTOS

Fitoterapia occidental
Lo más importante a tener en cuenta para tratar las varices es la purificación de la sangre. Muchas personas piensan que con pomadas, ungüentos, aceites o cremas

podrán curar esta enfermedad; esto alivia y ayuda, pero lo más importante es purificar de toxinas la sangre y restablecer el buen funcionamiento de los órganos internos. Ello se consigue, en primer lugar, con una alimentación sana y un buen programa de ejercicios. Durante el sueño, conviene mantener las piernas un poco más elevadas con la ayuda de un almohadón, con el fin de favorecer el retorno de la sangre. Después de cada ducha o baño, se recomienda acabar con agua fría, empezando por los pies y subiendo hasta el pecho.

Para combatir las varices, se recomienda tomar tres veces al día una taza de la infusión de 15 g de manzanilla, 10 g de melisa, 10 g de cola de caballo y 5 g de nogal en un litro de agua. Esto se complementará con la aplicación de compresas empapadas en la decocción de 60 g de flores de caléndula por litro de agua.

Otra posibilidad es realizar una infusión depurativa con una cucharadita de flores y hojas de malva, cinco cucharadas de cola de caballo, dos cucharadas de milenrama y tres cucharadas de castaño de Indias en un litro de agua. Se beberá una taza antes de las comidas.

Para uso externo, se recomiendan las siguientes plantas:

- Achicoria: cataplasma de la maceración de 100 g de raíz en un litro de agua.
- Agrimonia: se lavará la zona afectada con la decocción de 200 g de hojas secas en un litro de vino.
- Castaño de Indias: se lavará la zona afectada con la decocción de una cucharada de corteza en 150 ml de agua, o bien se aplicará la pulpa del fruto a modo de cataplasma.
- Consuelda, cola de caballo y llantén: se aplicarán a modo de cataplasma.

Homeopatía

La Homeopatía no puede reparar la lesión mecánica de una válvula deficiente. Sin embargo, sí es capaz de detener la evolución de las varices y de evitar que salgan otras nuevas. Entre los muchos remedios posibles, cabe mencionar:

- *Hamamelis virginiana*. Para grandes varices dolorosas, acartonadas y tortuosas, a las que acompaña una sensación de magulladura de las partes afectadas. La hinchazón se exacerba durante la menstruación.
- *Ruoricum acidum*. Para ancianos o personas prematuramente envejecidas.
- *Zincum metallicum*. Para varices que se agravan al consumir vino, que afectan a personas nerviosas, sensibles, faltas de energía, con la piel marchita y arrugada, que sienten necesidad constante de mover los pies y las piernas.

Oligoterapia

Se tomará el compuesto manganeso-cobalto.

Sales de Schüessler

Se recomiendan el anhídrido silícico y el fluoruro cálcico.

Aromaterapia

Los aceites de ciprés, enebro, lavanda, romero y tomillo son útiles para tratar y prevenir las varices.

Naturopatía

El complemento más útil para combatir las varices es el aceite de onagra: se recomienda tomar 250 mg al día.

Curación espiritual o Reiki

Se tratan las piernas derecha e izquierda, una a continuación de la otra. Para ello, se coloca una mano sobre una pierna, por la parte interna del muslo, y la otra mano sobre la ingle y tocando a la primera. Se ha de cambiar de pierna en cuanto restablezca el equilibrio en la primera.

SISTEMA RESPIRATORIO

Treinta centímetros de largo, 70 metros cuadrados de superficie, 300 millones de alvéolos pulmonares: tal es la filiación del aparato respiratorio, cuya finalidad es llevar el aire, y por tanto el oxígeno, al interior del organismo, donde interviene en todas aquellas reacciones químicas que hacen posible la supervivencia, el crecimiento y la actividad de nuestro cuerpo.

El aparato respiratorio se divide en dos grandes sectores:

- Las vías aéreas superiores, que comprenden sustancialmente: la nariz, la cavidad oral (que también forma parte del aparato gastrointestinal) y la faringe.
- Las vías inferiores, que son la laringe, la tráquea, los bronquios extrapulmonares y los pulmones, que son los verdaderos órganos propios del aparato respiratorio.

El aparato respiratorio, comenzando por la laringe, la tráquea, los bronquios, hasta llegar a los alvéolos pulmonares, formaciones en las que la sangre venosa cede anhídrido carbónico, recoge el oxígeno recibido a través de las vías aéreas y se aleja convertida en sangre arterial.

LA NARIZ

La nariz puede dividirse en exterior e interior; está integrada por las cavidades nasales. La cara inferior de la pirámide nasal presenta dos orificios, llamados nares (en singular, naris), que son las aberturas o ventanas del vestíbulo de las cavidades nasales. En las nares hay unos pelos, las vibrisas, que, en los animales, cumplen la función olfativa.

Al vestíbulo de la nariz le siguen las fosas nasales, que desembocan en la rinofaringe, a través de dos aberturas de forma ovalada, llamadas coanas. Las fosas están separadas entre sí por una fina lámina ósea, llamada tabique nasal, fácilmente expuesta a fracturas cuando la nariz sufre algún golpe violento.

En las paredes laterales de las fosas nasales se encuentran los cornetes, unas pequeñas láminas óseas arrolladas sobre sí mismas.

LA FARINGE

Es un tubo musculomembranoso situado delante de las seis primeras vértebras cervicales. En la parte alta se comunica con las fosas nasales, en el centro con la boca y en la parte baja con la laringe. Es como una especie de crucero por donde pasan tanto las vías aéreas como las digestivas.

La pared superior de la faringe, o bóveda, presenta una protuberancia formada por una masa de tejido linfático, llamada amígdala faríngea.

La pared posterior es lisa y no presenta irregularidades; las paredes laterales muestran, en su parte superior, un pequeño orificio que constituye la apertura faríngea de la trompa de Eustaquio, que comunica la faringe con el oído medio. Debajo del orificio de la trompa de Eustaquio están situadas, una a cada lado, las amígdalas palatinas, unidas mediante pequeños vasos linfáticos a la amígdala lingual, las amígdalas tubáricas y la amígdala faríngea, para formar el gran anillo linfático de Waldeyer.

LA LARINGE

Se presenta como un cuerpo hueco en forma de pirámide triangular: tiene un diámetro vertical de 7 centímetros en el varón y de 5 centímetros en la mujer; un diámetro transversal máximo de 4 y 3,5 centímetros respectivamente, y un diámetro sagital de 3 y 2,5 cm respectivamente. Contiene unas formaciones extremadamente importantes, las cuerdas vocales, que son las que nos permiten hablar.

LA TRÁQUEA Y LOS BRONQUIOS

La tráquea es un amplio conducto de 10-11 centímetros de longitud. Su forma semicircular recuerda, ligeramente, la galería de una mina, con protuberancias regulares, constituidas por unos 15 a 20 anillos cartilaginosos que le confieren una nota de rigidez.

En su tramo inferior, la tráquea se bifurca en los bronquios derecho e izquierdo, que no son exactamente iguales: el de la derecha mide 20-26 milímetros de largo, mientras el izquierdo alcanza los 40-50 mm. Estos bronquios, después de un breve recorrido en el mediastino (el espacio ocupado por los órganos situados entre la columna vertebral y el esternón), entran en el pulmón por el hilio (lugar de arranque de los nervios y vasos) donde forman los bronquios intrapulmonares.

LOS PULMONES

Por su estructura recuerdan a dos grandes esponjas, de unos 1.300 gramos de peso cada una. El pulmón derecho es más grande y se divide en tres lóbulos; el izquierdo en dos. Hasta cierto punto los lóbulos son independientes, por lo cual, si uno enferma, es posible extirparlo sin que se vea irremediablemente dañada la función respiratoria.

PADECIMIENTOS

El aparato respiratorio cuenta con una serie de barreras para evitar las agresiones del ambiente exterior. En efecto, el aire que entra en la nariz pasa a través de miles de cilios vibrátiles y de las paredes recubiertas por la mucosa, con lo cual se calienta, humedece y se libera de las partículas de polvo y de microorganismos que, de otra manera, llegarían a otras estructuras del aparato respiratorio. Por el contrario, si respiramos directamente por la boca, el aire penetrará en nuestro organismo frío y cargado de partículas extrañas y puede provocar inflamaciones de la laringe y de las amígdalas.

De todos modos, aun respirando por la nariz, no estamos totalmente a salvo de la posibilidad de contraer algunas enfermedades. A este nivel se puede padecer un resfriado más o menos intenso; o la inflamación de los senos frontales o maxilares (sinusitis), de tipo infeccioso o alérgico, que requiere un tratamiento prolongado y, a veces, quirúrgico.

Una enfermedad de carácter general, pero que atañe fundamentalmente al aparato respiratorio, es la gripe, que puede afectar a nariz, garganta, bronquios y, a veces, hasta los pulmones. Otras dolencias que afectan las vías aéreas superiores son la laringitis, la traqueítis, las laringotraqueítis, las traqueobronquitis y las amigdalitis.

Cuando el proceso patológico afecta las dos membranas que recubren los pulmones (las pleuras), se producen pleuresías que pueden ser fibrinosas (secas), serosas o purulentas. Si la enfermedad supera también esta barrerra, puede atacar directamente al pulmón, provocando las diferentes formas de neumonía.

Una enfermedad específica generalmente de larga duración, con crisis a veces gravísimas, es el asma bronquial o asma alérgica, cuya aparición puede ser a edad muy temprana y cuya duración puede ser tan larga como la vida misma del paciente.

Otras enfermedades de tipo inflamatorio a nivel de los bronquios son las bronquitis agudas, que tienden a hacerse crónicas, dejando a muchas personas en un estado de invalidez permanente. Y una de las más temibles complicaciones que amenazan a los bronquios enfermos es el enfisema pulmonar, en el que los alvéolos se dilatan y pierden elasticidad.

Las enfermedades del sistema respiratorio pueden dividirse en varios grupos, atendiendo a cuál sea la zona en la que se producen:

1. EN LAS VÍAS RESPIRATORIAS ALTAS. Son enfermedades que por lo común se presentan en determinada época del año, y que pueden manifestarse a nivel de la nariz, por resfriados más o menos intensos. Como complicaciones pueden ocurrir inflamaciones de los senos frontales o maxilares (sinusitis). Los procesos inflamatorios pueden extenderse a las vías respiratorias bajas, produciendo faringitis, laringitis, amigdalitis, entre otras afecciones menores.

2. EN LA TRÁQUEA. También la tráquea sufre enfermedades inflamatorias que, según su localización, reciben los nombres de traqueítis, laringotraqueítis y traqueobronquitis. Aunque no representan un peligro grave, estas dolencias constituyen un malestar incómodo que puede agudizarse fácilmente, sobre todo en lugares donde hay calefacción (normalmente las de los edificios modernos), pues en ellos prevalece el calor seco que produce inflamación del tubo traqueal.

3. EN LOS BRONQUIOS. La enfermedad que afecta con mayor frecuencia a estas ramificaciones del árbol respiratorio es el asma bronquial, que se origina por una reacción anormal del organismo hacia algunas partículas invasoras. De este modo se desencadenan ataques asmáticos que constituyen una grave sobrecarga para el conjunto del aparato cardiovascular. Los bronquios también pueden sufrir

afecciones inflamatorias, producidas por partículas patógenas (virus, bacterias), que producen las bronquitis llamadas infecciosas. Una temible consecuencia de las bronquitis es el enfisema pulmonar.

4. EN LOS PULMONES Y EN LA PLEURA. La extensión de los procesos inflamatorios a la pleura conlleva la aparición de las pleuresías o pleuritis. Cuando los pulmones se ven afectados surge la neumonía, que puede ser de tipo bacteriano (cuando las bacterias son responsables de su aparición) o de tipo viral (si el agente causante de la enfermedad es un virus). Una enfermedad antaño muy grave, hoy curable, es la tuberculosis pulmonar.

❑ ASMA

DESCRIPCIÓN DE LA ENFERMEDAD

Es una enfermedad crónica del sistema respiratorio caracterizada por el espasmo de los conductos mayores y menores de los pulmones, debido a la inflamación y contracción de los músculos en el tejido pulmonar. Hay muchos factores que pueden producir asma, como los hereditarios, los psicológicos, las alergias o el tabaco.

SÍNTOMAS

Los síntomas consisten en dificultad para respirar, estornudos, tos persistente y sensación de opresión alrededor del pecho. El paciente no puede tomar aire.

TRATAMIENTOS

Cromoterapia
El naranja es el color idóneo.

Pilates
- EJERCICIO «CIEN» MODIFICADO

- *Preparación*. Túmbese boca arriba. Note cómo la columna está pegada al suelo. La columna está estirada y expandida. Los brazos están estirados y pegados a ambos lados del cuerpo. Las palmas de las manos están hacia abajo y planas sobre la colchoneta. Las rodillas miran hacia el techo. Los pies están planos sobre la colchoneta.
- *Disposición*. Lleve la barbilla hacia el pecho utilizando el centro energético. No levante la parte superior del cuerpo por encima de la base de los omóplatos.

- *Acción*. Contraiga el centro energético fuertemente hacia la región lumbar. Inspire lentamente por la nariz durante tres tiempos mientras sube y baja los brazos. Los brazos están rígidos. Imagine que son dos martillos golpeando unos clavos. Espire con suavidad por la nariz durante siete tiempos y siga subiendo y bajando los brazos. Expulse todo el aire. Mantenga los brazos estirados. Procure que sólo los brazos y los hombros participen en el movimiento. Repítalo hasta llegar a 100 veces. Relájese por completo.

- EJERCICIO CON LOS PIES

- *Preparación*. Termine las últimas series cuando las rodillas se doblen hacia los hombros. Junte las rodillas y los tobillos. Flexione los dedos de los pies dirigiéndolos hacia la colchoneta.
- *Acción*. Inspire durante dos tiempos a la vez que estira las piernas hacia delante en un ángulo de 45°, y las dobla hacia el cuerpo para completar una serie. Vuelva a imaginar que mueve las piernas dentro de cemento húmedo. Espire durante tres o cuatro series. Repítalo cinco veces.

- EXPANSIÓN DEL PECHO

- *Preparación*. Arrodíllese sobre la colchoneta. Las piernas están juntas. Levante los brazos en posición de sonámbulo. Impúlsese desde el centro energético para estirar la columna.
- *Acción*. Inspire con suavidad. Lleve los brazos estirados hacia atrás, como si, por ejemplo, estuviera empujándolos en cemento húmedo, más allá de los glúteos. Impulse los brazos hacia atrás tanto como pueda, para que de esta forma el pecho se expanda. Aguante en esta posición unos segundos. Mantenga los hombros bajos. Contenga la respiración mientras mira hacia la derecha. Vuelva al centro. Espire mientras mueve los brazos «en cemento húmedo» y regresa al centro. Repítalo diez veces.

Fitoterapia occidental

Para tratar el asma, se recomiendan especialmente los baños de vapor de pecho y cabeza con eucalipto. Se deberá tomar una taza al día de infusión de cola de caballo. También se puede seguir el siguiente tratamiento durante 15 días: se mezclan, a partes iguales, tila, manzanilla, muérdago, agracejo, tusilago, milenrama y tomillo, y se toma cada mañana la infusión preparada con una cucharada de esta mezcla en una taza de agua. En los 15 días siguientes, se sustituirá esta tisana por la que se preparara con 50 gramos de gordolobo, ortiga común, flores de tilo, hojas de violeta e hinojo en un litro de agua.

Se ha demostrado, así mismo, la eficacia de tomar baños de asiento con eucalipto, cola de caballo, romero, milenrama y salvia.

Shiatsu

Se tratará el meridiano del pulmón, así como los puntos del cuello, los hombros, la parte superior de la espalda y la caja torácica. Los puntos más recomendados son: Pu 1, V 13 y VB 21.

Homeopatía

El asma es el prototipo de afección que requiere un remedio constitucional que será prácticamente exclusivo para cada paciente. Sin embargo, estos son los remedios más utilizados para aliviar las crisis:

- *Arsenicum album:* los síntomas consisten en dificultad respiratoria importante, crisis hacia la una de la madrugada, ansiedad y tos seca. El paciente suele ser friolero.
- *Kalium carbonicum:* dificultad respiratoria importante, crisis entre las 2 y 3 de la madrugada. Individuos fatigados que se sientan con los codos en las rodillas.
- *Ipecacuanha*: para tratar secreciones abundantes, expectoración difícil y náuseas.
- *Antimonium tartaricum*: expectoración difícil, muy espesa, lengua cubierta por una capa blanca amarillenta.
- *Senega*: se recomienda cuando hay expectoración difícil en una persona anciana con tos crónica.
- *Cuprum metallicum:* los síntomas consisten en dificultad respiratoria con opresión, tos espasmódica y contexto espasmofílico.
- *Coccus cacto:* se recomienda para tratar espasmos bronquiales, tos «perruna» similar a la tos ferina.
- *Spongia tosta*: para tratar un despertar brusco cerca de la medianoche con voz ronca y espasmo bronquial.

Naturopatía

Para las personas propensas a esta enfermedad, existe una serie de consejos encaminados a evitar los ataques de asma:

1. Respirar aire puro, sin contaminar.
2. Evitar el aire frío y el polen.
3. Prestar atención a las reacciones alérgicas a comidas y fármacos.
4. Controlar el peso.
5. Practicar la respiración profunda y relajada.
6. Tomar complementos de vitaminas A y B.
7. Practicar ejercicios ligeros al aire libre.

Oligoterapia

Se recomienda manganeso y el compuesto manganeso-cobre.

Sales de Schüessler

Se prescribirá cloruro sódico, fosfato cálcico y sulfato potásico.

Flores de Bach

Achicoria y heliantemo son los remedios de fondo indicados para el asma, aunque en caso de un ataque agudo se podrá recurrir al remedio de urgencia, aunque también a castaño de Indias para aliviar la ansiedad.

Aromaterapia

Las siguientes esencias sirven para tratar el asma: benjuí, ciprés, eucalipto, hisopo, incienso, lavanda, mejorana, melisa y tomillo. Existen muchas formas de administrarlas, aunque quizá las más efectivas sean las inhalaciones. Por las noches, se recomienda utilizar unas gotas de esencia de eucalipto en un humidificador. En caso de ataque, se podrán mezclar diversas esencias, como el eucalipto, el hisopo y la lavanda, y aplicarlas por medio de un inhalador.

Acupuntura

Se estimularán los siguientes acupuntos: dabao, shenzu, ahiyang, quepen, rugen, fenglong, renying, dingchuan, tianzong, tianchuang, futu, zhongfu, yuji, kongzui, jungqu, taiyuan, shufu, dazhong, shanzhong, tiantu, dazhu, fengmen, feishu, dushu, geshu y gaohuangshu.

❑ BRONQUITIS

DESCRIPCIÓN DE LA ENFERMEDAD

Inflamación que puede ser aguda o crónica de las membranas mucosas del árbol traqueobronquial:

− La bronquitis aguda se debe a la extensión de una infección vírica de las vías respiratorias superiores a los bronquios.
− La bronquitis crónica, por su parte, es una afección a largo plazo en la cual los conductos que transportan el aire a los pulmones resultan inflamados. La causa primaria de la bronquitis crónica es el tabaco, aunque también existen otras, como la contaminación ambiental, las infecciones víricas o bacterianas o la inhalación continuada de sustancias irritantes como son el carbón o el polvo de ladrillo.

SÍNTOMAS

Los síntomas incluyen una tos persistente, mucosidad densa, estornudos, dolor en el pecho y ahogos. La bronquitis aguda también producirá fiebre.

TRATAMIENTOS

Fitoterapia occidental

Para tratar esta enfermedad, se recomienda mezclar a partes iguales salvia, bardana, tilo, verónica, marrubio, tusilago, eucalipto, borraja, tomillo y flor de malva. Se tomarán tres tazas diarias, antes de las comidas, de la infusión preparada con dos cucharaditas de esta mezcla por medio litro de agua. Esto debería complementarse con baños de vapor para pecho y cabeza elaborados con eucalipto, equiseto, tusilago y pino.

Fitoterapia china

La bronquitis crónica puede deberse a flema humedad en el pulmón o a calor humedad en el pulmón: ambos casos se explican al hablar del catarro común.

Cromoterapia

El azul añil es el color más apropiado.

Homeopatía

Existen diversos remedios que pueden utilizarse para tratar la bronquitis aguda:

- *Aconitum napellus:* cuando los síntomas incluyen tos seca, dolorosa y perruna en una persona sin sed.
- *Bryonia alba*: cuando se presenta tos seca y dolorosa en un paciente que se oprime los costados y tiene sed intensa.
- *Drosera rotundifolia:* hay tos en accesos similar a la tos ferina, agravada por el calor. El paciente se oprime la base del tórax.
- *Cuprum metallicum*: cuando los síntomas incluyen tos espasmódica similar a la tos ferina con constricción de la caja torácica, que mejora con un trago de agua fría.
- *Rumex crispus*: cuando aparece tos seca a la menor inhalación de aire fresco.
- *Ipecacuanha*: se recomienda para la tos del tipo tos ferina, con náuseas y dificultad respiratoria.
- *Hydrastis canadensis*: cuando hay expectoraciones pegajosas, espesas, viscosas y amarillentas.
- *Senega*: cuando se presenta expectoración difícil, sobre todo en personas ancianas.
- *Antimonium tartaricum*: para estertores húmedos gruesos en todo el pulmón.

– *Calcarea sulphurica*. Cuando hay expectoración abundante y herpes cutáneo.
– *Kalium sulphuricum*. Para las secreciones que son de tipo amarillo verdosas y sinusitis.

En cuanto a la bronquitis crónica, requiere un tratamiento constitucional que se adecue exactamente a cada paciente.

Oligoterapia

Se administrará el compuesto manganeso-cobre.

Sales de Schüessler

Puede prescribirse anhídrido silícico, cloruro potásico y sulfato potásico.

Flores de Bach

Pino puede ayudar a tratar la bronquitis crónica, y acebo y castaño dulce contribuyen a calmar la tos.

Aromaterapia

Se recomiendan las siguientes esencias: albahaca, benjuí, cardamomo, cedro, eucalipto, hisopo, lavanda, menta, pino y sándalo. Podrán administrarse en inhalaciones, masajes de pecho, evaporaciones o baños.

Naturopatía

Contra la bronquitis crónica se recomiendan los siguientes suplementos:

– Vitamina A: la dosis será de 1.000 mg diarias.
– Vitamina E: se recomienda tomar 400 mg al día.
– Vitamina C: 4 gramos diarios.
– Equinácea: actúa como antibiótico natural, combatiendo las infecciones.

Acupuntura

Se trabajarán los siguientes puntos: quepen, futu, zhongfu, tiantu y feishu.

❏ CÁNCER DE PULMÓN

DESCRIPCIÓN DE LA ENFERMEDAD

Como el resto de los cánceres, el de pulmón es una neoplastia caracterizada por el crecimiento incontrolado de células anaplásticas en la zona del pulmón.

Síntomas

Los signos de advertencia incluyen tos y estornudos persistentes, dolor en el pecho y falta de aliento. También pueden presentarse nódulos linfáticos hinchados y una sensación general de mala salud, incluida una pérdida de peso no justificada y toser sangre.

Sin embargo, no debemos dejar de advertir que muchos procesos cancerosos en el pulmón cursan sin ningún tipo de síntoma durante sus primeras fases, por lo que la única forma de detección precoz de la enfermedad, sería haciéndose una revisión médica periódica.

Tratamientos

Fitoterapia occidental
Se recomienda el mismo tratamiento que para otros tipos de cáncer (ver Cánceres digestivos).

Shiatsu
El masaje Shiatsu general ayudará a movilizar la energía ki bloqueada, al mismo tiempo que el trabajo sobre el meridiano del pulmón permitirá un aporte de energía más localizado.

Terapia nutricional
Se aplicará la misma terapia preventiva que para otros tipos de cáncer (ver Cánceres digestivos).

Flores de Bach
Al igual que ocurre con todos los tipos de cáncer, las flores de Bach pueden ayudar a mejorar el estado anímico del paciente. Por tanto, se recurrirá a olmo, remedio de urgencia, acebo, leche de gallina, madreselva o roble.

Cromoterapia
El más apropiado es el verde.

Hipnoterapia
(Ver Cánceres digestivos.)

Curación espiritual o Reiki
(Ver Cánceres digestivos.)

❏ CATARRO

DESCRIPCIÓN DE LA ENFERMEDAD

El catarro es la producción excesiva de mucosidades en la nariz y en el tracto respiratorio, causada por la inflamación de las membranas mucosas. Normalmente el catarro es una de las consecuencias del resfriado o de la gripe, aunque también puede producirse por una alergia, por padecer sinusitis crónica o pólipos nasales.

SÍNTOMAS

Los síntomas son taponamiento de la nariz, tos y dolor de oídos.

TRATAMIENTOS

Cromoterapia
El naranja es el color más apropiado.

Fitoterapia occidental
El tratamiento recomendado es muy similar al del resfriado: infusiones de saúco, tila, salvia y gordolobo. En caso de que exista irritación de garganta, se recomienda hacer gárgaras con la decocción de flores de manzanilla y de malva, tomillo y llantén. Para aliviar la tos, se recomienda una tisana preparada con 5 g de cada una de estas plantas: ababol, pie de gato, malva, tusilago, malvavisco, gordolobo y violeta. Son igualmente útiles los baños de vapor con la decocción de eucalipto, tusilago y menta.

Fitoterapia china
Un simple catarro puede tener las causas más diversas según la medicina tradicional china:

- Por un lado, puede tratarse de insuficiencia en el pulmón, que se tratará con la decocción fortalecedora de tierra y metales.
- Sin embargo, también puede deberse a una flema humedad en el pulmón, cuyos síntomas son: tos con abundante flema, congestión nasal, pecho cargado y falta de aire. La lengua presentará saburra gruesa y blanca o gris, y el pulso será fuerte. Se prescribirá la decocción para limpiar el bazo o para secar el pulmón.
- Una tercera posibilidad sería la presencia de calor humedad en el pulmón, que presenta tos con abundante flema pegajosa y amarillo verdosa, descargas nasales coloreadas o con sangre, pecho cargado, falta de aire y resuello. La lengua tendrá

saburra gruesa, grasa y amarilla, y el pulso será rápido y fuerte. Se recomienda la decocción para limpiar el pulmón.

– Por último, podría diagnosticarse sequedad y calor en el pulmón en el caso de que haya tos seca, falta de aire, resuello, flema gruesa y pegajosa en el pecho (quizá con sangre), sed, piel seca, sarpullido rojo, mejillas coloradas y estreñimiento seco. La lengua estará seca, roja, delgada, agrietada en la zona del pulmón y puede tener una capa delgada y amarilla, y el pulso será rápido y fuerte. Se tomará la decocción para nutrir el corazón.

Homeopatía

Hay tres remedios que se utilizan de forma especial para tratar el catarro:

– *Belladona*. Síntomas con comienzo brusco o repentino, que empeoran con la luz, el ruido y el frío y mejoran con el reposo.
– *Ipepacuana*. Catarros acompañados de náuseas y vómitos que empeoran con el movimiento y al aire libre y mejoran con el reposo y el calor.
– *Pulsatilla*. Personas rubias y de piel clara cuyos síntomas empeoran con el calor y en un cuarto cerrado, y mejoran al aire libre y con el movimiento.

Sales de Schüessler

Se administrará cloruro potásico y sulfato potásico.

Acupuntura

El acupunto más utilizado es zhigou, aunque para tratar la tos pueden utilizarse los siguientes: zhiyang, rugen, fenglong, sifeng, shaoshang, chize, kongzui, lieque, taiyuan, tiantu, xinshu, genshu y zuqiaoyin.

❑ ENFISEMA

DESCRIPCIÓN DE LA ENFERMEDAD

El enfisema es una enfermedad respiratoria progresiva en la cual los alvéolos resultan dañados, de modo que se vuelven bastante menos eficientes y reducen su flujo de sangre. El corazón de la persona que padece un enfisema se ve sometido a un esfuerzo muy severo, ya que le cuesta más trabajo impulsar la sangre hacia los pulmones.

En la mayoría de las ocasiones, el enfisema está causado por fumar, aunque también existen factores genéticos.

SÍNTOMAS

El paciente con enfisema puede presentar disnea, tos, cianosis, expansión torácica asimétrica, taquicardia y fiebre. En los casos avanzados, también puede producirse ansiedad, inquietud, confusión, debilidad e insuficiencia respiratoria.

TRATAMIENTOS

Fitoterapia occidental

El tejido pulmonar no se puede reparar, de modo que lo mejor es prevenir el enfisema evitando a toda costa el tabaco. Si ya se padece la enfermedad, se pueden aliviar los síntomas tomando dos gotas de aceite esencial de arrayán después de cada comida, o administrándolo en inhalaciones. Las infusiones de consuelda reducen las flemas.

Fitoterapia china

El enfisema suele producir tos con abundante flema pegajosa y amarillo verdoso, así como descargas nasales coloreadas o con sangre, pecho cargado, falta de aire y resuello: por todo ello, se diagnosticará calor humedad en el pulmón, que se cura con la decocción para limpiar el pulmón.

Aromaterapia

Contra el enfisema pulmonar, se recomienda el aceite esencial de eucalipto.

Naturopatía

Se recomienda tomar como suplementos vitamina A (10.000 mg diarias para reforzar el tejido pulmonar) y vitamina E (400 mg diarias para aliviar las dificultades respiratorias).

❏ FIEBRE DEL HENO O RINITIS ALÉRGICA

DESCRIPCIÓN DE LA ENFERMEDAD

Inflamación de las vías nasales debida a una reacción de hipersensibilidad frente al polvo doméstico, la caspa animal o el polen. El trastorno puede tener carácter estacional, como por ejemplo la fiebre del heno, o continuo, como la alergia al polvo.

SÍNTOMAS

Los síntomas más habituales incluyen goteo de la nariz, congestión, estornudos, enrojecimiento y escozor en los ojos, conjuntivitis y garganta irritada.

TRATAMIENTOS

Fitoterapia occidental

Los tratamientos naturales para la fiebre del heno que más se utilizan incluyen las infusiones de orégano, cardo mariano y celidonia, aunque una infusión de flores de saúco tomada muy caliente antes de acostarse puede mantener a raya el lagrimeo y el goteo nasal de la fiebre del heno.

También se recomienda la cura tibetana de ajo para intentar suprimir la alergia.

Shiatsu

Se recomienda tratar especialmente el canal del intestino grueso para ayudar a liberar el ki y aliviar los estornudos y los ojos sensibles.

Homeopatía

La rinitis alérgica puede encontrar diversos tratamientos desde un punto de vista homeopático:

Síntomas	Remedios
Secreción acuosa por la nariz irritante, lagrimeo, estornudos repetidos, agravación por el aire caliente.	*Allium cepa.*
Secreción acuosa por la nariz no irritante, lagrimeo irritante, estornudos repetidos, agravación al aire libre por viento.	*Euphrasia officinallis.*
Secreción nasal, obstrucción nasal, lagrimeo irritante, estornudos por olor floral, comezón o picores en el paladar.	*Sabadilla.*
Secreción acuosa por la nariz, estornudos, obstrucción nasal, comezón o picores en oídos, agravación nocturna y por calor.	*Nux vomica.*
Disminuye la hipertensión.	*Kali iodatum.*
Secreción nasal agotadora, nariz seca y aedorosa. Persona hipersensible a los olores, a las flores, con perversión del olfato (percibe un olor a cebolla quemada). Obstrucción nasal por pólipos. Mejillas rojas.	*Sanguinaria canadensis.*

Se prescribirán disoluciones, a razón de tres glóbulos tres o cuatro veces al día, durante 48 horas, siendo éste el tiempo máximo que hay que emplear para dicho tratamiento.

Aromaterapia

Se recomienda la mezcla de melisa y eucalipto.

Cromoterapia

El azul añil es el más apropiado.

Naturopatía

Contra la fiebre del heno, se prescribirán complementos de vitaminas A, C y E, así como de flavonoides. La equinácea también puede resultar de utilidad.

❏ GRIPE

DESCRIPCIÓN DE LA ENFERMEDAD

La gripe es una infección vírica severa y altamente contagiosa. Hay tres virus principales que causan la gripe: A, B y C. Si se contrae el virus C, se desarrolla inmunidad y ya no es posible enfermar de nuevo por su causa. Sin embargo, los virus A y B están mutando constantemente, de modo que es imposible desarrollar ningún tipo de inmunidad.

SÍNTOMAS

Los síntomas de la gripe pueden asemejarse a los de un resfriado muy fuerte, aunque suelen incluir fiebre alta, dolor muscular, debilidad general, rigidez e incluso depresión.

TRATAMIENTOS

Fitoterapia occidental

Existen varias recetas naturales para aliviar los síntomas de la gripe e impedir que degenere en enfermedades más serias. La primera consiste en administrar cada dos horas una tisana de flores de saúco, hinojo, cardo santo, violeta, menta y estigmas de maíz por litro de agua.

Cuando hay diarreas y vómitos, se recomiendan las infusiones de centáurea, parietaria, malva, cardo santo y anís verde, con la misma frecuencia que la receta anterior.

En el caso de que se produzca excitación o nerviosismo, se añadirá valeriana a las anteriores tisanas; si por el contrario hay depresión y agotamiento, se optará por la angélica y la salvia.

Mientras dure el proceso gripal, se recomienda guardar cama y administrar baños de vapor de pecho y cabeza con eucalipto, saúco y yemas de pino. Una vez recuperada la normalidad, es conveniente seguir durante unos días una dieta a base de zumos, hortalizas y arroz integral. También son recomendables los tónicos para recuperar el buen estado general del organismo, como el ginseng o el ajo.

Fitoterapia china

Existe un remedio patentado contra la gripe: Jin Qiao Jie Du Pian.

Shiatsu

Se recomienda el mismo tratamiento que para el resfriado común (ver Resfriado común).

Colorterapia

Usar el color azul.

Homeopatía

Hay una multitud de remedios homeopáticos que sirven para tratar la gripe:

Síntomas	Remedios
Súbitos, acceso de frío, fiebre elevada sin transpiración, angustia, ansiedad, tos laríngea.	*Aconitum napellus.*
Afección repentina e intensa, persona helada hasta los huesos, pálida.	*Camphora officinalis.*
Fiebre elevada, transpiración, cara ardiente, persona agitada.	*Belladonna.*
Fiebre elevada sin sed, molestia laríngea.	*Apis mollifica.*
Agujetas febriles (dolores musculares y articulares), dolor al mover los ojos, persona decaída; sed, lagrimeo.	*Eupatorium perfoliatum.*
Persona delgada, soñolienta, sensación de temblores dentro del cuerpo, pesadez de los miembros.	*Gelsemium sempervirens.*
Mucosidad acuosa e irritante, lagrimeo ligero.	*Allium cepa.*
Obstrucción nasal de noche y con el calor, escalofríos, deseo de mantenerse muy abrigado.	*Nux vomica.*
Secreción nasal purulenta, amarilla y filamentosa; tos.	*Hydrastis canadensis.*

Síntomas	Remedios
Agujetas generalizadas, cólico, diarrea, fatiga, agitación. Empeoramiento al desabrigarse.	*Rhus toxicodendron.*
Fiebre, sudores profusos, cólicos, diarrea, molestia respiratoria, sed intensa.	*Bryonia alba.*
Dolores musculares, aliento fétido, trastornos digestivos, cabeza caliente, pero cuerpo (o sólo las manos) frío.	*Arnica montana.*
Fiebre muy elevada, diarrea agotadora, garganta enrojecida, confusión mental, sensación de gravedad.	*Baptisia tinctoria.*

Estos remedios se administrarán en dilución, a razón de tres glóbulos cada hora durante cuatro horas, y después tres o cuatro veces en las 12 horas siguientes.

Flores de Bach
Se recomienda manzano silvestre.

Aromaterapia
Contra la gripe, se recomiendan las siguientes esencias: bergamota, canela, ciprés, eucalipto, lavanda, menta, pino, romero y tomillo. Según los síntomas y su gravedad, se administrarán de la forma que se considere más efectiva, ya sea en masajes para dolores musculares, inhalaciones para los síntomas respiratorios o evaporaciones para aliviar el malestar general.

En casos graves, se podrá recurrir al uso interno para ayudar a combatir la infección, previa consulta a un profesional.

Naturopatía
Se aplicarán las mismas recomendaciones que para el resfriado común (ver Resfriado común).

Terapia nutricional
El tratamiento para la gripe según la terapia nutricional es el mismo que para el resfriado común (ver Resfriado común).

Acupuntura
Se trabajará especialmente el acupunto quchi.

❑ NEUMONÍA

DESCRIPCIÓN DE LA ENFERMEDAD

La neumonía es una inflamación aguda de los pulmones que se debe a la infección producida por distintos agentes patógenos, aunque las más frecuentes son la bronconeumonía (que suele aparecer como complicación de la bronquitis o de la gripe) y la neumonía lobar (que aparece bruscamente a causa de una infección).

SÍNTOMAS

La neumonía se caracteriza por escalofríos intensos con fiebre elevada, cefalea y dolor torácico. A veces se produce un dolor agudo difícil de diferenciar de apendicitis.

TRATAMIENTOS

Fitoterapia occidental
Se recomiendan las infusiones de tomillo y equinácea, que se complementarán aplicando sobre el pecho cataplasmas de ajo.

Shiatsu
Se recomienda trabajar los puntos de presión en la palma de la mano, así como el meridiano del pulmón y los puntos Pu 1 y Pu 9.

Flores de Bach
El olivo aporta energía y la genciana de campo sirve para el desaliento.

Aromaterapia
Aunque sin remedio específico, la menta y el eucalipto ayudarán a calmar los dolores.

Naturopatía
Al igual que para otras afecciones de las vías respiratorias, se recomiendan complementos de vitaminas A, E y C, así como flavonoides y equinácea para ayudar al cuerpo a luchar contra los agentes patógenos.

Curación espiritual o Reiki
Se podrá aplicar el siguiente tratamiento:

1. Se coloca una mano hacia abajo y la otra hacia arriba sobre la parte superior del pecho del paciente.

2. Se colocan las manos en la línea del pecho. Se desplazan ambas manos a la vez un palmo más abajo, permaneciendo en esta posición hasta que se advierta una disipación de la energía o bien se note que la zona se ha equilibrado. Se tratará toda la zona de los pulmones, así como los costados del cuerpo, de forma que se energicen los laterales de los pulmones. Es más fácil tratar a la persona si ésta se encuentra recostada de lado. Hay que prestar especial atención a la dirección en que apuntan las manos, ya que es preciso describir un círculo con la energía.
3. En la espalda de la persona receptora, una mano asciende.
4. Se tratará la espalda descendiendo con las manos palmo a palmo.

Por otro lado, se recomienda que el paciente utilice técnicas de meditación y de autocuración, tratando en todo momento de captar el sentido kármico de su enfermedad.

❏ PLEURESÍA

DESCRIPCIÓN DE LA ENFERMEDAD

La pleuresía es una inflamación de la membrana que rodea los pulmones, llamada pleura. Se produce por una infección vírica o bacteriana, y normalmente aparece como complicación de otras enfermedades como la neumonía o la bronquitis.

SÍNTOMAS

Los más usuales son disnea y dolor punzante, que determina la restricción de la respiración normal acompañada de espasmo muscular.

TRATAMIENTOS

Fitoterapia occidental
Se trata de una enfermedad muy grave que debe de ser tratada por un médico, aunque para ayudar a los medicamentos convencionales, se pueden administrar sobre el pecho cataplasmas de epilobio y hojas de nogal. La tisana recetada contra el catarro (ababol, pie de gato, malva, tusilago, malvavisco, gordolobo y violeta) también puede contribuir a aliviar los síntomas.

Fitoterapia china
La pleuresía puede deberse a sequedad y calor en el pulmón, que ya se explicó al hablar del catarro común, por lo que se tomará la decocción para nutrir el corazón.

❑ RESFRIADO COMÚN

DESCRIPCIÓN DE LA ENFERMEDAD

El resfriado común es una infección vírica del tracto respiratorio superior. Cada vez que se coge un resfriado, se adquiere inmunidad al virus concreto que lo ha causado; el problema es que los virus responsables están mutando constantemente. La causa del resfriado es, por tanto, única: la infección vírica. Algunos factores como el estrés o el cansancio pueden debilitar el sistema inmunológico haciendo que sea más vulnerable.

SÍNTOMAS

Los síntomas más comunes son la fiebre baja, el goteo de la nariz, cefaleas, estornudos, catarro y ocasionalmente dolor de garganta. El resfriado común dura entre cinco y diez días, con tratamiento o sin él. En general, se puede decir que no son peligrosos en personas que gocen de buena salud, pero hay que vigilarlos para que no deriven en enfermedades más graves.

TRATAMIENTOS

Fitoterapia occidental

Son muchos los remedios naturales que sirven para tratar el resfriado común. El limón y la miel son los remedios tradicionales para los resfriados y la gripe; y las acículas de pino pueden aliviar la congestión de pecho. Una de las recomendaciones más útiles consistiría en tomar tres tazas diarias de la infusión de 15 gramos de las siguientes plantas por litro de agua: saúco, tila, salvia y gordolobo. También resulta eficaz la decocción de menta, salvia, tomillo y eucalipto, con las mismas dosis y la misma preparación que la receta anterior. Los granos de mostaza proporcionan alivio sintomático, ya sea aplicados en pediluvios o en inhalaciones.

Para combatir la tos, se puede aplicar una cataplasma de cebolla asada sobre el pecho cada dos horas. Y para activar el sistema inmunológico y evitar resfriados o gripes, resultan muy útiles el ajo y la equinácea.

Fitoterapia china

Según la medicina tradicional china, las personas que tienen una excesiva facilidad para resfriarse padecen insuficiencia en el pulmón, que se caracteriza por falta de aire, pecho cargado, tos, estornudos o resuello, sensación de frío, tez pálida, sudores espontáneos, manos frías y cansancio. La lengua está con un color cálido y el pulso es débil. Se recomienda tomar la decocción fortalecedora de tierra y metales. Existe también un remedio patentado contra el resfriado: Gan Mao Ling.

Shiatsu

El masaje de Shiatsu convencional, con especial atención en la espalda, el cuello y la cabeza, suele ser beneficioso para tratar el resfriado convencional, ya que sirve para mover el ki bloqueado y estancado, para reforzar la inmunidad así como para desalojar toxinas al flujo sanguíneo y, por lo tanto, expulsarlas del cuerpo. El tratamiento suele acelerar el resfriado, haciendo de esta forma que el proceso en su conjunto sea más rápido.

El tratamiento específico de los pulmones resulta beneficioso, y trabajar con el canal del bazo con regularidad puede potenciar la inmunidad en general. Entre los puntos específicos que se pueden incorporar, se recomiendan Pu 1, Pu 9, ID 11, V 10, V 13 y VB 20. IG 4 e IG 10 que sirven para aliviar dolores y molestias asociados, mientras que para combatir la tos, se utilizarán IG 4, V 13, H 14, y para la congestión nasal, IG 20, y V 10.

Homeopatía

El resfriado común se tratará de distintas formas, puesto que todo dependerá de si se produce obstrucción nasal, secreción acuosa por la nariz o secreción espesa y purulenta:

Síntomas: obstrucción nasal	Remedios
Fase inicial muy breve. Resfriado súbito, que aparece tras exponerse al frío seco. El aire respirado por la nariz está helado.	*Camphora officinalis.*
Mucosa congestiva, hinchada, seca. Obstrucción nasal intolerable por la noche. Tos ronca, perruna, antes de la medianoche. Resfriado después de exponerse al frío seco.	*Aconitum napellus.*
Paciente ansioso, malhumorado, intolerante. Resfriado aparecido después de excesos a la mesa. Comezón o picores en el fondo de la garganta, olfato disminuido a menudo, secreción acuosa por la nariz.	*Nux vomica.*
Nariz que escurre de día, obstruida de noche, en un paciente con frío pero que siente necesidad de aire fresco, incómodo en una habitación caliente. Pérdida rápida del olfato y del gusto. Secreción amarilla, espesa y purulenta por la nariz.	*Pulsa tilla* (debe evitarse en caso de riesgo de otitis).

Síntomas: secreción acuosa por la nariz	Remedios
Secreción caliente que aparece tras exponerse al frío seco. Agravación por las corrientes de aire.	*Belladonna.*
Secreción acuosa que puede ser más o menos sanguinolenta y la cual aparece tras exponerse al frío seco; se agrava por la noche.	*Ferrum phosphoricum.*
Resfriado ligero pero con lagrimeo irritante, muy abundante, ojo enrojecido.	*Euphrasia oficinalis.*
Lagrimeo ligero, secreción nasal que irrita la narina y el labio superior, mejoría por el aire fresco, numerosos estornudos.	*Allium cepa.*
Secreción ardorosa poco abundante, causa fatiga, mejoría por el calor con necesidad de aire fresco.	*Arsenicum album.*
Resfriado que se mejora en la nariz por el calor y se agrava por el frío. Secreción espesa, abundante. Tiende a evolucionar hacia sinusitis, con dolor en los huesos de la cara.	*Kali iodatum.*

Síntomas: secreción espesa y purulenta	Remedios
Secreción amarilla, lengua amarillenta.	*Kali sulphuricum.*
Secreción agravada por el frío y al aire libre.	*Hydrastis canadensis.*
Aparece a raíz de una manifestación de carácter. Paciente muy gruñón, con mucosas y tos secas. Sed intensa.	*Bryonia alba.*
Dolor localizado en la cara, secreción nasal en filamentos y hacia la garganta. Tapones de moco pegajosos, mucosa más o menos ulcerada por abajo.	*Kali bichromicum.*
Boca fétida, salivación intensa, secreción acuosa o purulenta por la nariz. Aparece después de exponerse al frío húmedo.	*Kali iodatum.*

Se prescribirán estos remedios en dilución, a razón de tres glóbulos tres o cuatro veces al día, durante 48 horas como máximo.

Aromaterapia

Contra el resfriado, se recomiendan las siguientes esencias: alcanfor, albahaca, canela, enebro, eucalipto, hisopo, melisa, menta, melaleuca, pimienta negra, romero y tomillo. La forma más eficaz de administrarlas es en inhalaciones o por medio de masajes pectorales.

Naturopatía

Ya que el resfriado común se produce cuando las defensas de nuestro organismo no son capaces de vencer a los virus que lo atacan, existen ciertos consejos de vida sana que pueden ayudar a nuestro cuerpo a defenderse:

- Mantener una buena higiene de las manos para minimizar las posibilidades de contagio.
- Evitar aquellos espacios cerrados donde haya mucha gente, por los mismos motivos.
- Ventilar bien las habitaciones.
- No abusar de los antibióticos, para que los microorganismos no se hagan resistentes a la medicación y resulte más difícil eliminarlos.
- Cuidar la alimentación.
- Vestirse adecuadamente, de forma que se evite el enfriamiento que proporciona las condiciones corporales adecuadas para resfriarse.
- Mantener el grado de humedad ambiental adecuado para evitar que se resequen las mucosas.
- No fumar.
- Respetar el descanso que necesita el cuerpo.
- Reducir el estrés.
- Para los bebés, amamantarlos con leche materna.

Por otro lado, existen numerosos complementos alimenticios que pueden ayudar a luchar contra el resfriado:

- Complejo de vitamina B. Durante el resfriado, ayuda a mejorar los síntomas y a aumentar la inmunidad para prevenir recaídas o impedir posibles complicaciones. La dosis habitual es de una pastilla cada 12 horas.
- Vitamina A: fortalece el sistema inmunológico, y durante la infección ayuda a combatir los virus. La dosis habitual oscila entre 25.000 y 75.000 mg.
- Vitamina C: tradicionalmente se ha creído que la vitamina C ayuda a prevenir la aparición de resfriados. Aunque estudios recientes parecen indicar lo contrario, lo que sí es cierto es que esta vitamina ayuda a mejorar los síntomas y a reducir la duración del resfriado. La dosis será de 4.000 mg diarios durante el periodo que dure la enfermedad.

– Suplementos de ajo: la dosis será de 2.000 mg diarios repartidos en cuatro tomas durante las comidas.
– Suplementos de equinácea, que actúa como antibiótico natural. La dosis durante un resfriado suele ser de unos 1.000 mg al día repartidos en cinco tomas diarias.
– Zinc: ayuda a reducir la duración de un resfriado. La dosis no debe superar los 150 mg diarios.

Terapia nutricional

Mientras duren los síntomas del resfriado, se recomienda seguir una dieta ligera, rica en verduras y frutas, que proporcione al cuerpo los nutrientes necesarios sin exigir un gran esfuerzo metabólico para realizar la digestión, al tiempo que se debe beber mucha agua. Se recomiendan en general los alimentos con propiedades antioxidantes, como por ejemplo:

– Alimentos ricos en vitamina C, como los diversos cítricos o los pimientos. Aunque no curen el resfriado, ayudan a reducir los síntomas.
– Alimentos ricos en vitamina A: se encuentra en el hígado, la caballa y la mantequilla, aunque también está presente en las zanahorias, espinacas y calabazas, entre otros vegetales.
– También se recomiendan los alimentos con propiedades inmunoestimulantes, como el ajo y la cebolla.
– Alimentos ricos en vitamina B, como las remolachas o las coles.
– Alimentos ricos en zinc: como mariscos, apio, espárragos y berenjenas.
– No descuidar las proteínas, tomando soja, legumbres y frutos secos.

La leche caliente antes de acostarse es un remedio tradicional contra los resfriados, en muchas ocasiones mezclada con canela y con miel: además de aportar numerosos nutrientes, parece demostrado que combate los síntomas del resfriado. En algunos lugares también existe la costumbre de añadir un chorrito de alguna bebida alcohólica, habitualmente coñac, a la leche caliente antes de dormir: si no hay ninguna otra patología que lo desaconseje, esta costumbre puede ayudar a combatir el taponamiento nasal y el insomnio nocturno.

SISTEMA DIGESTIVO

Si los aparatos cardiocirculatorio y respiratorio son de una vital importancia para permitir la supervivencia del organismo, el gastrointestinal es su pilar fundamental, puesto que garantiza la aportación de aquellas sustancias que representan, en cierto sentido, el «combustible» para la «máquina» humana. El aparato gastrointestinal empieza en el exterior del cuerpo, con los labios, que son los primeros que entran en contacto con los alimentos. A continuación viene la boca, que presenta diversas formas en relación con la posición de las mandíbulas. Los movimientos necesarios para masticar están garantizados por la presencia de cuatro músculos que permiten el desplazamiento de la mandíbula y del músculo temporal, en forma de cinta aplastada y alargada.

Todos los organismos vivos están constituidos por células que tienen un elemento en común, el carbono, imprescindible para la vida. Mientras las plantas son capaces de sintetizarlo directamente a través de la función clorofílica, los hervíboros deben, en cambio, comer los vegetales para conseguir el carbono necesario, y los carnívoros atacan a los hervíboros para disponer de los elementos vitales imprescindibles. El hombre, que es omnívoro, debe conseguir del ambiente externo grasas, hidratos de carbono, proteínas, sales minerales y agua, que son indispensables para que se puedan desarrollar las funciones químicas, que permiten la vida y el crecimiento de los tejidos.

FUNCIONAMIENTO

Las células que constituyen nuestro organismo no son capaces de utilizar los alimentos tal como los ingerimos: éstos deben sufrir una profunda serie de transformaciones que los convierten en más sencillos (aminoácidos, monosacáridos, glicerol y ácidos grados). De esta forma, en la boca los alimentos son triturados e impregnados de saliva, que contiene una enzima: la amilasa, que «predigiere» el almidón. El alimento, transformado de este modo, y llamado bolo alimenticio, inicia su descenso por el esófago, donde es empujado por una serie de movimientos, las ondas peristálticas, que se suceden a la velocidad de 2-4 centímetros por segundo. Una vez alcanzado el estómago, los alimentos son sometidos a un proceso mecánico y químico, por acción del jugo gástrico. El alimento pasa, a continuación, por el duodeno, en donde los azúcares son ulteriormente divididos por una enzima del páncreas, la amilasa. En el intestino los alimentos son sometidos a la acción de los jugos intestinales y al final son absorbidos, a través de las vellosidades intestinales, y pasan a las venas mesentéricas del sistema portal. De este modo llegan al hígado, en donde son sometidos a una acción desintoxicante, y pasan, después, a la circulación general, a través de las venas suprahepáticas y las venas cavas. Las grasas siguen las vías linfáticas. Cuando el bolo alimenticio llega a la altura del cardias (el estrechamiento inmediatamente anterior al estómago), sufre una disminución de velocidad antes de entrar en el estómago; a continuación se va acumulando sobre el fondo gástrico, en estratos sucesivos. Con la acumulación del alimento, las fibras musculares que constituyen la pared del estómago pierden tono, es decir, que parecen un elástico viejo que ya no aprieta: de este modo el estómago se llena sin provocar un excesivo incremento de la presión gástrica, que tendría como consecuencia que el jugo gástrico sobrepasara el cardias y provocase manifestaciones de ardor (pirosis).

En cada comida, el estómago produce alrededor de 500 centímetros cúbicos de jugo gástrico. El jugo gástrico contiene ácido clorhídrico, destinado a disociar las fibras musculares de los alimentos ingeridos; pepsina, que actúa sobre las proteínas; el cuajo o renina, que precipita la caseína de la leche, es decir, la cuajada; una enzima, en la pared del estómago; el ácido clorhídrico se produce en las glándulas situadas cerca del cardias y la pepsina mana de las células esparcidas por la mucosa gástrica. Cuando el alimento que ha entrado en primer lugar en el estómago empieza a ser parcialmente digerido, pasa lentamente hacia una zona llamada antro, donde las contracciones gástricas son más intensas. Los alimentos empiezan a atravesar el píloro, más o menos 20 minutos después de haber sido ingeridos. A cada contracción pasa al duodeno una cantidad de alimento de alrededor del uno por ciento de la masa total. La velocidad de vaciado del estómago está fundamentalmente en relación con el volumen y la composición de los alimentos.

PUNTOS DÉBILES

El aparato gastrointestinal, debido a su extraordinaria complejidad y a la diferenciación de sus órganos, presenta múltiples «puntos débiles» en los que, fácilmente, se desarrollan enfermedades. Así, el esófago puede resentirse por procesos inflamatorios (esofagitis) que pueden ser agudos, ulcerosos o flemonosos según las causas que los provoquen: microbios, quemaduras o productos cáusticos. Otros procesos inflamatorios pueden afectar al estómago y al duodeno: gastritis y duodenitis. La gastritis es una inflamación extensa y superficial de la mucosa gástrica. La forma aguda puede deberse a la ingestión de sustancias irritantes, a alimentos en mal estado, excesos alimenticios, etc.; la forma crónica se asocia, por regla general, con la presencia de otras enfermedades sistémicas (diabetes, gota, anemia perniciosa, etc.). Las duodenitis son inflamaciones que afectan al duodeno: pueden ser primarias, a consecuencia de la ingestión de alimentos contaminados o sustancias irritantes, o secundarias, cuando son el reflejo de otra enfermedad (como, por ejemplo, apendicitis o colitis).

Una enfermedad muy grave y frecuente, que afecta al estómago y al duodeno, es la úlcera gastroduodenal. Otras formas patológicas que interesan al intestino son la enteritis (inflamación del intestino delgado), colitis (procesos inflamatorios del colon), diferentes formas de parasitosis intestinales, infecciones tifoideas y oclusiones intestinales. Las peritonitis que, en su mayoría, son producidas por una penetración en el peritoneo, la membrana serosa que recubre la cara interior de las paredes del abdomen, de microorganismos presentes en el tubo digestivo. Las enfermedades que afectan al hígado son las hepatitis agudas y crónicas; los cálculos biliares, capaces de producir alteraciones graves y muy dolorosas; las enfermedades infecciosas del hígado; las cirrosis, inflamaciones del hígado, de tipo difuso, asociadas a un endurecimiento crónico del tejido conjuntivo intersticial. El páncreas, así mismo, puede verse afectado por varias alteraciones, entre las cuales hay que mencionar las pancreatitis agudas y crónicas.

Las enfermedades más comunes en las áreas de este aparato son:

- EN EL ESÓFAGO. Pueden diagnosticarse varias enfermedades fundamentalmente de tipo inflamatorio, que pueden tener un origen local, o reflejar enfermedades de carácter general. Otras lesiones que pueden afectar a este tramo del aparato gastrointestinal están ligadas a la ingestión de sustancias que provocan, generalmente, alteraciones del tejido. Así, existen las esofagitis que, según su evolución, pueden ser agudas o crónicas. Las primeras están caracterizadas por manifestaciones de tipo catarral o flemoso, las segundas tienen un curso prolongado y están en relación con la existencia de graves lesiones esofágicas localizadas.

- EN EL ESTÓMAGO. Se producen diferentes manifestaciones patológicas, caracterizadas por síntomas, evolución y resolución muy diferentes. La forma más frecuente es la gastritis, representada por una reacción de tipo inflamatorio, que se extiende a toda la mucosa gástrica; va ligada a la ingestión de sustancias irritantes de varios tipos (alimentos, fármacos, etc.) que provocan manifestaciones agudas. El estómago también se ve afectado por una enfermedad mucho más grave y difusa conocida como úlcera gástrica, caracterizada por la aparición de crisis dolorosas que presentan una determinada periodicidad. Una de las características fundamentales de la úlcera gástrica es, por lo tanto, el dolor, que a veces es intolerable y puede alterar gravemente la vida del paciente.

- EN EL INTESTINO. Se dan numerosas formas patológicas que comprenden: la úlcera gastroduodenal, que interesa tanto al estómago como al duodeno; las enteritis, procesos inflamatorios del intestino delgado; las colitis, inflamaciones que afectan al colon; las enterocolitis, que afectan al intestino delgado y al grueso; las oclusiones intestinales, que requieren tratamiento quirúrgico. El intestino también puede verse afectado por enfermedades generales, como las infecciones tifoideas. Otras formas patológicas que afectan al intestino son las parasitosis, provocadas por parásitos de varios tipos.

❑ AEROFAGIA Y FLATULENCIA

DESCRIPCIÓN DE LA ENFERMEDAD

La aerofagia es la deglución de aire, que generalmente va seguida de la necesidad de eructar, así como de molestias gástricas y de gases intestinales (flatulencia). En las personas que padecen enfermedades de tipo nervioso es muy frecuente.

SÍNTOMAS

Además de eructos y flatulencias, la aerofagia puede producir molestias que, en caso de que no se expulsen los gases, pueden convertirse en dolores agudos.

TRATAMIENTOS

Fitoterapia occidental

Se pueden seguir una serie de consejos para evitar la aerofagia y para combatir el exceso de gases intestinales:

– Aderezar los alimentos cocinados con especias que tengan propiedades carminativas, es decir, que favorezcan la expulsión de los gases, como por ejemplo, laurel, romero, tomillo, comino y anís.
– Masticar los alimentos de forma lenta, procurando no ingerir aire.
– En caso de llevar dentadura postiza, es mejor no ingerir cantidades grandes de alimentos.
– Después de las comidas, es muy recomendable tomar una taza de la siguiente infusión: 15 g de anís, 15 g de hinojo, 10 g de menta y 20 g de albahaca en un litro de agua.

Homeopatía

Habitualmente se recomienda china.

Flores de Bach

Cuando los gases tienen una causa psicológica, las flores de Bach pueden ayudar a combatirla. Por ejemplo, se prescribirá agua de roca para el estrés, o cerasifera para la ira.

Aromaterapia

Se recomiendan las siguientes esencias: anís, cilantro, comino, hinojo, limón, mejorana y menta.

Hipnoterapia

Las técnicas de relajación mientras se come ayudan a ingerir menos cantidad de aire, de ahí que la autohipnosis pueda colaborar con el organismo para expulsar los gases de forma natural, en lugar de almacenarlos, lo que puede provocar fuertes dolores.

❏ ANOREXIA NERVIOSA

DESCRIPCIÓN DE LA ENFERMEDAD

Trastorno psiconeurótico caracterizado por la negativa prolongada a comer. Esta afección se observa principalmente en adolescentes, sobre todo en mujeres, y se acompaña de fuerte estrés o de un conflicto emocional a nivel personal y familiar.

SÍNTOMAS

Adelgazamiento, amenorrea, trastornos emocionales relacionados con la imagen del cuerpo y temor patológico a engordar.

TRATAMIENTOS

Fitoterapia occidental

Se recomiendan infusiones de alcachofera y de alholva.

Homeopatía

Aunque el remedio deberá recetarse específicamente para cada paciente, se recomienda *Lycopodium clavatum*.

Acupuntura

Se estimularán los puntos liangmen, shufu y jianli.

❏ CÁLCULOS BILIARES

DESCRIPCIÓN DE LA ENFERMEDAD

Los cálculos biliares son pequeñas y duras piedras formadas en las vías biliares, constituidas por pigmentos biliares y sales de calcio. Las causas que se dan como más habituales para padecer esta enfermedad son el exceso de grasa en las comidas, el sobrepeso, la intolerancia a determinados alimentos o la píldora anticonceptiva.

SÍNTOMAS

Los síntomas pueden implicar un dolor agudo en la parte superior del abdomen, y probablemente fiebre alta. En caso de obstrucción de los conductos de la bilis, se puede producir ictericia.

TRATAMIENTOS

Fitoterapia occidental
Se recomienda la decocción de 30 g de hojas, espigas y raíces de grama por litro de agua, así como las decocciones de agracejo y cardo mariano.

Homeopatía
Entre los remedios empleados se incluyen:

- *Colocynthis*: para tipos constitucionales irritables, que empeoran con la cólera reprimida y con el reposo, pero mejoran con el calor, el movimiento y la presión.
- *Magnesia phosphorica.* Individuos delgados y nerviosos, cuyos dolores son erráticos y espasmódicos, empeoran con el frío y mejoran con el calor.
- *Bryonia alba.* Tipo constitucional fuerte e irritable. Los síntomas empeoran con el calor y por las tardes, y mejoran con el frío y el reposo.

Aromaterapia
Los cálculos biliares pueden combatirse con esencia de limón, menta, pimienta negra, pino o romero.

❑ CÁNCERES DIGESTIVOS

DESCRIPCIÓN DE LA ENFERMEDAD

Los cánceres digestivos implican un crecimiento incontrolado de las células en cualquiera de los tramos del aparato digestivo. Los más frecuentes son el cáncer de colon y el de recto, seguidos por el cáncer de estómago y el de esófago.

SÍNTOMAS

Los primeros síntomas del cáncer de colon y el cáncer de recto incluyen sangre o mucosidades mezcladas con las heces, un cambio en los hábitos intestinales, dolor abdominal y pérdida de apetito. En el cáncer de esófago hay dificultad en tragar, pérdida de peso y una cierta molestia o sensación ardiente que puede parecerse a la acidez. En el caso del cáncer de estómago, hay una indigestión inexplicada y persistente, pérdida de peso, pérdida de apetito, vómitos de sangre, sangre en las heces, sensación de hinchazón tras las comidas y dolores fuertes en el abdomen.

TRATAMIENTOS

Fitoterapia occidental

Algunas plantas medicinales pueden resultar de utilidad a la hora de potenciar el sistema inmunológico, ayudando al cuerpo a luchar contra la enfermedad, al tiempo que pueden paliar los síntomas del cáncer así como los efectos perversos de la quimioterapia. Entre las más importantes, cabe destacar:

– Muérdago: algunos experimentos parecen demostrar que impide que el cáncer se reproduzca una vez finalizado el tratamiento, aunque en todo caso hay que consultar a los oncólogos antes de proceder a administrarlo.
– Gingseng siberiano: el extracto líquido incrementa la inmunidad cuando se utiliza de una manera regular en periodos aproximados de un mes de duración.
– Té verde: sirve para prevenir la aparición de cánceres. Puede tomarse en infusiones de 5 g por vaso de agua, tantas veces al día como se desee.
– Hipérico: se utiliza para detener la expansión de las células cancerosas.

Terapia nutricional

En general, para prevenir la aparición de todo tipo de cánceres, conviene seguir los siguientes consejos:

– Abandonar el consumo elevado de carnes.
– Abandonar el consumo elevado de azúcares o féculas, como la bollería, los dulces o la repostería, el pan o la harina refinados.
– Abandonar el tabaco.
– Evitar los fritos o los alimentos quemados, como las carnes, el pollo o los pescados a la barbacoa, o el arroz que queda pegado a la paella.
– Comer abundantemente frutas y verduras.
– Aumentar el consumo de fibra.
– Los siguientes alimentos tienen efectos anticancerígenos: uvas, ajos, tomates, zanahorias, pimientos, cebollas, fresas, naranjas, manzanas, coles y papayas.

Remedios de las flores de Bach

Pueden usarse como terapia de apoyo para ayudar a una actitud emocional más positiva. En este sentido, se recomiendan acebo, leche de gallina, nogal, aulaga, castaño dulce, madreselva, agua de roca, roble, castaño rojo, pino, violeta de agua, clemátide y remedio de urgencia. Para el cáncer, están recomendadas achicoria, olmo y sauce.

Hipnoterapia

La hipnosis puede dar muy buenos resultados como forma de apoyar los tratamientos más convencionales. Además de los tradicionales ejemplos de técnicas de relajación, que pueden ayudar al paciente a dormir mejor y a superar el estrés y la ansiedad, existe una técnica de visualización creativa que puede ayudar al cuerpo a activar sus defensas y luchar contra la enfermedad. En una fase preparatoria, se llegará a un estado de hipnosis profunda en el que se asimilará una metáfora que identifique al cáncer por un lado y a las defensas del organismo por el otro: por ejemplo, se podría visualizar al tumor como una masa de gusanos malignos, y a las defensas del cuerpo como dragones que escupen fuego contra los gusanos, matándolos poco a poco. En esta metáfora, la quimioterapia y la radioterapia podrían convertirse en pedernal, necesario según las leyendas para que los dragones puedan escupir fuego.

La segunda fase del tratamiento hipnótico se desarrolla mientras el paciente está recibiendo la sesión de quimioterapia. En vez de ver la televisión o charlar con sus familiares y amigos, practicará la autohipnosis y evocará la metáfora creada anteriormente, y siguiendo con nuestro ejemplo, visualizará durante el tiempo que dure la quimioterapia cómo los dragones van quemando poco a poco la masa de gusanos. En caso de que esta actividad resulte demasiado cansada, se podrán hacer pausas, en las cuales se acudirá a las técnicas de relajación.

Cada paciente debe encontrar su propia visualización, tratando de buscar una metáfora que le resulte emocionalmente poderosa. Una persona con amplios conocimientos anatómicos podría incluso intentar visualizar lo que realmente está ocurriendo dentro de su cuerpo.

Curación espiritual o Reiki

Desde el punto de vista de la curación espiritual, el cáncer representa un colapso general de las energías del cuerpo. En primer lugar, el paciente deberá buscar el origen emocional o kármico de este colapso, y tratar de solucionarlo o aprender de ello. Lo más adecuado sería poder acudir a la consulta de un sanador cualificado que proporcionase tratamiento de apoyo a la terapia convencional, pero en caso de resultar imposible, hay algunos ejercicios de Reiki que el paciente puede realizar por sí mismo.

Debido a la gravedad de la enfermedad, cada día se habrán de emplear al menos dos horas enteras en la autocuración. Se empezará utilizando técnicas de relajación para conseguir serenar la mente y poder concentrarse en el plano astral. A continuación, se analizará el funcionamiento de cada uno de los siete chakras mayores del cuerpo: la corona, la frente, la garganta, el corazón, el plexo solar, el sacro y la base. Para ello, se concentrará toda la atención en el punto en que se encuentra el chakra concreto, y se intentará sentir cómo la energía fluye libremente a través de él. Si no es así, puede ocurrir que el chakra esté bloqueado o defectuoso: para repararlo, se usarán técnicas de meditación y se emplearán cristales energéticos y aceites esenciales como ayuda. Cuando todos los chakras estén funcionando a la perfección, el paciente se pondrá de pie y visualizará cómo con la energía de sus manos va limpiando su aura, arrojando lejos de él todas las energías negativas. Para terminar, se volverá al estado de meditación y se intentará sentir cómo a través de las palmas de las manos se absorbe energía universal que ayuda a la curación.

La curación espiritual es un arte intuitivo, de modo que el propio paciente deberá ir desarrollando los rituales, imágenes y metáforas que mejor le ayuden a sentir la energía, fluyendo libremente y sin trabas por su cuerpo y por su espíritu.

❑ CIRROSIS HEPÁTICA

DESCRIPCIÓN DE LA ENFERMEDAD

La cirrosis es una enfermedad hepática crónica grave, caracterizada por la degeneración de las células del hígado, que se hace grande y duro primero, y después pequeño y duro. Sus causas suelen ser las infecciones o intoxicaciones crónicas, putrefacciones intestinales y, sobre todo, el alcoholismo.

SÍNTOMAS

Hay trastornos de la digestión, pérdida del apetito y adelgazamiento. Puede haber o no piel amarilla.

TRATAMIENTOS

Fitoterapia occidental
Se recomiendan como muy buenas las infusiones de boldo, levístico, abedul, cardo bendito y menta.

Terapia nutricional
Los siguientes alimentos están prohibidos en una dieta contra la cirrosis:

- Las bebidas alcohólicas de cualquier tipo y en cualquier cantidad o proporción.
- Alimentos procesados ricos en conservantes y colorantes.
- Grasas animales, ya que el hígado enfermo tiene dificultades para metabolizarlas correctamente.
- Alimentos muy asados o quemados.
- Alimentos azucarados, ya que es el hígado el que se encarga del metabolismo de los azúcares.
- Comidas muy abundantes: es preferible comer más veces al día una cantidad menor.
- Comidas reutilizadas o recalentadas.
- Alimentos animales crudos o semicrudos.

Por el contrario, los siguientes alimentos son adecuados para un enfermo de cirrosis:

- Frutas y verduras, en especial aquellas que contienen agentes antioxidantes.
- Proteínas de origen vegetal: especialmente soja y legumbres.
- Grasas insaturadas como el aceite de oliva virgen.
- Ácidos grasos esenciales, presentes por ejemplo en las nueces o en los aguacates.
- Algunos alimentos especialmente beneficiosos son la alcachofa, el diente de león, el cardo mariano, las zanahorias y la remolacha.

Flores de Bach
Se recomiendan los siguientes remedios: achicoria, manzana silvestre, aulaga, madreselva, castaño dulce y sauce.

Gemoterapia y Cristaloterapia
El jaspe es la piedra más apropiada.

❑ DIARREA

DESCRIPCIÓN DE LA ENFERMEDAD

La diarrea es un síntoma antes que una enfermedad, y se caracteriza por la expulsión frecuente de heces líquidas. Las causas más frecuentes de la diarrea aguda a corto plazo son las infecciones víricas o bacterianas, el estrés, alergias, intolerancias alimentarias o reacciones a medicamentos. La diarrea crónica a largo plazo puede ser causada por desórdenes como la colitis ulcerosa, el cáncer de colon o la gastritis. Si la diarrea persiste durante más de 48 horas, es imprescindible consultar a un médico, ya que se corre riesgo de deshidratación.

SÍNTOMAS

Aunque la diarrea es un síntoma en sí misma, suele venir acompañada de espasmos abdominales y debilidad general.

TRATAMIENTOS

Fitoterapia occidental

Entre la multitud de plantas que pueden tratar la diarrea, se recomienda tomar cada dos horas una taza de la infusión hecha con 50 g de manzanilla, hipérico, menta y gordolobo por litro de agua. También resultan efectivos los enemas de la decocción de 40 g de bistorta, llantén, semillas de lino, espliego y manzanilla por medio litro de agua.

Mientras duren los síntomas, no se tomarán alimentos sólidos y se beberá mucha agua, a ser posible mezclada con bicarbonato, sal, azúcar y zumo de limón.

Cromoterapia

El color más apropiado azul añil.

Musicoterapia

«Música para la Mesa», de Telemann. «Concierto de Arpa», de Haendel. «Concierto de oboe», de Vivaldi.

Fitoterapia china

Al ser la diarrea un síntoma, su tratamiento por medio de hierbas medicinales chinas será muy variable y dependerá de la causa de la misma. Sería posible diagnosticar insuficiencia en bazo y estómago si la diarrea viene acompañada de energía baja, poca concentración y razonamiento, apetito irregular y antojos de dulce, sensación de pesadez en músculos y cuerpo, hinchazón y cansancio después de comer, náuseas, aumento de peso, retención de líquidos e indigestión leve. La lengua aparecería pálida, hinchada y con una capa húmeda, y por otro lado, el pulso sería muy débil. Para esta dolencia, se recomienda como extraordinaria la decocción fortalecedora de tierra.

Sin embargo, también es posible diagnosticar humedad en el bazo si la diarrea se presenta junto con confusión y cefaleas inexplicables, razonamiento ambiguo, aumento de peso, dolor muscular y articulatorio, náuseas frecuentes (posibles vómitos de flema), inapetencia, letargia y debilidad, sensación de lleno en el abdomen y mareos ocasionales. La lengua se presentará pálida, hinchada, con marcas dentarias y recubierta de una capa grasienta, y el pulso podrá ser débil o fuerte. El tratamiento propuesto será la decocción para limpiar el bazo.

Una tercera posibilidad es que la diarrea esté producida por un desajuste en hígado y bazo, caracterizada por una alternancia entre diarrea y estreñimiento, ataques de dolor abdominal y vómitos bajo estados de estrés, hinchazón y distensión del estómago, abdomen y costados, cambios emocionales, indigestión y fluctuación del apetito. La lengua será pálida si hay insuficiencia en el bazo, y roja o morada si hay estancamiento en el hígado. El pulso será fuerte durante un ataque, y débil el resto del tiempo. Se recomienda utilizar la decocción de madera y tierra.

Por último, la diarrea podría deberse a una insuficiencia en el bazo, e iría acompañada por hinchazón del abdomen, pechos hinchados, náuseas o inapetencia y cansancio. La lengua estará pálida e hinchada, y el pulso, débil. Se administrará la decocción para limpiar el bazo.

Gemoterapia y Cristaloterapia
La pirita es la más apropiada.

Shiatsu
Se aplicará un tratamiento de Shiatsu suave en el abdomen, así como en los meridianos de los intestinos grueso y delgado, además de los puntos E 36 y R 1. El receptor debería experimentar una sensación de calor en él, ayunar si no está demasiado débil y tratar de reemplazar los líquidos perdidos.

Homeopatía
Son muy numerosos los remedios homeopáticos que permiten tratar la diarrea. Entre ellos, cabe citar los siguientes:

– *Antimonium crudum:* muy eficaz para el tipo constitucional gordo, con tendencia al impétigo, que muestra frecuentes signos de mal humor. La lengua suele aparecer cubierta por una saburra blanquecina, y la diarrea es acuosa aunque presenta una masa fecal dura. La causa suele ser un exceso alimentario o un desengaño amoroso.
– *Argentum nitricum:* personas delgadas, abatidas, con mala memoria, inquietas y temblorosas. Las heces son mucopurulentas o sanguinolentas, espesas y tenaces. Los síntomas parecen aliviarse con el aire fresco.
– *Bryonia alba:* para un tipo moreno, fuerte e irascible. La diarrea viene acompañada de pinchazos de dolor, y los síntomas tienden a empeorar alrededor de las 9 de la noche.

- *Chamomilla matricaria.* Indicada para bebés, niños ariscos y caprichosos, o para personas adultas nerviosas e hipersensibles. Los síntomas empeoran con frecuencia con los enfados y la cólera, con el viento y, con frecuencia, entre las 9 y las 12 de la noche.
- *China.* Tipo débil que presenta los síntomas en días alternos. Mejoran mucho con el calor.
- *Colocynthis.* Personas irascibles, cuyos enfados les causan malestar. La diarrea suele ser dolorosa.
- *Iodum.* Tipo constitucional delgado, con ojos castaños, que se cansa con facilidad y tiende a la depresión. Los síntomas empeoran en un cuarto caluroso o al estar quieto.
- *Magnesia carbónica.* Indicada para la diarrea del lactante.
- *Phosphoricum acidum.* Personas jóvenes y muy altas que han crecido demasiado deprisa. La diarrea no suele ser dolorosa.

Oligoterapia

Se recomienda el magnesio.

Flores de Bach

Entre los remedios que pueden combatir la diarrea, hay que citar manzana silvestre, mímulo y castaño dulce.

Quiromasaje

Maniobras en abdomen. Fricciones: palmar circular (ambos sentidos)/digital trasnsversal (reforzada). Amasamientos: digitales/palmotenar/pulgar/nudillar. Maniobras generales en todo el abdomen. Presión palmar circular. Drenaje de colon: 1.ª secuencia: fricción en el transverso. Apertura codo derecho. Apertura codo izquierdo. 2.ª secuencia: descendente. Descendente-transverso. Descendente-transverso-ascendente. Percusiones: cubital/cóncava/golpeteo. Sacudidas. Fricciones: palmares con la respiración (unísono/circulares/cubitales). Pases suaves. Toma de contacto. Fase de respiración (abdominal/costal/clavicular). Corrección del diafragma.

Aromaterapia

Es muy recomendable para esta enfermedad tomar las siguientes esencias: ajedrea, canela, ciprés, enebro, geranio, lavanda, manzanilla, menta, mirra, naranjo amargo, pimienta y sándalo.

Terapia nutricional

Para combatir la diarrea, conviene seguir una dieta blanda y astringente: se optará por manzanas, arroz blanco y arándanos.

Hipnoterapia

Según cuál sea la causa de la diarrea, la Hipnoterapia puede ser extraordinariamente efectiva. Si se debe a la ansiedad, el estrés o la preocupación, la relajación podrá acabar definitivamente con los síntomas.

Por otro lado, por medio de la autohipnosis se podrá sugestionar al organismo para que procure asimilar el mayor número de nutrientes.

Acupuntura

Se trabajarán los siguientes acupuntos: daheng, dadu, taibai, gongsun, shangqiu, sanyinjiao, diji, changqian, mingmen, liangmen, tianshu, zusanli, shangjuxu, zhangmen, zhongdu, shousanli, ouchi, wenliu, chize, quze, fuliu, jiaoxin, zhongwan, guanyuan, qihai, shenque, shuifen, pishu, sanjiaoshu, dachangshu, xiaochagshu, pangguangshu, weizhong, shugu y jungmen.

❑ ENFERMEDAD DE CROHN

DESCRIPCIÓN DE LA ENFERMEDAD

Enfermedad inflamatoria crónica del intestino, que suele afectar a la porción final del intestino delgado, colon o ambos.

SÍNTOMAS

La enfermedad de Crohn se caracteriza por episodios frecuentes de diarrea, dolor abdominal intenso, náuseas, fiebre, escalofríos, debilidad, anorexia y pérdida de peso.

TRATAMIENTOS

Shiatsu

Se recomienda trabajar los meridianos del intestino grueso y del intestino delgado para ayudar a desbloquear el ki, prestando especial atención a los puntos IG 4 de las manos e ID 11 en los omóplatos.

Homeopatía

Se intentará buscar un remedio constitucional que actúe sobre la persona en su conjunto. Aunque se pueden tratar también los síntomas: por ejemplo, la diarrea con *Colchicum autumnale* y los vómitos con *Cuprum metallicum* o *Drosera rotundifolia*.

❑ ESTREÑIMIENTO

DESCRIPCIÓN DE LA ENFERMEDAD

Es la expulsión difícil o poco frecuente de las heces, el retraso de las materias fecales o excrementos en su paso a través del tubo digestivo. Normalmente se suele hacer a diario o cinco veces a la semana por lo menos. El tipo de alimentación y de funcionamiento individual pueden disminuir la frecuencia de las evacuaciones sin que ello implique ningún factor anormal. Las causas son muy variadas, pero las más frecuentes son la alimentación pobre en fibra, la vida sedentaria, las hemorroides, el hipotiroidismo, el embarazo o cambios hormonales.

SÍNTOMAS

El estreñimiento no está exento de efectos secundarios sobre el estado de la salud. Provoca estados de malestar general, dolores de cabeza, erupciones en la piel, trastornos de la digestión, hemorroides y fisuras anales. También puede ser la causa de graves infecciones internas.

TRATAMIENTOS

Fitoterapia occidental
Contra el estreñimiento ligero, se recomiendan tres tazas diarias de la siguiente infusión: corteza de frángula (20 g), flores de gordolobo (15 g), flores de tila (15 g) y menta (20 g) por litro de agua. Para el estreñimiento crónico o rebelde, se optará por la infusión de 40 g de sen, trébol de agua, corteza de frángula y semillas de anís por litro de agua.

Cromoterapia
El amarillo es el color más apropiado.

Yoga
«Nauli» o «aislamiento de los rectos abdominales»:

• EJECUCION. Haga el Uddiyana. Conservando la contracción abdominal, trate ahora de aislar los dos músculos rectos abdominales y empújelos hacia adelante. Al principio puede que le parezca imposible conseguir esta acción independiente de dichos músculos centrales, pero no hay que descorazonarse. Prosiga pacientemente las pruebas. Después de mantener la postura todo el tiempo que le sea confortablemente posible, relaje los músculos y haga inmediatamente una vigorosa inspiración. Cuando domine con facilidad el Nauli, tal como se ha descrito, intente adelantar tan sólo uno de los rectos abdominales. Para conseguirlo junto a la acción de la mente y de la voluntad, incline ligeramente el cuerpo hacia la derecha y la mano del mismo lado apóyela, con más fuerza, en el muslo y empuje el recto abdominal derecho. Después haga lo mismo con la mano izquierda. Cuando consiga realizar con facilidad estas variaciones, por separado, puede pasar a ejecutarlas alternando una con otra. Cuando no pueda ya continuar manteniendo el impulso a respirar, relaje todo el abdomen y haga una inspiración vigorosa. Antes de volver a empezar, descanse. El aislamiento de los dos rectos a la vez se denomina «Madhyama-nauli»; el de sólo el derecho, «Daksina-nauli»; el del izquierdo, «Vama-nauli»; y de un modo alternante y seguido, «Nauli-kriya».

- OBSERVACIONES. Este ejercicio puede inicarse con tres veces e ir aumentando una vez por semana, hasta alcanzar el número de siete veces por sesión.

- EFECTOS. El Nauli y el Uddiyana, son los mejores ejercicios que se conocen para regular el funcionamiento de todo el aparato digestivo, en especial de los intestinos, corrigiendo todos sus trastornos de carácter funcional.

Fitoterapia china

Desde la medicina tradicional china, se podrá tratar el estreñimiento cuando se debe al calor en el estómago, es decir, cuando viene acompañado por alguno de los siguientes síntomas: apetito desaforado pero sin aumento de peso, ardor de estómago, hiperactividad, mucha sed, antojo de picante y estimulantes (que pueden empeorar los síntomas). La lengua aparece roja, seca, agrietada y con una capa amarilla en el centro, y el pulso es rápido y fuerte. Se administrará la decocción para nutrir el estómago.

Otra posibilidad sería el desajuste en hígado y bazo, con alternancia entre diarrea y estreñimiento, que ya se explicó al hablar de la diarrea.

Shiatsu

El planteamiento principal consistirá en tratar físicamente el abdomen en la dirección circular en sentido horario, así como los meridianos del intestino grueso en los brazos, aunque el tratamiento de los hombros será también de ayuda. IG 4 es un punto muy útil, que puede estimularse mediante autotratamiento, pues es fácil de localizar.

Homeopatía

Hay infinidad de remedios para tratar el estreñimiento, pero algunos de los más recomendados son:

- *Alumina*: personas enjutas, delgadas, de humor variable y que cometen faltas al escribir y al hablar. Tienen que realizar un gran esfuerzo para conseguir defecar, incluso cuando las heces son blandas.
- *Causticum*: personas morenas, flacas, melancólicas pero con espíritu de lucha. Tienen frecuentemente ganas de defecar, pero no lo consiguen.
- *Opium*: hay ausencia casi total de ganas de defecar. Las heces son como bolas negras, duras y redondas.
- *Pulsatilla*: tipo constitucional rubio, de piel clara y ojos azules, que sufren frecuentemente escalofríos.
- *Sepia*: especialmente para mujeres delgadas y esbeltas, que prefieren la soledad. Sangran a menudo cuando consiguen defecar, y tienen sensación de tener una bola pesada en el recto.

Oligoterapia

Se administrará magnesio o bien los compuestos níquel-cobalto y magnesio-zinc-níquel-cobalto.

Sales de Schüessler

Puede tratarse con cloruro sódico y fosfato magnésico.

Aromaterapia

Contra el estreñimiento, se recomienda utilizar hinojo, mejorana, pimienta negra y romero.

Terapia nutricional

Para regularizar la función intestinal, conviene seguir una dieta rica en fibras, que se obtienen en los cereales, pan y pasta integrales. Por otro lado, los higos y las ciruelas son buenos laxantes y pueden aliviar la incomodidad del estreñimiento. También se recomienda beber el caldo de la col o zumo de zanahoria, así como albaricoques, ruibarbo y fresas.

Naturopatía

Un complemento muy apreciado para aliviar el estreñimiento es la zaragatona, que se obtiene a partir de las semillas del *Plantago psyllum* o del *Plantago ovata*. Las semillas de estos plántagos son muy ricas en mucílagos y fibras, que sirven para combatir el estreñimiento.

Otra posibilidad para combatir esta afección son las semillas de lino: un vaso de semillas mezcladas en agua en ayunas por las mañanas ayudará a regularizar la función intestinal.

Hipnoterapia
Además de las técnicas de relajación, se podrá acudir a la autohipnosis y a la sugestión para inducir al organismo a regularse por sí mismo.

❏ FISURA ANAL

DESCRIPCIÓN DE LA ENFERMEDAD

Se trata de un desgarro en el canal anal inferior. Aunque es un problema aislado, puede estar relacionado con otras dolencias intestinales, como el estreñimiento.

SÍNTOMAS

La fisura del ano causa al paciente dolor al defecar.

TRATAMIENTOS

Fitoterapia occidental
Para tratar las fisuras anales, se recomiendan, los baños de asiento con la infusión de 100 gramos de malva, tomillo, menta y cola de caballo.

Homeopatía
Se recomienda *Aesculus hippocastanum* cuando el dolor es ardiente y las heces son secas y abundantes, y *Graphites* para un dolor agudo que va acompañado de heces blandas.

❏ GASTROENTERITIS

DESCRIPCIÓN DE LA ENFERMEDAD

Inflamación del estómago y el intestino que acompaña a numerosos procesos gastrointestinales. Se presenta bajo diversas formas, como envenenamiento alimentario, diarrea del viajero, cólera, fiebre tifoidea, disentería y gastroenteritis vírica.

SÍNTOMAS

Los síntomas varían en número e intensidad, sobre todo dependiendo del organismo de cada persona, así como de la edad que se tenga, pero por regla general suelen incluir náuseas, diarrea, vómitos, fiebre y calambres abdominales. Hay que tener cuidado con las gastroenteritis, ya que pueden producir deshidratación.

TRATAMIENTOS

Fitoterapia occidental

Para aliviar las molestias de la gastroenteritis, es más que recomendable tomar cada dos horas una infusión de manzanilla, milenrama, menta, corteza de roble y pimpinela menor.

Para evitar la deshidratación, se tomará frecuentemente agua mezclada con bicarbonato, sal, azúcar y zumo de limón. Para calmar los vómitos, se recomienda una decocción de albahaca y anís verde.

Fitoterapia china

Se recomienda el remedio patentado Huo Xiang Zheng Qi Shui/Ye/Pian. También puede emplearse China Po Chi Pill/Zhong Guo Bao Ji Wan.

Masaje terapéutico chino

La gastroenteritis puede tratarse habitualmente con una sola sesión de masaje terapéutico, siguiendo los siguientes pasos:

- Con el paciente tumbado boca abajo, se aplica el método de presión con la yema del pulgar, seguido por el de raspado con el borde del pulgar, descendiendo por la medial y por ambos lados de la espalda. La fuerza y el ritmo en la aplicación del masaje se deberán incrementar de forma gradual, hasta que veamos que la piel se enrojece.

- A continuación, el paciente se tumba boca arriba, y se le aplica el método de presión con la yema del pulgar a lo largo de la línea medial del abdomen, por encima y a ambos lados del ombligo, una vez más hasta que la piel llegue a enrojecerse.

- Para terminar, se aplicará en la cabeza el método de presión divergente, usando los pulgares y empezando en el acupunto yintang o zuanzhu, para acabar presionando en el punto taiyong varias veces.

Homeopatía

Existen numerosos remedios que pueden producir un alivio rápido y eficaz de la gastroenteritis:

Síntomas	Factores de mejoría y agravamiento	Remedios
Síntomas violentos de aparición repentina. Boca seca, gusto amargo, lengua blanca, náuseas violentas, dolores gástricos y abdominales ardorosos. Diarrea verde como espinacas. Agitación. La persona se muestra angustiada por su enfermedad. Sed intensa de agua fría. Aparece en un contexto de epidemia, por el frío intenso, por el frío que sigue al calor, después de un susto.	Agravamiento alrededor de media noche, por el frío y por el calor excesivo.	*Aconitum napellus.*
Sequedad de boca y labios, aliento muy fétido, vómitos en cuanto la persona come o bebe, diarrea oscura, pútrida, agotadora, que irrita el ano. La diarrea y los vómitos son simultáneos. Dolores abdominales ardorosos. Persona agitada, ansiosa, temerosa por su enfermedad. Sed de bebidas calientes o frías en tragos frecuentes. Contexto de epidemia o de intoxicación alimentaria (carnes o pescados descompuestos, helados o cremas).	Mejora con el calor y cuando se atiende psicológicamente al enfermo. Empeora entre la 1 y las 3 de la madrugada.	*Arsenicum album.*
Náusea y salivación importantes. Dolores abdominales espasmódicos, vómitos y diarrea con tendencia sanguinolenta. El vómito no proporciona alivio. Diarrea verdosa. Persona pálida con labios azulados. Ausencia de sed. Aparece en un contexto de epidemia o de intoxicación alimentaria (tortas, pasteles, helados, por ejemplo), en otoño, después de una noche que es fría y que sucede a un día caluroso.	Mejora en reposo, y empeora por el movimiento, en una habitación demasiado caliente y al beber líquidos fríos.	*Ipecacuanha.*
Paciente intolerante con sus síntomas, que desea vomitar para obtener alivio inmediato y se provoca el vómito. Dolores abdominales espasmódicos, no soporta ninguna presión. Persona impaciente, impulsiva, colérica, que no soporta su enfermedad. Friolera. Aparece en un contexto de epidemia o de intoxicación alimentaria (comidas copiosas y con bastante alcohol), después de un agotamiento intenso y profundo, desvelos, estrés o por exposición al frío.	Mejora por el calor, la tranquilidad y el reposo, y después de defecar, orinar o vomitar. Empeora por el frío y por cualquier excitación, como la luz, el ruido o una contrariedad.	*Nux vomica.*

Síntomas	Factores de mejoría y agravamiento	Remedios
Síntomas agudos en un enfermo digestivo crónico. Dolor abdominal sobre todo del lado derecho. Distensión, vómitos ácidos, biliosos, diarrea al levantarse y después de las comidas. Persona pálida, un poco amarillenta; ansiosa, irritable, autoritaria, que tiene bastante miedo de la enfermedad que padece. Deseo de bebidas calientes y azucaradas. Aparece en un contexto de epidemia o de intoxicación alimentaria (grasas o alimentos descompuestos, por poner un ejemplo).	Mejora al tomar bebidas calientes, y empeora entre las 4 y las 8 de la tarde.	*Lycopodium clavatum.*
Dolores gástricos ardorosos y abdominales de tipo cólico, que se irradian al pecho con opresión respiratoria. Distensión abdominal considerable, eructos incesantes, ácidos, rancios y pútridos, gases intestinales pútridos, opresión respiratoria. Evacuaciones frecuentes, incontroladas, quemantes, pútridas. Enfermo agotado, con frío, siente necesidad de aire (quiere tener abierta la ventana). Aparece en un contexto de epidemia o de intoxicación alimentaria (grasas o alimentos descompuestos, por ejemplo).	Mejora con el aire fresco y al expulsar gases, y empeora en una habitación cerrada.	*Carbo vegetabilis.*

Flores de Bach

Los remedios que se saben más eficaces son álamo, heliantemo, achicoria, acebo, sauce y manzana silvestre.

Aromaterapia

Los aceites esenciales de limón y menta ayudan a tratar los problemas del aparato digestivo.

Terapia nutricional

Después de una gastroenteritis, se recomienda un periodo breve de ayuno en el que sólo se ingieran líquidos. Es tradicional la receta del agua de limón, que ayuda a no deshidratarse: se mezcla el zumo de tres limones con dos litros de agua, una cucharada sopera de azúcar, una punta de cuchillo de sal y otra punta de cuchillo de bicarbonato sódico. Mientras duren los síntomas, se intentará ingerir tanto líquido como sea posible.

Cuando hayan remitido los síntomas más agudos, se recomienda seguir una dieta blanda rica en arroz blanco y manzanas.

Acupuntura

Se recomienda estimular los siguientes acupuntos: yinbai, chongmen, dadu, taibai, zusanli, xiangu, jiaji, zhongdu, shousanli, daling y gaohuangshu. Para tratar los vómitos, se usarán dadu, gongsun, liangmen, zusanli, sifeng, zhangmen, shousanli, quchi, chize, quze, ximen, jianshi, neiguan, daling, laogong, shufu, zhubin, xiawan, jianli, zhongwan, shangwan, shanzhong, yangchi, jueyinshu, ges, pishu, weishu, sanjiaoshu, weizhong, riyue y yanglingquan.

❑ HEMORROIDES

DESCRIPCIÓN DE LA ENFERMEDAD

Las hemorroides son varicosidades que se sitúan en la porción inferior del recto o en el ano. Las hemorroides internas se originan por encima del esfínter interno del ano, mientras que las externas aparecen fuera del esfínter anal. Las causas más comunes son el embarazo y parto, el estreñimiento o debilidad congénita de las venas anales.

SÍNTOMAS

Son hemorragias, molestias, dolores y picores.

TRATAMIENTOS

Fitoterapia occidental

Por vía externa, en baños de asiento, las hemorroides pueden curarse con decocción de llantén, tormentila, zarzamora, gordolobo y pimpinela mayor. También están indicadas, por vía interna, las infusiones de onagra.

Masaje terapéutico chino

- Con el paciente tendido boca abajo con una almohada colocada debajo de las piernas y los pies, se aplica el método de presión digital o con el pulgar en los acupuntos baihui, dozhui, mingmen y ymgguan posterior.

- Se procede al amasamiento con el pulgar de los puntos liao del sacro hasta que la piel enrojezca. A continuación, se aplicará presión digital o fricción digital circular en ambos lados del cóccix, descendiendo hasta su punta.

- Para terminar, se usará el método de vibración con la palma en el punto chengshan en la cara posterior de la pierna, aumentando poco a poco la presión.

Cromoterapia

El amarillo es el color más apropiado.

Homeopatía

Entre el gran número de remedios empleados para el tratamiento de fondo se encuentran *Sulfur, Nux vomica, Lycopodium clavatum, Kaliun carbonicum* y *Sepia officinalis*. Para un ataque agudo de hemorroides, existen varios remedios posibles que podemos poner en práctica:

Síntomas	Remedios
Hemorroides de aparición brusca, en forma de una masa extremadamente dolorosa (dolor pulsátil, como pinchazos de aguja), ardoroso; dolores en la parte baja de la espalda. Afecta sobre todo a las personas de vida cómoda que sufren de hemorroides crónicas. El sangrado de la hemorroide aliviaría al paciente, pero no tiende a sangrar. El estreñimiento favorece su aparición.	*Aesculus hippocastanum.*
Hemorroides grandes o en racimo, azulosas, que sangran fácilmente, con comezón o picores, extremadamente dolorosas, que aparecen cuando la persona tiene diarreas con dificultad para contener la evacuación. Dolor atenuado por el agua fría y agravado por el calor.	*Aloe socotrina.*
Hemorroides hinchadas de color rojo violáceo. Dolor pulsátil con sensación de calor ardiente, que se agrava al menor contacto o sacudida y por el frío.	*Belladonna.*
Hemorroides asociadas con sangrados profusos y dolores en la región lumbar. Dolor que se alivia por el sangrado, el cual deja una sensación de agotamiento desproporcionado.	*Hamamelis virginiana.*
Hemorroides extremadamente dolorosas, azulosas. Dolor que se alivia por el calor local y la aplicación de agua caliente; se agrava por el mínimo contacto.	*Muriaticum acidum.*

Estos remedios deben tomarse en dilución, a razón de tres glóbulos cada dos horas.

Aromaterapia

Se recomiendan las siguientes esencias: ciprés, enebro e incienso.

Naturopatía
Se recomiendan complementos de zaragatona y de onagra.

Sales de Schüessler
Se recomienda tomar fluoruro cálcico.

Acupuntura
Se trabajarán los siguientes acupuntos: taibai, shangqiu, changqiang, kongzui, xiaochagshu, chengfu, chibian, chengshan, feiyang y xuanzhong.

Curación espiritual o Reiki
Una mano se encuentra apoyada sobre la parte inferior de la espalda en dirección perpendicular al eje del cuerpo, y la otra, sobre la línea central de la base de la columna vertebral, con los dedos apuntando hacia abajo y el dedo corazón entre los glúteos.

❑ HEPATITIS

DESCRIPCIÓN DE LA ENFERMEDAD

La hepatitis es la inflamación del hígado producida por una infección vírica o bacteriana, infestación parasitaria, transfusión de sangre incompatible y acción del alcohol y determinados fármacos y toxinas. Generalmente, el hígado puede regenerar sus tejidos, pero en algunos casos la hepatitis degenera en cirrosis o disfunción hepática crónica.

SÍNTOMAS

Malestar general, náuseas, cefaleas, fiebre y dolores abdominales, así como producción de heces de color más claro de lo normal y orina de color oscuro.

TRATAMIENTOS

Fitoterapia occidental
Según el tipo de hepatitis de que se trate, puede ser más o menos grave, pero en cualquier caso debe ser atendida por un médico. Se puede ayudar al tratamiento ortodoxo tomando tres tazas diarias de la decocción de 50 g de hojas de fresal por

litro de agua, o bien administrando infusiones de diente de león. También están muy recomendados el cardo mariano y el agave.

Cromoterapia

El color más apropiado es el verde.

Homeopatía

- En la fase aguda, la homeopatía puede aportar una verdadera solución. Entre los numerosos remedios posibles, se emplean sustancias como: *Aconitum napellus* (individuos fuertes pero miedosos), *Belladonna* (los síntomas empeoran con el frío, el ruido o la luz), *Bryonia alba* (individuos fuertes e irritables), *Nux vomica* (individuos nerviosos, con insomnio e hipersensibles a los olores), *Gelsemium sempervirens* (personas débiles, miedosas y sensibles), *Eupatorium perfoliatum* (el dolor empeora con el movimiento, y se siente frecuente deseo de agua fría) y *Apis mellifica* (los síntomas empeoran con el calor).

- En una fase ulterior de la enfermedad, pueden citarse entre los remedios utilizados *Phosphorus* (tipo constitucional delgado, débil y longuilíneo), *Arsenicum album* (débil, delgado y friolero), *Mercurios solubilis* (los síntomas empeoran con el calor de la cama, el sudor y la humedad), *Lycopodium clavatum* (individuo delgado pero con el abdomen abultado), *Chelidonium majus* (remedio general) y *China officinalis* (personas débiles y muy excitables).

- En la hepatitis crónica, sólo una Homeopatía profunda permite detener la evolución de la enfermedad, encontrando un remedio que se corresponda con cada persona.

Flores de Bach

Los siguientes remedios pueden ser recomendables en caso de hepatitis: achicoria, manzana silvestre, aulaga, madreselva, castaño dulce y sauce.

Aromaterapia

Las siguientes esencias ayudan a sanar el hígado en general: ciprés, enebro, limón, manzanilla, menta y romero. Se aplicarán preferentemente en forma de masajes abdominales.

Terapia nutricional

En caso de hepatitis, hay algunos alimentos que deben eliminarse de la dieta:

- El alcohol y abstenerse incluso de beber vino en las comidas.
- Las grasas, sobre todo la carne roja, la leche entera y sus derivados y los embutidos.

- Productos de bollería.
- Bebidas con gas.
- Comidas fritas.
- Comidas precocinadas.

Entre los alimentos recomendados para el tratamiento de la hepatitis, es necesario mencionar:

- Plantas ricas en arginina: ajos, cebollas, piñas, espárragos, coles, pepinos, lechugas, mangos, plátanos, melocotones y avena.
- Plantas ricas en vitamina C, especialmente cítricos y pimientos.
- Plantas ricas en catequinas: cebada, aceitunas y peras.
- Plantas ricas en epicatequinas: té verde y uvas.
- Plantas ricas en glutato: ajo, judías verdes, espinacas y maíz.
- Como alimentos especialmente recomendados para combatir la hepatitis, citaremos alcachofas, manzanas, peras, ajos y cebollas.

Naturopatía
Se recomienda el uso de los siguientes suplementos:

- Vitamina C: 3.000 mg diarios, repartidos en tres tomas.
- Vitamina E: 400 mg diarias.
- Vitamina A: entre 11.000 y 20.000 mg diarios.
- L cisteína y L metionina: 1.000 mg diarios repartidos en dos tomas.
- Extracto de raíz de diente de león: 1.000 mg diarios que se deben de repartir en dos tomas.

Acupuntura
Se estimularán los acupuntos qimen, danshu y pishu.

❏ HERNIAS

DESCRIPCIÓN DE LA ENFERMEDAD

La hernia es una profusión de un órgano a través de una abertura anormal en la pared muscular de la cavidad que lo rodea. Suele ocurrir cuando el intestino empuja a través de un punto débil en la pared abdominal. Por regla general, las hernias son resultado de una debilidad congénita en la pared abdominal, aunque puede haber otras causas como el aumento de peso, un esfuerzo físico excesivo o la bronquitis crónica.

SÍNTOMAS

Los primeros síntomas de las hernias son un bulto y, a veces, molestias.

TRATAMIENTO

Fisioterapia occidental
Las hernias, en general, deben ser tratadas por un especialista, pero se puede ayudar tomando baños de agua fría y de Sol, y aplicando aceite de germen de trigo sobre la hernia con un suave masaje.

❑ ICTERICIA

DESCRIPCIÓN DE LA ENFERMEDAD

La ictericia es el resultado de la acumulación del pigmento pardoamarillento de la bilis bajo la piel. Las causas principales que dan lugar a la ictericia son bastante variables, desde la hepatitis a los cálculos biliares, y en cualquier caso debe ser diagnosticada por un experto.

SÍNTOMAS

Aunque la ictericia es el síntoma de numerosas enfermedades, los enfermos que la padecen suelen presentar náuseas, vómitos, dolor abdominal y color oscuro en la orina.

TRATAMIENTO

Fitoterapia occidental
Para combatirla, se recomienda por su excelente resultado, cuatro tazas diarias de la infusión preparada con 40 g de agracejo, ajenjo, menta, brezo y correhuela por cada litro de agua.

Cromoterapia
El color más apropiado es el verde.

Homeopatía
Además del tratamiento constitucional que ayudará a combatir la enfermedad en su conjunto, la Homeopatía puede aliviar algunos de los síntomas que se asocian frecuentemente con la ictericia:

Síntomas	Factores de mejoría y agravamiento	Remedios
Dolor abdominal violento que se irradia en oleadas sucesivas; aparece después de una contrariedad intensa reprimida.	El dolor mejora en posición de flexión, cuando la persona se dobla en dos y bajo el efecto de una presión intensa y del calor, y se agrava cuando el cuerpo está en extensión.	*Colocynthis.*
Dolor abdominal espasmódico muy intenso, irradiado, que aparece en accesos y desaparece muy bruscamente.	El dolor mejora por el calor y la presión intensa sobre la zona dolorida.	*Magnesia phosphorica.*
Dolor abdominal intolerable, que aparece después de un impacto emocional o enfado violento. El enfermo no tolera el dolor; está agitado, impaciente y sumamente irritable.	El dolor mejora bastante por la aplicación de calor local.	*Chamomilla vulgaris.*
Dolor abdominal que obliga al enfermo a permanecer inmóvil, doblado en dos, acostado sobre el costado derecho.	El dolor mejora por la inmovilidad y la presión intensa sobre la zona dolorosa; se agrava por el menor movimiento.	*Bryonia alba.*

Acupuntura

Se recomienda por los buenos resultados que se obtienen estimular el acupunto pishu.

❑ INDIGESTIÓN O DISPEPSIA

DESCRIPCIÓN DE LA ENFERMEDAD

Una indigestión consiste en una sensación de molestia gástrica vaga que se siente después de haber comido. Se trata, en cualquier caso, de una combinación de sensaciones de plenitud en el estómago, ardor, exceso de gases que cuesta eliminar y náuseas.

SÍNTOMAS

Puede haber una gran variedad de síntomas, como la acidez de estómago, hipo, náuseas y ventosidades. Muy raras veces, una indigestión recurrente puede ser señal de la existencia de cálculos biliares, úlcera péptica o una inflamación del esófago.

TRATAMIENTOS

Fitoterapia occidental

Hay una infinidad de plantas digestivas que pueden ayudar en caso de indigestión, y a cada persona le da resultados distintos. Las más habituales son la manzanilla, la menta poleo, la hierba luisa, el hinojo y la ajedrea. Muy buenos resultados suele dar la tisana digestiva que se prepara con 10 g de pimpinela mayor, 10 g de menta, 5 g de anís y 5 g de angélica en un litro de agua.

Uno de los síntomas más habituales de la indigestión o dispepsia es la acidez de estómago, que se produce cuando los jugos digestivos ascienden más allá del esfínter que separa el estómago del esófago. Puede tratarse de forma específica con una decocción de espliego, orégano, menta y fumaria (40 g de la mezcla por litro de agua). Si la acidez está causada por el estrés o la ansiedad, se puede añadir raíz de valeriana a la decocción anterior (5 g).

Masaje terapéutico chino

- Con el paciente acostado boca abajo con una almohada bajo las piernas y los pies, se emplea el método de amasamiento o el de fricción desde la parte inferior de la espalda en dirección ascendente hacia los hombros. A continuación, se procede a friccionar con pequeños movimientos circulares con el pulgar los lados de la columna, desde el área del sacro hasta la parte superior de la espalda.

- En la parte inferior de la espalda, efectuar una tracción de la piel a partir del sacro, siguiendo la columna hasta el cuello. Para ello se agarra firmemente la piel entre el pulgar y el índice, levantándola y soltándola rápidamente. La tracción se efectúa sobre cada vértebra.

- A continuación se golpea suavemente la espalda del paciente, desde la cabeza hasta la parte lumbar.

- Con el paciente boca arriba, el masajista coloca la mano izquierda en la frente de éste con el pulgar tocando el acupunto yintangm, y el resto de la mano cubriendo el área de tianting. La mano derecha se coloca por encima del ombligo, en el área dexiawan, ejerciendo una ligera presión sobre la misma mediante la oscilación de la mano. Tras mecer la mano derecha durante dos minutos, ésta se desplaza al área de los puntos zhong-wanlshangwan encima del estómago, repitiendo el mecimiento, y después al punto guanyuan debajo del ombligo, donde vuelve a repetir el mismo movimiento.

- Para terminar, se trabajan los acupuntos zusanli, neiguan y quchi. Si hay diarrea, se trata también el yinglingquan.

Homeopatía

Lo más indicado sería recurrir a un tratamiento homeopático de fondo. Según el perfil psicológico y el tipo constitucional, pueden indicarse medicamentos como *Lycopodium clavatum* (individuo delgado e irritable), *Arsenicum album* (delgado, débil, friolero y muy ordenado), *Carbo vegetabilis* (personas pálidas, débiles y fatigadas), *Ignatia amara* (tipo constitucional histérico, irritable y melancólico) o *Natrum muriaticum* (individuos débiles y depresivos).

Para aliviar la acidez de estómago, se recomienda *Anacardium orientale, Antimonium crudum* o *Pulsatilla*.

Oligoterapia

El níquel-cobalto puede aliviar la acidez de estómago.

Sales de Schüessler

Se recomienda el cloruro sódico.

Flores de Bach

Cuando los trastornos digestivos tienen un origen emocional, se pueden utilizar remedios como remedio de urgencia, castaño de Indias, Scleranthus o agrimonia.

Aromaterapia

Pueden ayudar a conseguir una buena digestión estas esencias: albahaca, anís, bergamota, cardamomo, cidronela, cilantro, comino, enebro, hinojo, hisopo, jengibre, laurel, lavanda, limón, menta, naranjo amargo, pimienta negra, romero y verbena.

Naturopatía

Hay algunos consejos generales que hay que seguir para evitar las indigestiones:

- Reducir los problemas emocionales, y en particular el estrés.
- Descansar un rato después de comer.

- Comer despacio, masticando bien los alimentos y sin abusar del agua durante las comidas. Procurar comer poca cantidad pero muchas veces al día.
- No comer entre horas.
- Tomar los medicamentos con el estómago lleno.
- No abusar de los antiácidos.
- Cuidar la alimentación, evitando aquellos alimentos que se digieren mal.

En cualquier caso, los siguientes complementos ayudan a conseguir una buena digestión:

- Calcio: el carbonato de calcio ayuda a neutralizar el exceso de acidez y los síntomas desagradables que se producen después de comer, cuando el estómago digiere mal. La dosis es de 10 g después de cada comida.
- Magnesio: el gluconato de magnesio se utiliza para combatir la acidez. La dosis habitual se sitúa en 500 mg por toma.
- Regaliz: las pastillas de regaliz sin glicerina ayudan a combatir las malas digestiones y neutralizan el exceso de acidez. La dosis habitual es de unas seis pastillas al día repartidas en tres tomas entre comida y comida.
- Vitamina A: ayuda a combatir la irritación y dolor estomacal. La dosis se hará en dos tomas durante cuatro o cinco días seguidos.
- Vitamina B: este grupo de vitaminas ayuda a mejorar la digestión. Se tomará un comprimido en cada una de las comidas principales durante los días peores.
- Acidophilus: ayudan a restaurar la flora intestinal y eliminar aquellas bacterias perjudiciales que son las responsables de muchos problemas de malas digestiones. La dosis será de dos pastillas diarias entre las dos comidas principales.

Terapia nutricional

Las personas que tienen tendencia a la dispepsia deben tener cuidado de evitar los siguientes alimentos:

- Alimentos ricos en grasas, ya que éstas resultan muy difíciles de digerir. Una comida rica en grasas hace la digestión más pesada, aumenta los gases y puede producir vómitos. Por tanto, se procurará disminuir el consumo de carnes grasas, mantecas, margarinas o mantequillas, embutidos, hamburguesas, salchichas y tocino, así como comidas fritas en general.
- La leche y sus derivados provoca indigestión en algunos adultos.
- El abuso del alcohol dificulta las funciones hepáticas, por lo que contribuye a las malas digestiones.
- El café y el chocolate.
- Las bebidas con gas, debido a que agravan los problemas de meteorismo.

- Legumbres feculentas, especialmente las alubias y los garbanzos, así como algunas hortalizas como los nabos, los rábanos, las coles y las coles de Bruselas.
- Alimentos fuertes o picantes, como el ajo, la cebolla, la pimienta negra o la mostaza.
- Para algunas personas el pepino es indigesto, aunque algunos estudios apuntan a que esto sólo se produce cuando no está del todo maduro.

Por el contrario, los siguientes alimentos resultan fáciles de digerir, y por lo tanto están indicados para personas propensas a la mala digestión:

- Frutas: son alimentos fáciles de digerir, ricos en vitaminas y minerales y con mucha fibra soluble, que facilita el tránsito intestinal. Los especialistas no se ponen de acuerdo sobre el momento en que es adecuado tomar la fruta: mientras que algunos sostienen que debe ingerirse fuera de las comidas principales y sin mezclar con otros alimentos, otros sostienen que la fruta puede tomarse en cualquier momento del día que se desee. En cualquier caso, se debe evitar consumir fruta poco o demasiado madura, ya que su digestión es más difícil. Entre las frutas especialmente adecuadas para mejorar la digestión tenemos las manzanas, las peras, las ciruelas, las piñas y los plátanos.
- Soja, en especial la leche de soja y el tofú.
- Verduras: al igual que las frutas, contienen mucha fibra soluble y son ricas en vitaminas y minerales, siendo muy fáciles de digerir. Entre las de más fácil digestión están el apio, las espinacas y las hortalizas no feculentas, sobre todo la zanahoria.
- Los frutos secos son beneficiosos para la digestión si se consumen con moderación; en exceso, son indigestos.
- El pescado azul.
- Los derivados lácteos como el yogur o la cuajada.

❑ OBESIDAD

Descripción de la enfermedad

Se trata de un aumento anormal en la proporción de células grasas en el tejido subcutáneo del organismo. En el caso de obesidad endógena, se debe a la disfunción de los sistemas endocrino o metabólico, y en el caso de la exógena, se debe a una ingesta calórica superior a la necesaria para cubrir las necesidades del organismo. Esta afección tiene infinidad de consecuencias negativas a largo plazo, como los ataques cardiacos, cálculos biliares, artritis, hernia, hipertensión, apoplejía, varices, desórdenes renales y problemas de fertilidad en el hombre.

SÍNTOMAS

El principal síntoma de la obesidad es el aumento del volumen corporal.

TRATAMIENTOS

Fitoterapia occidental

La única forma de controlar la obesidad es llevando una dieta adecuada y haciendo ejercicio, o en el caso de problemas endocrinos, haciendo que los trate un médico. Sin embargo, existe una infusión que ayuda a perder peso, elaborada con las siguientes plantas: equiseto menor, fresno, corteza de frángula, trébol de agua, bardana, agracejo y abedul. Se mezclan las plantas a partes iguales, y se agrega una cucharada sopera de la mezcla a una taza de agua hirviendo. Se cuela y se administra cada cuatro horas.

Homeopatía

Existen los siguientes remedios específicos:

- *Anacardium orientale.* Da buenos resultados con mujeres obesas que desean comer menos.
- *Calcarea carbonica.* Recomendado para adultos pequeños y rechonchos que comen mucho y son poco activos.
- *Thuya occidentalis.* Tipo constitucional obeso con más volumen en el tronco que en las extremidades.

Oligoterapia

Se recomienda el compuesto litio-magnesio-fósforo-zinc.

Flores de Bach

Se prescribirá agrimonia, avena silvestre, nogal y vid.

Aromaterapia

Contra la obesidad, se recomiendan las siguientes esencias: enebro, hinojo, limón, pachulí y tomillo.

Terapia nutricional

Sin duda, la terapia nutricional es el método más eficaz que existe para luchar contra la obesidad junto con el ejercicio físico. Sin embargo, hay que decir que no existe una dieta milagrosa para adelgazar: el truco suele consistir en consumir aproximadamente el mismo número de calorías que se gastan.

No obstante, existen algunos consejos dietéticos que se deben seguir si se desea adelgazar. Se debe reducir al máximo la ingesta de grasas, especialmente las de origen animal. Los hidratos de carbono también se consumirán con moderación, reduciendo especialmente los azúcares procesados presentes en la bollería y en la pastelería. Otra recomendación de especial importancia sería la de comer más veces al día pero menos cantidad, y en particular realizar cenas muy ligeras carentes de grasas o de hidratos de carbono que, al ser la última comida del día, no se podrán consumir.

Una parte muy imporatante de los terapeutas nutricionales sostiene la conveniencia de realizar una dieta disociada, en la que no se consuman al mismo tiempo proteínas e hidratos de carbono. Así, no se debería ingerir en la misma comida carne y pasta, o patatas y pescado, por ejemplo, ya que producirían una reacción en el estómago que incitaría al hígado a almacenar una mayor cantidad de grasa.

A continuación se plasma un ejemplo de dieta que sigue los anteriores consejos:

DIETA DE ADELGAZAMIENTO: se seguirá durante 15 días

Desayunos
- Café con leche desnatada.
- Pan integral.
- Requesón con 0% de materia grasa o queso blanco o margarina desnatada.
- *Sábados*: zumo de naranja, cereales integrales y café con leche desnatada.
- *Domingo*: dos huevos revueltos, beicon y café sin leche.

LUNES
a) Comida
- Espaguetis con salsa de tomate. Para preparar la salsa se usa tomate entero natural, que se rehoga en la sartén junto con un poco de cebolla en aceite de oliva virgen.
- Ensalada de lechuga.
- Café sin leche o infusión.

b) Merienda
- Dos yogures naturales desnatados.

c) Cena
- Verdura de hoja cocida (espinacas, acelgas, borrajas...).
- 150 g de lenguado, gallo, merluza o bacalao fresco.
- Un yogur natural desnatado o 50 g de queso fresco.

MARTES
a) Comida
- Sopa de verduras o 200 g de verdura de hoja con 50 g de patata.
- Filete de ternera sin grasa.
- Queso o yogur natural desnatado.

b) Merienda

- Dos-tres kiwis o peras.

c) Cena

- Ensalada variada aliñada con aceite de oliva y vinagre.
- Pechuga de pavo a la plancha.
- Dos manzanas asadas sin azúcar.

MIÉRCOLES

a) Comida

- Macarrones con tomate (sin queso).
- Ensalada de pepino y lechuga aliñada con aceite y vinagre.
- Café sin leche o infusión.

b) Merienda

- Una naranja, pera o manzana.

c) Cena

- 200 g de judías verdes con 50 g de patata.
- Una tortilla francesa con dos claras y una yema.
- Un yogur natural desnatado.

JUEVES

a) Comida

- Ensalada variada de hortalizas con aceite y vinagre o vinagreta.
- Pescado en papillote (con tomate y cebolla) en su jugo solo o arreglado con un poco de aceite y vino blanco o 100 g de pescado azul, como una trucha, sardineta, anchoa, salmón o atún fresco.
- Postre: infusión o café solo.

b) Merienda

- Una manzana o una pera.

c) Cena

- Setas o champinones a la plancha con ajo y perejil.
- 150 g de pechuga a la plancha.
- Postre: yogur natural o 50 g de queso fresco.

VIERNES

a) Comida

- Legumbres (lentejas o garbanzos, igualmente pueden ser de bote), guisadas con verduras, cantidad normal.
- Ensalada verde de lechuga, pepino, endibias o escarola.
- Postre: café solo o infusión.

b) Merienda

- Yogur natural descremado con edulcorante, si se quiere.

c) Cena

- Fruta variada (excepto plátanos, uvas, etc.) o 600 g de fresas con yogur.

SÁBADO

a) Comida

- Verdura o sopa de verduras.
- Carne de conejo, pollo o dos codornices a la plancha o al horno.
- Postre: café o infusión.

b) Merienda

- Fruta.

c) Cena

- Espárragos con atún al natural y lechuga con un poco de vinagre y mayonesa *light*.

DOMINGO

a) Comida

- Arroz blanco con tomate o arroz en paella hecho con verduras y poco aceite; se puede acompañar con un poco de ensalada.

b) Merienda

- Yogur natural descremado.

c) Cena

- Fruta variada (kiwi, naranja, melón o pera).

DIETA DE MANTENIMIENTO: hacer en los 15 días siguientes a la dieta anterior

Desayunos

- Medio pomelo, o zumo de naranja natural, o un kiwi.
- Una rebanada de pan integral tostado sin untar.
- Café o té con leche desnatada con sacarina, si se desea.

Meriendas

- Manzana o pera.

LUNES

a) Comida

- Fiambres magros surtidos (jamón serrano sin grasa, jamón cocido, pollo, pavo, etc.).
- Tomates (en rodajas).

b) Cena

- Pescados o mariscos magros, de cualquier clase.
- Ensalada mixta, con las verduras que desee (no mezclar la lechuga y el tomate), o verdura rehogada o sopa de verduras.

MARTES

a) Comida

- Ensalada de frutas, cualquier combinación, tanto como desee.

b) Cena

- Hamburguesas magras a la parrilla, en buena cantidad, o carne a la plancha.
- Tomates o lechuga, con apio, aceitunas, coles de Bruselas o pepinos.

MIÉRCOLES

a) Comida

- Ensalada de atún o salmón (escurrir el aceite), con limón y vinagre.
- Pomelo o melón o fruta de estación.

b) Cena

- Cordero asado (quitar toda la grasa visible) o carne a la plancha.
- Ensalada de vinagre (más vinagre que aceite en el aliño), tomate, pepino, apio, etc.

JUEVES

a) Comida

- Dos huevos duros o cocinados a su gusto (sin aceite).
- Queso blanco (0% de grasa) y tomates en rodajas o judías verdes o calabacines.
- Una rebanada de pan integral tostado.

b) Cena

- Pollo a la parrilla, plancha o asado, todo lo que desee (quitar la piel antes de comer).
- Espinacas, pimientos verdes o judías verdes en gran cantidad.

VIERNES

a) Comida

- Rodajas de queso surtidas.
- Espinacas, todo lo que desee.
- Una rebanada de pan integral tostado.

b) Cena

- Pescados o mariscos magros.
- Ensalada mixta de verduras frescas, la cantidad que desee, incluyendo verduras cocidas y cortadas si lo prefiere.
- Una rebanada de pan integral tostado.

SÁBADO

a) Comida

- Ensalada de fruta en la cantidad que desee.

b) Cena

- Pollo o pavo asado.
- Ensalada de lechuga o tomate, o verdura rehogada o sopa juliana. Pomelo o fruta de estación.

DOMINGO

a) Comida

- Pollo o pavo frío o caliente.
- Tomates, zanahorias, col hervida, brócoli o coliflor.
- Pomelo o fruta de estación.

b) Cena

- Bistec a la parrilla (quitar toda la grasa), cualquier corte que desee.
- Ensalada o fruta (las mejores frutas para la dieta son pera, kiwi y naranja).

Hipnoterapia

La hipnosis puede ayudar a conseguir que el paciente coma en menor cantidad o se abstenga de alimentos perjudiciales para él. La hipnoterapia también puede ayudar a solucionar los problemas emocionales de fondo.

Acupuntura

Se trabajará principalmente sobre los puntos taibai y chengjiang.

❑ PARÁSITOS INTESTINALES

DESCRIPCIÓN DE LA ENFERMEDAD

Uno de los parásitos intestinales más frecuentes es la tenia o solitaria, que se transmite al intestino por medio de carnes y pescados que contienen huevos de este parásito. Una vez alojada en los intestinos, la tenia va creciendo y forma unos anillos que pueden llegar a romperse y ser expulsados por el recto. Aunque se crea que el parásito ha sido eliminado, mientras la cabeza de la solitaria siga en el intestino, ésta seguirá desarrollándose. También son muy frecuentes los áscaris o lombrices intestinales.

SÍNTOMAS

Los síntomas de la presencia de una tenia suelen ser de hambre excesiva o por el contrario inapetencia total, dolores de vientre y de cabeza, vómitos y náuseas, palpitaciones del corazón, anemia y debilidad general. En cuanto a los áscaris, sus huevos se ven fácilmente en las heces y también pueden producir tos y fiebre.

TRATAMIENTO

Fitoterapia occidental

Contra la tenia, se recomienda tomar vermífugos como el helecho macho, el ajenjo y el pazote. Contra los áscaris, abrótano, escaramujo, altramuz y manzanilla.

❑ SÍNDROME DEL INTESTINO IRRITABLE O GASTRITIS

DESCRIPCIÓN DE LA ENFERMEDAD

Se trata de una inflamación pasajera de las paredes del estómago. Sus causas están asociadas a una alimentación inadecuada, alimentos en malas condiciones, abuso de picantes y condimentos fuertes, etc. Suelen identificarse dos tipos de gastritis: aguda (debida a la ingestión de alcohol o medicamentos, o a la presencia de toxinas o agentes patógenos) y crónica (suele ser el signo de una enfermedad subyacente, como úlcera péptica o incluso cáncer de estómago).

SÍNTOMAS

Sus síntomas más frecuentes son inapetencia, halitosis, dolor de estómago, náuseas, vómitos, diarreas, dolor de cabeza y fiebre.

TRATAMIENTOS

Fitoterapia occidental

Se recomiendan dos recetas principales para tratar la gastritis. Los ingredientes de la primera son menta, hinojo, malvavisco y melisa. Los de la segunda son anís, ajenjo, comino, tomillo y cálamo aromático. Ambas se preparan mezclando las plantas indicadas a partes iguales, y tomando cada día dos tazas de la infusión preparada con una cucharadita de la mezcla. También se ha demostrado la eficacia del aloe vera para tratar esta afección.

Homeopatía

Existen varios remedios que pueden aliviar la gastritis:

Síntomas	Remedios
Dolores como pesadez o quemadura, acompañados de náuseas e irritabilidad. Aparecen después de una comida demasiado copiosa o con mucho alcohol, en personas sedentarias, agotadas o después de una contrariedad.	*Nux vomica* 7.
Cólicos con regurgitaciones ácidas o biliares. Aparecen después de un enfado intenso. Los dolores mejoran por la aplicación de calor sobre la zona dolorida.	*Chamomilla vulgaris.*
Dolores que aparecen por una emoción reprimida, como desengaño, tristeza, fracaso, etc. El paciente suspira y no soporta la presión sobre la zona dolorida.	*Ignatia amara.*
Dolores como quemadura o pesadez, acompañados de flatulencia, digestión lenta y aversión a la grasa. El paciente no siente sed.	Pulsatilla.

Sin embargo, cuando los síntomas son demasiado insistentes, habrá que recurrir a un remedio constitucional.

Flores de Bach
Se recomienda tomar sauce.

Aromaterapia
Contra la gastritis, se recomiendan los aceites de ajedrea, hinojo, hisopo, geranio, manzanilla, menta, pino y romero.

Terapia nutricional
Las patatas pueden ayudar a reducir los síntomas, pues contienen pequeñas cantidades de atropina, una sustancia con efectos antiespasmódicos. Se puede tomar cada mañana, en ayunas, el agua resultante de dejar durante toda la noche una patata cortada en rodajas dentro de un vaso de agua. También se recomienda recurrir una vez al mes a la dieta depurativa de patata, comiendo durante un día únicamente patatas, preferiblemente hervidas o asadas.

Acupuntura
Se trabajarán los siguientes acupuntos: dadu, gongsun, liangmen, liangqiu, daling, shufu, xiawan, zhongwan y jiuwei.

SISTEMA ENDOCRINO

Las glándulas endocrinas producen mensajeros químicos llamados hormonas, que se agregan al torrente sanguíneo. Las hormonas ayudan al cuerpo a responder al hambre, la infección y la enfermedad, y a preparar al cuerpo para el estrés o el ejercicio físico.

PATOLOGÍAS

ENFERMEDADES HIPOTÁLAMO-HIPOFISARIAS

Pueden ser de muchos tipos y, debido a la importancia del hipotálamo y la hipófisis, a menudo tienen repercusiones en todo el organismo. La hipófisis puede verse afectada por formas tumorales o necrosis debidas a hemorragias que se producen, por ejemplo, inmediatamente después del parto. Otra grave forma patológica, debida a lesiones del lóbulo posterior de la hipófisis, es la diabetes insípida. La diabetes depende de alteraciones del páncreas endocrino, es decir, de aquella parte del páncreas que segrega insulina.

ENFERMEDADES DEL TIROIDES Y LAS GLÁNDULAS PARATIROIDES

Las alteraciones de estas glándulas tienen importantes efectos en todo el organismo: si la actividad tiroidea se reduce, aparece el hipotiroidismo, que disminuye toda la acción orgánica y produce un descenso del metabolismo basal. Un incremento de la actividad de esta glándula, en cambio, lleva a la aparición del hipertiroidismo.

ENFERMEDADES DE LAS SUPRARRENALES

Son de diferentes tipos, según la zona glandular afectada.

ENFERMEDADES DE LAS GLÁNDULAS SEXUALES

Alteraciones en la posición y forma, con variación de la actividad endocrina.

ENFERMEDADES INMUNES Y AUTOINMUNES

Ligadas a alteraciones tanto del sistema nervioso como del endocrino.

ENFERMEDADES ALÉRGICAS

En conexión con hiperactividad del sistema inmunitario:

1. En la hipófisis: pueden darse alteraciones que afectan tanto a la parte anterior como a la parte posterior de la glándula. En el primer caso aparece la acromegalia o gigantismo. También se pueden manifestar signos neurológicos y visuales, por la compresión ejercida por el aumento del tamaño glandular sobre el quiasma óptico. En el segundo caso, aparece la diabetes insípida.
2. En el tiroides: diferentes formas patológicas, intervenciones quirúrgicas o el uso de iodo radiactivo pueden suponer la aparición de hipotiroidismo, con descenso de la actividad orgánica y disminución del metabolismo basal. El caso contrario es el de la hiperactividad del tiroides, o hipertiroidismo, asociado a aceleración del ritmo cardiaco, temblor, excitación y adelgazamiento.
3. En el timo: las hiperfunciones del timo están en conexión con varios trastornos observables en los primeros días del embarazo.
4. En el páncreas: la lesión de la parte endocrina de esta glándula provoca la aparición de la diabetes, con alteración en el control de la cantidad de azúcar en sangre.
5. En el ovario: se pueden manifestar varios procesos patológicos, especialmente quistes y tumores.

6. En los testículos: provoca inflamaciones, torsión de los testículos, falta de desplazamiento y descenso de los testículos.

7. En las suprarrenales: el proceso morboso puede afectar a la zona medular. La manifestación más típica entonces es la de un tumor, el feocromocitoma, que se asocia a hiperproducción de catecolaminas, hipertensión y trastorno del metabolismo de los azúcares. Si se ve afectada la zona cortical de las suprarrenales se manifiesta la enfermedad de Addison, la enfermedad de Cushing y otras.

❑ DIABETES

DESCRIPCIÓN DE LA ENFERMEDAD

Aunque existen varios tipos de diabetes, la más común es la denominada diabetes mellitus, que es un trastorno complejo en la forma en que el organismo metaboliza los hidratos de carbono, grasas y proteínas debido principalmente a una falta relativa o absoluta de secreción de insulina por parte del páncreas.

SÍNTOMAS

Los más habituales son la producción de una gran cantidad de orina, necesidad de beber de forma abundante, pérdida de peso y excesivo deseo de comer. También pueden verse afectados los ojos, riñones, sistema nervioso, piel y sistema circulatorio.

TRATAMIENTOS

Fitoterapia occidental
Existen varios remedios que sirven para tratar la diabetes. Uno de ellos es la infusión de dos cucharadas soperas de alholva y una de nogal en un litro de agua: se toma una taza cada ocho horas. También se recomienda la decocción de 30 gramos de bardana por litro de agua (tres tazas al día), 50 gotas de tintura de ginseng dos veces al día o la decocción de una cucharada sopera de ortiga por taza de agua dos veces al día.

Cromoterapia
El amarillo es el color idóneo.

Homeopatía
El tratamiento homeopático tiene un lugar destacado en el tratamiento de la diabetes, aunque hay que mencionar que en esta enfermedad concreta no se recomienda en absoluto la automedicación; será conveniente, por tanto, visitar a un especialista. No

obstante, se pueden dar algunas orientaciones que pueden ayudar a comprender mejor el tratamiento recomendado por el homeópata.

Los remedios más habituales para tratar esta dolencia son los siguientes:

- *Argentum nitricum:* para personas que tiene un deseo insaciable de azúcar que no logran digerir, así como víctimas de lesiones neurológicas.
- *Arsenicum album:* corresponde a pacientes con sed intensa, que beben a menudo pero en pequeñas cantidades. Adelgazados y debilitados, suelen paceder diversas complicaciones como furúnculos, ántrax y tendencia a la albuminuria con edemas localizados.
- *Antimonium crudum*: tipo constitucional que tiene sed sobre todo por la tarde y por la noche, con deseo de bebidas ácidas. Suele ser muy goloso, con piel y uñas gruesas, propenso a lesiones frecuentes de la piel.
- *Lycopodium clavatum:* tipo constitucional con antojo de dulces y de alimentos o bebidas calientes, a veces bulímico pero que se satisface rápidamente, con tendencia a adelgazar, fatigado entre las 4 y las 8 de la tarde.
- *Phosphoricum acidum*: individuos agotados por excreciones fisiológicas excesivas, que padecen dolores de cabeza y alteraciones en las uñas y los cabellos, con agotamiento nervioso.
- *Phosphorus*: personas que presentan una sed intensa, con un deseo violento de agua helada y hambre excesiva, con problemas digestivos, adelgazado y debilitado, con diabetes a menudo inestable.
- *Sulphur*: remedio que suele prescribirse en las primeras etapas de la diabetes.

Oligoterapia
Se recomienda el zinc, así como los compuestos manganeso-zinc-níquel-cobalto, zinc-cobalto-cromo-selenio y zinc-níquel-cobalto.

Flores de Bach
Se recomienda tomar achicoria y heliantemo.

Naturopatía
Se recomiendan suplementos de magnesio, cromo y aceite de onagra.

Terapia nutricional
Algunos expertos recomiendan a los diabéticos probar una dieta estrictamente vegetariana, ya que este tipo de alimentación en algunos casos es posible que llegue a permitir al enfermo eliminar la insulina así como los medicamentos hipoglucémicos.

Acupuntura

Se trabajarán los siguientes acupuntos: wangu, rango, pishu y shenshu.

❑ PROBLEMAS DE TIROIDES

DESCRIPCIÓN DE LA ENFERMEDAD

El tiroides es esencial para el crecimiento normal durante la infancia, y controla también los niveles de energía del cuerpo mediante la producción de la hormona llamada tiroxina. Existen diversos trastornos relacionados con la glándula tiroides, pero en general pueden resumirse en dos: hipertiroidismo, cuando produce demasiada cantidad de tiroxina, e hipotiroidismo, cuando produce muy poca.

SÍNTOMAS

El hipertiroidismo causa pérdida de peso, aumento del apetito, palpitaciones, ansiedad, temblores, irritabilidad, aversión al calor, sudores y menstruación infrecuente. El hipotiroidismo produce apatía, aversión al frío, pérdida del cabello, fatiga, estreñimiento, dolores musculares, periodos abundantes en las mujeres, aumento de peso, depresión y voz ronca.

TRATAMIENTOS

Fitoterapia china

En muchas disfunciones del sistema endocrino, la medicina tradicional china recomienda realizar una dieta de desintoxicación, que se basará en:

• ALIMENTOS PROHIBIDOS QUE NO HAY QUE COMER DURANTE CUATRO SEMANAS. Son productos que contengan levadura, excepto los panes del tipo «pita» sin levadura; productos de trigo, como puede ser el pan con cereales, excepto aquellos panes que tengan un contenido máximo de harina de trigo del 50 por ciento; azúcares y edulcorantes (miel incluida); productos lácteos (leche de soja incluida); fruta, fruta seca y zumo de fruta, excepto los limones (a olvidar si el régimen es de frutas); carne; mariscos; alcohol; conservas o fermentados; alimentos que contengan colorantes, conservantes, es decir, comida ya guisada y envasada o llamada de preparación rápida, o tratada con pesticidas; pepinillos, vinagre y setas; comida que no sea del todo fresca (como las anteriormente mencionadas que ya están preparadas para su consumo inmediato); cafeína (té, café, chocolate, bebidas gaseosas); fármacos, si es posible.

- ALIMENTOS PERMITIDOS. Comer verduras, tantas como se quiera y de cualquier clase, pero no más de la mitad han de ser crudas; téngase también en cuenta que la forma de cocinar un alimento puede alterar sus propiedades; se tomarán alimentos recién preparados, mejor que precocinados y recalentados; cereales: arroz, cebada, quinoa, trigo rubión, kasha, amaranto y arroz salvaje; legumbres: alubias, semillas y frutos secos (excepto los cacahuetes); pescados (pero no los mariscos); aceites de oliva, sésamo, lino, cáñamo y nuez; leche de arroz o avena; uno o dos huevos a la semana.

- HÁBITOS AL COMER. La manera de comer es tan importante como lo que se come, de ahí que se deba hacer lentamente, masticando mucho cada bocado; no se debe comer estando triste, estresado u ocupado; comer sentado en la mesa, y no tumbarse en el sofá inmediatamente después de comer; no beber líquidos fríos con la comida; beber agua caliente o té verde si lo prefiere; desayunar todas las mañanas, almorzar bien y cenar muy ligero, antes de las 20 horas; no comer hasta sentirse lleno del todo es también fundamental, ya que el espacio sobrante se usa durante la digestión.

- OTRAS RECOMENDACIONES. Guardar aceites y frutos secos en la nevera. El aceite debe ser biológico y prensado en frío; seguir una dieta variada; ingerir alimentos orgánicos a ser posible; usar aceite en lugar de mantequilla; evitar que el aceite se queme; cocinar un poco todos los alimentos menos las ensaladas; usar sólo auténtica sal marina; no usar pimienta negra al cocinar, es preferible añadirla después.

- ALIMENTOS APROPIADOS. Aceite de cáñamo o lino, como condimento o en puré; ajo; aloe vera (diluido en agua); algas (copos kelp en la comida como sustituto de la sal); tofú (se evitará la proteína de soja deshidratada); pimienta de cayena (en verduras, sopas, condimentos, puré de patatas y estofados); aminos líquidos en vez de salsa de soja. Jengibre o canela (té, sofritos, sopas o estofados); tahini (delicioso para condimentar patatas al horno); pimienta negra (cruda); stevia (extracto de hierba) como edulcorante; angostura (unas gotas disueltas en agua sirven como refresco); alimentos que sedan la hiperactividad del yang, como los rábanos, frambuesas, arroz, nabos, puerros, semillas de hinojo, coriandro y cerezas; alimentos que tonifican el yin como mijo, moras, judías mung, pato, astras, caquis, cerdo y tomates.

- EL DESAYUNO. Comer el congee o gachas de arroz; cereales; pero si se padece intolerancia al arroz o a la cebada, se tomará quinua, arroz salvaje o trigo rubión; gachas de avena o cereales de arroz sin azúcar; leche de arroz o de avena.

- HIGIENE ALIMENTICIA. La boca es el principal canal de paso de los patógenos al cuerpo, de ahí que para una alimentación más saludable, lo que denominamos higiene alimenticia basa sus principales parámetros en que:

  - Todos los alimentos deben estar bien limpios antes de comerlos. Las verduras y las frutas tienen que sumergirse en agua y rascarse.
  - Se pelarán todas las frutas y verduras.
  - Remojar el pescado, limpiarlo y cocinarlo bien.
  - Los ingredientes de las ensaladas tienen que sumergirse en agua, limpiarse bien y eliminar aquellas partes picadas.
  - No comer los restos al día siguiente (excepto para sopas y estofados).
  - Evitar comer con las manos.
  - Lavar con lejía los utensilios de cocina que hayan estado en contacto con pescado crudo.

- RÉGIMEN DE ZUMOS NATURALES. Se trata de una dieta basada principalmente en zumos, que se puede hacer durante una semana completa:

  - Se empieza a las 8 de la mañana con un vaso (300 ml) cada hora hasta las 8 de la tarde, alternando zumo (de zanahoria o manzana, el mismo todo el día) y agua. A los zumos se podrá añadir una rodaja de jengibre fresco.
  - Tomar hasta tres cucharadas de aceite de cáñamo, semillas de lino, oliva o sésamo tres veces al día.
  - Se pueden comer las mismas frutas y verduras que se utilizan para el zumo; así como el apio.
  - Para cenar, se moja apio, zanahoria o manzana en un bol con aceite y copos de kelp.
  - El día después del régimen, se comerá con moderación.

Flores de Bach

Verbena es especialmente útil contra el hipertiroidismo.

Homeopatía

Se recomiendan los siguientes remedios:

- *Iodum*. El paciente siente calor, no puede parar su actividad y se obsesiona con todo. Es del tipo constitucional de cabello y ojos oscuros.
- *Natrum muriaticum*. Los síntomas están acompañados de estreñimiento, palpitaciones y complexión robusta.
- *Belladona*. Individuos de rostro enrojecido y ojos fijos.

– *Lycopudium clavatum.* Si el corazón late fuerte y acelerado.
– *Arsenicum album.* Para tratar el hipotiroidismo.

Naturopatía
Se recomiendan suplementos de zinc, vitamina A, selenio y hierro.

Curación espiritual

La curación espiritual puede ayudar a equilibrar todo el sistema endocrino. Debemos tener en cuenta que la mayoría de las emociones tienen su manifestación física precisamente a través de las hormonas, de modo que hay una relación particularmente estrecha entre la energía espiritual y el sistema endocrino: cuando una persona padece un problema emocional, éste encuentra su manera de manifestarse a través de las reacciones hormonales del organismo; así, una gran pena prodría provocar la asimilación incorrecta de la serotonina. En el mismo sentido, el equilibrio del aura y de los chakras garantizará el correcto funcionamiento de las diversas glándulas del cuerpo.

SISTEMA INMUNOLÓGICO O LINFÁTICO

Mientras la sangre circula por el cuerpo, el plasma rezuma de sus capilares, y después de que los nutrientes hayan sido utilizados por las células, este líquido (llamado linfa) es recogido por el sistema inmunológico, que está formado por los vasos y los ganglios linfáticos. Mientras que los primeros permiten la circulación de la linfa por el cuerpo, los segundos actúan como filtros para la infección y producen glóbulos blancos. Los vasos linfáticos más pequeños convergen en dos grandes conductos en el pecho, que devuelven la linfa a las venas del cuello. Hay una serie de plantas que activan las funciones del sistema inmunológico en general. Las más importantes son el regaliz, el ajo, la equinácea y el ginseng. Conviene tomar alguna de ellas a modo de prevención para mantener al organismo preparado para responder ante posibles infecciones.

❑ PROBLEMAS VIH Y SIDA

DESCRIPCIÓN DE LA ENFERMEDAD

El síndrome de inmunodeficiencia adquirida (sida), provocado por el virus de la inmunodeficiencia humana (VIH), se caracteriza por la depresión del sistema inmunológico hasta tal punto que éste ya no es capaz de luchar contra las infecciones. El VIH puede o no manifestarse en el cuerpo donde se ha alojado; si lo hace, se desarrolla la enfermedad del sida. Como es sabido, hoy por hoy se trata de una enfermedad fatal para la que no se conoce cura ni vacuna. La mejor medida, por tanto, es la prevención.

SÍNTOMAS

Los síntomas característicos son astenia, anorexia, fiebre y adenopatías, evolucionando en algunos casos hacia el sarcoma de Kaposi.

TRATAMIENTOS

Fitoterapia occidental

Las dos plantas que, por el momento, han dado mejores resultados son el hipérico y el aloe vera, pero dado lo grave de esta afección, se deberá consultar a un especialista fitoterapeuta para que recete un tratamiento con el fin de evitar posibles interacciones entre las plantas y los medicamentos ortodoxos.

Flores de Bach

Pueden proporcionar apoyo emocional a los pacientes asustados, deprimidos, furiosos o afectados por otras actitudes negativas. Los remedios han de elegirse siempre de acuerdo con el talante del paciente, si bien es cierto que existen algunos especialmente indicados para este tipo de enfermedad, como el remedio de urgencia, leche de gallina o acebo.

Terapia nutricional

Para apoyar el tratamiento convencional de una terapia nutricional, se recomienda, no obstante, consumir, en la mayoría de lo posible, alimentos que contengan los siguientes elementos:

- Vitamina C, que posee propiedades antioxidantes. Se encuentra especialmente en los cítricos y en los pimientos.
- Vitamina A, presente en la carne de hígado y en vegatales, como la zanahoria, los aguacates o la albahaca.
- Vitamina E. Las verduras y hortalizas de color verde, así como los vegetales ricos en aceite, son las que poseen más cantidad de esta vitamina, como los espárragos, la lechuga y las espinacas.
- Zinc, que mejora la salud general del sistema inmunológico. Se encuentra en el apio, los higos, las cebollas o los rábanos, entre otros.

– Hierro: los enfermos de sida suelen presentar bajos niveles de hierro, por lo que se recomienda consumir alimentos que lo contengan en abundancia, como las espinacas, las lentejas, las endibias o el apio.

Hipnoterapia

Puede usarse la visualización creativa: el paciente puede crear una metáfora que represente a los leucocitos luchando contra los virus, y en estado de hipnosis ligera, acudir a la visualización para sugestionar al organismo de modo que éste active el sistema inmunológico. También serán útiles las técnicas de relajación.

Cromoterapia

Los colores índigo, violeta y azul profundo son muy curativos y pueden ayudar en particular a mejorar el sistema inmunológico. La aplicación podrá variar desde exposiciones de luz de estos colores sobre el cuerpo desnudo a utilizar ropa interior o cuadraditos de tela de los mismos colores.

Por otro lado, el amarillo y el verde claro pueden ayudar a restablecer el optimismo y la autoestima.

Curación espiritual o Reiki

Ante una enfermedad tan grave como el sida, el enfermo debería acudir a la consulta de un sanador espiritual. Sin embargo, si esto no es posible por cualquier motivo, se podrá recurrir a las mismas técnicas que ya se explicaron al hablar del cáncer (ver Cánceres digestivos).

Entre los tratamientos específicos, se recomienda la estimulación del sistema inmunológico. Para ello, se coloca una mano sobre el timo: éste constituye un centro espiritual y, por tanto, absorbe energía. A continuación, se coloca la otra mano sobre el bazo para devolver el equilibrio a los chakras tercero y cuarto al mismo tiempo.

❏ ALERGIAS

DESCRIPCIÓN DE LA ENFERMEDAD

El sistema inmunológico ataca en principio a cualquier sustancia u organismo extraño que entre en el cuerpo: tras analizar si es perjudicial, lo ataca y lo elimina. La alergia se produce cuando el sistema inmunológico reacciona violentamente contra una sustancia que no es nociva para el cuerpo. Las alergias suelen ser genéticas, aunque otros factores que influyen son el estrés o la sensibilización a ciertas sustancias; por ejemplo, la alergia a las ostras se puede producir después de haber tomado al menos una ostra en mal estado.

Las alergias pueden manifestarse por medio de estornudos, picor, jadeos, nariz chorreante y urticaria: todo ello es conocido como reacción histamínica. Las reacciones alérgicas graves, como la anafilaxis, pueden causar *shock* y muerte.

Fitoterapia occidental

Cada alergia suele tener un tratamiento específico, pero existe una receta natural elaborada con plantas medicinales que actúa como antihistamínico general. Se mezclarán 25 gramos de los siguientes ingredientes: romero, cola de caballo, raíz de regaliz y caléndula; 15 de menta y grosellero negro y 30 de gayuba. Después de cada comida, se tomará una taza de la infusión preparada con una cucharada sopera de la mezcla anterior por medio litro de agua.

Cromoterapia

El amarillo es el color más apropiado.

Fitoterapia china

La medicina tradicional china no menciona las alergias. El sistema inmunológico no se entiende como un concepto aislado, sino como un conjunto de sistemas que realizan distintas funciones. En medicina china, mente y cuerpo son inseparables. Por tanto, si algo afecta al cuerpo, también afectará a la mente, y viceversa.

Así, para tratar una alergia se suele seguir un programa de tres pasos:

1. Identificar y eliminar las sustancias patógenas.
2. Eliminar la elaboración de la sustancia del cuerpo.
3. Identificar y corregir la insuficiencia que hace que la reacción se manifieste.

Este enfoque consiste en un proceso complejo que, en realidad, requiere la ayuda de un especialista cualificado en medicina china, aunque sí es posible adoptar un plan muy sencillo que se puede seguir en casa:

– Se comienza por eliminar las sustancias patógenas de la vida cotidiana. Las que originan reacciones alérgicas de forma más habitual son los productos lácteos, la levadura, el pan, el azúcar, los cítricos y las frutas tropicales, los conservantes químicos, colorantes y aromatizantes, el café y el alcohol.

- Se purga el cuerpo de toxinas utilizando un tratamiento purificador.
- Se fortalece el cuerpo comiendo con regularidad, durmiendo un mínimo de ocho horas y practicando ejercicio o meditación para contrarrestar el estrés.

Flores de Bach

Los remedios más utilizados son manzana silvestre, acebo, impaciencia, mímulo y sclerantgus.

Aromaterapia

Se recomiendan los aceites esenciales de manzanilla, melisa, melaleuca y rosa.

Terapia nutricional

En primer lugar, se intentará identificar cualquier alimento que provoque reacciones alérgicas en el individuo: los que con más frecuencia despiertan alergias son las fresas, el chocolate, el maíz, la leche o el marisco.

Teniendo esto en cuenta, se procurará ingerir alimentos que contengan los siguientes elementos:

- Vitamina C: cítricos y pimientos.
- Vitamina E: espárragos, lechuga y guisantes.
- Vitamina A: hígado y zanahorias.
- Zinc: apio, espárragos y berenjenas.

Naturopatía

El aceite de onagra suele ser muy eficaz para tratar los diversos tipos de alergia, así como el polen de abeja y la vitamina B12.

Hipnoterapia

Muchas alergias pueden tener una base emocional, de modo que por medio de la terapia regresiva se podrá descubrir y tratar el origen del desorden. Las técnicas de relajación y sugestión hipnótica también pueden ayudar a combatir los síntomas, condicionando al cuerpo para que detenga su respuesta anafiláctica y para que deje de considerar como un agresor al elemento que produce la alergia.

Cromoterapia

Los colores azules y los verdes son los más utilizados, ya sea en forma de luz o bien llevados como pañuelos de seda en la garganta, el cuello o sobre el pecho bajo la ropa.

Curación espiritual o Reiki

Para tratar las alergias, se puede optar por estimular energéticamente el sistema linfático. Este tratamiento se lo puede aplicar uno mismo colocando una mano bajo un brazo, en la axila, y cambiando al otro lado cuando se perciba que la energía se ha equilibrado en el primer brazo. Si el tratamiento lo aplica otra persona, se colocan ambas manos bajo un brazo en la axila.

❏ MONONUCLEOSIS INFECCIOSA

DESCRIPCIÓN DE LA ENFERMEDAD

Se trata de una infección causada por el herpesvirus de Epstein-Barr. La trasmisión se realiza a través de la saliva, por lo que recibe popularmente el nombre de «enfermedad del beso».

SÍNTOMAS

Se caracteriza por fiebre, dolor de garganta, inflamación de los ganglios linfáticos, linfocitos atípicos, inflamación del bazo y del hígado y anormalidad en la función hepática. En la infancia, la enfermedad es leve y suele pasar inadvertida, aunque en personas mayores aumenta su gravedad.

TRATAMIENTOS

Fitoterapia occidental
Una infusión de 30 g de milenrama y 20 g de flores de saúco en un litro de agua, tres tazas al día. Para combatir el cansancio, se añadirán 15 g de romero a la anterior receta.

Flores de Bach
Se puede aplicar el tratamiento de choque para infecciones: cuatro gotas de manzana silvestre cada diez minutos durante una hora, y después, media hora de intermedio para continuar con la secuencia anterior.

Homeopatía
Los siguientes remedios pueden ser de utilidad para tratar la mononucleosis:

– *Belladona*: indicada cuando hay una fiebre alta repentina y la persona está excitada, incoherente y con el rostro enrojecido.

- *Ailanthus glandulosa:* especialmente indicada cuando hay cefalea, debilidad, dolor en los músculos y, además, las úlceras en la garganta hacen difícil tragar.
- *Phytolaca decandra*: indicada cuando las amígdalas aparecen de color rojo oscuro y tragar causa un dolor lacerante que sube hacia las orejas. Los síntomas empeoran con las bebidas calientes.
- *Baryta carbonica*: recomendada cuando las glándulas están claramente hinchadas, en especial si el paciente es un niño de desarrollo tardío.
- *Mercurios solubilis*: que se utiliza cuando las glándulas están muy sensibles y hay también una transpiración ofensiva.
- *Calcarea carbonica:* podrá usarse cuando hay frío, sudores, un sabor amargo en la boca y la persona se siente mental y físicamente agotada.

Naturopatía

Se recomiendan suplementos de vitaminas B y C para impulsar el sistema inmunológico y mantener un sistema nervioso sano.

❑ ENFERMEDAD DE HODGKIN

DESCRIPCIÓN DE LA ENFERMEDAD

La enfermedad de Hodgkin es un cáncer que afecta los nódulos o glándulas linfáticos.

SÍNTOMAS

Aumento espectacular pero indoloro del tamaño de los nódulos linfáticos, normalmente los del cuello y axilas. También es frecuente la presencia de anemia, fiebre, anorexia, sudores nocturnos y aumento del tamaño del hígado y del bazo.

TRATAMIENTOS

Fitoterapia occidental

Se seguirán los mismos consejos que para otros cánceres (ver Cánceres digestivos).

Terapia nutricional

Remitirse al tratamiento de otros cánceres (ver Cánceres digestivos).

Flores de Bach

Se prescribirán remedios que ayuden al paciente a mantener un buen estado de ánimo. Los indicados de forma general son acebo, remedio de urgencia y leche de gallina. Aulaga puede ayudar al enfermo a creer en su recuperación, y manzana silvestre ayuda a paliar los efectos perversos de la quimioterapia.

Hipnoterapia
(ver Cánceres digestivos).

Curación espiritual o Reiki
(ver Cánceres digestivos).

SISTEMA REPRODUCTOR FEMENINO

Los órganos del sistema reproductor femenino son los ovarios, las trompas de Falopio, el útero y la vagina. El clítoris, los labios mayores y menores y el vello púbico forman los genitales externos. Hay muchas enfermedades relacionadas con el sistema reproductor femenino, desde los problemas con el ciclo menstrual hasta las relacionadas con el embarazo o la lactancia. Afortunadamente, muchas de ellas pueden ser tratadas por medio de plantas medicinales.

❑ ABORTO

DESCRIPCIÓN DE LA ENFERMEDAD

El aborto se define como la finalización espontánea o inducida del embarazo antes de que el feto haya alcanzado el desarrollo suficiente como para vivir después de su nacimiento. El aborto espontáneo ocurre cuando el embrión no logra desarrollarse, cuando se produce una expulsión completa o incompleta del embrión o del feto y de la placenta o cuando el feto muere antes de las 20 semanas de gestación.

SÍNTOMAS

Los signos de amenaza de aborto incluyen hemorragias, coágulos o secreción de flujo color marrón oscuro en la vagina, calambres abdominales y dolores lumbares.

TRATAMIENTOS

Fitoterapia occidental
Cuando se ha sufrido un aborto, se recomienda seguir estos consejos para recuperarse:

- Conviene tomar una gran cantidad de avena, ya que ayuda a reforzar el sistema nervioso, tiene cualidades antidepresivas, ayuda a combatir el estrés y además alivia la fatiga. Debido a su alto contenido en sales minerales, contribuye a reparar el organismo después de la hemorragia propia del aborto.
- Llevar una dieta equilibrada para así poder conseguir un gran aporte de vitaminas.
- Tomar germen de trigo y levadura de cerveza para regular el sistema hormonal.
- Hacer la cura de ajo tibetana para depurar el organismo.
- Tomar infusiones de hojas de frambueso para reparar el útero.

Flores de Bach

Tras sufrir un aborto, se puede recetar el remedio de urgencia, así como otros remedios específicos para el estado de ánimo que desarrolle la paciente.

Homeopatía

Ante una amenaza de aborto, y siempre de manera complementaria al tratamiento ortodoxo, se podrán administrar los siguientes remedios: *Sabina, Ipecacuana, Ignatia Amara* o *Staphysagria*.

Aromaterapia

Se recomienda el aceite esencial de espliego.

❏ CÁNCER DE MAMA, DE OVARIOS, DE CÉRVIX Y DE ÚTERO

Descripción de la enfermedad

Como ya se ha mencionado en otras ocasiones, el cáncer es una neoplastia caracterizada por el crecimiento incontrolado de células anaplásticas, que en este caso se localizan en alguno de los órganos sexuales de la mujer. El cáncer de mama es el proceso degenerativo más común en las mujeres, mientras que el cáncer uterino es de crecimiento muy lento y tiende a permanecer dentro del útero, de modo que los índices de supervivencia son altos.

Síntomas

El cáncer de mama puede detectarse por bultos en el pecho, cambios en la forma o dirección del pezón, hemorragia o secreción del pezón, «piel de naranja» en el pecho, cambio en forma, tamaño o peso de un pecho, o pequeños bultos en la axila. El cáncer de ovarios provoca un aumento de la frecuencia urinaria, pérdida de peso y una sensación de hinchazón persistente en el abdomen. En cuanto al cáncer de útero, su síntoma más habitual es la hemorragia inusual o inexplicable de la vagina.

TRATAMIENTOS

Gemoterapia y Cristaloterapia
La magnetita es la piedra idónea.

Fitoterapia occidental
Siempre bajo la supervisión de los oncólogos, es posible utilizar alguna de las siguientes plantas como complemento al tratamiento convencional del cáncer de mama:

- Muérdago: ayuda a que el tumor no se vuelva a reproducir una vez finalizado el tratamiento.
- Gingseng siberiano: incrementa la inmunidad cuando se utiliza de una manera regular en periodos aproximados de un mes de duración.
- Té verde: previene la aparición de cánceres, especialmente el de mama. Se puede administrar en forma de infusiones de 5 gramos de planta por taza de agua, tres veces al día.
- Hipérico: ayuda a detener la expansión de las células cancerosas.
- Tejo y lúpulo: se utilizan de forma específica para impedir que se reproduzca el cáncer de mama.

Flores de Bach
Las flores de Bach pueden ayudar a mejorar el contexto emocional de la paciente: así, se podrán utilizar achicoria, olmo, sauce, acebo, remedio de urgencia o leche de gallina.

Terapia nutricional
Se seguirán los mismos consejos que para otros tipos de cáncer (ver Cánceres digestivos).

Naturopatía
Los siguientes suplementos pueden ayudar a complementar el tratamiento ortodoxo, aunque en ningún caso se administrarán sin previa consulta médica:

- Vitamina C con flavonoides: ayuda a reducir los efectos perversos de la quimioterapia.
- Vitamina E: actúa como factor preventivo en la formación de tumores.
- Coenzima Q10: 60 mg al día.

- Quercetina: ayuda a eliminar las células cancerosas que se resisten a los tratamientos. La dosis será de 750 mg repartidos en tres tomas diarias fuera de las comidas.
- Resveratrol: tiene propiedades antioxidantes y anticancerosas. La dosis es de 700 mg diarios repartidos en tres tomas.
- Extracto de té verde: 500 mg diarios repartidos en dos tomas.
- Selenio: actúa como factor preventivo al tiempo que disminuye los efectos perversos de la quimioterapia. La dosis es de 300 mg diarios.
- Maitake: inhibe el crecimiento de las células cancerosas de la mama. La dosis usual es de 6.000 mg diarios repartidos en tres tomas.
- Aceite de linaza: una cucharada diaria.
- Concentrado de isoflavonas de soja: 3.000 mg diarios.

Hipnoterapia
(ver Cánceres digestivos).

Curación espiritual o Reiki
(ver Cánceres digestivos).

❏ CANDIDIASIS

DESCRIPCIÓN DE LA ENFERMEDAD

Infección producida por una especie de *Candida*, en general *Candida albicans*, que afecta a las mujeres en la zona vaginal, aunque también se puede localizar en la boca, en los intestinos o incluso en la piel.

SÍNTOMAS

La candidiasis provoca una secreción densa y blanca que normalmente no huele mal, al tiempo que una vulva sensible, seca, roja y con hormigueo. Suele haber picor al orinar y dolor en las relaciones sexuales.

TRATAMIENTOS

Fitoterapia occidental
Para aliviar las molestias se recomiendan baños de asiento con 600 ml de agua hervida a la que se añaden dos gotas de aceite de lavanda, o bien con infusiones de manzanilla o tomillo. También se recomiendan las capuchinas, ya que sus flores actúan como antibióticos naturales.

Flores de Bach

Clemátide y manzana silvestre son los remedios más indicados.

Terapia nutricional

Para fortalecer el cuerpo de cara a la lucha contra la infección, se recomienda el yogur natural, el ajo y el vinagre de manzana. Se desaconseja el consumo de azúcar, ya que éste favorece el crecimiento de la levadura.

❏ DEPRESIÓN POSPARTO

DESCRIPCIÓN DE LA ENFERMEDAD

Trastorno psiquiátrico que suele producirse de tres días a seis semanas después del parto. La depresión posparto grave se produce aproximadamente en uno de cada dos o tres mil embarazos, y se desconocen sus causas principales, aunque en torno a un tercio de las mujeres que lo sufren ya tenían algún tipo de problema psiquiátrico previo.

SÍNTOMAS

Se caracteriza por síntomas que van desde la simple tristeza a una intensa psicosis depresiva con pulsiones suicidas. En ocasiones el trastorno puede detectarse en el periodo neonatal por ciertas características como no haber hecho ningún preparativo para el hijo esperado, expresar planes fuera de la realidad o negar la responsabilidad de la maternidad.

TRATAMIENTOS

Fitoterapia china

La medina china considera que la insuficiencia de sangre es una de las causas principales de este trastorno, ya que aunque no se haya perdido demasiada sangre, el bebé ha estado nutriéndose de la madre durante nueve meses.

La placenta (Zi He Che) se considera la mejor fuente posible de nutrientes sanguíneos, que permitiría a la madre recuperarse de esta insuficiencia. La prescripción tradicional consiste en ingerir la propia placenta, cocinándola igual que si se tratara de un filete de hígado. Sin embargo, también es posible secarla y entonces elaborar cápsulas con ella: para ello, habrá que lavarla a conciencia y secarla con ayuda de un horno. Cuando esté del todo seca, se puede moler en un procesador de alimentos y hacer cápsulas.

Flores de Bach

Se recomienda tomar genciana de campo y mostaza.

Homeopatía

Se recomiendan los siguientes remedios: *Pulsatilla, Natrum muriaticum* y *Sepia*.

Gemoterapia

La piedra idónea es la turquesa.

❑ EMBARAZO

Descripción de la enfermedad

Bajo ningún concepto puede denominarse enfermedad al embarazo, aunque es cierto que muchas mujeres sufren diversos trastornos asociados con él, que desaparecen invariablemente después de haber dado a luz.

Síntomas

Los síntomas más comunes que se producen durante el embarazo incluyen cansancio, náuseas, vómitos, acidez de estómago e hipotensión.

Tratamientos

Fitoterapia occidental

Se recomienda principalmente tomar avena silvestre, romero y verbena para la fatiga. Contra las náuseas, se prescriben infusiones de menta, hinojo, jengibre y manzanilla. La ulmaria puede calmar la acidez de estómago, y el diente de león combate el estreñimiento.

En cualquier caso, durante el embarazo conviene seguir una dieta especialmente sana y equilibrada, combinar el ejercicio físico suave con el descanso apropiado y evitar a toda costa factores de riesgo como el estrés, el tabaco o el alcohol.

Fitoterapia china

La medicina tradicional china recomienda encarecidamente cuidarse durante el embarazo con una buena alimentación, suficientes horas de sueño y evitar a toda costa el estrés. Esto último es especialmente importante, ya que hay una relación directa entre el estado emocional de una mujer y la salud del bebé.

Durante el embarazo, las mujeres experimentan el mundo de una forma diferente, más interna. El pulso es casi siempre superficial debido a la presencia de fluidos adicionales en el cuerpo, y el aspecto de la lengua también variará según la constitución general de la mujer.

Existen algunos estados concretos que se asocian con el embarazo y que pueden tratarse fácilmente:

— Mareos matinales: puede tratarse con raíz de jengibre fresca (Shen Jiang). La forma más eficaz de tomarlo es en infusión. Para ello, se pelará un trozo pequeño de jengibre fresco, que se cortará en cinco rodajas y se verterá en un cazo con agua. Se deja cocer a fuego lento durante unos minutos.
— Dolor de espalda: existen razones físicas evidentes por las que la espalda duele durante el embarazo. Se puede aliviar descansando o haciendo ejercicios de Yoga o Tai Qi, que además ayudan a las mujeres a tener un parto más fácil.
— Hipertensión y retención de líquidos: es de especial importancia seguir una dieta nutritiva. No debe restringirse en ningún caso la cantidad de calorías, que no debe ser inferior a 2.800 diarias, salvo prescripción médica en contra. A algunas mujeres les ayudará un complemento de magnesio y calcio (proporción 2:1). También se puede reemplazar la sal de las comidas por copos de kelp (Kun Bu). Si a pesar de todo, se desarrolla hipertensión y edema, se administrará una tintura herbal de enebrina, ortiga, semilla de apio o perejil (en la última semana del embarazo, ya que esta hierba estimula el útero).
— Grietas: se recomienda hacer un masaje con aceites en el abdomen y el perineo tanto durante como después del embarazo. Se empleará una base de aceite de sésamo (Hei Zhi Ma) junto con unas gotas de aceite de borraja o primavera nocturna, vitamina E, zanahoria y rosa.

Homeopatía
El enfoque homeopático del embarazo es el mismo que el que se utiliza para tratar una enfermedad: sólo un interrogatorio detallado de la paciente permitirá determinar sus síntomas más personales y elegir un remedio eficaz. Sin embargo, se prestará especial atención a todas las modificaciones ocurridas a partir del inicio del embarazo, como cambios en la conducta, antojos o aversiones a ciertas comidas.

En general, podemos afirmar que la homeopatía puede aliviar fácilmente numerosas molestias menores frecuentes, como por ejemplo:

— *Collinsonia canadensis, Aesculus hippocastanum* y *Lachesis mutus:* para aliviar las hemorroides.

- *Colchicum autumnale:* contra la náusea que se siente ante determinados olores o al pensar en ciertos alimentos, si el menor movimiento las agrava y si la paciente tiene antojos de diversos alimentos que se transforman en aversión en cuanto los huele.
- *Kalium carbonicum:* para tratar los dolores de espalda.

Flores de Bach

Durante el embarazo, se puede administrar scleranthus y nogal.

Aromaterapia

Durante el embarazo, se administrarán aceites de incienso, jazmín, melisa y rosa.

Naturopatía

Para las náuseas y los vómitos, un naturópata sugerirá tomar frecuentes comidas poco abundantes y evitar las comidas grasas. La ingesta de abundantes líquidos compensará cualquier deshidratación resultante de los vómitos. Se recomendarán suplementos de vitamina E para reducir las grietas. Cualquier decoloración amarronada de la piel puede aliviarse con ácido paraaminobenzoico, que se halla en frutas y verduras frescas, el germen de trigo, los granos enteros, el hígado y los champiñones, y puede tomarse también como complemento. Los naturópatas descubren que la fatiga puede aliviarse a menudo mejorando la dieta de la madre expectante y proporcionándole también suplementos de zinc, vitaminas B12, B6 y también ácido fólico.

Hipnoterapia

Las técnicas de relajación y de autohipnosis pueden ayudar a superar los síntomas desagradables del embarazo.

❏ ENFERMEDAD PÉLVICA INFLAMATORIA (EPI)

DESCRIPCIÓN DE LA ENFERMEDAD

Cualquier trastorno inflamatorio de los órganos pélvicos femeninos, especialmente los debidos a infecciones bacterianas.

SÍNTOMAS

Las características de esta enfermedad son fiebre, flujo vaginal de olor desagradable, lumbalgia, hemorragia uterina anormal y dolor en el coito. Si ya se ha desarrollado un absceso, puede palparse una masa blanda, dolorosa y llena de líquido.

Tratamientos

Fitoterapia occidental
Se recomienda la infusión de 15 g de semillas de lino, 5 g de milenrama, 10 g de manzanilla y 10 g de trébol en un litro de agua, tres tazas al día.

Homeopatía
Existen diversos remedios que pueden estar recomendados en caso de enfermedad pélvica inflamatoria:

— *Lachesis mutus*: cuando hay dolor en el ovario izquierdo y el dolor empeora con las reglas y al despertar.
— *Calcarea carbonica:* para pacientes miedosas con tendencia a la gordura, cuyos síntomas empeoran con el esfuerzo.
— *Aconitum napellus:* cuando la fiebre aparece de forma repentina.

Aromaterapia
Se recomiendan los aceites esenciales de rosa, manzanilla, jazmín y naranja.

Naturopatía
Se recomienda tomar suplementos de vitaminas C y E, hierro y aceite de onagra.

Terapia nutricional
Se seguirá una dieta rica en fitoestrógenos, presentes en alimentos como soja y alfalfa.

❑ ENFERMEDADES DE TRANSMISIÓN SEXUAL (ETS)

Descripción de la enfermedad

Las enfermedades femeninas de transmisión sexual son muy similares a las masculinas, e incluyen sífilis y gonorrea, herpes genital, verrugas genitales, ladillas, hepatitis B, uretritis no específica y también el VIH (por transmisión sexual).

Síntomas

Aunque los síntomas varían enormemente según la enfermedad concreta, pueden citarse ardor en la micción, secreción vaginal, verrugas, llagas o úlceras en la zona genital, dolor vaginal durante o después de la relación sexual, sarpullido en la zona púbica o glándulas hinchadas en las ingles.

TRATAMIENTOS

Fitoterapia occidental

Contra las ladillas y otros parásitos genitales, pueden hacerse baños de asiento con la infusión de 30 g de poleo, 50 g de albahaca, 30 g de perejil y 25 g de anís en un litro de agua, a la que se le añadirán 50 mililitros de jugo de aloe vera.

Contra enfermedades causadas por bacterias o virus, como sífilis, gonorrea o herpes vaginal, se usarán infusiones de 10 g de hipérico por vaso de agua, dos vasos al día.

Flores de Bach

Se recomiendan clemátide y manzana silvestre.

Homeopatía

El remedio para las enfermedades de transmisión sexual deberá ser específico para cada persona, dependiendo de los síntomas y de las circunstancias. Sin embargo, algunos de los remedios más utilizados son:

– *Natrum muriaticum*: cuando la piel de los genitales está muy seca y las lesiones están calientes e hinchadas.
– *Rhus toxicodendron:* para genitales que arden y pican, si los síntomas empeoran con el frío o la humedad.

Curación espiritual o Reiki

Se seguirá el mismo tratamiento que para la cistitis (ver Cistitis).

❏ HISTERECTOMÍA

DESCRIPCIÓN DE LA ENFERMEDAD

La histerectomía es la extirpación quirúrgica del útero y el cérvix, y normalmente también de las trompas de Falopio. Según las causas, pueden extirparse al mismo tiempo los ovarios, lo cual produce una menopausia repentina en la mujer.

SÍNTOMAS

Después de la intervención desaparece la menstruación. En caso de que se hayan extirpado también los ovarios, se producirá una menopausia repentina, con todos los síntomas de este proceso agravados y concentrados.

TRATAMIENTOS

Fitoterapia occidental

Sean cuales sean las causas que llevan al cirujano a practicar una histerectomía, el hecho es que se trata de una operación que trastorna gravemente el equilibrio hormonal y emocional de la mujer. Se recomienda, por tanto, tomar infusiones que ayuden a recuperar el buen estado general, mezclando manzanilla, diente de león, ajo, hierba de San Benito y lúpulo. Conviene tomar algún complemento alimenticio rico en ginseng.

Flores de Bach

El remedio de urgencia ayudará a superar el impacto inicial; después, habrá que recetar remedios específicos para los síntomas, sobre todo emocionales, que sufra la paciente.

Aromaterapia

Pueden usarse aceites de espliego, sándalo y geranio en un suave masaje abdominal postoperatorio.

❏ INFERTILIDAD O ESTERILIDAD

DESCRIPCIÓN DE LA ENFERMEDAD

La incapacidad femenina de concebir puede deberse a diversas razones, como la no ovulación, incluido el síndrome del ovario poliquístico; las trompas de Falopio pueden estar bloqueadas a causa de una endometriosis, así como la producción de anticuerpos contra el esperma de la pareja, por ejemplo.

SÍNTOMAS

Imposibilidad de quedar embarazada después de un año de relaciones sexuales sin protección.

TRATAMIENTOS

Fitoterapia occidental

Los productos más indicados son el ginseng y el aceite de onagra.

Homeopatía

Los problemas de fertilidad requerirán un tratamiento constitucional que incluya a los dos miembros de la pareja. Sin embargo, la *Sabina* puede ayudar a la mujer con tendencia a abortar, y la *Sepia* ayudará a la fertilidad en mujeres con aversión al sexo y periodos irregulares.

Flores de Bach

Los remedios más habituales son clemátide y rosa silvestre.

Aromaterapia

Se recomiendan los aceites esenciales de ciprés, hinojo, geranio, manzanilla, melisa, rosa y salvia.

Terapia nutricional

El tratamiento se basará en la supresión de agentes tóxicos como el tabaco, el alcohol o cualquier tipo de droga, junto con algunos cambios dietéticos encaminados al mayor consumo de vegetales. Está muy recomendado el consumo de alimentos ricos en ácidos grasos esenciales, especialmente el omega 3, presente en el pescado azul y algunos aceites vegetales como el de linaza.

Naturopatía

Se recomiendan vitaminas A y E, zinc y ácido pantoténico.

Hipnoterapia

Se puede intentar la terapia regresiva para tratar de descubrir algún trauma que impida psicológicamente a la mujer quedar embarazada.

❑ MENOPAUSIA

DESCRIPCIÓN DE LA ENFERMEDAD

En sentido estricto, el término se refiere a la interrupción de las menstruaciones, aunque suele utilizarse para definir el periodo del climaterio femenino. No se trata por tanto de un desorden, sino de un cambio físico que está marcado por el fin de la menstruación.

SÍNTOMAS

Debido a los desajustes hormonales, la menopausia puede venir acompañada de varios síntomas desagradables como sofocos, sequedad vaginal, en el rostro o en el pelo, insomnio, ansiedad, depresión, disminución de la líbido, dolores en las articulaciones, problemas urinarios, inicio de osteoporosis y fuerte alteración del calcio.

TRATAMIENTOS

Cromoterapia

El color naranja es el más apropiado.

Fitoterapia occidental

Hay varios remedios naturales que pueden servir para aliviar estos síntomas. Se recomienda un tratamiento que consta de tres recetas:

− Por las mañanas y a mediodía, se tomará una taza de la infusión de 20 g de la siguiente mezcla por litro de agua: ajedrea, muérdago, frángula, flor de saúco, menta, manzanilla, cola de caballo, zarzaparrilla, pensamiento silvestre y regaliz.
− Por las noches, se administrará una taza de la decocción de 30 g de manzanilla, valeriana, lúpulo, espino blanco, agracejo, abedul, tormentila, salvia y angélica por litro de agua.
− Esto se complementará con baños de asiento de angélica, romero, salvia y cola de caballo.

Elabore un tónico con vino y salvia. Para ello, tome un puñado de hojas frescas de salvia y déjelas macerar en una botella de vino blanco de buena calidad durante, por lo menos, dos semanas. Luego, endulce con miel y deje que la salvia siga macerándose otra semana más. Finalmente, cuele el remedio y reserve el líquido en una botella tapada. Beber un vaso de este tónico antes de la comida y de la cena tiene efectos muy beneficiosos.

Otro tónico muy bueno para aliviar los síntomas de la menopausia contiene borraja, melisa, frambuesa, raíces de bardana y plantaina. Sumerja las hierbas mencionadas en agua caliente y beba el líquido en el transcurso del día. Este remedio le ayudará a levantar el ánimo.

Fitoterapia china

Aunque la menopausia es un proceso natural en el ciclo vital de la mujer, es cierto que frecuentemente crea desajustes: se producen síntomas relacionados con la naturaleza de la sangre. Hay que decir que estos desajustes son mucho más habituales en Occidente que en la antigua China, donde la transición solía ser más sencilla.
A efectos de la medicina tradicional china, la vida de una mujer se debe contar en periodos de siete años, de modo que en el modelo ideal, la primera menstruación ocurriría a los 14 años y la última a los 49. La menopausia se asocia con la disminución gradual y natural de la esencia del riñón (Jing), vinculada al Qi hereditario. A medida que se envejece, la debilidad del riñón es detectable en algunos síntomas

como la aparición de pelo canoso o la pérdida de audición. Los riñones están relacionados con el elemento agua, por lo que su debilidad puede provocar un fuego enfurecido que conlleve irritabilidad, sudores, sofocos y mareos. La debilidad generalizada del yin y del yang renales se manifiesta en dolores de espalda, brotes de calor y frío aleatorios, así como con mareos y zumbidos en el oído. Un exceso de fuego asociado en el hígado produce también explosiones de ira y trastornos emocionales.

Ante los primeros síntomas de la menopausia, la Fitoterapia china hace las siguientes recomendaciones:

- Alimentos: la dieta ideal se compone principalmente de grano, verdura, pescado y fruta fresca. Hay que evitar comer demasiada carne, pero sin, por otro lado, descuidar la ingesta de proteínas, y el café debe ser sustituido por té en la medida de lo posible.
- Aceites útiles: algunos pescados, como el salmón, la caballa, el arenque y el atún, son ricos en omega 3 y omega 6, ácidos grasos de gran ayuda para calmar los síntomas de la menopausia. También es posible encontrarlos en aceites de oliva y sésamo, así como en aceites de lino y cáñamo.
- Alimentos energéticos. Para prevenir la osteoporosis es importante tomar calcio, que se encuentra en la leche, el queso, los huevos, el salmón, las verduras de hoja verde, las alubias de soja, las alubias, el sésamo y los frutos secos. Con este mismo fin se recomiendan también la vitamina D y el magnesio, que pueden encontrarse en la leche, los huevos, el pescado graso, el queso, el aceite de hígado de bacalao, las alubias de soja, los frutos secos y las levaduras. El tofú (una cuajada sólida hecha de alubias de soja) también ha demostrado ser muy eficaz.

Si estos ajustes alimentarios no parecen mejorar los síntomas, se puede recurrir a tratamientos herbales. Para ello, habrá que identificar qué tipo de síntomas se padecen:

• Menopausia del tipo calor: con síntomas como sofocos notables o sudores nocturnos, ansiedad, falta de concentración y memoria efímera, pérdida de seguridad, insomnio, dolor lumbar, sequedad vaginal y estreñimiento seco. Se trata con la decocción para nutrir el riñón.

• Menopausia del tipo frío: que produce sofocos más moderados, depresión, aumento de peso, retención de líquidos y edema, falta de concentración y memoria efímera, pérdida de confianza, dolor lumbar, cansancio y deposiciones líquidas. Se recomienda tomar la decocción para fortalecer el riñón.

Homeopatía

Desde el punto de vista de la Homeopatía, se considera que la menopausia es una etapa fisiológica más de la vida de la mujer. Al mismo tiempo que disminuyen las secreciones ováricas, el organismo va activando mecanismos compensadores que tienen la función de atenuar la deficiencia hormonal. De manera que resulta posible vivir este cambio sin grandes problemas.

El tratamiento homeopático tendrá por tanto la función de ayudar al organismo a activar estos mecanismos compensadores, teniendo en cuenta las reacciones individuales de cada paciente. Su objetivo es ayudarle a encontrar un nuevo equilibrio, y para ello es necesario realizar un estudio holístico que abarque a la globalidad de la paciente. Sin embargo, existen algunos remedios de uso muy generalizado para paliar los síntomas de la menopausia:

– *Graphites*: recomendado para personas obesas, frioleras, con tendencia a las malas digestiones y al estreñimiento. Suelen ser indecisas, depresivas e hipersensibles. Los síntomas empeoran con el frío, pero mejoran al caminar al aire libre.
– *Lachesis*: individuos obesos con periodos de excitación que se alternan con otros de decaimiento. Intolerancia a la ropa apretada. Los síntomas incluyen migrañas, sofocos e hipertensión que empeoran con el Sol y al dormir, y mejoran al aire libre.
– *Lycopium clavatum*: recomendado para mujeres con tórax estrecho y abdomen voluminoso, ojos vivaces e inteligentes y carácter difícil y malhumorado, sobre todo al levantarse. Los síntomas empeoran con el calor y si se les lleva la contraria, y mejoran con la comida y bebida calientes.
– *Sepis officinalis*: recomendado para mujeres delgadas, esbeltas, con cabello y ojos negros, apáticas y con tendencia a la frigidez. Los síntomas empeoran antes de las tormentas, y mejoran con el ejercicio o después de domir.
– *Sulfur*: mujeres activas, delgadas y de constitución débil. Mejoran con el movimiento y el tiempo seco y empeoran con el agua.

Flores de Bach

Nogal y achicoria son los remedios florales más usuales para la menstruación.

Aromaterapia

Para luchar contra los síntomas de la menopausia, se recomiendan los aceites de ciprés, hinojo, manzanilla, melisa, menta y salvia.

Terapia nutricional

Mientras dura la menopausia, es especialmente importante vigilar la alimentación, ya que en ésta se encuentra el secreto de una transición fácil y carente de síntomas desagradables. Además de seguir una dieta sana y equilibrada, se deberá prestar especial atención a los siguientes alimentos:

- Alimentos ricos en fitoestrógenos, ya que ayudan a equilibrar las hormonas femeninas. Entre las plantas más ricas en estos componentes, se pueden citar la soja, la alfalfa, el lino, el ñame dulce, el apio, los berros, las manzanas, los dátiles, las granadas, la col y la coliflor.
- Alimentos ricos en calcio, como el ajo, la cebolla, la col, los higos, los frutos secos, la leche desnatada y sus derivados y la soja.
- Alimentos ricos en boro, que contribuye a aumentar el nivel de estrógenos en la sangre. Las fresas son los alimentos con un contenido más elevado de boro, aunque éste también puede encontrarse en tomates, manzanas, persas, cerezas y espárragos.
- Alimentos ricos en vitamina C, como los cítricos.

Naturopatía

Se recomiendan los siguientes suplementos:

- Cimífuga, que rebaja los sofocos y evita la sequedad de la vagina entre otras virtudes. La dosis habitual es de 80 mg al día repartidos en dos tomas.
- Ginseng y ginseng siberiano.
- Suplementos de calcio (1.200 mg al día) y vitamina D (500 mg diarios).
- Regaliz: la dosis se establece en 600 mg diarios repartidos en tres tomas.
- Isoflavonas de soja: tienen un efecto positivo en los síntomas de la menopausia, ya que poseen propiedades fitoestrogénicas vegetales. Se recomienda tomar 60 mg diarios divididos en dos tomas.
- Vitamina E: 600 mg diarios divididos en dos tomas.
- Vitamina B6: 150 mg diarios repartidos en tres tomas.
- Vitamina C con bioflavonoides: 1.500 mg diarios de vitamina y 750 mg de bioflavonoides, repartidos en dos tomas.
- Dong quai: es un tipo de angélica que se da en China, donde cuenta con una larga tradición como remedio para solucionar los problemas femeninos. La dosis habitual suele ser de unos 600 mg diarios repartidos en tres tomas.

Oligoterapia

Se prescribirán los compuestos manganeso-cobalto, selenio-cobalto-zinc-litio y zinc-calcio-yodo-potasio.

Sales de Schüessler

Se recomienda el fosfato ferroso.

❑ PARTO

DESCRIPCIÓN

El parto no es una enfermedad en absoluto: es el proceso comprendido entre el comienzo de la dilatación del cuello uterino y la expulsión de la placenta, por el cual las mujeres dan a luz.

SÍNTOMAS

Se sabe que el momento del parto se está aproximando porque las contracciones uterinas aumentan en número, frecuencia e intensidad.

TRATAMIENTOS

Fitoterapia occidental
La siguiente infusión puede ayudar a superar los dolores del parto: 10 g de jengibre, 10 g de ñame silvestre y 10 g de hojas de frambueso en medio litro de agua.

Homeopatía
Desde el punto de vista de la Homeopatía, lo ideal es prescribir en forma preventiva un remedio específico para la paciente según su tipo constitucional poco tiempo antes del parto o incluso durante el parto y después del mismo.

Sin embargo, también existen algunos remedios que se prescribirán en función de los síntomas:

Síntomas	Remedios
Falso trabajo de parto: las contracciones son ineficaces para dilatar el cuello, que es rígido. La paciente se siente débil y con sed.	*Caulophyllum thalictroides.*
Falso trabajo de parto acompañado de escalofríos nerviosos e intensa debilidad muscular. La paciente no siente sed; tiene la cara púrpura.	*Gelsemium sempervirens.*
Dolor sumamente intenso en la espalda, acompañado de calambres en las pantorrillas, deseos de defecar y de orinar y a veces desmayo. La paciente se encuentra muy irritable.	*Nux vomica.*

Síntomas	Remedios
Dolor en la espalda que se irradia hacia los glúteos. La paciente necesita presión sobre la espalda; tiene la sensación de que su cuerpo está hueco. Eructos frecuentes.	*Kall carbonicum.*
Remedio inespecífico, indicado a veces de manera preventiva al inicio del trabajo de parto para apoyar el esfuerzo muscular del parto o para facilitar la expulsión y favorecer una buena recuperación después de ésta.	*Arnica montana.*
Facilita el trabajo de parto cuando hay dolores reumáticos (sobre todo en las caderas y la mama izquierda) al final del embarazo o durante las contracciones. Se recomienda en caso de contracciones acompañadas de calambres, escalofríos nerviosos o excitación intensa, con dilatación irregular del cuello uterino.	*Cimicifuga racemosa.*

Flores de Bach

Antes, durante y tras el parto, administrar heliantemo, verbena y remedio de urgencia.

Aromaterapia

Para preparación al parto, son buenas las esencias de bergamota, jazmín, lavanda y salvia.

Hipnoterapia

La autohipnosis y las técnicas de relajación pueden ayudar a reducir o incluso eliminar los dolores naturales del parto, llegando en algunos casos extremos a eliminar la necesidad de administrar la epidural.

❏ PROBLEMAS CON EL PERÍODO Y DOLORES MENSTRUALES

Descripción de la enfermedad

Existen tres problemas principales relacionados con la menstruación:

– Dismenorrea, que es un dolor asociado a la menstruación durante los ciclos ovulatorios, pero sin lesiones que afecten al ciclo reproductivo. Si no puede hallarse ninguna causa para el dolor, la afección se conoce como dismenorrea primaria; si hay una causa conocida (como infecciones, estrés, problemas de tiroides, dispositivos intrauterinos o abortos) se trata de dismenorrea secundaria.

- Menorragia, que consiste en una duración o cantidad excesiva de la menstruación. La pérdida media de sangre durante el periodo es de unos 30 mililitros, y los médicos no lo consideran un problema a tratar hasta que alcanza los 80 mililitros. Las causas más frecuentes son los problemas de tiroides, los problemas de coagulación o la proximidad de la menopausia.
- Amenorrea, que es la ausencia de menstruación o la interrupción de los periodos menstruales. Se denomina amenorrea primaria cuando una mujer alcanza los 16 años sin haber tenido nunca la regla, y secundaria cuando la menstruación falta después de haberla tenido con anterioridad. Ambos tipos de amenorrea pueden deberse a diversos factores como la genética o la falta de peso, y en el caso de la secundaria, también al estrés, anemia, ovarios poliquísticos o enfermedades tiroideas.

SÍNTOMAS

El dolor típico de la dismenorrea se localiza en la parte inferior del abdomen o de la espalda, tiene carácter cólico y aparece en ondas sucesivas. Suele comenzar al mismo tiempo o un poco antes del flujo menstrual, y puede durar desde algunas horas hasta un día o más; en ciertas mujeres llega a persistir durante todo el periodo. Se asocia frecuentemente con náuseas, vómitos y deposiciones acompañadas de retortijones. La menorragia se caracteriza exclusivamente por los periodos excesivamente abundantes, mientras que la amenorrea es la desaparición anormal del mismo.

TRATAMIENTOS

Fitoterapia occidental
La dismenorrea puede combatirse con tres tazas diarias de la infusión de 30 g de hipérico, raíz de angélica, cola de caballo, caléndula y fumaria, a partes iguales, en un litro de agua.

Existen tres recetas naturales para tratar la menorragia. Los ingredientes de la primera son muérdago, corteza de encina, bolsa de pastor, potentila y milenrama. La segunda se elabora con bolsa de pastor, potentila, centaura y milenrama. La tercera lleva cola de caballo, regaliz, muérdago, tormentila, bolsa de pastor y milenrama. Las tres se preparan mezclando las plantas indicadas a partes iguales y tomando dos tazas diarias de la infusión de una cucharadita de la mezcla por taza.

Para tratar la amenorrea, se recomienda mezclar a partes iguales melisa, menta, manzanilla y regaliz, y tomar cada tres horas la infusión de una cucharada de la mezcla en una taza de agua.

Fitoterapia china

El enfoque chino de los trastornos menstruales se basa en las comparaciones con el periodo regular. Éste debería aparecer entre los 12 y los 14 años, cada 28 días, y durar aproximadamente cinco. El flujo debería ser moderado, ni escaso ni exagerado, y fresco, sin coágulos. Además, no tendría que doler ni que causar oscilaciones drásticas del estado de humor. La naturaleza de los periodos es representativa de la salud en general, y puede usarse para corregir posibles desequilibrios antes de que sean detectables por otros medios.

- Los periodos irregulares, con un ciclo que oscila entre una semana más y una menos del tiempo normal de cuatro semanas, se deben a una insuficiencia en el riñón o el hígado, hacen que la lengua aparezca pálida y que el pulso sea débil. Se tratarán con la decocción para nutrir la sangre.

- Los periodos dolorosos se caracterizan por dolor antes y durante el periodo. La causa se encuentra en la estasis de ki y sangre. La lengua puede variar de estado y el pulso es fuerte si hay dolor. Se recomienda la decocción para regular la sangre.

- En cuanto a la ausencia de periodos, existen varias subdivisiones:

- Es posible detectar periodos cada vez más cortos, que empiezan más tarde de lo normal y se interrumpen pronto. La causa principal es la insuficiencia de la sangre. La lengua se presenta pálida, y el pulso débil. Se recomienda tomar la decocción para nutrir la sangre.
- En el caso de periodos dolorosos, con coágulos, que también empiezan pronto y terminan antes de tiempo, se encuentra la causa en un estancamiento de la sangre. La lengua puede variar en apariencia, pero el pulso es siempre fuerte. Se prescribe la decocción para regular la sangre.
- Cuando después de haber cumplido los 15 años el periodo aún no se ha manifestado (o bien se interrumpe en edad fértil), se habla de una insuficiencia del riñón que debe ser tratada con la decocción para fortalecer el riñón.

- Para el flujo disfuncional (aparece fuera del ciclo normal, se manifiesta antes del mes, o se prolonga más de una semana), la medicina china identifica diversas causas, todas ellas demasiado complejas para un profano, por lo que se requiere una urgente visita al especialista.

Masaje terapéutico chino
- Con la paciente tumbada boca abajo, con las piernas y los pies sobre una almohada, se aplica el método de fricción con el pulgar o de amasamiento en los

acupuntos mingmen y shenshu y en los puntos liao por encima del sacro. A continuación se emplea el método vibratorio con la palma de la mano en la parte inferior de la espalda, aplicando después la misma técnica en la región del sacro. Se concluye con una ligera percusión digital a lo largo de la espalda.

- Con la paciente tumbada boca arriba, se estimulan los acupuntos zusanli, sanyinjiao y taixi (en las piernas y pies), siguiendo este mismo orden. A continuación se tratan los acupuntos gmmyuan, qihai y qichong (en el abdomen) empleando una ligera fricción digital, para terminar trabajando los acupuntos baihui y fengchi en la cabeza y base del cráneo, especialmente cuando hay síntomas de pesadez y tensión en la cabeza o en la parte superior del cuerpo.

Shiatsu

El Shiatsu abdominal puede ser beneficioso, pero se debe evitar la presión intensa si resulta excesivamente incómoda. Se tratarán los meridianos del riñón, la vejiga y el bazo, y especialmente B 6 y R 1, que la paciente podrá estimularse por sí misma.

Homeopatía

Son muchos los remedios homeopáticos que existen para tratar las disfunciones menstruales. Pueden clasificarse en función del tipo de desajuste de que se trate:

1. DISMENORREA

Síntomas	Remedios
Dolor muy intenso, espasmódico. Paciente agitada y colérica. Los dolores se alivian cuando se acuesta con las rodillas recogidas.	*Colocynthis.*
Dolores violentos de tipo cólico, asociados con diarrea y vómito. Paciente helada, cubierta de sudor frío, a menudo agitada, locuaz. Excitación sexual exagerada antes de la menstruación.	*Veratrum album.*
Dolores como pesadez en la región de los ovarios, asociados con dolor en la parte baja de la espalda que se irradia hacia los muslos. Paciente agitada. El dolor es más intenso justo antes de la menstruación.	*Vibumum opulus.*
Dolores de carácter variable, a menudo como pesadez. Menstruaciones cortas y retrasadas, intermitentes. Escalofríos antes de la menstruación. Paciente triste, que llora mucho y busca consuelo.	*Pulsatilla.*

Síntomas	Remedios
Menstruaciones poco abundantes, generalmente retrasadas, que pueden prolongarse con sangrados escasos y negruzcos. Dolores asociados con una sensación de pesadez que se irradia hacia la parte baja de la espalda. Paciente deprimida e irritable, sobre todo con las personas cercanas, a veces presa de manía por el orden antes de la menstruación. Los dolores se calman con el ejercicio o el movimiento.	*Sepia officinalis.*
Dolores más intensos cuanto más abundante es el flujo. Se irradian por los muslos y se calman cuando la mujer se dobla en dos. Se asocian con dolor en la mama izquierda y pesadez lumbar. En algunos casos, calambres, sacudidas musculares, agitación y angustia.	*Cimicifuga racemosa.*

2. AMENORREA

Un tipo muy concreto de amenorrea es el provocado por un desengaño amoroso. Si es el caso, hay varios remedios posibles:

– *Ignatia amara*: recomendada si la paciente tiende a sufrir espasmos, dolores de localización e intensidad variables, si suspira y bosteza de manera excesiva y su estado de ánimo es variable y paradójico.
– *Phosphoricum acidum*: recomendado cuando la paciente presenta diarrea indolora desde la decepción amorosa, está extremadamente débil y deprimida, indiferente a todo y a todos, con problemas de memoria y de concentración.
– *Helleborus niger*: para pacientes profundamente atontadas, como si su mente hubiera perdido todo control sobre su cuerpo, y con torpeza física.
– *Natrum muriaticum*: útil cuando la paciente está encerrada en su soledad, rechazando la ayuda y comprensión de quienes la rodean y adelgazando a pesar de comer bien.

Sin embargo, hay que decir que la amenorrea puede producirse también en muchos otros contextos, por ejemplo:

– Si la amenorrea aparece después de un baño frío, se prescribe *Antimonium crudum* si la paciente es una joven sentimental, sensible durante la Luna llena y de tendencia bulímica; y *Aconitum napellus* si se trata de una mujer hiperactiva, ansiosa, agitada, que quiere preverlo todo.
– Si la amenorrea se ve acompañada por hemorragias nasales, podrán recomendarse *Lachesis mutus*, *Bryonia alba* o *Phosphorus*.

3. MENORRAGIA

La menorragia carece de tratamientos generales, por lo que habrá que recomendar remedios específicos para cada paciente según sus síntomas y tipo constitucional.

Oligoterapia

Se recomienda el compuesto zinc-cobre.

Flores de Bach

Se recomiendan leche de gallina, agua de roca y sceleranthus.

Aromaterapia

- Para la dismenorrea, se recomiendan las esencias de cayeputi, ciprés, enebro, jazmín, incienso, lavanda, manzanilla, mejorana, melisa, menta, romero y salvia.
- Para la amenorrea, se administrarán aceites de albahaca, enebro, hinojo, manzanilla, mirra, salvia y tomillo.
- En caso de menorragia, están indicados los aceites de ciprés y rosa.
- Para tratar los períodos irregulares, se usarán las esencias de melisa, rosa y salvia.

Terapia nutricional

Algunos problemas menstruales pueden estar causados por deficiencias alimenticias, por lo que se intentará seguir una dieta sana y equilibrada. Se prestará especial atención a la ingesta de magnesio, ácidos grasos esenciales, vitamina B6, flavonoides, zinc y vitamina A.

Oligoterapia

Se prescribirá el compuesto zinc-cobre.

Acupuntura

Se recomienda estimular los siguientes acupuntos: xuehai, sayinjiao, diji, mingmen, tianshu, guilai, qichong, yaoyan, zingongxue, xingjian, ligou, zhongdu, ququan, henggu, shuiquan, zahobai, qugu, zhongji, guanyuan, shenshu, baihuanshu, ciliao, daimai, zulinqi y zuqiaoyin.

❏ PROBLEMAS DE LACTANCIA Y MASTITIS

DESCRIPCIÓN DE LA ENFERMEDAD

Aunque la mayor parte de las mujeres son físicamente capaces de dar el pecho a sus hijos, los problemas de lactancia son muy frecuentes. Los más comunes son el dolor al dar el pecho y los pezones sensibles, aunque también puede darse la escasez de leche o la abundancia excesiva de ésta.

La mastitis es un trastorno inflamatorio de la mama, debido generalmente a una infección de estreptococos o estafilococos. La mastitis aguda es particularmente frecuente en los dos primeros meses de lactancia, y si no se trata adecuadamente, puede degenerar en un absceso.

Síntomas

Dolor al dar el pecho, pezones sensibles o cuarteamiento de los mismos e inflamación de las glándulas mamarias.

La mastitis aguda se caracteriza por dolor, hinchazón, enrojecimiento, inflamación de los nódulos linfáticos de la axila del lado afectado, fiebre y malestar general.

Tratamientos

Fitoterapia occidental
Para tratar dolores en el pecho y pezones sensibles, se recomiendan cataplasmas de decocción de caléndula e hinojo. Para aumentar el flujo de leche, la alcaravea, el comino y el anís, y para reducirlo, se pueden tomar infusiones de aliso.

Fitoterapia china
La siguiente receta ayuda a reducir la inflamación y abrir los conductos mamarios:

- Pugongying (1 liang): Taraxacum mongolicum Hand.-Mazz. (diente de león).
- Jinyinhua (1 liang): Lonicera japonica Thumb. (madreselva).
- Gualou (completo, 5 qian): Trichosantes kirilowii Maxim.
- Mutong (5 qian): Akebia trifoliata (Thumb.) Koidz (fruto).

Se hierven las hierbas en tres tazones de agua hasta que se hayan reducido a uno solo. La decocción se administra por vía oral.

Masaje terapéutico chino
En la mastitis aguda, el masaje debe realizarse lo antes posible, salvo que la inflamación se haya extendido mucho. El procedimiento será el siguiente:

• Con la paciente y el masajista sentados uno enfrente del otro, se unta la piel del seno con aceite de masaje y se procede a aplicar una fricción y un amasamiento alrededor del bulto que se ha formado en el pecho. Al poco tiempo brotarán algunas gotas de leche, momento que se aprovechará para utilizar los métodos de hurgamiento y amasamiento en los acupuntos rugen y zhongfu.

- A continuación se fricciona la masa hinchada desde su límite superior hasta el pezón, al tiempo que se sostiene la mama con los dedos de las dos manos y con los pulgares. Una vez más brotará un poco de leche.

- Sujetando firmemente la mama con la mano izquierda, se oprimirá la masa hinchada en dirección al pezón con los dedos pulgar, índice y medio de la mano derecha. Se irá incrementando la fuerza del pellizco poco a poco, hasta que empiece a brotar un líquido cremoso parecido al pus: en este momento, la masa que se había formado empezará poco a poco a reblandecerse. Hay que mencionar que este proceso puede ser muy doloroso, así que quizá la paciente necesite descanso o incluso que se le administre algún analgésico.

Un segundo tratamiento posible consiste en el raspado con un peine de madera, que a ser posible estará viejo y gastado. Se untará el borde del peine con aceite de sésamo y se procederá a raspar el bulto de la mama de arriba abajo en la dirección del pezón, aumentando gradualmente la fuerza ejercida.

Terapia nutricional

Durante el periodo de lactancia, la alimentación de la madre es especialmente importante. Deberá seguir una dieta muy rica en calcio, que se podrá obtener por medio de la leche desnatada y sus derivados, así como de la soja o de otros vegetales como las espinacas o las coles. También es necesaria la vitamina C, presente en cítricos y pimientos. La vitamina D también es de especial importancia, y habrá que recurrir a alimentos de origen animal como el hígado o los huevos. Por último, no hay que descuidar los alimentos ricos en ácidos grasos esenciales.

Por supuesto, hay que abstenerse de tomar ningún elemento tóxico que pudiera transferirse a la leche, como el tabaco, el alcohol, las drogas y el café.

❏ PROBLEMAS POSPARTO

DESCRIPCIÓN DE LA ENFERMEDAD

Tras haber dado a luz, un cierto número de mujeres sufre complicaciones. Las más comunes son los dolores de espalda, cefaleas, dolor genital y hemorroides, aunque también puede darse toxemia, hemorragia o infección, así como agotamiento físico o ingurgitación mamaria.

SÍNTOMAS

Cada dolencia tiene sus propios síntomas o es un síntoma en sí misma: en general, se tratará de un estado anormal de agotamiento acompañado de dolor y/o fiebre.

TRATAMIENTOS

Naturopatía
Se recomienda un complejo vitamínico completo, rico especialmente en vitaminas A, B, C, D y E y en minerales como el zinc y el magnesio, ya que el embarazo y el parto suponen un gran esfuerzo para el metabolismo femenino.

Homeopatía
La Homeopatía puede ayudar con los problemas de lactancia. Hay muchos remedios que favorecen la secreción de leche, como *Lac caninum*, *Urtica ureas* o *Zinoim metallicum*. Para tratar las grietas en el pezón, se recomienda *Graphites*.

Aromaterapia
Se recomiendan los aceites de espliego y manzanilla.

❑ SÍNDROME PREMENSTRUAL

DESCRIPCIÓN DE LA ENFERMEDAD

El síndrome premenstrual es un término genérico que agrupa más de 150 síntomas diferentes que pueden experimentar las mujeres (de forma aislada o en combinación) cada mes entre la ovulación y el inicio de su periodo. No se trata en sí mismo de una enfermedad, pero dependiendo de la intensidad puede llegar a ser un grave malestar.

SÍNTOMAS

Los síntomas pueden ser físicos, como el aumento de la sensibilidad en los pechos, la hinchazón abdominal, la retención de líquidos, dolores de cabeza, estreñimiento, manchas, cansancio o malestar general. También pueden presentarse síntomas de comportamiento como torpeza, falta de concentración o sueño alterado. Pueden ser emocionales como irritabilidad, ansiedad, depresión o comportamiento agresivo.

Tratamientos

Fitoterapia occidental

Existen numerosos tratamientos naturales para combatir el síndrome premenstrual. Se recomienda la grama como diurético para la hinchazón, la genciana para mejorar la digestión, la manzanilla y la valeriana para los cambios de humor, o la bardana para aliviar los síntomas en general. También resulta muy beneficioso el aceite de prímula, así como las infusiones de menta, diente de león y salvia.

Fitoterapia china

Los síntomas indicados por la medicina tradicional china son cambios de humor, irritabilidad, depresión, dolor de pechos, antojos de azúcar y carbohidratos, cambios en los hábitos de deposición y brotes de acné. La causa se sitúa en un estancamiento en el hígado al tiempo que una insuficiencia de sangre. La lengua aparece pálida o malva, y el pulso será débil después del periodo, pero fuerte antes. Para tratarlo, se recomienda la decocción para liberar el hígado.

Homeopatía

Hay una infinidad de remedios que podrán tratar el síndrome premenstrual, y en general su prescripción dependerá de los síntomas específicos de la paciente así como de su tipo constitucional. Sin embargo, *Actaza racemosa* puede funcionar como remedio general para este tipo de afecciones.

Dos remedios más concretos podrían ser:

– *Kali carbonicum*: para pacientes que presentan irritabilidad, dolor mamario y aumento de peso antes de la menstruación. No toleran la soledad, pero tampoco la presencia de quienes se le acercan. Pueden sentir fobia hacia los pájaros y tener dolor en la parte baja de la espalda y edema en los párpados superiores.
– *Lachesis mutus*: recomendada para síntomas de irritabilidad, dolor mamario y aumento de peso antes de la menstruación, pero en pacientes celosas, que no toleran la ropa muy apretada, que sangran por la nariz y sienten verdadero alivio cuando aparece la menstruación.

Flores de Bach

Scleranthus es el remedio específico para el síndrome premenstrual, aunque también se podrán tratar los síntomas específicos, como castaño de Indias contra la ansiedad.

Aromaterapia

Se recomienda el aceite esencial de melisa.

Terapia nutricional

Desde el punto de vista de la terapia nutricional, se recomienda ingerir alimentos ricos en las siguientes sustancias:

- Alimentos ricos en serotonina: ortigas, plátanos, piñas y dátiles.
- Alimentos ricos en potasio: lechugas, endibias, rábanos, patatas, coles de Bruselas, espárragos, espinacas y uvas.
- Alimentos ricos en vitamina B6 (piridoxina), necesaria para la síntesis de los aminoácidos y el metabolismo de los hidratos de carbono. Está presente en los frutos secos, las verduras de hoja verde y los cereales integrales.
- Alimentos ricos en fibra: frutas, verduras y cereales integrales.

Por el contrario, hay algunos alimentos que están desaconsejados durante el síndrome premenstrual:

- Se debe moderar el consumo de carnes o alimentos grasientos.
- Moderar el consumo de azúcares.
- Evitar el alcohol y moderar el consumo de café, así como otros excitantes como las bebidas de cola o el chocolate.
- Moderar el consumo de alimentos con sal.

Naturopatía

Los siguientes suplementos están recomendados para combatir los síntomas del síndrome premenstrual:

- Aceite de onagra: la dosis se establece en 250 mg al día.
- Vitamina A: 25.000 mg al día mientras dure el síndrome.
- Vitamina C: 1.500 mg diarios de vitamina C con bioflavonoides.
- Vitamina E: 400 mg cada día.
- Vitamina B6: de 50 a 100 mg diarios, repartidas en dos tomas, durante los 15 días anteriores a la regla.
- Calcio: la dosis varía de 1.000 a 1.500 mg diarios.
- Magnesio: de 500 a 1.000 mg diarios.
- Hipérico.

SISTEMA REPRODUCTOR MASCULINO

Está formado por el pene, los dos testículos (que producen las células reproductoras o espermatozoides), varias glándulas y los tejidos que lo unen todo.

Hay muchos problemas que pueden afectar al sistema reproductor masculino. Los más comunes son las disfunciones de la erección, como la impotencia; la infertilidad, que suele darse cuando los testículos no producen suficientes espermatozoides; y los problemas de la próstata, que suelen ocurrir después de los 60 años. También son muy comunes las enfermedades de transmisión sexual.

❑ CÁNCER DE PENE, DE PRÓSTATA Y DE TESTÍCULOS

DESCRIPCIÓN DE LA ENFERMEDAD

Se trata de una neoplasia caracterizada por el crecimiento incontrolado de células anaplásicas en el pene, en la próstata o en los testículos. El cáncer de próstata es la segunda forma de cáncer más común que afecta a los hombres, después del cáncer de pulmón. El cáncer testicular es el cáncer más común en hombres de menos de 49 años. El cáncer de pene es extremadamente raro, y normalmente se produce en hombres no circuncidados de 60-70 años.

SÍNTOMAS

El cáncer de próstata no produce en sus inicios ningún síntoma; en una fase más avanzada, puede producir el tipo de problemas urinarios que se experimentan con la hiperplasia prostática benigna. Sin embargo, se diferencia porque puede producir sangre en la orina. El cáncer testicular puede producir hinchazón en uno de los testículos, bultos vistos y palpados en los mismos y cambio en el peso en un testículo. En cuanto al cáncer de pene, suele empezar con una llaga o úlcera en el pene.

TRATAMIENTOS

Fitoterapia occidental
Se aplicarán los consejos de otros tipos de cáncer (ver Cánceres digestivos).

Flores de Bach
Pueden tener un papel útil en proporcionar un marco mental más positivo a los pacientes asustados, deprimidos o afectados por otras actitudes negativas. Los remedios deben elegirse según la personalidad y el humor de la persona implicada, aunque los más habituales son el remedio de urgencia, acebo, leche de gallina u olmo.

Terapia nutricional
Consultar los consejos dados para otros cánceres (ver Cánceres digestivos).

Hipnoterapia

Se aplicarán los mismos consejos que para otros tipos de cáncer (ver Cánceres digestivos).

Curación espiritual o Reiki

(Ver Cánceres digestivos.)

❑ ENFERMEDADES DE TRANSMISIÓN SEXUAL (ETS)

DESCRIPCIÓN DE LA ENFERMEDAD

Las enfermedades de transmisión sexual (ETS) incluyen diversas patologías que normalmente se contagian a través del contacto sexual. Algunas de las más comunes son la sífilis, la gonorrea, el herpes genital, las ladillas, la hepatitis B, la uretritis no específica o el VIH.

SÍNTOMAS

Los síntomas más comunes de las llamadas enfermedades venéreas son: ardor en la micción, secreción del pene, verrugas, llagas o úlceras alrededor del pene, dolor en el pene durante o después de la relación sexual, sarpullido en la zona púbica o glándulas hinchadas en las ingles.

TRATAMIENTOS

Fitoterapia

El tratamiento de las enfermedades de transmisión sexual varía de una afección a otra, incluso a la hora de aplicar plantas medicinales. Como ocurre siempre, la mejor medida es la prevención: en este caso, practicar el sexo seguro y mantener un buen estado de salud que permita al sistema inmunológico funcionar correctamente.

Una de las plantas que mejores resultados da es la copaiba, aplicada a modo de loción sobre la zona genital. El herpes responde bien ante las infusiones de caléndula aplicadas localmente.

Flores de Bach

La mayoría de las enfermedades de transmisión sexual responden bien al tratamiento de choque para infección: cuatro gotas de manzana silvestre cada 10 minutos durante una hora; tras descansar durante media hora, se vuelve a empezar.

Homeopatía

A pesar de que el tratamiento deberá ser constitucional, existen algunos remedios específicos, como *Natrum carbonicum* para el herpes genital, o *Thuya occidentales* y *Cinnabaris* para las verrugas del pene.

Curación espiritual o Reiki

Se seguirá el mismo tratamiento que para la cistitis (ver Cistitis).

❏ EYACULACIÓN PRECOZ

DESCRIPCIÓN DE LA ENFERMEDAD

Incapacidad, durante la fase preeyaculatoria, de controlar voluntariamente el acto de eyaculación.

SÍNTOMAS

Incapacidad de control de la eyaculación. Orgasmo masculino involuntario que se produce inmediatamente después de la penetración o anteriormente a ésta.

TRATAMIENTOS

Fitoterapia occidental

Se recomienda la infusión de 15 g de tila, 20 g de hierba luisa, 10 g de manzanilla, 10 g de valeriana y 15 g de lúpulo en un litro de agua, tres vasos al día. Se puede realizar un baño de asiento con la decocción de 50 g de romero en un litro de agua justo antes del acto sexual.

Hipnoterapia

Las técnicas de relajación, de sugestión y de visualización pueden ayudar.

❏ IMPOTENCIA Y OTRAS DISFUNCIONES EN LA ERECCIÓN

DESCRIPCIÓN DE LA ENFERMEDAD

Se agrupa gran número de afecciones, desde conseguir una erección que no sea lo bastante firme para la relación sexual, hasta una que es muy firme pero dura poco. La impotencia en sí significa que no es posible en absoluto obtener una erección.

Aproximadamente el 40 por ciento de las disfunciones de la erección se deben a causas puramente físicas, el 30 por ciento a una mezcla de factores físicos y psicológicos, y el 30 por ciento restante es de origen puramente psicológico. De todas ellas, las causas más comunes son la hipertensión, la arteriosclerosis, el envejecimiento, la depresión, el estrés y el desequilibrio hormonal.

SÍNTOMAS

La impotencia, así como el resto de disfunciones en la erección, son síntomas en sí mismas, y se caracterizan por la dificultad o incapacidad para conseguir una erección.

TRATAMIENTOS

Fitoterapia

Desde el punto de vista de la Fitoterapia, se recomienda un tratamiento que incluye varios aspectos:

- Al empezar el tratamiento es importante practicar la abstinencia sexual con el fin de restaurar la energía sexual y ayudar a los órganos a restablecerse.
- Higiene total y minuciosa.
- Evitar el exceso de trabajo y la fatiga.
- Régimen lacto-vegetariano.
- Cada mañana, tomar una buena dosis de jalea real, así como un complemento vitamínico basado en el ginseng. También resultan recomendables la ajedrea y el sésamo.
- Emprender el acto sexual si es posible por las mañanas al despertar, aprovechando la erección matutina espontánea.
- Administrar baños de asiento de romero, y darse baños de Sol locales.
- Aplicar fricciones de ajo en la base de la columna vertebral.
- Aplicar chorros de agua fría en la columna vertebral, los riñones, el vientre y los muslos.
- Seguir una tabla de ejercicios adecuada para el estado de salud, a ser posible al aire libre.

Fitoterapia china

En la medicina tradicional china la vida de un hombre se cuenta por periodos de ocho años, con la pubertad a los 16; por tanto, cualquier trastorno de la erección debe tener en cuenta esta forma de dividir la vida de los varones.

En general, las dificultades de erección se dividen en tres categorías:

- Cuando los síntomas consisten en incapacidad para tener una erección o mantenerla, dolor lumbar, insomnio, fiebre por la noche, sed y estreñimiento, la lengua suele aparecer roja, ronchas, y el pulso será siempre rápido, ya sea fuerte o débil. Se prescribirá la decocción para nutrir el riñón.
- Síntomas: incapacidad para tener o mantener una erección, espalda y rodillas débiles y doloridas, sensación de frío, y evacuaciones líquidas o diarrea. La lengua está pálida, y el pulso es sumergido y débil. Se trata con la decocción para fortalecer el riñón.
- Si la incapacidad para tener o mantener una erección se ve acompañada por piernas débiles y pesadas y orina concentrada, se considera que el problema deriva de un estado de humedad calor decreciente. La lengua estará resbalosa y presentará saburra amarilla, y el pulso será profundo, efímero y rápido. En este caso, un especialista tendrá que hacer un análisis global para recetar las hierbas más adecuadas para cada individuo.

Flores de Bach

Alarce, mostaza, heliantemo, avena silvestre y sauce son los remedios más indicados para tratar la impotencia, sobre todo cuando ésta tiene orígenes psicológicos.

Aromaterapia

Entre las esencias que sirven para tratar la impotencia, cabe destacar ajedrea, albahaca, canela, cilantro, comino, jengibre, nuez moscada, pachulí, pimienta negra, pino, rosa, romero, tomillo y ylang-ylang.

Homeopatía

Los remedios homeopáticos para tratar la impotencia deben ser constitucionales y basarse en las causas concretas de la enfermedad, así como en el tipo constitucional del paciente y sus síntomas concretos. Sin embargo, los remedios más utilizados son los siguientes:

- *Aurum metallicum*: para individuos depresivos e irritables con el rostro congestionado que suelen tener sed con mucha frecuencia.
- *Conium maculatum*: cuando la impotencia se agrava a la luz del día y mejora en la oscuridad.
- *Graphites:* para individuos gordos y frioleros que tienen la fantasía de practicar el sexo al aire libre.
- *Kalium phosphoricum*: tipo constitucional sensible y fatigado con tendencia al sonambulismo.
- *Picricum acidum:* cuando la impotencia viene acompañada por una hiperexcitación sexual.

– *Selenium*, especialmente indicado cuando el paciente es joven o adolescente.

Hipnoterapia

La Hipnoterapia puede ser la solución definitiva para este problema en caso de que su origen sea psicológico. En primer lugar, se deberá investigar el origen del bloqueo a través de la terapia regresiva. A continuación, se harán sesiones de evocación en las que el paciente logre alcanzar con éxito una erección. Se utilizarán técnicas de relajación para evitar el estrés y el miedo al fracaso durante el acto sexual, al igual que condicionamientos para que una sola palabra sea capaz de producir por acto reflejo una erección.

Cromoterapia

Se usará el color rojo, especialmente en la zona de la ropa interior, para aportar energía y vitalidad.

Curación espiritual o Reiki

El tratamiento será el mismo que para la cistitis (ver Cistitis).

❑ INFERTILIDAD O ESTERILIDAD

DESCRIPCIÓN DE LA ENFERMEDAD

Trastorno por el cual un varón resulta incapaz de engendrar descendencia, habitualmente a causa de un bajo número de espermatozoides. También puede deberse a la mala calidad de los mismos, a que la eyaculación contenga anticuerpos contra los propios espermatozoides o incluso a que no haya los suficientes en absoluto, ya sea porque el hombre no los produce o porque los vasos que los transportan están bloqueados.

SÍNTOMAS

Habitualmente se habla de esterilidad cuando no se consigue el embarazo después de mantener de forma habitual relaciones sexuales sin protección durante un año.

TRATAMIENTOS

Fitoterapia occidental

Las siguientes plantas pueden ayudar a estimular la producción de espermatozoides, solucionando así algunas de las causas de la infertilidad masculina:

– Ginseng: se ha utilizado para aumentar la capacidad productora de esperma.
– Té (*magnolia sinensis*): debido a su alto contenido en arginina, puede favorecer la producción de espermatozoides. Se recomienda la infusión de 5 gramos de hojas secas en una taza de agua, tres veces al día.
– Salvia: influye en la producción de testosterona. Se administrarán tres tazas diarias de la decocción de 5 gramos de flores secas en una taza de agua.
– Avena: el extracto de avena estimula la producción de espermatozoides.

Fitoterapia china

Cuando se presenta un recuento bajo de espermatozoides o bien espermatozoides de mala calidad o movilidad, acompañado de dolor lumbar y rodillas débiles, sensación de frío y ganas frecuentes de orinar, especialmente por la noche, se suele recomendar la decocción para fortalecer el riñón con Ren Shen y Wu Wei Zi.

Flores de Bach

Clemátide y rosa silvestre son los remedios más indicados para tratar la esterilidad. En caso de que ésta sea irreversible, se prescribirán otros remedios específicos para ayudar al paciente a superar la situación, siendo los más habituales son el remedio de urgencia, castaño de Indias, scleranthus y agrimonia.

Aromaterapia

Se recomiendan los aceites de albahaca, comino y salvia.

Terapia nutricional

Se recomienda tomar alimentos ricos en las siguientes sustancias:

– Ácido ascórbico o vitamina C: aumenta la calidad del esperma al impedir su oxidación y evitar su apelmazamiento en forma de grumos. Se encuentra en los cítricos, pimientos, papayas, ajos y cebollas.
– Arginina: contribuye a la creación de espermatozoides. Se encuentra en el ajo y la cebolla, las coles, la avena, las habas y la lechuga.
– Carnitina: potencia la producción de testosterona. Alimentos ricos en carnitina son los ajos, cebollas, pepinos, calabazas, cítricos y peras.
– Zinc: incrementa la producción de testosterona. Se encuentra en el apio, en los espárragos y en las berenjenas.

Hipnoterapia

Por medio de la autohipnosis y de la terapia de sugestión, se pueden crear imágenes que inciten al organismo a producir mayor cantidad de espermatozoides. Las técnicas de regresión pueden ayudar a localizar algún trauma olvidado que instalara un bloqueo en el subconsciente del paciente, y la técnica de relajación antes de realizar el acto sexual puede ser de utilidad. En cualquier caso, habrá que intentar que el paciente sienta confianza en sí mismo y que no albergue estrés.

Cromoterapia

Se alternará el uso del rojo para generar energía con la ropa interior azul para disminuir la temperatura de los genitales.

Curación espiritual o Reiki

El tratamiento será el mismo que el de las enfermedades del sistema urinario (ver Cistitis). Sin embargo, un sanador espiritual puede opinar que la incapacidad de concebir se debe a algún tipo de karma que quizá hubiera que resolver para curar definitivamente la afección.

❑ PROBLEMAS DE PRÓSTATA

DESCRIPCIÓN DE LA ENFERMEDAD

La próstata es una glándula masculina que se halla en la base de la vejiga urinaria, cuya función consiste en elaborar el líquido que alimenta y transporta a los espermatozoides cuando éstos son eyaculados. El problema de próstata más común es la hipertrofia prostática benigna, que consiste en un aumento de tamaño de la glándula que se da generalmente en varones mayores de 50 años. El proceso no es maligno ni inflamatorio, aunque puede producir trastornos. El aumento de tamaño de la próstata se produce de forma natural en los hombres en edad madura, pero puede verse agravado o acelerado por infecciones, estrés o eyaculación infrecuente.

SÍNTOMAS

El aumento del tamaño de la próstata constriñe progresivamente el tubo de la uretra dificultando la micción o llegando a provocar dolor o infecciones en el tracto urinario.

TRATAMIENTOS

Fitoterapia occidental

La prostatitis debe ser tratada siempre por un urólogo, ya que corre peligro de degenerar en un cáncer de próstata. Sin embargo, pueden resultar útiles las infusiones de castaño de Indias, abedul, agracejo, cola de caballo e hipérico.

Fitoterapia china

La medicina tradicional china asocia, en general, los problemas de próstata con la dificultad generalizada para orinar, ya sea porque es difícil iniciar la expulsión o porque el flujo se interrumpe. Goteo, ganas frecuentes de orinar, fuerte dolor de pelvis y dolor lumbar son los síntomas más frecuentes. Dependiendo de cuál sea la sensación predominante, el tratamiento será uno u otro:

- Ardor, que presenta además los síntomas de fuerte dolor y ardor al orinar, orina oscura, turbia y de fuerte olor, fiebre y mucha sed. La lengua suele aparecer roja, y el pulso es rápido y fuerte. Se recomienda la decocción para limpiar la vejiga.
- Molestias leves, caracterizadas por dolor moderado al orinar y sensación de fiebre por las noches. La lengua será roja, con ronchas sin piel, y el pulso rápido. Se tratará con la decocción para nutrir el riñón.
- Frecuencia extrema al orinar, acompañada de cansancio o agotamiento, sensación de frío y pesadez en el abdomen, destacando la ausencia de dolor. La lengua está pálida e hinchada, y el pulso débil y profundo. Se administrará la decocción para fortalecer el riñón.
- La orina frecuente, clara y turbia, con pesadez abdominal, cansancio, y sin dolor, se ve acompañada por una lengua que presenta saburra pegajosa y un pulso fuerte. Se recomienda tomar la decocción para drenar la vejiga.

Homeopatía

Existen diversos remedios que pueden emplearse para tratar los problemas de próstata:

- *Benzoicum acidum*: cuando los síntomas aparecen y desaparecen de forma alterna.
- *Chimaphilla umbellata*: cuando los síntomas empeoran con el frío y la humedad.
- *Sarsaparrilla*: indicada para tipos constitucionales delgados, fatigados y con la piel seca.
- *Thuya occidentalis*: para individuos gordos y frioleros.

Aromaterapia

Contra la prostatitis, se recomienda esencia de pino.

Acupuntura

La acupuntura tratará las debilidades subyacentes o del bloqueo en el sistema de energía del paciente; para ello, se estimulará principalmente el acupunto diji.

Cromoterapia

El color rojo es el más adecuado.

Oligoterapia

Se recomienda el zinc.

Curación espiritual o Reiki

Se usará la misma posición que para el tratamiento de las hemorroides (ver Hemorroides).

SISTEMA URINARIO

El sistema urinario filtra la sangre y expulsa los excedentes de agua y desechos del cuerpo. Está formado por dos riñones, dos uréteres, la vejiga de la orina y la uretra. Las infecciones son muy comunes en el sistema urinario, aunque hay otras enfermedades, como los cálculos renales o la incontinencia urinaria.

❑ CÁLCULOS RENALES

DESCRIPCIÓN DE LA ENFERMEDAD

Se trata de pequeñas formaciones calcáreas redondeadas que se producen en los riñones o en otras partes del sistema urinario. Cuando se encuentran en el riñón o en el uréter, causan cólicos renales, mientras que las piedras en la vejiga se asocian con dificultades para expulsar la orina. La causa más frecuente suele ser la mala alimentación, que produce un exceso de ácido úrico, aunque también influye la deshidratación o la falta de fosfatos.

SÍNTOMAS

Dependiendo del tamaño y de la localización del cálculo, los síntomas pueden variar. Las piedras en el riñón o el uréter causan dolores muy agudos, mientras que las piedras en la vejiga se asocian con dificultades para expulsar la orina. Los riñones con piedras son susceptibles de infectarse, y por lo tanto producirán también fiebre.

TRATAMIENTOS

Fitoterapia occidental

Hay infinidad de plantas medicinales que pueden ser de utilidad para tratar los cálculos renales. Se recomienda especialmente tomar dos tazas al día de la infusión de 20 gramos de bolsa de pastor, agracejo y cola de caballo por litro de agua. Igualmente eficaz resulta la infusión de romero, brezo, tormentila y gayuba. También son muy útiles los baños de asiento con cola de caballo, o añadir al baño completo cuatro gotas de aceite esencial de perejil.

La tisana de parietaria (30 gramos por medio litro de agua) ayuda a calmar el dolor al orinar, y para romper las piedras, lo que podemos hacer es emplear una infusión hecha a base de hojas secas de brezo y malva (un puñado de cada planta en medio litro de agua).

Flores de Bach
Los remedios más utilizados son breso y rosa silvestre.

Aromaterapia
Se recomiendan las siguientes esencias: enebro, hinojo, hisopo, geranio, limón y manzanilla.

Terapia nutricional
Para evitar la formación de cálculos renales, hay que tener en cuenta las siguientes consideraciones:

- Beber mucha agua (entre 2 y 5 litros diarios).
- Evitar los alimentos ricos en oxalatos cuando ya se han padecido cálculos. Contienen oxalatos las espinacas, el té, los tomates, las judías, las fresas o el chocolate.
- No abusar de los productos lácteos.
- No comer demasiada proteína animal, sustituyéndola por legumbres y soja.
- No abusar del consumo de sal.
- Evitar el consumo de alcohol.
- Consumir alimentos diuréticos, como las uvas, las naranjas, las zanahorias, el apio o el pepino.
- Tomar siempre arroz integral.

❏ CISTITIS

DESCRIPCIÓN DE LA ENFERMEDAD

La cistitis es una inflamación de la vejiga de la orina y de los uréteres, causada normalmente por infección bacteriana, cálculo o tumor. Es más común en las mujeres, ya que la uretra es más corta y resulta más fácil para los bacilos llegar hasta la vejiga.

SÍNTOMAS

Los síntomas de la cistitis incluyen una abrumadora, molesta y frecuente necesidad de orinar, dolor ardiente al hacerlo, y ocasionalmente incontinencia ante la tensión nerviosa. Las cantidades orinadas son pequeñas, y pueden ser turbias o contener sangre.

TRATAMIENTOS

Fitoterapia occidental

Para tratar la cistitis, se recomienda una taza cada ocho horas de una infusión de tomillo, gayuba y cola de caballo. Igualmente efectivas resultan la menta, la uña de gato, la salvia y el brezo.

También puede utilizarse una infusión suave de manzanilla con 600 ml de agua y beberla a lo largo del día para eliminar los gérmenes de la vejiga urinaria.

Fitoterapia china

Como ya se ha dicho, la cistitis puede deberse a causas muy diversas, de modo que el tratamiento por medio de hierbas medicinales chinas dependerá del origen de la cistitis. Sin embargo, pueden identificarse tres posibilidades:

- Calor en los riñones: caracterizado por orina oscura y escasa, dolor lumbar leve, sensación de calor y sudor, sed y mejillas coloradas. La lengua aparecerá roja, seca y con ronchas sin piel, y el pulso será rápido, débil y superficial. Se administrará la decocción para nutrir el riñón.

- Frío-humedad en la vejiga: con ganas urgentes y frecuentes de orinar, sensación de presión y pesadez en la vejiga, dificultad al orinar y orina pálida y turbia. La lengua presenta saburra blanca al final, y el pulso es fuerte. Se recomienda la decocción para drenar la vejiga.

- Calor-humedad en la vejiga: con síntomas como ganas urgentes y frecuentes de orinar, orina dolorosa o despreciable, oscura y turbia, tal vez acompañada de sangre y fiebre. La lengua tiene saburra amarilla al final, y el pulso es rápido y fuerte. Se tratará con la decocción para limpiar la vejiga.

Homeopatía

El tratamiento de la cistitis puede determinarse en función del tipo constitucional o de los síntomas.

En función del tipo constitucional:

Tipo constitucional	Mejoría/empeoramiento	Remedios
Pálido, delgado, friolero. Cuidadoso, meticuloso, casi maníaco del orden.	Empeora con el frio y también con la humedad. Mejora con calor en todas sus formas.	*Arsenicum album.*
Moreno, fuerte, colérico e irascible.	Empeora con el movimiento y hacia las 9 de la noche. Mejora con el frío.	*Bryonia alba.*
Individuo con tendencia a gritar ante los dolores.	Empeora tomando café y mejora con el calor, así como con las aplicaciones calientes.	*Cantharis vesicatoria.*
Tipo constitucional gordo, con tendencia a la sudoración excesiva e hipersensible a las corrientes de aire.	Empeora por la noche y con el sudor, pero mejora con el calor moderado y seco.	*Mercurius solubilis.*
Persona triste, con tendencia al agotamiento y sensible a los comentarios de los demás.	Empeora al enfadarse, con la masturbación y con el tabaco.	*Staphysagria.*

En función de los síntomas:

Síntomas	Remedios
Dolor súbito, ardoroso, antes y después de la micción. Micciones imperiosas pero con eliminación de tan sólo unas gotas de orina, a veces sanguinolenta. Síntomas asociados a veces con deseo intenso de defecar y excitación sexual.	*Cantharis vesicatoria.*
Orina quemante, a menudo sangrante, eliminada gota a gota. Dolor súbito acompañado de tensión dolorosa de la vejiga y del recto. En algunos casos, diarrea.	*Mercurius corrosivus.*

Síntomas	Remedios
Dolor al final de la micción, acompañado de escalofríos. El dolor se agrava durante el día. Para orinar sin dolor, la paciente debe estar de pie.	*Sarsaparilla officinalis.*
Dolor que aparece a menudo después de la relación sexual, sobre todo al inicio de la vida sexual. Persiste largo rato después de la micción, con la impresión de que todavía queda orina en la vejiga y la uretra. La paciente se queda sentada mucho tiempo en el retrete.	*Staphysagria.*
Deseo constante de orinar; es necesario un esfuerzo violento para vaciar la vejiga. Dolor que se irradia a lo largo de los muslos y se agrava de noche. La posición en cuclillas facilita la micción.	*Pareira brava.*

Oligoterapia

Se recomienda el compuesto manganeso-cobre.

Flores de Bach

Para la cistitis, se recomienda tomar manzana silvestre junto con impaciencia.

Aromaterapia

Para tratar la cistitis, se recomiendan las esencias de cayeputi, cedro, enebro, eucalipto, lavanda, melaleuca, pino y sándalo.

Terapia nutricional

Los siguientes alimentos tienen propiedades que les hacen útiles para tratar la cistitis:

- Zumo de arándano, para ayudar a impedir que las bacterias se adhieran a las paredes de la vejiga.
- Yogur natural para fortalecer el sistema inmunológico.
- Cebolla, debido a sus propiedades diuréticas.
- Las legumbres con forma arriñonada, como las judías secas, son buenas para combatir las infecciones de los riñones y de las vías urinarias.

Acupuntura

Los siguientes acupuntos pueden ser de utilidad para tratar la cistitis: shuidao, guilai, xiajuxu, fenglong, xingjian, zhongfeng, ligou, qiangu, yingu, shangwan, qugu, zhongji, ganshu, danshu, weiyang, riyue y yanglingquan.

Curación espiritual o Reiki
Se coloca una mano sobre el área del pubis o de los ovarios y la otra entre las piernas, con la palma de la mano frente a la zona genital.

❏ ENFERMEDAD RENAL

DESCRIPCIÓN DE LA ENFERMEDAD

Trastorno o proceso infeccioso, inflamatorio, obstructivo, vascular o neoplásico del riñón. Hay que destacar la nefritis, el cólico nefrítico y la insuficiencia renal.

SÍNTOMAS

Los más comunes son presencia de sangre en la orina, edema y dolor en los flancos, aunque si se trata de un proceso infeccioso también habrá fiebre.

TRATAMIENTO

Fitoterapia occidental
Para tratar la insuficiencia renal, se recomienda el cerezo (que se administrará en tres tazas diarias de la decocción de 40 g de pedúnculos en un litro de agua), e infusión de 15 g de perejil, 20 g de ortiga y 30 g de diente de león en un litro de agua, tres tazas al día. Por el contrario, para las infecciones renales se recomiendan especialmente el ajo y el perejil, así como el hisopo y la equinácea.

Fitoterapia china
Las enfermedades renales suelen identificarse como causadas por calor o por frío en los riñones: ambas posibilidades se explicaron más detalladamente al hablar de cistitis e incontinencia.

Homeopatía
Se recomiendan los siguientes remedios:

- *Apils mellifica*: para tipos constitucionales torpes y llorosos. Hay presencia de fiebre y escalofríos por la tarde.
- *Cantharis vesicatoria*: se recomienda para cólicos nefríticos en los que hay un gran dolor al orinar.
- *Arenicum album*: para individuos pálidos y delgados con ansiedad por la noche. Empeoran entre la 1 y las 3 de la madrugada, y mejoran al beber algo caliente.

- *Mercurios solubilis*: para personas de carnes flojas y propensas al mal aliento. La orina es escasa y oscura.
- *Phosphorus*: indicado para tipos constitucionales altos y delgados. Los síntomas mejoran con el calor y en la oscuridad.

Flores de Bach

Las diversas enfermedades renales podrán tratarse con olivo, achicoria, brezo, madreselva y agua de roca.

Terapia nutricional

Además de llevar una dieta equilibrada rica en frutas y verduras con propiedades diuréticas como el apio o la manzana, se recomienda seguir una dieta purificante de cerezas después de haber padecido una enfermedad renal: durante dos días, se comerán exclusivamente cerezas y se beberán infusiones de rabitos de cereza.

Acupuntura

Se tratarán los acupuntos jiexi, shuifen, sanjiaoshu y pangguanshu.

❑ INCONTINENCIA

DESCRIPCIÓN DE LA ENFERMEDAD

La incontinencia es la incapacidad para controlar la micción. La incontinencia de esfuerzo, precipitada por la tos, la risa, la presión abdominal o el levantamiento de pesos, es muy frecuente en las mujeres. Ésta suele estar causada por una lesión o distensión (genética o adquirida) de los músculos que forman el borde de la pelvis. En la incontinencia por apremio y la incontinencia total la vejiga se vacía por completo. En los niños, la incontinencia puede ser de origen psicógeno o alérgico.

SÍNTOMAS

Incapacidad para controlar la micción.

TRATAMIENTOS

Fitoterapia occidental

Para tratar la incontinencia urinaria, se recomienda la decocción de 20 gramos de flor de tilo, corteza de encina, hipérico, tormentila y valeriana en un litro de agua. La dosis será de una taza cada ocho horas.

Fitoterapia china

Es posible que la incontinencia se deba al frío en los riñones; si es así, irá acompañada de dolor lumbar crónico, sensación de frío, retención de líquidos en la parte inferior del cuerpo, tez pálida. La lengua estará pálida, hinchada y con saburra blanca, y el pulso será débil, sumergido. Se recomienda la decocción para fortalecer el riñón.

Homeopatía

Hay muchos remedios que pueden ayudar a tratar la incontinencia urinaria, aunque en general deberá buscarse una solución de fondo recetada por un especialista. Los remedios más habituales son:

- *Causticum*: para individuos débiles, delgados y melancólicos.
- *Cina*: para tipos constitucionales caprichosos e irritables.
- *Equisetum hiemale*: cuando la incontinencia viene asociada a una cistitis.
- *Ferrum metallicum*: cuando los síntomas empeoran con el frío.
- *Kalium bromatum*: para individuos agotados intelectual y sexualmente.
- *Luesinum*: cuando los síntomas empeoran junto al mar.
- *Rumex crispus:* para individuos propensos a la ronquera y a la tos seca.

Gemoterapia y Cristaloterapia

El lapislázuli es la piedra más indicada.

Naturopatía

Se recetarán los siguientes suplementos:

- Vitamina C: 1.000 mg diarios, divididos en dos tomas.
- Niacina: ayuda a potenciar los efectos de la vitamina C. La dosis es de 150 mg diarios, divididos en dos tomas.
- Magnesio y vitamina B6: 300 mg diarios de magnesio y 30 mg de vitamina B6.
- Vitamina E: 600 mg diarios.

Terapia nutricional

Se deben seguir los siguientes consejos con carácter general:

- Evitar la ingestión excesiva de líquidos, especialmente de aquellos que contengan alcohol o cafeína.
- Evitar la ingestión de diuréticos.
- Evitar alimentos picantes.
- Evitar un tipo de alimentación que pueda producir sobrepeso.
- Evitar el exceso de azúcar.

❑ URETRITIS

DESCRIPCIÓN DE LA ENFERMEDAD

La uretritis es la inflamación de la uretra. La causa más frecuente es la infección por parte de la bacteria de la gonorrea, aunque también puede deberse a una lesión de la uretra o a una irritación debida a algún producto químico como los espermicidas.

SÍNTOMAS

La uretritis causa una sensación de ardor y a veces un intenso dolor al expulsar la orina, que puede ir acompañada de sangre o pus.

TRATAMIENTOS

Fitoterapia occidental
Las plantas específicamente recomendadas para tratar esta enfermedad son el buchú (infusión de 50 gramos de hojas por litro de agua, administrada tanto por vía interna como en lavados uretrales) y la gayuba (infusiones frías cada ocho horas).

Homeopatía
Existen dos remedios homeopáticos principales para tratar la uretritis: *Sarsaparrilla* e *Hydrastris canadensis*.

Flores de Bach
Se recomienda tomar clemátide y manzana silvestre.

Aromaterapia
Se recomiendan las esencias de bergamota, enebro e hinojo.

LA MENTE Y EL SISTEMA NERVIOSO

Los elementos del sistema nervioso central, el encéfalo (la masa que se ve en el cráneo) y la médula espinal (esa especie de tronco del que se separan las ramas de los nervios periféricos) están encerrados en envolturas óseas: el cráneo y la columna vertebral. Además, su integridad está ulteriormente garantizada por las membranas que los envuelven: la piamadre es la más delgada, en contacto inmediato con las formaciones nerviosas; la aracnoidea llamada así porque, en su estructura, parece a una telaraña, y la duramadre, una membrana muy robusta de naturaleza fibrosa. Entre la piamadre y la aracnoides hay un espacio, el espacio subaracnoideo, que contiene el líquido cefalorraquídeo. El sistema nervioso periférico está constituido por 12 pares de nervios craneales, que salen, de dos en dos, del tronco cerebral y van a inervar las diversas partes de la cara y de los órganos de los sentidos (ojos, oídos, lengua y nariz), y por 31 pares de nervios espinales (más dos pares rudimentarios). Cada uno de éstos se origina en la médula espinal, con dos raíces: sensitiva (dorsal) y motriz (ventral).

En base a la función, el sistema nervioso se subdivide en: 1) sistema de la vida de relación, que, bajo el control de la voluntad, preside la recepción de los impulsos sensitivos recogidos en la periferia y el movimiento de los músculos voluntarios; 2) sistema de vida vegetativa o autónomo, que preside, independientemente de la voluntad, el control de la musculatura lisa de las glándulas y de la musculatura cardíaca.

El sistema nervioso, en su conjunto, se puede comparar con un aparato electrónico complicadísimo, con un elaborador central (el cerebro), los terminales periféricos (los órganos de los sentidos) y los cables que transportan los mensajes (los nervios). El conjuntivo que envuelve la superficie de todo el nervio es llamado epinervio, y desde él salen hacia el interior unas prolongaciones de tejido conjuntivo laxo, rico en fibras elásticas, células adiposas y pequeños vasos sanguíneos, y linfáticos, cuya tarea es la de llevar el alimento necesario a las fibras nerviosas. Sumergidos en este tejido conjuntivo laxo, se encuentran un cierto número de fascículos nerviosos secundarios, bien diferenciados el uno del otro y recubiertos por una capa de tejido conjuntivo, llamada perinervio. Del perinervio parten varios tabiques, que se dirigen hacia el interior del fascículo secundario, y lo dividen en otros fascículos de fibras, más pequeños y de formas diversas: los fascículos primarios. El tejido conjuntivo que se encuentra entre los fascículos primarios se llama endonervio y envuelve a las fibras, para indicar la vaina de mielina, es decir el estrato, que con interrupciones periódicas, envuelve al conectado con la neurona.

Los nervios se definen, según el territorio en el que se distribuyen. De esta forma tendremos dos grandes clases de nervios: los nervios musculares, que penetran en los músculos es-triados, y los nervios cutáneos, que alcanzan la piel.

EN DÓNDE SE ENFERMA

A) Encefalitis y meningitis: tanto el encéfalo como las meninges pueden verse afectados por procesos inflamatorios, dando lugar a formas morbosas conocidas con el nombre de encefalitis y meningitis. Según el agente responsable, podemos distinguir varios tipos de encefalitis. Las encefalitis virales son las debidas a un virus. Por ejemplo, la encefalitis letárgica de Von Ecónomo, que se manifestó en forma epidémica entre 1917 y 1924, para desaparecer después definitivamente. Algunas formas de encefalitis con difusión epidémica y transmitidas por mosquitos o garrapatas al hombre o a los animales son, seguramente, de origen viral. Además, hay encefalitis virales secundarias o parotiditis (paperas), gripe, herpes y hepatitis epidémica.

Encefalitis alérgicas: provocadas por mecanismos alérgicos y observables como complicación de un sarampión, rubéola, varicela, y escarlatina, o bien, después de la aplicación de la vacuna antivariólica.

Otros tipos de encefalitis se deben a microorganismos responsables de otras enfermedades (brucelosis, fiebre tifoidea, endocarditis estreptocócica o estafilocócica, tuberculosis, etc.).

La meningitis puede ser provocada por la extensión de una infección, a partir de focos sépticos cercanos como otitis, sinusitis, heridas infectadas en caso de traumatismos, o también por gérmenes que poseen una especial electividad para las meninges, como en el caso del meningococo, responsable de la llamada meningitis cerebroespinal epidémica.

B) Paralisis e inflamaciones de los nervios: las enfermedades que afectan a los nervios tienen diferentes consecuencias, según el tipo de nervio afectado. La lesión de las fibras motoras de un nervio, paraliza los músculos inervados por ellas. Se puede ir desde un simple debilitamiento de la fuerza de contracción muscular, a la total ausencia de cualquier actividad muscular voluntaria. La parálisis muscular que sigue a la lesión de un nervio periférico se asocia a desaparición o debilitamiento de los reflejos, disminución del tono muscular (hipotonía) y disminución de trofismo muscular (atrofia o hipotrofia).

La lesión de las fibras sensitivas origina la pérdida (anestesia) o reducción (hipoestesia), de la sensibilidad, tanto superficial (táctil, térmica, dolorosa), como profunda (presión), en la región invadida por el nervio lesionado. Sin embargo, sobre todo en las fases iniciales de la enfermedad, es muy frecuente que predominen los síntomas de tipo irritativo.

Otro grupo de enfermedades que pueden afectar a los nervios periféricos son las neuritis, procesos inflamatorios o degenerativos a nivel de uno o varios nervios.

Otros procesos morbosos típicos de los nervios son las llamadas neuralgias, caracterizadas por un dolor localizado a lo largo del recorrido de un nervio y debidas a fenómenos irritativos. Entre las más conocidas, están la neuralgia del trigémino y la del nervio ciático.

C) Esclerosis en placas: es una enfermedad caracterizada por la presencia de lesiones circunscritas, repartidas de forma irregular en todo el sistema nervioso central, especialmente en la sustancia blanca. Afecta a ambos sexos con un porcentaje que varía en cada país: es mayor en los países nórdicos que en los meridionales.

La esclerosis en placas está ligada a un mecanismo de tipo alérgico, con una reacción antígeno-anticuerpo a nivel del tejido nervioso que provoca un proceso inflamatorio, con la subsiguiente desmielinización de las fibras nerviosas. A este fenómeno le sigue un proceso de reparación de tipo cicatriza, que lleva a la formación de zonas delimitadas de tejido esclerótico, llamadas «placas».

D) Enfermedades degenerativas del sistema nervioso central: son enfermedades cuya etiología es todavía desconocida, y están caracterizadas por el hecho, de que la lesión afecta preferentemente a algunos sistemas de células y fibras nerviosas. Entre las más conocidas están la esclerosis lateral amiotrófica y la siringomielia.

E) Lesiones neurológicas por traumatismos en la columna vertebral: los traumatismos a nivel de la médula espinal pueden tener caracteres de acentuada gravedad, porque provocan una interrupción en la conducción de los estímulos nerviosos, con la consiguiente parálisis y pérdida de la sensibilidad. Los síntomas fundamentales de toda lesión traumática de la médula espinal son la parálisis y la anestesia.

F) Enfermedad de Parkinson: relativamente frecuente, caracterizada por la aparición de temblores, lentitud en los movimientos voluntarios, rigidez muscular y menor atención.

G) Parálisis cerebral infantil, hidrocefalia: la parálisis cerebral infantil está causada por un grupo de enfermedades del sistema nervioso, caracterizadas por parálisis que se han producido en edad infantil o durante el periodo neonatal. Bajo esta definición se agrupan enfermedades y lesiones del sistema nervioso que se han producido en el útero, en el acto del nacimiento, en los primeros días de vida, o debidas a defectos del desarrollo, traumatismos por parto, anoxia posnatal, meningitis, encefalitis, etc. La hidrocefalia congénita se caracteriza por un incremento en el tamaño de la cabeza, causado por un aumento del volumen del líquido cefalorraquídeo, que aparece inmediatamente antes o después del nacimiento.

H) Cefalea y hemicranias: son manifestaciones dolorosas localizadas en la cabeza. En base a los mecanismos responsables, se dividen en hemicranias, limitadas a la mitad de la cabeza, a menudo asociadas a náuseas y vómitos; cefalea histamínica, presente, sobre todo, en edad juvenil; cefalea de los bebedores; cefalea por hipertensión arterial, presente en los hipertensos; cefalea por tensión nerviosa, propia de los individuos con problemas psicológi-os, y cefalea sintomática, ligada a la presencia de algunas enfermedades.

I) Fracturas de craneo, conmoción cerebral y coma: el aumento de la mecanización ha provocado también un incremento acusado de las lesiones traumáticas craneales, con afectación del cerebro. Fundamentalmente se distinguen, desde este punto de vista, dos formas: traumatismo craneal con trastorno puramente funcional de cerebro (conmoción cerebral), y traumatismo asociado a lesión anatómica del cerebro (contusión cerebral). Ambas formas presentan un pronóstico muy diferente.

J) La epilepsia: es una enfermedad del sistema nervioso, caracterizada, sobre todo, por crisis convulsivas de tipo generalizado o parcial. De este modo se distingue el gran mal, con ataques epilépticos generalizados, y el pequeño mal, con ausencias y crisis parciales, sobre todo de tipo motor.

K) Las alteraciones de la actividad del encéfalo: son modificaciones del funcionamiento encefálico, ligadas a la presencia de varias formas patológicas, como aneurismas cerebrales, hemorragias cerebrales, zonas de reblandecimiento cerebral, tumores cerebrales e hipertensión endocraneal.

L) Neurosis y psicosis: conjunto de enfermedades que reflejan una alteración de la personalidad y que se expresan en grados distintos de gravedad y recuperabilidad. Pueden tener una base psicológica o estar ligadas a alteraciones de tipo orgánico.

M) Las enfermedades psicosomáticas: son enfermedades ligadas a la presencia de situaciones conflictivas inconscientes, que se expresan a través de «órganos simbólicos». De este modo se pueden manifestar trastornos de las coronarias, hipertensión arterial, asma bronquial, úlcera gastroduodenal, etc.

❑ AFLICCIÓN

DESCRIPCIÓN DE LA ENFERMEDAD

Patrón prácticamente universal de respuestas físicas y emocionales frente a una contrariedad, separación o pérdida determinadas. Sus componentes físicos son similares a los de temor, rabia y dolor.

A menudo se presenta un aumento de las frecuencias cardíaca y respiratoria, con dilatación pupilar, sudoración, piloerección, incremento del flujo sanguíneo en los músculos y aumento de las reservas de energía.

Homeopatía
- *Aconitum napellus*: tipo constitucional fuerte, los síntomas empeoran por la noche. El paciente tiene miedo a la muerte.
- *Aethusa cynapium*: los síntomas incluyen astenia y diarrea.
- *Arsenicum album*: tipo constitucional delgado y friolero. Hay ansiedad y alternancia de estados de ánimo. Aversión a la carne y a los alimentos grasos.
- *Kalium carbonicum*: individuo gordo y fatigado, con deseo de alimentos dulces y ácidos. Propenso a la acidez de estómago.

Flores de Bach
La aflicción puede tener infinitas causas y manifestaciones, y cada una de ellas encontrará un remedio concreto. Sin embargo, hay algunos sentimientos relacionados con este problema que cuentan con un tratamiento concreto:

- Amargura: sauce.
- Angustia: álamo, heliantemo, agrimonia, genciana, castaño dulce y rosa silvestre.
- Ataques de cólera: impaciencia.
- Culpa: pino, sauce y heliantemo.
- Odio: acebo.

Aromaterapia
Las esencias recomendadas son la albahaca, el sándalo, el romero, el naranjo amargo y el enebro, en evaporaciones, inhalaciones, baños o masajes.

❏ ANSIEDAD

Algo de ansiedad es normal en la vida cotidiana, pero las sensaciones persistentes de preocupación, miedo o nerviosismo deben ser tratadas para que no conduzcan a otros problemas físicos y psicológicos. Hay tres teorías sobre las causas de la ansiedad: la fisiológica, la psicoanalítica y la de comportamiento aprendido. Cada caso individual suele poder explicarse a través de una o varias de estas teorías, por lo cual conviene investigar los factores que han desencadenado la ansiedad antes de tratarla.

SÍNTOMAS

Los síntomas físicos de la ansiedad son muy numerosos: problemas digestivos, cefaleas, hipertensión, insomnio, tensión muscular, ataques de pánico, problemas cutáneos, opresión en el pecho, náuseas o debilidad.

Hay que diferenciar los tres tipos principales de ansiedad:

– Ataques agudos de ansiedad, llamados ataques de pánico. Se trata de un sentimiento de pánico que paraliza al individuo, con síntomas que pueden llegar hasta la pérdida del conocimiento o la sensación de muerte inminente. Aparece de manera imprevisible e incontrolable, en condiciones aparentemente normales.
– Ansiedad generalizada, que produce diversos trastornos que pueden generar una considerable discapacidad en los planos social, profesional o afectivo: sensación de nudo en la garganta o ahogamiento, palpitaciones, fatiga, aturdimiento, mareo, etc.
– Ansiedad reactiva, que aparece como consecuencia de un acontecimiento que genera estrés, ya sea positivo o negativo.

TRATAMIENTOS

Fitoterapia occidental
Como receta natural para aliviar los síntomas de la ansiedad, se recomienda mezclar 30 gramos de las siguientes plantas: sumidades floridas de hipérico, flores de manzanilla romana, flores de hisopo, hojas de melisa, flores de espliego, flor de tilo, flor de lúpulo y flor de pasionaria. Se hervirán cuatro cucharadas de esta mezcla en un litro de agua. Por otro lado, se preparará una infusión de 5 gramos de raíz de valeriana en medio litro de agua. Se mezclan los dos líquidos resultantes, y se toma una taza del resultado cada ocho horas.

Fitoterapia china
La medicina tradicional china considera que las preocupaciones y la tensión de la vida cotidiana repercuten en los órganos del cuerpo, estorbando el equilibrio yin-yang y dificultando el flujo del ki. Una de las mejores formas de controlar la ansiedad y relajarse es con simples ejercicios de respiración. Dentro de la Fitoterapia china, se recomiendan los siguientes ejercicios de respiración para los momentos de mayor emergencia:

- Fase primera: respiración con el diafragma
- Hay que estirarse en una superficie rígida o sentarse en una silla de respaldo recto y relajarse.
- Se pone una mano en medio del pecho y la otra por encima del ombligo para tomar conciencia de la respiración.
- Si se mueve la parte superior de la caja torácica en lugar del abdomen, se estará hiperventilando. Se practica la respiración abdominal sin que se mueva la mano del pecho y con la otra mano encima del ombligo subiendo y bajando al ritmo de la respiración.
- Se cuenta hasta cuatro al inspirar y, de nuevo, al espirar.

- Fase segunda: respiración en cuatro partes
Después de practicar la respiración con el diafragma, se continúa así:
- Se cuenta hasta cuatro al inspirar, y se retiene el aire hasta contar cuatro.
- Se espira contando hasta cuatro, y luego se descansa hasta contar cuatro.

- Fase tercera: relajación durante la espiración
Sólo hay que contraer los músculos al inspirar.
- Practicar la relajación al espirar, liberando la tensión muscular. Se puede usar un «hmmmmh» al final de la espiración como ayuda.
- Trabajar a un ritmo de respiración natural y lenta, intentando respirar seis u ocho veces por minuto.
- Cuando se ha logrado estar a gusto con este ejercicio, se empezará a incorporar el mismo a las actividades cotidianas como andar, hacer recados o ir de compras.
- Con el tiempo se empezará a respirar de esta forma con naturalidad. Es ideal practicar este ejercicio unos 20 minutos cada día.

En cuanto a los remedios herbales prescritos, dependerán de la causa física de la ansiedad:

- Si la causa es insuficiencia en el corazón, los síntomas serán ansiedad, palpitaciones, cansancio, falta de aire al hacer ejercicio, tez amarillenta y pálida, insomnio y sueños excesivos. La lengua estará pálida, delgada y tal vez aparezca con una grieta en la punta, y el pulso será débil. Se recomienda la decocción para nutrir el corazón.
- Si hay calor en el corazón, los síntomas incluirán palpitaciones, agitación, ansiedad, insomnio, tez o mejillas rojas, orina oscura, sed y úlceras bucales o en la lengua. Ésta tendrá la punta roja y podrá verse surcada por una grieta desde el medio hasta la punta, y el pulso puede ser débil o fuerte (según la gravedad), pero siempre rápido. Se recomienda la decocción para nutrir y calmar el corazón.

- En caso de insuficiencia en la sangre, habrá síntomas como despertares súbitos, sueños vívidos, ansiedad, piel y cabello secos, cansancio, períodos suaves y estreñimiento con heces secas. La lengua estará pálida y seca, y el pulso será débil. Se tomará la decocción para nutrir la sangre.
- Ante un estancamiento en el hígado, los síntomas serán de actividad excesiva de la mente para ir a dormir, irritabilidad y cambios de humor, sueño interrumpido por pesadillas, ansiedad y quizá depresión. La lengua estará color malva o morada, y el pulso será fuerte. Se recetará la decocción para liberar el hígado modificada (añadir Suan Zao Ren).
- Si la causa es insuficiencia de yin, los síntomas serán: dificultades para dormir, ansiedad, calores y sudores nocturnos, dolor lumbar, ganas de orinar por la noche, sed y estreñimiento. La lengua estará roja, con ronchas sin piel, y el pulso puede ser fuerte o débil, pero superficial. Se tomará la decocción para nutrir el riñón.

Naturopatía

Se recomienda seguir los siguientes consejos para evitar la ansiedad:

- Incluir en la dieta albaricoques, espárragos, aguacates, levadura de cerveza, pescado (especialmente salmón), ajo y yogur.
- Limitar las cantidades de proteínas animales.
- Comer pequeñas cantidades de alimentos frecuentemente, en lugar de hacer tres comidas abundantes.
- Salir a pasear al aire libre.
- Beber tisanas de romero por la mañana, y tomar baños templados con romero y pasiflora.
- Tomar una cucharada sopera de miel de buena calidad cada mañana.
- Hacer ejercicio regularmente y descansar lo necesario.

También existen complementos que pueden ayudar a tratar la ansiedad, como el aceite de germen de trigo o la levadura de cerveza.

Masaje terapéutico chino

- Con el paciente tendido boca arriba y con una almohada bajo las rodillas, se aplica el masaje de fricción digital en los acupuntos boihui (en el vértice del cráneo), neiguan (en la muñeca), y zusanli, sonyinjiao y yongquan (en las piernas y pies). La secuencia de puntos se repetirá hasta que el paciente se haya relajado visiblemente.
- Con el pulgar de la mano izquierda, se aplica la técnica de fricción en los acupuntos yintang en la frente; y con el pulgar de la mano derecha en guanyuan en el ombligo. Para terminar, se dejará que las manos descansen en estos acupuntos durante tres minutos.

Cristaloterapia y Gemoterapia

La turmalina verde es la piedra apropiada.

Homeopatía

Entre los remedios homeopáticos prescritos, pueden mencionarse:

- *Arsenicum album:* para personas agitadas, que no logran obtener descanso a pesar de su agotamiento. Suelen cree que no tienen curación posible y que están próximas a morir.
- *Bryonia alba*: para un tipo de ansiedad que afecta todo el cuerpo de la persona; cualquier movimiento es doloroso y su estado la vuelve agresiva contra quienes la rodean).
- *Causticum*: recomendado para personas tímidas, ansiosas cuando están acompañadas, con la mente llena de imágenes aterradoras, sobre todo de noche.
- *Phosphorus*: para un tipo constitucional hipersensible, más inquieto al acercarse una tormenta.
- *Nitricum acidum:* para accesos de ansiedad, especialmente nocturnos, asociados con una intensa preocupación por la salud.

Oligoterapia

Se recomienda el litio y el compuesto manganeso-cobalto.

Flores de Bach

Los remedios serán prescritos de acuerdo con el individuo, la causa y naturaleza de la ansiedad; sin embargo, se podrán recetar el remedio de urgencia, castaño de Indias, scleranthus y agrimonia.

Aromaterapia

Se utilizarán las siguientes esencias: azahar, benjuí, bergamota, cedro, geranio, lavanda, manzanilla, melisa, rosa, sándalo, verbena y ylang-ylang. La forma más eficaz de administrarlas es mediante un baño relajante justo antes de acostarse.

Terapia nutricional

La terapia nutricional recomienda tomar una dieta rica en vitaminas del grupo B, presentes en los cereales integrales (trigo, avena, cebada), frutos secos (avellanas, almendras, nueces) y verduras (sobre todo las de hoja verde como espinacas o coles), y magnesio: destacando las judías y las espinacas.

Hipnoterapia

Están especialmente indicadas las técnicas de relajación profunda.

Curación espiritual o Reiki

En caso de que uno mismo desee aplicarse el tratamiento, se colocará una mano sobre el tiroides, en la base de la garganta, apoyando la otra mano en el plexo solar. Para aplicar esta terapia en otra persona, se seguirán las mismas instrucciones indicadas para el autotratamiento, permaneciendo en esa posición hasta que se produzca una disipación de la energía o la sensación de que se ha restablecido el equilibrio en la zona.

❑ APOPLEJÍA O ACV (ACCIDENTE CEREBROVASCULAR)

DESCRIPCIÓN DE LA ENFERMEDAD

Trastorno de los vasos sanguíneos del cerebro que se caracteriza por la interrupción en el suministro de sangre que afecta a una parte del cerebro, de tal forma que la función, sensación o movimiento controlados por esta parte puede verse impedida. Incluso una pequeña apoplejía es una señal de advertencia de un insuficiente riego de sangre al cerebro.

Las apoplejías son una de las principales causas de muerte en el mundo desarrollado, y por tanto, no deben tomarse a la ligera. Pueden estar causadas por irregularidades en el ritmo cardíaco, arteriosclerosis, diabetes, hipertensión, niveles altos de grasas en sangre o un exceso de tabaco.

SÍNTOMAS

Las secuencias de los ACV dependen de la parte del cerebro afectada, pero incluyen parálisis, debilidad, trastornos de la dicción o afasia.

TRATAMIENTOS

Fitoterapia occidental

Si se posee alguno de los factores de riesgo, es imprescindible acudir al médico para que recete algún tratamiento preventivo, el cual puede ser complementado con dos tazas diarias de la decocción de 75 gramos de espliego, valeriana, espino blanco y melisa por litro de agua. También pueden seguirse estos consejos orientados a reducir el riesgo de apoplejía:

– Evitar las subidas de presión sanguínea.
– Tomar ajo crudo en ensaladas cada día
– Abandonar el tabaco y el alcohol.

– Hacer, durante 15 días, una cura de muérdago: dos tazas diarias de la infusión de una cucharada de polvo de muérdago por medio litro de agua.
– Practicar ejercicios físicos al aire libre.

Flores de Bach

La leche de gallina puede ser de utilidad como remedio complementario que ayude a adquirir el estado de ánimo necesario para una curación.

Terapia nutricional

Para prevenir la aparición de una apoplejía, habrá que remitirse a los consejos dados para tratar las causas que la provoca, principalmente de tipo cardiovascular (ver Arteriosclerosis e Hipertensión). Sin embargo, como norma general habrá que potenciar el consumo de ácidos grasos esenciales, especialmente omega 3 (presente en el pescado azul), así como de vitamina E.

Hipnoterapia

Se recomienda la terapia de visualización: el paciente habrá de visualizar en estado de hipnosis las mejoras que desea alzanzar en su cuerpo en cada etapa de la curación.

Curación espiritual o Reiki

Se seguirá el mismo tratamiento que para la hipertensión (ver Hipertensión).

❑ CEFALEAS Y MIGRAÑAS

DESCRIPCIÓN DE LA ENFERMEDAD

Las cefaleas pueden tener distintas intensidades: desde una mera irritación hasta un dolor debilitante acompañado de náuseas, vómitos y alteraciones sensoriales o visuales, como en la migraña. Los desencadenantes más comunes de este tipo de afecciones incluyen el alcohol, las drogas, alergias, vista cansada, lesiones en la cabeza, fiebre, problemas en el cuello o en la espina dorsal, depresión, ansiedad o estrés. Muy ocasionalmente, pueden tener una causa más serie como la hipertensión, tumor cerebral o aneurisma en el cerebro.

SÍNTOMAS

La cefalea es un síntoma en sí misma: el dolor de cabeza. En cuanto a la migraña, es más que un mero dolor de cabeza. Es un desarreglo neurológico que incluye dolor de cabeza punzante o pulsátil, perturbaciones en la visión, náuseas y vómitos.

TRATAMIENTOS

Fitoterapia occidental

Para calmar todo tipo de dolores de cabeza, se recomienda la infusión de hoja de sauce, flores de lúpulo, milenrama, flor de manzanilla, menta y melisa. Se mezclarán todos los ingredientes a partes iguales, y se administrará una cucharada por taza de agua. Contra las migrañas, también se puede emplear aceite esencial de hinojo, aplicado sobre las sienes con un ligero masaje.

Fitoterapia china

Para tratar las cefaleas con hierbas medicinales chinas, habrá que partir de la localización exacta del dolor y estudiar sus características principales. Así, podemos diferenciar las distintas clases de dolor de cabeza:

- FRENTE. Esta zona suele estar controlada por los meridianos del estómago y el intestino grueso. Dolor: general, pesado. Causa: insuficiencia de ki (el dolor surge por cansancio o falta de alimento). Humedad. El dolor será más fuerte por la mañana, afectará a la concentración y creará estados de confusión. En la práctica, los síntomas suelen combinarse. Hierbas: decocción para limpiar el bazo modificada (elimine Lian Zi y Yi Zhi Ren y añada Ju Hua y Yan Hu Suo). Evite: irregularidad de las comidas y descanso insuficiente (origen de la insuficiencia de ki); productos lácteos, pan, levadura y azúcar (que causan humedad).

- BASE DEL CRÁNEO. Dolor: general que empeora si existe cansancio o es prolongado. Causa: dolor crónico (duradero) en la zona posterior de la cabeza debido a una insuficiencia de sangre en el hígado y los riñones. Un dolor agudo (y repentino) en esta zona lo puede provocar a menudo un resfriado o gripe, si siente rigidez o tortícolis. Hierbas: decocción para fortalecer el riñón modificada (aumentar la dosis de Chuan Xiong). Evite: el alcohol y la cafeína.

- PARTE SUPERIOR DE LA CABEZA. Dolor: general, sensación de vacío acompañada en ocasiones de mareo. Mejora al estirarse. Causa: insuficiencia de la sangre en el hígado, en cuyo caso los ojos a menudo están secos o con arenilla. Hierbas: decocción para nutrir la sangre modificada (aumentar la sosis de Gou Qi Zi). Evite: el alcohol y la cafeína.

- SIENES/DETRÁS DE LOS OJOS/LADOS DE LA CABEZA/A UN LADO. Dolor: estas zonas se asocian frecuentemente con migrañas y el dolor suele ser punzante. Causa: energía del hígado que asciende a la cabeza. Hierbas: decocción para liberar el hígado modificada (añadir Yna Hu Suo y Mu Dan Pi, reducir a la mitad la dosis de

Chai Hu). Evite: potenciadores de la migraña como el alcohol, los productos lácteos, la cafeína, los cítricos y el chocolate. Como el estrés también la favorece, las técnicas de relajación y meditación son beneficiosas.

Masaje terapéutico chino

La medicina china también recomienda el uso del masaje terapéutico para tratar con éxito los diversos dolores de cabeza. El procedimiento que se propone es el que se expone a continuación:

- El paciente está sentado, con la cabeza envuelta en una toalla. El masajista utiliza la mano izquierda para mantener inmóvil su cabeza, mientras con la yema del pulgar de la mano derecha va aplicando el método de presión, primero con suavidad por toda la cabeza para continuar por la línea media del cuero cabelludo (de la frente a la nuca), insistiendo en el acupunto baihui. A continuación se empleará el método de presión con el borde del pulgar en ambos lados de la cabeza.
- Se aplicará el método de presión en la frente con los dos pulgares, partiendo de los acupuntos yintang y wanzhu (entre las cejas) hacia los acupuntos taiyang (en las sienes). El método de deslizamiento con los pulgares se utilizará desde el punto yintong hacia los puntos taiyang, en los cuales se aplicará vibración. A continuación, se estimularán los puntos fengchi (detrás de las orejas).
- Se friccionan y se amasan con los pulgares los acupuntos fengchi, utilizando a continuación el método del pellizco desde la parte posterior de la cabeza hasta la nuca. Se usarán en el masaje ambas manos con el fin de pellizcar también los acupuntos jimjing.
- Utilizando el hurgamiento y vibración digitales, así como la presión con la punta del pulgar, se estimularán los acupuntos neiguan, hegu, zusanli y sanyinjiao de las extremidades.

Un segundo tratamiento que se propone puede llevarse a cabo en solitario, empleando técnicas de automasaje:

- Utilizando el pulgar, el índice y el dedo medio de ambas manos, se aplica un masaje de amasamiento alrededor de las órbitas de los ojos en sentido rotatorio, primero hacia el exterior y luego hacia el interior, siete veces en cada sentido.
- Con las puntas de los dedos medios se estimulan los dos puntos taiyang con un amasamiento rotatorio, primero se hará en el sentido de las agujas del reloj y a continuación en el sentido contrario: se realizarán 74 rotaciones cada vez.
- Con las puntas de los dedos medios, se parte del interior de las cejas hacia los acupuntos taiyang en las sienes, y después a lo largo del cuero cabelludo en dirección a los acupuntos fengchi (en el borde inferior de la región occipital).

- Con el borde de las palmas de las manos, se presiona firmemente sobre los dos lados de la cabeza, desde la frente hasta la nuca, repitiendo el movimiento 30 veces.
- Con los dedos pulgar, índice y medio de la mano derecha, se aplica el método del pellizco cinco veces desde la región occipital hacia la cara posterior del cuello.

Musicoterapia

«Sueño de amor», de Listz. «Serenata», de Schubert. «Himno al Sol», de Rimsky-Korsakov.

Shiatsu

El Shiatsu diferencia muchas clases de dolores de cabeza, que tienen diversas causas y por tanto requieren estrategias de tratamiento distintas. Difieren en gran medida en lo que se refiere a localización, duración y sensación. Sin embargo, casi siempre está presente un elemento de estrés, con tensión muscular en el cuello o los hombros y obstrucción del flujo sanguíneo a determinadas zonas de la cabeza.

El objetivo más importante será averiguar y eliminar la causa subyacente, pero el tratamiento del cuello, los hombros, la parte superior de la espalda y la zona afectada de la cabeza suele resultar muy útil, como lo es también un tratamiento integral del cuerpo.

Los puntos más efectivos son E 36, VB 20, VB 21, V 10, IG 4 y H 3. Para tratar la jaqueca conviene consultar a un especialista, aunque el punto TC 5 es útil en algunos casos.

Homeopatía

Dependiendo del tipo de dolor de cabeza, existen numerosos remedios homeopáticos:

CEFALEAS CONGESTIVAS		
Síntomas	**Mejoría/empeoramiento**	**Remedios**
Aparece a menudo tras una insolación y en la menopausia. Cara muy roja, con bochornos. Afecta a toda la cabeza. Dolor palpitante que predomina a veces en la frente o la parte trasera de la cabeza. Se asocia con hipersensibilidad de todos los sentidos.	Dolor que disminuye por la oscuridad y en el frío, se agrava por la luz y el calor.	Belladona.

CEFALEAS CONGESTIVAS		
Síntomas	**Mejoría/empeoramiento**	**Remedios**
Dolor en la parte trasera de la cabeza, se irradia hacia los dientes, con sensación de zumbido en la nuca, de martilleos en el cráneo y de zumbidos de oídos. Extremidades frías, cuero cabelludo doloroso. Alternancia brusca de palidez extrema y rubor extremo de la cara.	Mejoría por un movimiento tranquilo y al caminar despacio, después de levantarse. Persona friolera que generalmente se siente mejor en el calor, salvo por los dolores del cuello, la cara y los dientes, que mejoran por el frío.	*Ferrum metallicum.*
Dolores asociados con bochornos u oleadas de calor. Pulsación sanguínea visible en todos los vasos aparentes, sobre todo a nivel de las sienes y las carótidas.	El dolor disminuye por el frío y aumenta por el calor. El dolor aumenta también si la menstruación se retrasa y cuando aparece.	*Glonoinum.*
Dolor palpitante que comienza en la frente y se irradia hacia atrás de la cabeza, al levantarse por la mañana. Asociación con náusea, vómitos (que no lo alivian) y estreñimiento persistente.	El dolor disminuye con la presión (se pone una banda apretada) y aumenta por el ruido, la luz, el movimiento y durante la menstruación.	*Lac defloratum.*
Dolor pulsátil que se percibe en la frente. Cara roja, ojos inyectados. Asociación con náusea y vómito.	Alivio cuando sangra la nariz y al aparecer la menstruación.	*Melilotas offleinalis.*
Punzadas a nivel del occipucio como una descarga eléctrica. El cuello se siente lastimado.	El dolor aparece casi siempre de noche.	*Phytolacca decandra.*
Paciente enrojecido, sufre oleadas de transpiración abundante.	El dolor disminuye al presionar sobre el cráneo. Aumenta por el calor, al sol y por el movimiento.	*Veratrum virlde.*

CEFALEAS CONGESTIVAS		
Síntomas	**Mejoría/empeoramiento**	**Remedios**
Afecta a personas muy tensas, que sufren arteriosclerosis. Paciente lento, muy friolero, pálido y con sensación de pesadez en la cabeza o vértigo.	El dolor disminuye por el calor y aumenta por el frío.	*Baryta carbonica.*
Paciente extremadamente rojo. Dolor que nace en la nuca, se irradia por la cabeza y arriba de las órbitas. Oleadas de calor en la cara, pulsaciones. El dolor aumenta y disminuye con lentitud.	El dolor mejora al abrigarse bien, se agrava con la menor corriente de aire frío en la cabeza.	*Strontium carbonicum.*

CEFALEAS «DIGESTIVAS»		
Síntomas	**Mejoría/empeoramiento**	**Remedios**
Dolor de cabeza que aparece cuando hay indigestión. Sensación de pesadez en la coronilla. Lengua blanquecina.	Dolor de cabeza que disminuye al aire libre, en reposo, cuando el paciente vomita o tiene diarrea, y se acentúa al consumir vino y alimentos ácidos, por el calor y por los baños fríos (que pueden ser un factor desencadenante).	*Antimonium crudum.*
Dolor que se percibe insistentemente arriba del ojo derecho, que lagrimea. Sabor amargo en la boca, náusea y vómito. Dolor en el extremo inferior del omóplato derecho. Las conjuntivas, la piel y también las heces aparecen amarillentas.	Dolor aliviado por el reposo, agravado por el movimiento.	*Chelidonium majus.*

CEFALEAS «DIGESTIVAS»		
Síntomas	**Mejoría/empeoramiento**	**Remedio**
Migraña en los momentos de relajación, después de un trabajo intelectual. Dolor por arriba del ojo derecho. Regurgitaciones ácidas, vómito, salivación excesiva, diarrea. Las molestias desaparecen cuando el dolor llega al máximo.	El dolor mejora por un movimiento suave, se agrava después de consumir dulces y por la inmovilidad.	*Iris versicolor.*
Aparición por la mañana o después de una comida muy copiosa. El dolor se percibe en el occipucio o arriba de los ojos, acompañado de vértigo y náusea. Siente que el cerebro «le da vueltas».	El dolor disminuye cuando el paciente vomita y con el calor; aumenta con el frío.	*Nux vomica.*
Sensación de presión a nivel de los globos oculares, que mejora al aparecer el dolor, claramente localizado a la derecha. Se fija en un punto situado por arriba de la órbita. Asociación con acidez gástrica, trastornos oculares y, a menudo, sinusitis.	El dolor disminuye por el calor y aumenta por el frío.	*Kali bichromicum.*
Alternancia de dolor de cabeza y hemorroides. La cabeza está entumecida, «aturdida», con dolores palpitantes en el occipucio. Pesadez matinal.	Las hemorroides tienden a agravarse por la mañana.	*Aesculus hippocastanum.*
Dolor de cabeza que alterna con lumbago, trastornos intestinales o ginecológicos. Dolores en la frente con pesadez de ojos que obliga a cerrarlos parcialmente.	El dolor disminuye cuando el paciente cierra los ojos y por el frío; aumenta después de defecar.	*Aloe socotrina.*

CEFALEAS «DIGESTIVAS»		
Síntomas	**Mejoría/empeoramiento**	**Remedios**
Dolor muy violento «que parece como si quisiera hacer explotar la cabeza», como si la golpeara un martillo desde el interior. Asociación con estreñimiento.	El dolor disminuye cuando el paciente mantiene una inmovilidad absoluta y por una presión fuerte. Se agrava por el menor movimiento e incluso al abrir los ojos.	*Bryonia alba.*
Afecta a las personas de coloración amarillenta que sufren de estreñimiento crónico después de abusar de los laxantes. Dolor de cabeza que se siente en la parte izquierda de la frente.	El dolor disminuye por el frío y aumenta por el calor.	*Hydrastis cañadensis.*

CEFALEAS «DEL ESTUDIANTE»		
Síntomas	**Mejoría/empeoramiento**	**Remedios**
Dolor en la coronilla, de tipo opresivo, como «por un tapón en la cabeza», por arriba de las órbitas. Se asocia con problemas de memoria.	El dolor disminuye cuando el paciente come y reaparece después de la comida.	*Anacardium orientale.*
Sensación de que la cabeza estalla, sobre todo del lado izquierdo. Paciente de temperamento precipitado. Deseo de azúcar o chocolate.	El dolor disminuye en el frío y cuando el paciente se aprieta la cabeza con fuerza. Aumenta con el calor.	*Argentum nitricum.*
Afecta sobre todo a aquellos adolescentes que tuvieron un crecimiento muy rápido, con pérdida del apetito y peso.	El dolor disminuye por las aplicaciones de frío y aumenta por el esfuerzo.	*Calacarea phosphorica.*

CEFALEAS «DEL ESTUDIANTE»		
Síntomas	**Mejoría/empeoramiento**	**Remedios**
Sensación de que «la cabeza va a estallar», con sensibilidad del cuero cabelludo. Aparece después de una menstruación que ha sido extenuante.	El dolor disminuye por la presión fuerte y el calor. Se agrava por la menor corriente de aire y al cerrar los ojos.	*China officinalis.*
Sensación de golpes leves de martillo. La cara alterna entre el rubor y la palidez, con oleadas de calor.	Dolor que aumenta al calor.	*Ferrum metallicum.*
Dolores de cabeza asociados con sensación de hambre.	Mejoría por un movimiento moderado, al comer, al estar acompañado; agravamiento por el frío y el esfuerzo físico.	*Kali phosphoricum.*
Afecta a niños y adolescentes. Dolor de cabeza que aparece desde la mañana y llega a su máximo al mediodía. Dolor con sensación de «pequeños martilleos dentro del cráneo» precedido de trastornos de la visión. El paciente está fatigado, más delgado y busca el aislamiento.	El dolor mejora por el frío, aunque el paciente es friolero, y se agrava al menor trabajo intelectual, a la orilla del mar, al sol, con el calor, cuando se recibe consuelo.	*Natrum muriaticum.*
Agotamiento total por fatiga excesiva. Depresión: el enfermo ya no puede pensar y no le interesa lo que pase.	Mejoría al permanecer al calor y agravamiento bien por las sacudidas o bien por el ruido.	*Phosphoricum acidum.*
Afecta a los adultos. Total agotamiento intelectual. El paciente no puede trabajar y le gustaría quedarse acostado. El dolor se siente en el occipucio y se irradia a lo largo de la columna.	El dolor se calma por la presión intensa y al caminar en el aire frío.	*Picricum acidum.*

CEFALEAS «DEL ESTUDIANTE»		
Síntomas	**Mejoría/empeoramiento**	**Remedios**
Se siente un dolor ardoroso.	El dolor disminuye por el frío y, por el contrario, se agrava con el calor. Se desencadena a veces al meter las manos en agua caliente.	*Phosphorus.*
Migraña que aparece por excesiva falta de sueño, y que va acompañada en numerosas ocasiones de náusea e incluso de vómito.	Agravación por la luz más tenue, el ruido y el movimiento.	*Cocculus indicus.*
Migraña que está relacionada con fatiga ocular. Dolor en los ojos, que están enrojecidos, ardorosos y con dificultades para la acomodación.	Mejoría al estar acostado boca arriba.	*Ruta graveolens.*

CEFALEAS RELACIONADAS CON LA MENSTRUACIÓN		
Síntomas	**Mejoría/empeoramiento**	**Remedios**
Aparece durante la menstruación. Dolor de predominio izquierdo. Sensación de «tela de araña sobre la cara». Afecta sobre todo a quienes tienen menstruaciones dolorosas.	El dolor se agrava al consumir leche, cuando la paciente se inclina hacia adelante, a la orilla del mar.	*Bromium.*
Cefalea de tipo congestivo, antes de la menstruación. Frío en las extremidades y la cabeza. La menstruación se adelanta, es abundante y duradera; reaparece a la menor emoción.	Mejoría por el tiempo seco, al acostarse sobre el costado doloroso y, a menudo, cuando la paciente está estreñida. Agravamiento por el frío y el trabajo intelectual o físico.	*Calcarea carbonica.*

CEFALEAS RELACIONADAS CON LA MENSTRUACIÓN		
Síntomas	**Mejoría/empeoramiento**	**Remedios**
Dolor en el occipucio, con «sensación de algo que se abre y se cierra», de vacío en la cabeza. Debilidad intensa.	Agravamiento al ver movimiento y cuando se transporta a la paciente.	*Cocculus indicus.*
Dolor de cabeza palpitante que se agrava durante la menstruación o, en la menopausia, durante el periodo en que debería aparecer la menstruación. Comportamiento exagerado; la paciente tiene un humor cambiante y ríe fácilmente. Flujo menstrual oscuro, en forma de cordones o filamentos negros.	Mejoría al aire libre. Empeoramiento por el calor y durante la menstruación.	*Crocussativus.*
Aparece antes de la menstruación, sobre todo de noche. El dolor de cabeza predomina del lado izquierdo y mejora en cuanto aparece la menstruación. Dolor en el puente de la nariz, «que perfora la cabeza» al despertar. Presión y sensación de ardor en la coronilla. Asociación con trastornos de la visión (parpadeos, visión disminuida) y palidez de la cara.	El dolor disminuye por el frío, por la menstruación y por la secreción nasal. Aumenta por el calor y antes de la menstruación.	*Lachesis mutus* (remedio prescrito con frecuencia en la menopausia).
Aparece cuando la menstruación se retrasa. Dolor de cabeza que se siente en la frente, con lagrimeo del lado doloroso. Flujo menstrual pálido, poco abundante, intermitente.	El dolor se calma por las aplicaciones frías, se agrava por el calor. La paciente busca el aire fresco.	*Pulsatilla.*

CEFALEAS RELACIONADAS CON LA MENSTRUACIÓN		
Síntomas	**Mejoría/empeoramiento**	**Remedios**
Aparece sobre todo después de menstruaciones irregulares y abundantes. Dolor como martilleo.	Mejoría al aire libre y al asearse con agua fría. Empeoramiento por trabajo mental, hablar y por calor.	*Natrum muriaticum.*
Dolor palpitante que se siente por arriba del ojo izquierdo. Menstruaciones retrasadas y poco abundantes. Aparece en mujeres que presentan un síndrome premenstrual acentuado y se caracteriza por agravamiento del estado emocional durante la menstruación.	El dolor mejora con el ejercicio y empeora al despertar.	*Sepia officinalis.*
Tipo de migraña que aparece cada quince días o cada fin de semana. La enferma experimenta bienestar en la víspera de la crisis y tiene hambre durante el dolor de cabeza. La paciente es friolera y tiene poca esperanza de curarse. Mal olor del cuerpo.	Las migrañas se atenúan al abrigar bien la cabeza. Se desencadenan o se agravan por la menor corriente de aire.	*Psorinum.*

MIGRAÑAS CON DOLOR TÍPICO		
Tipo de dolor	**Síntomas**	**Remedios**
Sensación de estallido.	Cara roja aunque fresca: el dolor se agrava con la tos.	*Capsicum annuum.*
Sensación de hielo sobre la cabeza: frío glacial.	Como si gélidas «agujas de hielo perforaran de manera insistente la cabeza» de quien padece la migraña.	*Agaricus muscarius.*

MIGRAÑAS CON DOLOR TÍPICO		
Tipo de dolor	**Síntomas**	**Remedios**
Sensación de tener la cabeza más grande.	Dolor de cabeza congestivo con sensación de aumento del volumen de la cabeza. Mejoría al aire frío y al comprimir la cabeza fuertemente con un vendaje apretado.	*Cargentum nitricum.*
	Sensación de hinchazón, como si la cabeza se hiciera más voluminosa; de tener un gorro apretado que cubriera todo el cuero cabelludo.	*Berberis vulgaris.*
	Sensación de expansión.	*Bovista gigantea.*
	Sensación de crujido. El dolor disminuye después de haber comido y aumenta al hacer presión sobre la cabeza. El paciente está somnoliento.	*Nux moschatas.*
Sensación de clavo.	Sensación de clavo encajado en la frente.	*Thuja occidentalis.*
	Migraña con martilleo.	*Coffea cruda.*
	Dolor de cabeza como si arrancaran un clavo del costado. Dolor semejante a un calambre en el puente de la nariz. Dolores de cabeza congestivos después de un fuerte enojo o un estado de tristeza; agravamiento tras fumar o simplemente por el olor del tabaco. El sujeto inclina la cabeza hacia delante.	*Ignatia amara.*

MIGRAÑAS CON DOLOR TÍPICO		
Tipo de dolor	**Síntomas**	**Remedios**
Sensación de cabeza apretada.	Sensación de rotura o como si un casco de plomo oprimiera todo el cráneo.	*Eupatorium perfoliatum.*
	Dolor en casco, frontal, en banda alrededor del cráneo, «como si lo provocara un sombrero muy apretado». Aumenta por el ruido y disminuye al viajar en automóvil.	*Nitricum acidum.*
	Dolor de cabeza congestivo, pulsátil (de lateralidad derecha), periódico, con sensación de peso.	*Cactus grandifolius.*
	Sensación de que el cerebro pelotea y golpetea contra el cráneo al mover la cabeza.	*Rhus toxicodendron.*
	El dolor nace del occipucio para clavarse arriba del ojo izquierdo. Empieza por la mañana, llega al máximo a mediodía, mejora al anochecer.	*Spigelia anthelmia.*

Todos estos remedios deben tomarse en una disolución. Conviene tomar otra dosis después, si no hay mejoría.

Oligoterapia

Se recomiendan el cobalto y el manganeso.

Sales de Schüessler

Se administrará anhídrido silícico, cloruro sódico, fosfato magnésico y fosfato potásico.

Flores de Bach

Lo más indicado es brote de castaño, impaciencia, mímulo, castaño rojo y sauce.

Aromaterapia

Se recomiendan las siguientes esencias: cardamomo, cidronela, incienso, lavanda, manzanilla, mejorana, menta, naranjo amargo, rosa y romero. Resultan especialmente eficaces si se administran junto con un masaje terapéutico chino, aunque también pueden ser útiles en baños, evaporaciones o inhalaciones.

Hipnoterapia

El dolor de cabeza puede tratarse fácilmente mediante Hipnoterapia utilizando las técnicas de relajación y de autohipnosis.

Acupuntura

Los puntos destinados a tratar el dolor de cabeza son muy abundantes, y la elección de uno u otro dependerá en gran medida de los síntomas de cada paciente así como de las causas de la cefalea en concreto. Sin embargo, se pueden citar los acupuntos más frecuentes: fengfu, baihui, shangxing, shenting, fenglong, jiexi, touwei, xingjian, Taichung, shaoze, qiangu, yanggu, zhizheng, shaoshang, yongquan, sizhukong, tianzhu, fengmen, zanzhu, feiyang, fuyang, kunlun, shenmai, jinmen, jinggu, shugu, zutonggu, zhiyin, tongziliao, yangbai, fengchi, zulinqi, xiaxi, y zuqiaoyin.

Curación espiritual

Se recomienda el mismo tratamiento que para la hipertensión (ver Hipertensión). Se puede tratar el chakra de la frente y limpiar las energías negativas con la mano.

❏ DEPRESIÓN

DESCRIPCIÓN DE LA ENFERMEDAD

Estado emocional patológico que no debe confundirse con sentirse deprimido o triste a causa de algún acontecimiento concreto. La depresión se considera neurótica cuando la causa es un conflicto intrapsíquico identificable o una situación traumática, y psicótica cuando se trata de un conflicto intrapsíquico no identificable.

SÍNTOMAS

Los síntomas de la depresión incluyen una abrumadora sensación de vacío, una baja autoestima, frecuentes cambios de humor, insomnio, fatiga, desesperación, irritabilidad, comportamiento obsesivo e incluso tendencia al suicidio. También se dan algunos síntomas físicos como cefaleas, alteraciones digestivas o pérdida de libido.

TRATAMIENTOS

Musicoterapia

«Musica acuática», de Haendel. «Sinfonía n.º 8», de Devorak. «Concierto para piano n.º 5», de Rachmaninov.

Yoga

«Uddiyana-Bandha» o contracción abdominal:

- EJECUCIÓN. De pie, con las piernas separadas y ligeramente dobladas; las manos apoyadas en la parte superior de los muslos; el tronco ligeramente arqueado. Haga una inspiración completa y, acto seguido, mediante una exhalación forzada y rápida, vacíe por completo los pulmones. En este momento se contraen con fuerza los músculos del abdomen y se eleva el diafragma, de modo que el ombligo esté lo más cerca posible de la columna vertebral. Habiendo llevado todos los músculos lo más adentro y arriba posible, se realiza una contracción imitando el gesto de vómito, con lo cual las vísceras tienden a subir aún más hacia arriba; por ello es conveniente apoyarse firmemente con las manos en los muslos. Queda entonces una notable cavidad abdominal que se extiende desde el arco inferior de las costillas hasta la pelvis. Los músculos del cuello quedan también con este ejercicio automáticamente contracturados. Mantenga esta posición sin aire el tiempo que le sea posible, sin excesivo esfuerzo. Relaje entonces de golpe todos los músculos del abdomen, de la espalda y del cuello. Inhale despacio y, al exhalar, acabe de aflojar por completo todos los músculos abdominales. Haga unas cuantas respiraciones normales para que le sirvan de descanso.

- OBSERVACIONES. Este ejercicio puede repetirse de tres a siete veces por sesión.

- EFECTOS. Es estimulante de las ramas simpáticas del sistema nervioso vegetativo; tiene efecto vitalizador psíquico; eleva el tono afectivo y el dinamismo mental.

Fitoterapia occidental

A causa de su gravedad, la depresión debe de ser tratada por un psiquiatra o psicólogo, que optará entre la psicoterapia o los psicofármacos. Estos últimos, sin embargo, suelen tener efectos secundarios, de modo que en casos no muy graves puede ser recomendable sustituirlos por remedios naturales, aunque siempre con la aprobación de un médico.

El hipérico es una de las plantas más eficaces contra todo tipo de depresiones. Se recomienda tomarlo solo (cuatro tazas diarias de la infusión de 40 g de planta por litro de agua) o acompañado de otras plantas, como nenúfar, orégano y salvia. Los maniluvios, pediluvios y baños completos de 75 g de raíz de hierba de San Benito por litro de agua son igualmente útiles para tratar la depresión. Se pueden utilizar también las semillas de sésamo, y algunos tónicos generales para el organismo, como el ajo o el ginseng.

Fitoterapia china

La depresión puede ser la causa principal de un desajuste, pero también puede ser el resultado de otra enfermedad. Existen muchas posibilidades cuando alguien dice que está deprimido, desde sentirse bajo de moral hasta padecer una depresión clínica. Es muy normal que los individuos aquejados de una depresión severa tomen fármacos prescritos, pero deben mantener un seguimiento médico para evitar que su estado quede camuflado sin llegar a resolverse entre los fármacos y las hierbas.

Según la medicina tradicional china, habrá que conocer la causa de la depresión para poder tratarla con hierbas medicinales:

– Si hay estancamiento en el hígado, los síntomas serán: depresión, ira, irritabilidad, frustración, sensación de tensión en los costados y falta de descanso por las noches. La lengua puede estar malva o morada, y el pulso será fuerte. Se recomienda tomar la decocción para liberar el hígado con Yu Jin. Si se nota un sabor amargo en la boca o hay indigestión o estreñimiento, se añadirá Mu Dan Pi y Huang Lian.
– En caso de insuficiencia de yang, los síntomas más importantes serán depresión, cansancio y letargia, debilidad, sensación de frío, dolor lumbar y ganas frecuentes de orinar. La lengua estará pálida e hinchada, y el pulso será débil. Se prescribirá la decocción para fortalecer el riñón modificada con Yu Jin y Chai Hu.
– Para una insuficiencia en el bazo con humedad, los síntomas incluirán cansancio y letargia, dolor muscular, depresión, falta de concentración y memoria, inapetencia, deposiciones líquidas o diarrea y cefaleas generales. La lengua estará pálida e hinchada y presentará saburra pegajosa, y el pulso puede ser débil o fuerte. Se tratará con la decocción para limpiar el bazo a la que añaden Yu Jin y Chai Hu.

Shiatsu

Se administrará un tratamiento de Shiatsu general y abdominal, trabajando con el meridiano del bazo si existe una gran fluctuación en el nivel de azúcar en la sangre (cansancio por la tarde después de comer, por ejemplo) y el canal del riñón si hay indicios de un profundo agotamiento de energías. Los puntos GC 8 y E 36 pueden ser útiles para producir efectos a corto plazo. V 13, IG 10 y R 1 pueden utilizarse regularmente para inducir una vitalidad a largo plazo.

Homeopatía

Síntomas	Remedios
Paciente triste y pesimista, introvertido, arisco, siempre decepcionado por el prójimo.	*Sepia officinalis.*
Se alterna la hiperactividad con el sentimiento de ser todopoderoso. Depresión suicida, con el impulso de arrojarse por la ventana.	*Aurum metallicums.*
Paciente que reprime su indignación y su frustración, que se manifiestan por erupciones cutáneas y espasmos viscerales.	*Staphysagria.*
Paciente que se viene abajo en otoño y primavera, que sufre un sentimiento de vacío alternado con entusiasmo creativo.	*Phosphorus.*
Presencia de síntomas contradictorios, paradójicos. Llora con facilidad, pero olvida fácilmente las penas si se distrae. Cambios de humor paradójicos e histeriformes.	*Ignatia amara.*

Oligoterapia

Se recomienda el compuesto de cobre-oro-plata-litio-bario, así como el litio.

Sales de Schüessler

Se recetará cloruro sódico y fosfato potásico.

Flores de Bach

Según la causa y la naturaleza de la depresión, se prescribirán diversos remedios:

- Genciana: si la causa es conocida.
- Mostaza: cuando la causa es endógena.
- Cerasifera y olmo: cuando la depresión viene acompañada de nervios y ansiedad.
- Aulaga: cuando el motivo es físico.
- Castaño dulce: cuando se trata de una causa escondida.
- Violeta de agua: para combatir una causa reprimida.
- Olivo: cuando la depresión viene producida por una enfermedad prolongada.

Otros remedios generales son: sauce, alerce, centaura y nogal.

Aromaterapia

Las siguientes esencias están indicadas para tratar la depresión: albahaca, azahar, bergamota, geranio, jazmín, lavanda, manzanilla, melisa, menta, pachulí, pino, rosa, sándalo y ylang-ylang. La forma de administrarlas es muy variada, y puede consistir en masajes, baños, evaporaciones, inhalaciones o incluso por vía interna.

Terapia nutricional

Se procurará ingerir alimentos que contengan los siguientes elementos:

- Vitamina C: cítricos (limones, naranjas, pomelos), verduras (borrajas, ajos, cebollas), frutos tiernos (fresas, piñas, anacardos o papayas) y frutos secos.
- Ácido fólico: anacardos, espárragos, avena, coles, pimientos, naranjas, zanahorias, lechugas, tomates, manzanas, peras, almendras, patatas y espinacas.
- Triptofano: aminoácido considerado como el mejor relajante natural, ya que es el precursor de la serotonina, un neurotransmisor. Algunos alimentos que contienen este componente son el ajo, la cebolla, los anacardos, la avena, la col, las calabazas, castañas y cítricos en general.
- Calcio: además de la leche y sus derivados, otros alimentos ricos en este componente son los ajos, cebollas, coles, castañas, nueces, higos secos, manzanas, plátanos y aguacates.

Hipnoterapia

Las regresiones hipnóticas pueden ayudar a descubrir las causas profundas de la depresión. La autohipnosis y la sugestión pueden ayudar al paciente a sentirse mejor consigo mismo. Las técnicas de relajación pueden combatir algunos de los síntomas de la depresión.

Acupuntura

Se estimularán los siguientes acupuntos: shenmen, shenzu, fengfu, shangxing, shuigou, yinjiao, zusanli, fenglong, lidui, tinggong, houxi, yanggu, shaoshang, neiguan, laogong, yongquan, zhubin, zhongwan, juque, jiuwei, chengjiang, ganshu, shenmai, shugu, fengchi y yangjiao.

❏ ENFERMEDAD DE PARKINSON

DESCRIPCIÓN DE LA ENFERMEDAD

La enfermedad de Parkinson es un trastorno neurológico degenerativo y progresivo. Por lo general afecta a personas mayores de 60 años, aunque en ocasiones puede darse en personas más jóvenes. El curso de la enfermedad es progresivo, pero puede experimentar estancamiento y mejorías con adecuados tratamientos.

SÍNTOMAS

Se caracteriza por temblor en reposo, movimientos típicos de los dedos como si el paciente estuviera contando monedas, ausencia de expresión facial, forma característica de andar, flexión del tronco y debilidad muscular.

TRATAMIENTOS

Fitoterapia occidental

El Parkinson es una enfermedad extremadamente grave que debe ser tratada por médicos especialistas. Pero hay remedios naturales que pueden complementar el tratamiento ortodoxo. Se recomienda especialmente la mezcla a partes iguales de las siguientes plantas medicinales: cola de caballo, milenrama, romero fresco, salvia, árnica, abedul, bayas de enebro, pensamiento, flor de saúco, cálamo aromático y lampazo. Se tomarán tres tazas diarias de la infusión de 20 g de esta mezcla por litro de agua. Sería conveniente combinar este tratamiento con baños de asiento de cola de caballo, milenrama, romero fresco, salvia, enebro fresco, manzanilla y yema de pino.

Flores de Bach

Se recetará cerasifera.

Aromaterapia

El jengibre o enebro pueden ayudar a mejorar la circulación y la relajación muscular.

Gemoterapia y Cristaloterapia

La Fluorita es la más apropiada.

Cromoterapia

El verde es el color más recomendable.

❑ EPILEPSIA

DESCRIPCIÓN DE LA ENFERMEDAD

La epilepsia es un grupo de trastornos neurológicos causados por anormalidades en la actividad eléctrica del cerebro. La frecuencia de los ataques es muy variable.

SÍNTOMAS

Los diversos tipos de epilepsia se caracterizan por episodios de crisis convulsivas, trastornos sensoriales, anomalías del comportamiento y pérdida de conciencia.

TRATAMIENTOS

Homeopatía

Hay tres remedios homeopáticos que han demostrado su eficacia tratando la epilepsia: *Cicuta virosa, Cina* y *Cuprum metallicum*. Sin embargo, al tratarse de una enfermedad muy grave, se recomienda visitar a un especialista que recete un tratamiento específico.

Flores de Bach

Cerasifera ha revelado su utilidad como medicamento complementario.

Aromaterapia

Contra la epilepsia se recomienda el aceite esencial de lavanda.

Acupuntura

Se trabajarán los siguientes acupuntos: shenmen, shenzu, dazhui, yamen, fengfu, baihui, shangxing, shenting, shuigou, yinjiao, fenglong, chongyang, yaoqi, shixuan, dadun, taichong, tinggong, houxi, wangu, yanggu, xiaohai, wenliu, ximen, jianshi, neiguan, daling, zhongchong, yongquan, yingu, zhaobai, zhubin, zhongwan, shangwan, juque, jiuwei, sizhukong, huizong, xinshu, dushu, ganshu, weiyang, pucan, shenmai, jinmen, zutonggu y fengchi.

❏ HEMIPLEJIA

DESCRIPCIÓN DE LA ENFERMEDAD

La hemiplejia es una parálisis de un lado del cuerpo, un trastorno frecuente en gente de avanzada edad. Puede aparecer conjuntamente con un gran número de enfermedades, como lesiones de cabeza, angiopatía cerebral o tumor intercraneal, aunque la más común es la hemiplejia producida por un derrame cerebral.

SÍNTOMAS

Habitualmente aparece de forma súbita: hay alteraciones motoras y sensoriales en un lado del cuerpo y, a menudo, el ojo y la boca se tuercen hacia un lado.

TRATAMIENTOS

Masaje terapéutico chino
- Con el paciente tumbado boca arriba, se aplican masajes de fricción circular y de presión y fricción en los miembros del lado paralizado, aumentando poco a poco y desplazándose desde abajo hacia arriba.
- En la primera fase de la hemiplejia, cuando la parálisis aún es flácida, se usará el método de pellizco y el amasamiento de los músculos afectados por la parálisis.
- En los miembros inferiores, habrá que trabajar estos acupuntos: qichong, huantiao, juliao, fengshi, zusanli, yanglingquan, xuehai, weizhong, chengshan, taixi, kunlun y jiexi. En los mimbros superiores, se utilizarán los acupuntos quepen, jianliao, jianjing, quchi, chize, shaohai, daling, yangchi, yangxi, yanggu, shousanli y hegu. A todos se ellos se aplicarán los métodos de vibración y de hurgamiento digitales.
- Combinar las terapias de movimiento pasivo y activo resulta muy eficaz. Tomando uno de los miembros paralizados del paciente, se le pedirá a éste que haga todo el esfuerzo posible por moverlo, aunque en realidad será el propio masajista quien lo haga.
- Si la boca y el ojo están torcidos hacia un lado, se aplicará el método de fricción y amasamiento en el lado paralizado de la cara, así como presión con la punta del pulgar en los acupuntos taiyong, zuanzhu, jingming, yifeng, jiache y dicang.

Flores de Bach
Se recomienda administrar leche de gallina.

❏ HERPES ZOSTER

DESCRIPCIÓN DE LA ENFERMEDAD

Infección aguda producida por el mismo virus que la varicela, que permanece dormido a veces durante años después de la enfermedad infantil, pero que puede reactivarse.

TRATAMIENTO

Fitoterapia occidental
Lo más eficaz es la infusión de 40 g de equinácea por litro de agua: la dosis será de tres tazas al día. También se recomiendan las compresas de decocción de llantén.

Fitoterapia china
Se recomienda utilizar la pomada que se prepara con 20 g de Huang Lian. Moler la hierba muy fina y hacer con ella una pasta con un poco de plátano tropical. Guardar

en un frasco en la nevera y mantenerlo así durante una semana. Cubrir la zona afectada con la pomada y dejar cuanto sea posible. Repetir si es necesario.

Homeopatía

Se recomiendan los siguientes remedios:

- *Arsenicum album*: para individuos pálidos, delgados y frioleros que siente ansiedad por las noches. Presentan alternancia de manifestaciones cutáneas así como trastornos internos.
- *Natrum muriaticum*: especialmente indicado para niños y adolescentes.
- *Rhus toxicodendron*: personas cuyos síntomas incluyen un picor agudo que se calma con agua caliente.
- *Sepia*: mujeres delgadas y esbeltas, apáticas y pesimistas. Los síntomas empeoran al lavarse y con la humedad.

Flores de Bach

El remedio más indicado es nogal.

Aromaterapia

Contra el herpes zoster, se recomiendan las siguientes esencias, que se aplicarán preferentemente a modo de loción sobre la zona afectada: bergamota, eucalipto, lavanda, manzanilla, pachulí y árbol de té.

Naturopatía

(Ver Herpes labial.)

Terapia nutricional

(Ver Herpes labial.)

❏ INSOMNIO

DESCRIPCIÓN DE LA ENFERMEDAD

Se trata de la dificultad para conciliar el sueño. Puede deberse a multitud de factores tanto físicos como psíquicos, como son el estrés, la preocupación o la depresión, aunque influyen otros factores como la cafeína, el alcohol, los dolores físicos o algunos medicamentos. De cualquier forma, hay que considerar que las horas que cada persona necesita de sueño pueden variar, de modo que no se debe confundir el insomnio con una persona que requiera pocas horas de sueño.

SÍNTOMAS

El insomnio provoca fatiga diurna, irritabilidad, llanto y dolores de cabeza.

TRATAMIENTOS

Fitoterapia occidental
Para combatir el insomnio, se recomienda tomar media hora antes de irse a la cama la infusión compuesta, a partes iguales, por raíz de valeriana, flor de tilo, flor de lúpulo, flor de amapola, hierba luisa y flor de azahar. La dosis recomendada es de 50 g de la mezcla por litro de agua.

Musicoterapia
«Canon en Re», de Pachbell. «Preludio para la siesta de un fauno», de Debussy. «Nocturnos», de Chopin.

Fitoterapia china
Según la medicina tradicional china, el corazón es la sede de la conciencia individual, y aporta al ser humano la capacidad de relajarse y así poder dormir profundamente. El concepto chino de las dolencias cardíacas no debe confundirse con la idea de enfermedad cardíaca de la medicina convencional, ya que según el concepto oriental, es el corazón el que interviene a menudo en el insomnio debido a la presencia de calor, lo que a su vez produce o bien hiperactividad, o bien una insuficiencia. Otros detonantes pueden ser la falta de riego sanguíneo, que hace que la mente divague, o un desajuste hepático que produce cansancio. Detectar el origen exacto es esencial para elegir el remedio oportuno:

- Cuando el origen es una insuficiencia en el corazón, los síntomas serán palpitaciones, cansancio, falta de aire al hacer ejercicio y una tez amarillenta y pálida. Le lengua aparecerá pálida, delgada y con alguna grieta en la punta, y el pulso será rápido. Se recetará la decocción para nutrir el corazón.
- Cuando la causa del insomnio es calor en el corazón, los síntomas serán palpitaciones, agitación, ansiedad, insomnio, tez y mejillas rojas, orina oscura, sed y úlcera bucal. La lengua tendrá la punta roja y quizá una grieta, y el pulso será fuerte o débil según la gravedad. Se recomienda tomar la decocción para nutrir y calmar el corazón.
- Si el motivo del trastorno es insuficiencia de sangre, los síntomas serán: despertares súbitos, sueños movidos, ansiedad, piel y cabellos secos, cansancio, menstruación más larga de lo normal y estreñimiento con heces secas. La lengua estará pálida y seca y el pulso será débil. Se recomienda la decocción para nutrir la sangre.

- Cuando el insomnio se debe a un estancamiento en el hígado, los síntomas serán: mente demasiado activa al dormir, irritabilidad y cambios de humor, sueños, ataques de ansiedad y depresión. La lengua podrá estar malva o morada, y el pulso será fuerte. Se administrará la decocción para liberar el hígado a la que se añade Zao Ren.
- Cuando existe una insuficiencia de yin, los síntomas incluirán dificultad para conciliar el sueño, calores y sudores nocturnos, dolor lumbar, ganas de orinar de noche, sed y estreñimiento. La lengua aparecerá roja, con ronchas sin piel, y el pulso será fuerte o débil, pero siempre superficial. Se recomienda la decocción para nutrir el riñón.

Masaje terapéutico chino
- Con el paciente acostado boca abajo con una almohada colocada bajo las piernas y pies, se aplica el método de fricción con el pulgar en los acupuntos xinshu, geshu y shenshu de la espalda, continuando después en el punto yongquan de los pies.
- Con el paciente acostado boca arriba con la almohada bajo las rodillas, se aplica masaje en los siguientes acupuntos y siguiendo este orden preciso: sanyinjiao en las piernas, shenmen en la muñeca, baihui en el vértice del cráneo, y en la cresta occipital a partir del acupunto fengchi en dirección de yifeng, y de fengchi hacia fengfu en la línea medial occipital.

Shiatsu

Uno de los beneficios más comúnmente atribuidos al Shiatsu es que la calidad del sueño mejora después de un tratamiento, sea éste del tipo que sea. Durante el tratamiento, los pacientes quedan casi siempre extraordinariamente relajados, incluidos aquellos a los que normalmente les cuesta mucho conseguirlo. También en este caso es importante descubrir la causa subyacente de estos trastornos y afrontarla; sin embargo, el tratamiento de Shiatsu suele aportar una notable mejoría al problema del insomnio.

El tratamiento de todo el cuerpo es, sin duda, beneficioso, pero se puede prestar una especial atención a los meridianos del riñón y la vejiga, así como al tratamiento del abdomen y los pies, además de los puntos V 10, C 7, R 1 y B 6.

Homeopatía

Existen muchos remedios homeopáticos que sirven para combatir el insomnio. Para los diversos tipos de insomnio crónico suele requerirse un tratamiento constitucional, pero existen algunos remedios generales:

- *Arsenicum album*: recomendado cuando el paciente despierta a las 2 de la madrugada.

- *Sulphur*: el paciente se despierta a las 5 de la madrugada y luego no puede volver a dormirse.
- *Natrum muriaticum*: el paciente se siente bien al amanecer, pero desearía volver a dormirse a las 10 de la mañana.

Para las situaciones específicas, se recomiendan los siguientes remedios:

Causa desencadenante	Remedios
Gran tristeza súbita o previsión de situación de tensión.	*Gelsemium sempervirens, Ignatia amara, Natrum muriatlcum.*
Cólera.	*Chamomilla vulgaris, Colocynthis, Nux vomica.*
Alegría excesiva.	*Coffea cruda.*
Disputa.	*Staphysagria.*
Cólera.	*Calcarea carbonica, Colocynthis, Ignatia amara, Staphysagria.*
Miedo, terror.	*Aconitum napellus, Bryonia alba, Cocculus indicus, Ignatia amare, Pulsatilla, Rhus toxicodendron, Veratrum album.*
Falta de sueño (desvelo, cuidado de un enfermo, etc.).	*Cocculus indicus.*
Conversación muy animada.	*Ambra grisea.*
Abuso de las bebidas alcohólicas y agotamiento en un individuo muy activo.	*Nux vomica.*

Oligoterapia

Se recomienda tomar aluminio y litio.

Flores de Bach

Los remedios más frecuentemente indicados son agrimonia, impaciencia, verbena y castaño de Indias.

Aromaterapia

Se recomiendan: azahar, benjuí, enebro, lavanda, manzanilla, naranjo amargo, rosa, sándalo, verbena y ylang-ylang. Resulta útil pulverizar algo de esencia sobre la almohada antes de dormir, aunque también se pueden administrar en forma de baños relajantes, masajes o evaporaciones.

Terapia nutricional

Hay algunos alimentos que pueden ayudar a conciliar el sueño por las noches, especialmente aquellos que contienen los siguientes elementos:

– Vitaminas del grupo B: se encuentran en los cereales integrales, frutos secos y verduras.
– Vitamina C: presente en cítricos, pimientos y en el escaramujo.
– Calcio: legumbres, vegetales verdes y frutos secos.
– Magnesio: son ricos en magnesio las judías, las espinacas y el germen de trigo.

Hipnoterapia

La hipnosis regresiva puede ayudar a descubrir las causas del insomnio y a a combatirlas de una manera eficaz. Por otro lado, las técnicas de relajación y autohipnosis son extraordinariamente efectivas a la hora de lograr que el paciente consiga conciliar el sueño.

En algunos casos, el hipnoterapeuta podrá hacer una grabación que el paciente escuchará cada noche a la hora de dormir, sustituyendo así la autohipnosis por hipnosis sugestiva.

❏ MENINGITIS

DESCRIPCIÓN DE LA ENFERMEDAD

Se denomina meningitis a cualquier infección o inflamación de las membranas que recubren el cerebro y la médula espinal. Existen varios agentes patógenos que pueden causar este trastorno, así como otras causas como la irritación química. Dependiendo del tipo de meningitis, la gravedad será mayor o menor.

SÍNTOMAS

Se caracteriza por cefaleas intensas, vómitos y dolores y rigidez en la nuca. En los niños pequeños, produce fiebre alta, vómitos y en ocasiones también convulsiones.

TRATAMIENTOS

Fitoterapia occidental
Existen algunas plantas medicinales como el hipérico o la equinácea que pueden ayudar a potenciar el sistema inmunológico.

Flores de Bach
Tratamiento de choque para infecciones: cuatro gotas de manzana silvestre cada 10 minutos durante una hora, y después media hora de intermedio hasta normalizar.

Acupuntura
Se tratarán los siguientes puntos: sanyinjiao, yinxi, shenmen, baihui, shenting, yintang, neiguan, daling, taixi, zhaobai, xinshu y shenmai.

❏ NEURALGIA

DESCRIPCIÓN DE LA ENFERMEDAD

La neuralgia es un dolor causado por daño o irritación de un nervio periférico, es decir, que no esté ni en el cerebro ni en la médula espinal. Así, el dolor puede producirse en cualquier lugar del cuerpo, y puede ser suave o agudo. Las causas más habituales son el estrés, el herpes zoster, la inflamación de los nervios o el abuso de drogas.

SÍNTOMAS

La neuralgia es un síntoma en sí mismo: un intenso dolor como «de puñalada».

TRATAMIENTOS

Fitoterapia occidental
Beber dos tazas diarias de la infusión con 15 g de raíz de genciana, 20 g de romero, 10 g de cálamo aromático, 20 g de trébol de agua y 5 g de flores de árnica por litro de agua. Son efectivas las fricciones con aceite esencial de espliego en la zona afectada.

Homeopatía
Se recomiendan los siguientes remedios:

- *Aconitum napellus*: individuos fuertes con dolores que empeoran con el frío. Los síntomas aparecen de manera muy brusca.

– *Ammonium muriaticun*: tipo constitucional gordo.
– *Aranea diadema*: dolores de periodicidad semanal que mejoran con el tiempo seco.
– *Colocynthis*: tipo constitucional irritable. Empeora con la cólera reprimida.
– *Kalmia latifolia*: los síntomas empeoran por la noche y con el movimiento. El dolor suele aparecer en el lado derecho del cuerpo. Tipos delgados y nerviosos cuyos dolores empeoran con el frío.

Aromaterapia

Se recomiendan: alcanfor, anís, cayeputi, eucalipto, geranio, jengibre, manzanilla, mejorana y menta. Las formas más eficaces de administración son en forma de masaje, en inhalaciones o incluso de manera interna.

Naturopatía

Se recomiendan suplementos de vitaminas B, calcio, magnesio y potasio.

❑ PARAPLEJIA

DESCRIPCIÓN DE LA ENFERMEDAD

Proceso caracterizado por la pérdida de movilidad y sensibilidad en las extremidades inferiores. Puede afectar o no a los músculos dorsales y del abdomen, y ser completa o incompleta. La incidencia es mayor en varones con edades comprendidas entre los 16 y los 35 años. En muchos casos, la paraplejia puede ser fruto de una lesión traumática.

SÍNTOMAS

Los signos y síntomas pueden aparecer inmediatamente después del traumatismo, e incluyen la pérdida de sensibilidad, movimiento y reflejos por debajo del nivel de la lesión. En algunos casos el enfermo puede perder el control de la vejiga de la orina, del intestino y desarrollar disfunciones sexuales.

TRATAMIENTOS

Masaje terapéutico chino

Para tratar una enfermedad tan grave como la paraplejia, la medicina tradicional china recomienda en primer lugar que el paciente tenga fe y confianza en su curación, y en segundo lugar, que se establezca un vínculo entre paciente y terapeuta para que entre los dos vayan determinando objetivos y metas.

En cualquier caso, el masaje terapéutico se ha revelado como una de las técnicas que producen mejores resultados.

- Con el paciente tumbado boca arriba, se comienza utilizando los métodos de fricción circular, de presión y fricción, para continuar con el amasamiento, partiendo de la periferia para llegar al centro de la zona afectada.

- Si se trata de una parálisis espástica, el masaje será firme pero poco profundo.

- Si la parálisis es fláccida, el masaje puede ser algo más fuerte para que su efecto penetre hasta el músculo: se usará el método de pellizco y el amasamiento de los músculos afectados por la parálisis.

- Según la localización de la parálisis se trabajarán los acupuntos qichong, huantiao, juliao, fengshi, zusanli, yanglingquan, xuehai, weizhong, chengshan, taixi, kunlun y jiexi, aplicando los métodos de hurgamiento y de vibración digitales, así como el de presión con la punta del pulgar.

- Cuando haya incontinencia urinaria o fecal, se amasará y friccionará el abdomen, así como los acupuntos guanyuan, qihai y tianshu del abdomen, o los puntos dachangshu, xiaochangshshu y los ocho liao de la espalda.

- El masaje concluirá siempre con la flexión y la extensión pasivas de las articulaciones de la zona afectada, lo cual a la larga ayudará al paciente a recuperar el movimiento activo.

Flores de Bach
La leche de gallina puede actuar como remedio complementario.

❏ RESACA

DESCRIPCIÓN DE LA ENFERMEDAD

Malestar que se padece al despertar después de haber ingerido una cantidad excesiva de alcohol. Aunque difícilmente se puede calificar de enfermedad, sí se trata de una afección muy común que puede variar enormemente en grados de intensidad.

SÍNTOMAS
Los más frecuentes son cefaleas, náuseas, vértigo, debilidad, palidez y garganta reseca.

Fitoterapia occidental

Aunque el mejor remedio para la resaca consiste en evitar el consumo excesivo de alcohol. Si ya se padece el malestar puede tratar de aliviarse tomando la infusión de 50 g de jengibre fresco. Las infusiones de menta, tomillo y camomila también pueden contribuir a aliviar la resaca, así como la corteza de sauce.

Aromaterapia

Contra la resaca pueden resultar útiles los aceites esenciales de enebro, hinojo, romero y salvia, que se administrarán o bien en forma de masaje o bien disueltos en el baño.

Terapia nutricional

Se puede reponer la vitamina C perdida tomando un vaso de zumo de naranjas recién exprimidas al que puede añadir una cucharadita de zumo de lima y una pizca de comino molido. Se recomienda el caldo vegetal para reponer los minerales y los líquidos perdidos.

Naturopatía

Los siguientes suplementos pueden ayudar a aliviar las consecuencias del exceso de alcohol:

- Vitamina C: la dosis será de 3.000 mg diarios repartidos en tres tomas.
- Vitamina E: 400 mg diarias.
- Vitamina B1: se administrarán 300 mg diarios.
- Onagra: se tomarán 3.000 mg diarios repartidos en tres tomas.

BOCA Y NARIZ

La boca es la cavidad oral casi ovalada que se encuentra en el extremo anterior del tuvo digestivo, limitada hacia delante por los labios, que contiene la lengua y los dientes. Se compone del vestíbulo y de la cavidad oral propiamente dicha. El vestíbulo, situado delante de los dientes, está limitado hacia fuera por los labios y las mejillas, y hacia dentro por las encías y las piezas dentales. Recibe la secreción de las glándulas salivales parótidas y, cuando los maxilares están cerrados, comunica con la cavidad oral mediante una abertura situada por detrás de los molares y a través de las estrechas hendiduras existentes entre los dientes opuestos. La cavidad oral está limitada hacia delante y hacia los lados por las arcadas alveolares y los dientes, comunica por detrás con la faringe a través del istmo de las fauces y está cubierta por el paladar duro y por el blando. La lengua forma la mayor parte del suelo de la cavidad. El resto del suelo está constituido por la reflexión de las mucosas laterales y el fondo de la lengua, a nivel del tapizado gingival en la parte interna del maxilar. La cavidad bucal recibe secreciones de las glándulas salivales submandibulares y sublingual.

La nariz es la estructura que hace protrusión en la parte anterior del cráneo y sirve de paso para el aire que entra y sale de los pulmones. Calienta el aire, lo humidifica y filtra las impurezas que pueden irritar la mucosa de las vías respiratorias. También actúa como órgano del olfato y como órgano anejo en la fonación. Consta de una porción interna y de una porción externa. Esta última, que hace protursión desde la cara, es considerablemente más pequeña que la interna, la cual se sitúa sobre el techo de la boca. En su mucosa se encuentran las células olfatorias.

❏ AFECCIONES PERIODONTALES

Definición de la enfermedad

Se trata de enfermedades que afectan a los tejidos que rodean y sostienen los dientes. Las más frecuentes son la gingivitis (inflamación de las encías), la periodontitis (inflamación de la membrana periodontal) y los abscesos en las encías (o flemones).

Síntomas

Incluyen dolor al masticar, encías sangrantes, hinchazón, rojez, halitosis y en ocasiones dolor reflejo de oídos. Cuando se trata de una afección crónica, puede haber daño en la base del diente e inflamación y desprendimiento del tejido periodontal.

Tratamientos

Fitoterapia occidental
- Aloe vera: se harán gargarismos con el zumo de la planta diluido en agua.
- Apio: se recomiendan enjuagues con la decocción de la planta tierna.
- Árnica: se harán enjuagues bucales con la infusión de una cucharadita de planta seca por taza de agua. También se pueden utilizar 20 gotas de tintura disueltas en un vaso de agua.
- Equinácea: se recomienda hacer enjuagues bucales con el líquido de la planta fresca, o bien diluyendo 20 gotas de tintura en un vaso de agua.
- Castaño de Indias: se realizarán enjuagues con la decocción de 50 gramos de corteza en un litro de agua.

– Berro: se puede masticar la planta tierna.
– Malva y malvavisco: se harán enjuagues con la decocción de 20 gramos de cada planta en un litro de agua.
– Albahaca: se harán enjuagues con la infusión de un puñado de hojas frescas.

Homeopatía

La posología será de tres glóbulos en dilución, tres veces al día durante 48 horas. Suspenda el uso en cuanto haya remitido el malestar.

Síntomas	Factores de mejoría y de agravamiento	Remedios
Inflamación, hinchazón, supuración y salivación muy abundante.	Agravamiento notable del dolor por el aire frío, las corrientes de aire, el tiempo húmedo, el calor de la cama y la noche.	*Mercurius solubilis.*
Predisposición a los abscesos de encías. Encía esponjosa, muy sensible al tacto, que tiende a desprenderse de los dientes. Persona con tendencia a hablar mucho sin terminar sus frases, un tanto desconfiada.	Agravación por el calor, el sol, el uso de ropas con cuello apretado.	*Lachesis mutus.*
Encía sensible, hinchada, lengua «geográfica». La persona no tolera el sol y constantemente tiene sed. Deseo de comer sal y pescado.	Agravamiento por una temporada a la orilla del mar o, por el contrario, a veces mejoría a la orilla del mar.	*Natrum muriaticum.*
Encías hinchadas, que sangran al simple tacto, supuran y se desprenden de los dientes. Lengua agrietada.	Agravamiento por el aire frío.	*Phosphorus.*
Encías hinchadas, que sangran y se desprenden de los dientes. Dientes ligeramente móviles. Sensación de dientes alargados.	Mejoría al viajar en automóvil.	*Nitricum acidum.*
Dolores ardorosos. Paciente muy friolero, agotado, psicológicamente puntilloso y ansioso.	Agravamiento por la tarde y la noche.	*Arsenicum album.*

Cuando se padece gingivitis, lo más recomendable es hacer unos enjuagues bucales con tintura madre de *Calendula officinalis*: se tomarán 50 gotas disueltas en un vaso de agua tres veces al día.

Aromaterapia

Para la gingivitis, se prescribirán enjuagues bucales con mandarina, manzanilla, mirra, salvia y árbol de té.

Terapia nutricional

Los problemas periodontales pueden deberse a estados carenciales de vitaminas B y C; por tanto, se intentará ingerir alimentos que las contengan en abundancia, como las grosellas, los arándanos, la col o los cítricos en general.

❑ AFTA ORAL

Descripción de la enfermedad

Se trata de una infección producida por el hongo *Candida albicans*, que en este caso se desarrolla de forma excesiva en la boca.

Síntomas

Manchas blancas en las membranas mucosas de la boca que producen dolor.

Tratamientos

Fitoterapia occidental

Se recomiendan enjuagues bucales con la infusión de 20 g de salvia, 10 g de tomillo, 15 g de cola de caballo y 25 g de malvavisco en un litro de agua.

Cromoterapia

El más apropiado es el color verde.

Homeopatía

Existen muchos remedios para tratar las aftas orales: *Borax, Cantharis, Hydrastis canadensis* (personas débiles y delgadas), *Iodum* (individuo delgado, depresivo y fatigado), *Kalium bichromicum* (tipo constitucional gordo con gusto por la cerveza), *Kailum muriaticum* (individuos propensos a la celulitis) y *Sulfuricum acidum*.

Aromaterapia

El aceite de árbol del té o mirra diluido en agua y pasado alrededor de la boca tres veces al día puede ser efectivo. También se recomiendan las gárgaras de espliego, melisa y tomillo.

Terapia nutricional

Para acelerar la curación de las aftas orales, se deberán evitar los azúcares y los almidones refinados, así como el alcohol, el té y el café. Por otro lado, se incrementará la cantidad de frutas y verduras presentes en la dieta, así como legumbres y cereales integrales.

Naturopatía

Se recomiendan complementos de vitamina C, de ajo y de equinácea.

❑ AMIGDALITIS

DESCRIPCIÓN DE LA ENFERMEDAD

Se trata de una inflamación de las amígdalas, que aparecen de color rojo y cubiertas de puntos de pus. Es frecuente en la infancia, pero se produce a cualquier edad.

SÍNTOMAS

Dolor de garganta, fiebre, cefaleas, dificultad al tragar, mal aliento y tos seca.

TRATAMIENTOS

Fitoterapia occidental

Se recomienda hacer gargarismos con una infusión de salvia y manzanilla mezclada con zumo de limón. Para calmar el dolor y reducir la fiebre, se recomiendan decocciones de corteza de sauce y perejil. El hisopo y la equinácea pueden funcionar como antibióticos naturales, y las gárgaras con zumo de limón, vinagre de manzana y sal disueltos en agua caliente pueden ayudar a combatir los síntomas.

Homeopatía

Se recomiendan dos remedios principales:

- *Baryta carbonica:* especialmente indicado para niños y ancianos.
- *Hepar sulfur:* es útil en todas las personas.

En muchas ocasiones, la infección y la inflamación no afectan sólo a las amígdalas, sino también a la faringe, dando lugar a la faringoamigdalitis, que tiene diversos tratamientos en homeopatía:

Síntomas	Mejoría/empeoramiento	Remedios
Síntomas de aparición súbita y violenta. Garganta de color rojo intenso, hinchazón dolorosa de los ganglios, fiebre intensa con sed. Dolor al deglutir, a menudo más hacia la derecha, sensación de constricción de la garganta. Espasmo cuando la persona quiere tragar algo, regurgitación de los líquidos por la nariz. Rostro caliente, ruborizado, sudoroso. Decaimiento, a veces delirio.	Mejoría por el calor, agravamiento por el menor movimiento, por el tacto, la luz, el ruido y durante la noche.	Belladona.
Inicio más bien lento. Dolor de garganta que se acentúa por la tarde, la noche y al despertar. Garganta rojo oscuro con membranas. Fiebre moderada. Lengua hinchada, saburral, que conserva la impresión de los dientes. Aliento fétido, salivación abundante. Sudores profusos que no dan ningún alivio.	Mejoría por el reposo y al usar ropa de abrigo. Agravación por el aire frío, por las corrientes de aire, el calor del sol y durante la noche.	Mercurius solubilis.
Inflamación de instalación rápida, casi siempre a la izquierda que luego se extiende a la parte derecha de la garganta. Sensación de miga de pan, de mucosidad difícil de desprender, de constricción de la garganta. Intolerancia a todo contacto, necesidad de tener el cuello de la ropa muy abierto. Escalofríos y bochornos, transpiración, locuacidad y excitación inusuales por la tarde, pesadillas.	Mejoría al aflojar la ropa, por el fresco y al tragar alimentos sólidos. Agravamiento por las bebidas calientes, al tragar la saliva o líquidos y después de haber dormido.	Lachesis mutus.

Síntomas	Mejoría/empeoramiento	Remedios
Sensación dolorosa de cuerpo extraño en la garganta, imposibilidad para tragar los líquidos calientes, dolor en la base de la lengua, punzadas en los oídos, más a la derecha, al tragar. Rasgos rojo oscuro en los pilares amigdalinos. Fiebre elevada que se alterna con escalofríos, agujetas.	Mejoría por las bebidas frías, el tiempo caliente y seco y el reposo. Agravamiento al beber líquidos calientes, por la noche, al despertar y al moverse.	*Phytolacca.*
Dolores ardorosos y punzantes como de agujas ardientes. Garganta rojo vivo o inflamada (edema). Fiebre de aparición repentina, generalmente sin sed, con alternancia de calor seco y sudoración y necesidad de descubrirse y de aire fresco. En algunos casos, urticaria con comezón o picores ligeros por todo el cuerpo. Alternancia entre postración soñolienta y agitación.	Mejoría por las bebidas frías, el aire fresco, las aplicaciones frías. Agravamiento en una habitación muy caliente, por las bebidas calientes y el tacto.	*Apis mellifica.*
Faringoamígdalitis provocada por el frío, que empieza a supurar rápidamente. Hipersensibilidad al dolor. Dolor punzante, como una astilla, que tiende a irradiarse hacia los oídos. Aliento fétido, amígdalas y ganglios cervicales muy hinchados y sensibles. Fiebre moderada, escalofríos intensos a la menor corriente de aire, necesidad absoluta de abrigarse. Persona muy irritable, incluso violenta.	Mejoría por el calor en todas sus formas. Agravamiento por el frío en todas sus formas y al desabrigarse.	*Hepar sulphur.*
Inicio progresivo con antecedentes de fatiga. Hinchazón, supuración o ulceración de las amígdalas que suele iniciarse a la derecha. Dolor al despertar y boca seca.	Mejoría por el calor, las bebidas calientes y el reposo. Agravamiento por frío, al despertar y al caer la tarde (por la fatiga y la fiebre).	*Lycopodium clavatum.*

Sales de Schüessler

Se recomienda tomar cloruro potásico.

Aromaterapia

Se recomiendan los gargarismos con benjuí, bergamota, sándalo o tomillo.

Acupuntura

Se estimularán los acupuntos yongquan, rango, zahobai, hegu y shaoshang.

Naturopatía

Los suplementos de vitamina C pueden ayudar a acortar la duración de la enfermedad.

Terapia nutricional

Se prestará especial atención a los alimentos ricos en vitamina C, como los cítricos (naranja, limón, pomelo) y los pimientos.

❑ CARIES Y ABSCESO DENTAL

DESCRIPCIÓN DE LA ENFERMEDAD

La caries es un trastorno destructivo del diente producido por la interacción compleja de los alimentos (especialmente almidones y azúcares) con las bacterias que forman la placa dental. Este material se adhiere a la superficie de los dientes y constituye el medio en el cual crecen las bacterias que producen los ácidos orgánicos que destruyen el esmalte de los dientes. Una vez destruido éste, las enzimas producidas por las bacterias atacan al resto del diente. Si no se detiene, el proceso acaba por producir cavidades profundas con infección bacteriana que puede llegar hasta el nervio dental.

El absceso dental aparece casi siempre después de una caries. Se debe a una infección no tratada de la pulpa, tejido formado de nervios y vasos sanguíneos y situado en el interior del diente. Después de destruir la pulpa, la infección invade al hueso del maxilar o mandíbula.

SÍNTOMAS

El principal síntoma de la caries dental es el dolor, que variará de intensidad según la gravedad de la caries. Ésta también puede ser detectada a simple vista o por un médico especialista. Un absceso dental se manifiesta con enrojecimiento e hinchazón de la encía y, a veces, de la mejilla, además de dolor que molesta al masticar.

TRATAMIENTOS

Fitoterapia occidental

Aunque no existe remedio fitoterapéutico capaz de detener el proceso de destrucción dental una vez iniciado, sí existen plantas que pueden aliviar el dolor, como por ejemplo el hipérico, el tomillo y el brezo, que se administrarán en infusión de 25 gramos de cada planta en un litro de agua.

Homeopatía

Entre los numerosos remedios posibles, pueden mencionarse:

- *Baryta carbonica*: especialmente efectiva para niños que tienen problemas escolares o retraso en el crecimiento.
- *Calcarea carbonica*: niños con dentición lenta y difícil, o bien pacientes ansiosos, miedosos, frioleros, con intenso deseo de dulces.
- *Fluoricum acidum:* tipo constitucional materialista, a veces egocéntrico, en quien las caries evolucionan rápidamente, cuyos dientes se ennegrecen y pueden fracturarse, y a veces sufren fístulas en la encía.

Si lo que se desea es eliminar el clásico «dolor de muelas», los remedios recomendados son los siguientes:

Síntomas	Factores de mejoría y de agravamiento	Remedios
Dolor intermitente y pulsátil que afecta a un diente aparentemente sano. El paciente expresa su dolor con gemidos y un sentimiento de desesperación.	Mejoría por el agua fría en la boca. Agravamiento al comer y beber cosas calientes, por aplicaciones calientes, por el ruido.	*Coffea cruda.*
Dolor asociado con hinchazón de la mejilla; punzadas, sensación de contusión, de perforación, de tener un tornillo. Ansiedad por el dolor.	Mejoría por el agua fría, al acostarse sobre el costado doloroso. Agravamiento por el menor movimiento, durante o después de las comidas, al viajar, por todo lo caliente.	*Bryonia alba.*
Hipersalivación, hinchazón de la mejilla, irradiación del dolor al oído. El paciente expresa su dolor con enojo y llanto.	Mejoría al frotarse la mejilla, por aplicaciones calientes. Agravamiento noche en la cama, por el aire frío.	*Mercurius solubilis.*

Síntomas	Factores de mejoría y de agravamiento	Remedios
Dolor de aparición repentina, pulsátil, con hinchazón roja de la mejilla, que aparece a veces tras exponerse a una corriente de aire. El paciente expresa su dolor con agitación y gritos.	Mejoría al hacer sangrar la encía. Agravamiento por la menor sacudida, al beber café.	*Belladona.*
Dolor que aparece en un diente aparentemente sano, se irradia al ojo y se presenta a veces tras exponerse a una corriente de aire. Paciente que se resiste a consultar a un dentista porque teme a las intervenciones dentales.	Mejoría por el movimiento, al caminar, por el agua fría, por la aplicación de sal. Agravamiento al viajar en coche, en el calor de una habitación o de la cama.	*Magnesia carbonica.*

La posología será de tres glóbulos en dilución, que se repiten según sea necesario o no.

En muchos casos, la caries y los abscesos dentales llevan a la extracción de la pieza afectada, lo cual puede producir sangrado y dolor en los días posteriores. Ambos síntomas pueden tratarse desde el punto de vista de la Homeopatía:

Síntomas	Remedios
Sangre rojo brillante. Sensación de angustia.	*Arnica montana.*
Sangre negruzca. Persona inquieta y agitada.	*Arsenicum album.*
Dolor que mejora al aire libre y por las aplicaciones calientes.	*Bovista gigantea.*
Sangrado que persiste mucho tiempo; dolor que se agrava en una habitación caliente.	*Hamamelis virginiana.*
Sangrado que persiste mucho tiempo, de sangre negruzca.	*Kreosotum.*
Sangrado abundante, negruzco, que le da alivio a la persona.	*Lachesis mutus.*
Sangrado abundante, de sangre roja y líquida. Sin dolor.	*Millefolium.*
Sangrado abundante. Sed de grandes vasos de agua.	*Phosphorus.*

Síntomas	Remedios
Dolor en los otros dientes.	*Arnica montana.*
Dolor pulsátil asociado con inflamación.	*Belladona.*
Dolor ardoroso en toda la boca.	*Cantharis vesicatoria.*
Dolores que evocan el efecto de un ácido.	*Graphrtes.*
Dolor neurálgico por lesión del nervio, que mejora al acostarse sobre el lado doloroso.	*Hypericum perforatum.*
Dolor que se irradia a la cara, calmado por el calor.	*Nux vomica.*
Dolor asociado con una hinchazón muy importante de la encía.	*Silicea.*
Dolores que se sienten en todos los dientes y a veces se irradian al oído.	*Staphysagria.*
Rostro caliente, rojo y doloroso; los dolores se calman con el agua helada.	*Coffea cruda.*

Todos estos remedios se tomarán en una disolución, tres glóbulos cada hora hasta que desaparezca el dolor. Se interrumpe la medicación en cuanto se siente una mejoría.

Flores de Bach
Se recomienda tomar impaciencia.

❑ HALITOSIS O MAL ALIENTO

DESCRIPCIÓN DE LA ENFERMEDAD

Olor desagradable del aliento debido a una mala higiene bucal, existencia de infecciones dentales o bucales, ingestión de ciertos alimentos como el ajo o las bebidas alcohólicas o al consumo de tabaco. También se observa en ciertas enfermedades como la diabetes, que produce olor a acetona, o las afecciones del hígado, que por lo general provocan olor a amoniaco.

SÍNTOMAS

La halitosis es en sí un síntoma de otro desorden, no una enfermedad entendida como tal.

TRATAMIENTOS

Fitoterapia occidental

Existen varias plantas que, aplicadas en gargarismos y enjuagues bucales, pueden ayudar a tener un buen aliento. La más eficaz es la menta (de la que también se pueden masticar las hojas frescas), pero también se recomienda la raíz de cálamo aromático. Resulta igualmente eficaz hervir 10 g de anís, 10 g de alcaravea y 10 g de hinojo en un litro de leche, y hacer gargarismos cuatro veces al día.

Homeopatía

Entre los remedios más habituales, se encuentra *Ailanthus glandulosa, Árnica montana, Carbo vegetabilis, Kreosotum* y *Mercurios solubilis.*

Aromaterapia

Son afectivas las siguientes esencias, que se administrarán en forma de enjuagues y gárgaras: anís, bergamota, cardamomo, hinojo, limón, lavanda, menta y tomillo.

Terapia nutricional

El mal aliento puede deberse a una mala higiene dental, pero también a estreñimiento: por tanto, se procurará tomar una dieta rica en fibras. Por otro lado, se ha demostrado que la deficiencia de vitamina B puede originar halitosis; de ahí que se recomiende tomar cereales integrales (trigo, avena, cebada), frutos secos, verduras y levadura de cerveza, que contienen esta vitamina el abundancia.

❏ HERPES LABIAL

DESCRIPCIÓN DE LA ENFERMEDAD

Infección producida por el virus herpes simple, que ocasiona la aparición de pequeñas ampollas llenas de líquido de evolución transitoria y a veces dolorosa.

SÍNTOMAS

Los síntomas iniciales suelen ser sensación de hormigueo, quemazón o picor en torno a los márgenes de los labios y la nariz, que aparecen de una a dos semanas después del contacto con la persona infectada. Al cabo de algunas horas, en la zona irritada aparecen pequeñas vesículas, llamadas calenturas, que están llenas de líquido. Varias de estas calenturas suelen confluir para formar una ampolla. La infección suele venir acompañada de febrícula y aumento del tamaño de los ganglios linfáticos cervicales.

TRATAMIENTOS

Fitoterapia occidental

Para el tratamiento del herpes labial, se recomienda la decocción de un puñado de hojas de ortiga en un litro de agua, tres veces al día. También se puede utilizar la decocción de 25 gramos de hipérico en un litro de agua para lavar la zona afectada.

Cromoterapia

El verde es el color más apropiado.

Homeopatía

Existen dos remedios principales para tratar el herpes labial: *Borax* e *Hidrastis canadensis*. Este último es especialmente eficaz en individuos débiles y delgados que suelen tener la lengua sucia y grande.

Flores de Bach

Se administrará nogal.

Aromaterapia

Contra el herpes labial, se aplicarán masajes faciales o evaporaciones de las siguientes esencias: bergamota, eucalipto, lavanda, manzanilla, pachulí y árbol de té.

Naturopatía

Los siguientes suplementos han revelado su utilidad para tratar el herpes labial:

- Lisina: es un aminoácido efectivo para detener el avance del herpes. Se puede administrar en cápsulas (la dosis suele ser de 3.000 mg al día, repartidos en tres tomas), o por vía externa en forma de polvo aplicado sobre las heridas.
- Aloe vera: el gel o crema de aloe ayuda a aliviar los síntomas del herpes labial.
- Capsaicina: es un extracto obtenido a partir de la pimienta de cayena, que aplicado por vía externa puede reducir el dolor.
- Vitamina C con flavonoides: poseen propiedades antioxidantes ideales para evitar que el virus del herpes pueda rebrotar. Se administrarán 3.000 mg de vitamina C con la mitad de flavonoides cada día, repartidos en tres tomas.
- Calcio, magnesio y vitamina D: protegen los nervios y contribuyen a la cicatrización de las heridas. Se administrarán 1.500 mg de calcio, 750 de magnesio y 400 mg de vitamina D durante siete días.
- Vitamina A: posee propiedades antibacterianas y contribuye al buen estado de la piel. Puede administrarse por vía interna en cápsulas, acompañadas de 600 mg de selenio, o externamente en forma de pomada.

Terapia nutricional
Para tratar el herpes labial, se recomiendan los siguientes alimentos:

- Alimentos ricos en vitamina C: cítricos, col y otras verduras de hoja verde oscura.
- Alimentos ricos en vitamina E: higo chumbo y pimiento.
- Alimentos ricos en lisina: plátano, apio, col, papaya, zanahoria, lechuga, higo, uva, aguacate, patata, maíz, pollo y pescado entre los animales.
- Alimentos ricos en bioflavonoides: té verde, ajo, cebolla, pera, melón y mora.
- Alimentos ricos en zinc: apio, borraja, higo, patata, cacahuete, anacardo, girasol, cebolla y cereales integrales.

❑ LARINGITIS Y FARINGITIS

DESCRIPCIÓN DE LA ENFERMEDAD

Se trata de inflamaciones de la laringe y de la faringe, causadas o bien por una infección vírica o bacteriana o bien por una alergia.

SÍNTOMAS

Los síntomas suelen incluir ronquera, dolor, tos seca, garganta sensible e incapacidad para hablar por encima de un susurro. En ocasiones hay fiebre y malestar general.

TRATAMIENTOS

Fitoterapia occidental
Para tratarla, se recomiendan los gargarismos con salvia, tormentila y cincoenrama. También están recomendadas la caléndula, el tomillo y las hojas de frambueso, que se administrarán en forma de decocción de 15 gramos de cada planta por litro de agua, tras tazas al día.

Homeopatía

Síntomas	Tipo constitucional	Mejoría/empeoramiento	Remedios
Rinofaringitis infantil.	Niños excesivamente gordos.	Mejora con el tiempo seco y empeora con el frío y la luna llena.	Calcarea carbonica.

Síntomas	Tipo constitucional	Mejoría/ empeoramiento	Remedios
Ronquera, dolor de laringe que mejora al beber agua fría y tos seca.	Persona seca, morena, flaca, depresiva y comprensiva.	Mejora con el agua fría y empeora entre las 3 y las 4 de la madrugada.	Causticum.
Ronquera y tos seca.	Rubios de piel clara.	Mejora cuando el tiempo es el frío y empeora si hace mucho calor.	Pulsatilla.
Sensación de sequedad.	Niños y adolescentes.	Empeora si se está junto al mar.	Natrum muriaticum.
Los síntomas faringeos se alternan con las hemorroides.	Pletóricos venosos, lentos física y mentalmente, pasivos e irritables.	Mejora con el frío y empeora por la noche y con el movimiento.	Aesculus hippocastanum.
Faringitis y ronquera de los cantantes y oradores.	Agitados, delgados, fatigosos, miedosos y nerviosos.	Mejora con la exposición al aire libre y empeora con los dulces.	Argentum metallicum.
Sensación de tener una astilla clavada en la faringe.	Delgados, abatidos, impulsivos, temblorosos.	Mejora al exponerse al aire libre y empeora con el calor y los dulces.	Argentum nitricum.
Laringitis y sensación de tener la garganta en carne viva.	Todos los tipos.	Empeora con el calor.	Arum trphyllum.
Laringitis que ha aparecido bruscamente.	Todos los tipos.	Mejora con reposo y empeora con el ruido y el frío.	Belladona.

Oligoterapia

Se administrará bismuto o el compuesto cobre-oro-plata-selenio.

Sales de Schüessler
Se puede utilizar cloruro potásico o cloruro sódico.

Flores de Bach
Castaño rojo puede ayudar a aliviar los síntomas.

Aromaterapia
Para la faringitis, se recomienda utilizar cayeputi, ya sea en gargarismos, inhalaciones o en masaje en la zona de la garganta.

Acupuntura
Se trabajarán los acupuntos renying, sanjian, yuji y zhongzhu.

❑ SINUSITIS

DESCRIPCIÓN DE LA ENFERMEDAD

Inflamación de uno o más de los senos nasales. Puede ser una complicación de una infección de las vías respiratorias superiores, o tener un origen dental. También puede tratarse de una alergia, deberse a una alteración atmosférica (como sucede en los viajes de avión) o a un defecto estructural de la nariz.

SÍNTOMAS

Al inflamarse las membranas nasales, las desembocaduras de los senos en el interior de la nariz se obstruyen, acumulándose secreciones sinusales que producen presión, dolor, cefalea, fiebre e hipersensibilidad local.

TRATAMIENTOS

Fitoterapia occidental
Las siguientes plantas son útiles para tratar la faringitis y la laringitis:

– Eucalipto: se harán inhalaciones con la decocción de un puñado de hojas en un litro de agua.
– Equinácea: se administrarán tres tazas diarias de la infusión de 5 gramos de hojas secas por taza.
– Uña de gato: se recomienda tomar dos tazas diarias de la decocción de una cucharadita de planta seca en una taza de agua.

– Jengibre: se puede emplear la infusión de una cucharadita de la raíz seca por vaso de agua, dos vasos al día. Se puede añadir el zumo de medio limón para potenciar su efecto.

Se recomienda tomar tres veces al día la infusión de 5 gramos de cada uno de los siguientes ingredientes por litro de agua: abeto, eucalipto, menta, pino, primavera y verbena.

Fitoterapia china
Se recomienda el remedio patentado llamado Bi Yan Pian.

Cromoterapia
Se recomienda el azul.

Shiatsu
El tratamiento de los meridianos del pulmón y el intestino grueso suele resultar útil, incluyendo una atención especialmente a los puntos IG 4 y especialmente IG 20.

Oligoterapia
Se tomará bismuto y el compuesto manganeso-cobre.

Sales de Schüessler
Se administrará anhídrido silícico.

Aromaterapia
Se harán inhalaciones o evaporaciones con azahar, eucalipto, lavanda, limón, menta, pino o tomillo.

Homeopatía
La sinusitis recurrente requiere tratamiento constitucional, aunque los ataques pueden tratarse con los siguientes remedios:

– *Aurum metallicum.* Personas morenas con la cara roja oscura y la nariz con venillas. Los síntomas empeoran por la noche y mejoran en el verano.
– *Hepar sulfur.* Actúa en todos los tipos constitucionales. Los síntomas mejoran después de comer y con tiempo cálido y húmedo; empeoran con las corrientes frías.
– *Silicea.* Personas débiles, frioleras, despiertas y nerviosas. Los síntomas empeoran durante la menstruación y por la mañana, y mejoran con el calor y tiempo seco.

Prestando atención a los síntomas, se pueden recetar también los siguientes remedios:

Síntomas	Remedios
Pesadez en la frente, muchas veces hacia la izquierda, que se agrava por la mañana. Secreciones espesas, viscosas, filamentosas, amarillentas, con estrías de sangre. Obstrucción nasal.	*Hydrastis canadensis.*
Dolor alrededor de la órbita y en el pómulo, mucosidad espesa, adherente, pegajosa, secreción amarillo verdoso.	*Kali bichromicum.*
Secreción amarillo verdoso que irrita las narinas, de olor fétido; empeoramiento por el calor y por la luz. Dolor de oído. Aparece tras la exposición al frío húmedo.	*Mercurius solubilis.*
Secreción amarilla no irritante, sobre todo por la mañana, obstrucción nasal por la noche, pérdida del olfato, agravación por el calor.	*Pulsatila* (debe evitarse en caso de otitis).
Sinusitis sobreinfectada, secreciones espesas, purulentas, dolor intenso agravado por el frío.	*Hepar sulphur.*
Sinusitis sobreinfectada, persistente, que es mayor en otoño y primavera, en una persona fatigada, que necesita dormir, cuyas molestias disminuyen con el calor.	*Silicea.*
Sinusitis sobreinfectada, muy fétida.	*Pyrogenium.*
Dolor ardoroso en los huesos de la cara, que se irradia hacia la nariz.	*Mezereum.*
Dolor en el puente de la nariz, agravado por el frío.	*Kali iodatum.*
Dolor frontal mejorado por una presión intensa, agravado por el movimiento; sequedad nasal, sed intensa (la persona bebe grandes cantidades de agua fría), molestia respiratoria.	*Bryonia alba.*
Dolor en la frente y la sien izquierda, agravado cuando se detiene la secreción.	*Lachesis mutus.*

Acupuntura

Existen tres acupuntos principales para tratar la sinusitis: shangxing, yintang y yingxian.

❏ ÚLCERAS BUCALES

DESCRIPCIÓN DE LA ENFERMEDAD

Lesión en forma de cráter, circunscrita, que afecta a las mucosas de la boca, presentando puntos blancos, grises o amarillos y un borde rojo inflamado.

Es un trastorno muy común que puede aparecer sin ninguna razón aparente, aunque las causas más corrientes son el estrés y las lesiones por una dentadura postiza u ortodoncia mal encajadas.

SÍNTOMAS

Picor, dolor moderado y dificultad al masticar.

TRATAMIENTOS

Fitoterapia occidental
Una tintura de mirra aplicada a las úlceras debería de limpiarlas en 48 horas. Puesto que a veces son señal de una inmunidad disminuida, pueden ser aconsejables asesoramiento dietético y el uso de tónicos.

Homeopatía
Algunos remedios homeopáticos que se pueden indicar para combatir las úlceras bucales son: *Borax, Cantharis, Iodum, Kalium bichromicum, Nitricum acidum* y *Sulfuricum acidum.*

Aromaterapia
Se propone realiza enjuagues y gargarismos con geranio, limón, mirra y árbol de té.

Terapia nutricional
Hay una serie de consejos que se pueden seguir para evitar las úlceras bucales:

- Evitar los alimentos que favorecen o empeoran las úlceras de la boca, como las naranjas, los limones, el pomelo, la piña, los tomates, las ciruelas, las nueces, las cerezas, el chocolate y el vinagre.
- Moderar el consumo de alcohol y café.
- Evitar las comidas muy condimentadas.
- Evitar los chicles.
- Comer despacio, masticando bien los alimentos.

Entre las comidas recomendadas, hay que citar las manzanas, el yogur, los arándanos y el perejil.

Naturopatía

Existen algunos suplementos útiles para combatir las úlceras bucales:

- Vitamina E: en dosis de 400 a 800 mg diarias.
- Vitamina A: la dosis será de 25.000 a 50.000 mg diarias.
- Ácido fólico: la dosis recomendada es de 200 mg al día.

OÍDOS

Son los órganos de la audición. Cada oído está compuesto de:

- El oído externo es la estructura externa, consitituida por la oreja y el conducto auditivo externo. Las ondas sonoras son conducidas a través del oído externo hasta el oído medio.
- El oído medio, que se compone de cavidad timpánica y los huesecillos auditivos, además de la trompa de Eustaquio
- El oído interno es la compleja estructura que transmite con el nervio acústico.

❑ CERA EN LOS OÍDOS

DESCRIPCIÓN DE LA ENFERMEDAD

El cerumen es una secreción cérea de color amarillento o parduzco, producida por las glándulas sudoríparas presentes en el conducto auditivo externo con el fin de proteger al tímpano. El oído elimina de forma natural este cerumen, pero en ocasiones se produce un exceso del mismo.

SÍNTOMAS

Puede producir molestias, sordera e irritación con tendencia a desarrollar infecciones.

TRATAMIENTOS

Homeopatía

Hepar sulfur: puede ayudar a calmar el dolor.

Fitoterapia occidental

Las plantas más recomendadas son las siguientes:

- Almendro: el aceite de almendra puede ser útil para reblandecer los tapones y facilitar su posterior extracción; para ello, se aplicarán unas gotas de aceite de almendra en el interior del oído, que se tapará con un algodón. Se deja actuar durante toda la noche, y por la mañana se quita el algodón y se enjuaga el oído con agua caliente, utilizando una jeringuilla especial sin aguja.
- Olivo: el tratamiento anterior puede realizarse también con aceite de oliva.

Aromaterapia

El aceite esencial de manzanilla puede ayudar a disolver la cera.

❏ OTITIS O INFECCIONES DEL OÍDO

Descripción de la enfermedad

La otitis es una infección o inflamación del oído: normalmente, el bacilo se extiende desde la nariz y la garganta a través de la trompa de Eustaquio hasta llegar al oído. Existen tres clases fundamentales de otitis:

a) Otitis media:
- Otitis media aguda: inflamación secundaria a una infección por bacterias o virus.
- Otitis serosa: es consecuencia de un mal funcionamiento de la trompa de Eustaquio. Consiste en la acumulación de un líquido no purulento en el oído medio; se manifiesta con crisis agudas repetitivas o con reducción en la audición.
- Otitis crónica: se debe a la presencia de un foco infeccioso permanente en las cavidades del oído medio.

b) Otitis externa: es frecuente en las personas que abusan de los hisopos de algodón para limpiarse el conducto auditivo. Esto elimina totalmente el cerumen, que tiene una función protectora, y causa una abrasión en la piel del conducto.

c) Otitis interna o laberintitos: inflamación de los canales del oído interno.

Síntomas

Se caracterizan por un dolor muy intenso y, en ocasiones, por una sordera temporal o pérdida del equilibrio. Sin embargo, cada tipo de otitis tiene sus propios síntomas:

a) Otitis media:
- Otitis media aguda: en ausencia de tratamiento, evoluciona en cuatro etapas: otitis congestiva (tímpano rojo); otitis catarral (tímpano liso y opaco); otitis purulenta (tímpano abombado, que revela la presencia de pus en la caja del tímpano); y otitis perforada (una perforación espontánea del tímpano deja salir el pus hacia el exterior).
- Otitis serosa: puede tener dos formas: otitis mucosa, caracterizada por una perforación del tímpano y secreción asociada con episodios de rinofaringitis; y otitis colesteatomatosa, en la que aparece un quiste dentro del oído, que se manifiesta con secreción poco abundante y dolor sordo.

b) Otitis externa: los síntomas son comezón o picores, dolor de oído, a veces tan intenso que impide dormir, supuración más o menos fétida y dolor al mover el pabellón de la oreja.

c) Otitis interna o laberintitos: se caracteriza por vértigos.

Tratamientos

Fitoterapia occidental

Las infecciones de oído deben ser tratadas atacando directamente al bacilo causante de la infección, ya sea un virus o una bacteria. Sin embargo, hay algunas plantas que pueden utilizarse para reducir la inflamación y, por tanto, los síntomas. Se recomiendan especialmente las compresas de albaricoque, albahaca, malvavisco, llantén menor y nogal. También se pueden tomar tisanas de pie de león, corteza de sauce y laurel: ayudan a calmar el dolor y a bajar la inflamación.

Uno de los mejores remedios para el dolor de oídos es una bolsa de agua caliente cubierta con un paño y colocada cerca de la oreja. A continuación, se aplicarán unas gotas de aceite de oliva en el oído, y se adoptará una posición horizontal que ayude al aceite a penetrar.

Homeopatía

La Homeopatía tratará de forma diferente la infección de oído, según esté situada en el oído medio o en el externo.

a) Otitis media:
- La otitis aguda debe ser tratada por un especialista, aunque hay varios remedios que pueden usarse para calmar el dolor: *Aconitum napellus* (dolor ardoroso de noche, que aparece después de exponerse al frío), *Apis mellifica* (dolor súbito,

mucosa nasal congestionada), *Ferrum phosphoricum* (dolor irregular, fiebre baja), *Belladona* (dolor pulsátil y fiebre), *Kali bichromicum* (dolor lancinante, irregular, con secreción espesa verde amarillenta por la nariz).

– La otitis serosa requiere un tratamiento de fondo. Puede emplearse *Calcarea carbonica* en niños y adultos bajos, *Pulsatilla* en personas de piel clara con tendencia al llanto o *Silicea* para individuos delgados, despiertos y tímidos.

b) Otitis externa. Puede usarse *Petroleum* (comezón con el frío, piel húmeda, secreción acuosa, costras amarillentas), *Psorinum* (comezón intensa que no deja dormir, sobre todo en invierno), *Mezereum* (secreción espesa, fétida), *Graphites* (secreción espesa como miel, que se agrava por el calor). También se puede aplicar por vía tópica, varias veces al día, una solución alcohólica de *Calendula officinalis* a 60 °C.

Oligoelementos
Se recomienda el bismuto.

Sales de Schüessler
Podrá prescribirse anhídrido silícico y fosfato cálcico.

Aromaterapia
La otitis puede tratarse con los siguientes aceites esenciales: albahaca, cayeputi, hisopo, lavanda, limón, manzanilla y melaleuca.

Acupuntura
Se recomienda trabajar con los acupuntos jiaosun y ermen.

Cromoterapia
Se recomiendan los azules profundos e índigos.

Hipnoterapia
Dada la intensidad del dolor producido por las infecciones de oído, las técnicas de relajación y de autohipnosis pueden ser muy útiles para ayudar al paciente a sobrellevar la enfermedad.

Curación espiritual o Reiki
Se coloca el dedo corazón suavemente sobre la abertura del oído. Para ello, será necesario doblarlo. El dedo índice se hallará colocado sobre la cabeza y justo en frente del oído, mientras que los dedos anular y meñique se encontrarán apoyados detrás del oído.

No se debe olvidar tratar la zona inferior de las mandíbulas, en caso de dolor de oídos, mientras las trompas de Eustaquio se encuentren llenas de pus, fluidos y mucosidad.

❏ ZUMBIDO EN LOS OÍDOS

DESCRIPCIÓN DE LA ENFERMEDAD

Ruido, zumbido o pitido muy molesto que puede aparecer en un solo oído o en los dos. Hay que distinguir entre el zumbido momentáneo producido por alguna causa pasajera que se va cuando desaparece esta causa (un golpe muy fuerte en el oído) y el zumbido crónico que supone la existencia de alguna anomalía en el oído.

SÍNTOMAS

Zumbidos, ruidos, pitidos y silbidos en un oído o en los dos.

TRATAMIENTOS

Fitoterapia occidental
Usar muérdago, administrado en decocción de 5 g de hojas y ramas en una taza de agua, una sola vez al día. También se recomienda la infusión de 20 g de geranio, 30 g de jengibre y 30 g de semillas de sésamo en un litro de agua, tres tazas al día.

Homeopatía
Se recomiendan los siguientes remedios:

- *Salicylicum acidum.*
- *Antypirine.*
- *Cannabis indica.*
- *Carboneum sulphuratum.*

Terapia nutricional
Se recomienda consumir alimentos ricos en las siguientes sustancias:

- Alimentos ricos en zinc, como las espinacas, el apio, los higos o los pepinos.
- Alimentos ricos en potasio, como los plátanos y las nueces.

Naturopatía
Podrán administrarse los siguientes suplementos:

- Ginkgo: 120 mg diarios repartidos en tres tomas.
- Vitamina B6: 150 mg repartidos en tres tomas diarias antes de las comidas.
- Vitamina C: entre 1.500 y 5.000 mg diarios de vitamina C con bioflavonoides.
- Magnesio: 800 mg diarios repartidos en dos tomas durante las comidas.
- Zinc y cobre.
- Calcio: 500 mg diarios.
- Lecitina de soja: una cucharada diaria.

Acupuntura

Se tratarán los acupuntos baihui, tianchuang, tinggong, wangu, yanggu, jianzhen, yangxi, pianli, zhongchong, taixi, yifeng, jiaosun, ermen, waiguan, shaneshu, tinghui, fengchi, xiaxi y zuqiaoyin.

❑ VÉRTIGO

Descripción de la enfermedad

El vértigo es una sensación subjetiva de rotación o movimiento del cuerpo en relación con los objetos circundantes. Puede ocurrir a causa de una lesión del oído interno, del nervio vestibular (una de las ramas del nervio auditivo, que tiene la función de la audición y del equilibrio) o de los centros cerebrales que regulan el funcionamiento del vestíbulo. Un tipo específico de vértigo es el llamado enfermedad de Menière.

Síntomas

El vértigo puede producir mareos, náuseas, sudoración profusa, vómitos y, en algunas ocasiones, un deseo confuso de saltar al vacío. La enfermedad de Menière asocia los episodios de vértigo con sordera nerviosa, progresiva y acúfenos.

Tratamientos

Fitoterapia occidental

Las dos plantas más recomendadas para tratar el vértigo son la pasiflora (que se tomará en infusiones de 5 gramos por taza de agua) y la vincapervinca (50 gotas de tintura, tres veces al día).

Homeopatía

Entre los remedios más utilizados, hay que mencionar:

- *Cocculus indicus*: se utiliza para vértigo con sensación de embriaguez, náuseas y palpitaciones, agravados por los movimientos del entorno.
- *Conium maculatum*: vértigo al estar acostado, al darse la vuelta en la cama, al volver la cabeza o simplemente al mover los ojos. Especialmente útil en personas mayores.
- *Bryonia alba*: recomendada para vértigo con náusea, agravado por el menor movimiento, que aparece por la mañana, en una persona que necesita calma, que se aísla, irritable y ansiosa.
- *Argentum nitricum*: tipo constitucional delgado, abatido pero inquieto, impulsivo, con miedo a la gente. Vértigo que genera deseos de saltar.
- *Phosphorus*: individuos altos y delgados, así como adolescentes. El vértigo es más frecuente después de levantarse.

Flores de Bach
Se administrará scleranthus.

Naturopatía
Los siguientes complementos pueden ayudar a tratar el vértigo:

- Vitaminas C y A, con propiedades antioxidantes, previenen la influencia negativa de los radicales libres y mejoran la circulación. La dosis usual se establece en 1.500 mg diarios de vitamina C repartidos en tres tomas, y 400 mg de vitamina A.
- Complejo vitamínico B en forma de tableta: una tableta al día.

Terapia nutricional
Se recomienda seguir una dieta rica en vitaminas y minerales, preferiblemente procedentes de alimentos vegetales.

Es especialmente importante consumir productos ricos en potasio, cuya deficiencia es causante muchas veces de esta anomalía. Algunos alimentos ricos en potasio son las lechugas, patatas, tomates, espinacas, espárragos, melocotones y plátanos.

Acupuntura
La acupuntura puede ser extraordinariamente efectiva en el tratamiento del vértigo, ya que en general podrá equilibrar las energías que producen el desajuste que se traduce en vértigos y mareos.

Los acupuntos más utilizados son shenting, fenglong, jiexi, taiyang, yintang, xingjian, taichong, yanggu, zhizheng, quchi, neiguan, yongquan, feiyang, kunlun, shenmai, jinmen, shigu, zutonggu y xiaxi.

OJOS

El ojo es un órgano muy delicado y en cambio ha sido concebido para soportar muchos percances.

❏ BLEFARITIS

Descripción de la enfermedad

Inflamación de los párpados y los folículos de las pestañas. La blefaritis no ulcerativa puede estar causada por psoriasis, seborrea o una respuesta alérgica en forma escamas grasas sobre los bordes de los párpados y alrededor de las pestañas con engrosamiento de la piel. La blefaritis ulcerosa se debe a una infección bacteriana.

Síntomas

Los más habituales son enrojecimiento y costras de moco seco en los párpados.

Tratamiento

Fitoterapia occidental
Se aplicarán compresas empapadas en la decocción de 30 g de manzanilla, 10 g de eufrasia, 10 g de hinojo, 30 g de pétalos de rosa y 15 g de ruda en un litro de agua. También están recomendados los remedios prescritos para curar la conjuntivitis.

❏ CATARATAS

Descripción de la enfermedad

Trastorno progresivo del cristalino del ojo que se caracteriza por la pérdida de su transparencia. En su mayor parte se deben a alteraciones degenerativas, y casi siempre se desarrollan después de los 50 años de edad. La causa principal es genética, aunque también pueden desarrollarse por traumatismos o por la exposición a ciertos tóxicos.

Síntomas

Al principio producen visión borrosa, y luego un deslumbramiento difuso con las luces brillantes, distorsión de imágenes y visión doble. Se puede perder la vista.

Tratamientos

Fitoterapia occidental

Se recomienda la infusión de 15 g de milenrama, 20 g de menta y 30 g de saúco en un litro de agua, tres tazas al día antes de las comidas. Para uso externo, se aplicarán compresas empapadas en la decocción de 25 g de manzanilla, 30 g de saúco, una patata, medio pepino y 15 g de semillas de lino en un litro de agua.

Cromoterapia

El azul añil es recomendable.

Homeopatía

Los remedios más habituales contra las cataratas son:

- *Phosphorus:* cuando hay una sensación de bruma delante de los ojos.
- *Calcarea cabronica*: recomendada para los primeros estadios de la enfermedad.
- *Silicea*: recomendada en los estadios posteriores, cuando la catarata empieza a interferir con la visión.

Si no hay mejora en dos meses, consulte a su especialista homeopático.

Naturopatía

Se recomiendan suplementos de las vitaminas A, C y E y del mineral selenio.

Terapia nutricional

Se recomienda seguir los mismos consejos que en caso de vista cansada.

❑ CONJUNTIVITIS

Descripción de la enfermedad

Es una inflamación de la conjuntiva, que es la membrana mucosa que cubre la parte externa del ojo hasta la córnea y el revestimiento de los párpados. Suele estar causada por bacterias, virus, alergias o factores ambientales.

Síntomas

Se caracteriza por enrojecimiento de los ojos, secreción espesa, párpados pegajosos por las mañanas e inflamación indolora.

TRATAMIENTOS

Fitoterapia occidental

Se recomiendan especialmente los baños oculares con infusión de aciano o de pie de león. También están indicadas las compresas empapadas en la decocción de 10 g gramos de manzanilla, 5 g de aciano, 5 g de flor de saúco, 15 g de caléndula, 10 g de malvavisco y 20 g de eufrasia por litro de agua.

Homeopatía

Síntomas	Mejoría/empeoramiento	Remedios
Sensación de calor ardoroso en los ojos. La inflamación se acompaña a menudo de una rinitis ardorosa. Sensibilidad muy intensa a la luz del día o al sol.	Dolor y lagrimeo ácido que se alivia con aplicaciones de calor.	*Arsenicum album.*
Aparece a menudo después de un enfriamiento y asociada con rinitis o faringitis. Escurrimiento de lágrimas ácidas por la noche. La luz del día puede provocar dolor.	Los síntomas se acentúan de noche. La persona no tolera ni el calor ni el frío, en especial las corrientes de aire.	*Mercurios solubilis.*
Mirar fijamente causa dolor, lo mismo que una luz demasiado tenue. El dolor puede evocar sensaciones de pinchazo.	Se alivia al lavar los ojos con agua fría, pero no al aire libre. Los síntomas se agravan por el calor en todas sus formas.	*Apis mellifica.*
Conjuntivitis muy aguda, de aparición súbita. Sensibilidad exagerada a la luz.	Se alivia con la oscuridad. Cerrar los ojos aumenta la molestia. Los ojos lagrimean al aire libre o por la mañana.	*Belladona.*
Dolor agudo. Los párpados se pegan por la noche y al despertar, y lagrimean de día. Sequedad y comezón o picores en la comisura de los ojos.	Lagrimeo, especialmente al aire libre. A menudo se acompaña de rinitis.	*Alumina.*
Escurrimiento ácido. El borde de los párpados está hinchado. Lagrimeo intenso al aire y asociado con un resfriado. Dolor punzante y ardoroso a la vez.	Comezón o picores que mejora al frotarse los ojos. Se alivia al parpadear. El dolor tiende a atenuarse en la oscuridad.	*Euphrasia officinalis.*

Síntomas	Mejoría/empeoramiento	Remedios
Lagrimeos no ácidos, sobre todo de mañana, al aire libre y con el viento, favorecidos por un resfriado. Sensibilidad intensa a la luz artificial.	Ocurre sobre todo antes de la menstruación. La irritación se alivia al lavar los ojos con agua fría o con el aire frío y se acentúa por el calor en todas sus formas, lo mismo que al leer.	*Pulsatilla.*

Se tomarán tres glóbulos en dilución, tres veces al día.

Flores de Bach
Además de los lavados con manzanilla, se recomiendan manzana silvestre y nogal.

Aromaterapia
Aplicar compresas empapadas en agua caliente, en la que se han disuelto tres gotas de uno de los siguientes aceites esenciales: limón, manzanilla, rosa o salvia.

Naturopatía
Para mejorar la salud general de los ojos, se recomienda seguir los siguientes consejos:

- Leer siempre en lugares con buena luz y, a ser posible, con luz natural.
- Realizar paseos al aire libre para que los ojos entren en contacto con la luz solar.
- Evitar el estrés, así como el contacto de los ojos con la suciedad. Para ello, se mantendrá una higiene adecuada en las manos.

Además, se recomienda tomar suplementos de vitaminas A, B2, B3, B6 y C.

Cromoterapia
Es bueno colocar parches azul claro sobre los ojos para reducir el dolor y la inflamación.

❏ GLAUCOMA

DESCRIPCIÓN DE LA ENFERMEDAD

Trastorno que consiste en la elevación de la presión en un ojo debido a la obstrucción del flujo de salida del humor acuoso. El glaucoma agudo se produce cuando en un ojo existe un ángulo muy cerrado entre el iris y la córnea, de tal forma que la pupila se dilata y es el iris el que impide la salida del humor acuoso. El glaucoma crónico es mucho más frecuente y se cree que tiene origen genético.

SÍNTOMA

El glaucoma agudo produce dolor extremo en el ojo afectado, acompañado de visión borrosa, enrojecimiento y dilatación de la pupila. También puede haber náuseas y vómitos. El glaucoma crónico ocasiona la pérdida gradual de visión periférica.

TRATAMIENTOS

Fitoterapia occidental
El glaucoma debe ser tratado por un oftalmólogo, pero en cualquier caso, se puede compaginar la terapia ortodoxa con tisanas de cola de caballo, diente de león y raíz de zarzaparrilla. También se ha demostrado que la marihuana (preferiblemente administrada en infusiones o en cataplasmas) reduce la presión intraocular.

Fitoterapia china
Se recomienda la infusión de 5 g de Ju Hua. Ponga las flores en un cuenco y vierta encima agua hirviendo. Deje en reposo durante 10-15 minutos y luego coloque con cuidado. Utilice cuando se enfríe. Guarde en la nevera y deseche al cabo de dos días. Utilice como baño ocular cuando sea necesario. Si se tratan ambos ojos, tenga cuidado para evitar transmitir la infección. También se puede usar internamente.

Terapia nutricional
Se recomiendan los suplemenos de vitamina B l, vitamina A, vitamina C, cromo y zinc.

❑ ORZUELOS

DESCRIPCIÓN DE LA ENFERMEDAD

Furúnculo que aparece en el borde del párpado por infección de la glándula sebácea de una pestaña.

SÍNTOMAS

La bolsa de pus en la glándula sebácea produce dolor, rojez e hinchazón. Tras unos días, el orzuelo estalla aliviando la presión y causando la pérdida de la pestaña.

TRATAMIENTOS

Homeopatía

Síntomas	Mejoría/empeoramiento	Remedios
Borde de los párpados enrojecido. Tendencia a las erupciones supurantes y viscosas en la piel.	Recaídas a intervalos muy regulares. El ojo lagrimea cuando la persona lee. Se pega por la noche.	*Carboneum sulphuratum.*
Borde de los párpados enrojecido. Sensibilidad a la luz sin inflamación.	La molestia se agrava en una habitación caliente o a la luz. El ojo lagrimea al abrirlo mucho.	*Conium maculatum.*
Afecta al párpado inferior. Borde de los párpados enrojecido. Fotofobia. Sensación de calor en los párpados. Tendencia a las recidivas y a erupciones supurantes y viscosas en la piel.	Sensibilidad más acentuada a la luz del día que a la luz artificial. Los párpados se pegan por la noche.	*Graphites.*
Borde de los párpados enrojecido. Tendencia a las recaídas.	La molestia mejora por la aplicación de frío o por el aire fresco y se agrava por el calor. El ojo se pega por la noche.	*Pulsatilla.*
Afecta al párpado superior. Ojo seco al despertar por la mañana. Sensación de cuerpo extraño debajo de los párpados.	La molestia se agrava por la luz. Los párpados se pegan por la noche.	*Staphysagria.*
Sequedad de las comisuras del ojo. Sensación de frío en el ojo.	La molestia mejora por el calor y al cubrirse con la mano y se agrava por el aire frío.	*Thuja occidentalis.*
Sequedad del ojo por la mañana. Sensibilidad crónica a la luz y al aire frío. Tendencia a las recidivas.	La molestia mejora por el calor.	*Silicea.*

Se tomarán tres glóbulos en dilución, tres veces al día.

Fitoterapia occidental

Para tratar los orzuelos, se recomienda la decocción de 25 g de manzanilla, 10 g de cola de caballo y otros 10 g de tomillo en un litro de agua, que se aplicará en forma de compresas sobre los ojos tres veces al día. También pueden utilizarse las rodajas de patata a modo de emplastos, o el jugo de aloe vera como desinfectante.

Naturopatía

Se administrarán complementos de vitamina C y de otros antioxidantes para prevenir su aparición.

❏ VISTA CANSADA

DESCRIPCIÓN DE LA ENFERMEDAD

Aunque no es un término aceptado médicamente, se utiliza para describir la incomodidad producida por el uso prolongado de los ojos (lectura, trabajo de cerca, pantalla del ordenador) a causa de la fatiga del músculo extraocular que mantiene los ojos alineados.

SÍNTOMAS

Los síntomas incluyen una sensación de tensión alrededor de los ojos, dificultad para fijarse en objetos cercanos o lejanos y cefaleas.

TRATAMIENTOS

Fitoterapia occidental

Cuando se presentan los síntomas descritos, se recomienda aplicarse localmente rodajas de pepino, o bien compresas empapadas en la decocción de 25 g de corteza de encina, 30 g de eufrasia y 20 g de caléndula en un litro de agua, dejando que actúen durante 10 minutos.

También resultan eficaces las compresas empapadas en la decocción de 10 gramos de pétalos de rosa en 250 mililitros de agua.

Homeopatía

Se tomarán tres glóbulos en dilución 6 CH o 7 CH tres veces al día.

Síntomas	Mejoría/empeoramiento	Remedios
Fatiga de los músculos oculares tras un esfuerzo de atención. Sensibilidad a la luz en una habitación caliente. Dificultad para fijar la mirada. Las comisuras internas del ojo están hinchadas. Sensación de manchas delante de los ojos.	El dolor y la sensación de fatiga ocular mejoran al oprimir los ojos o al cerrarlos. Se agravan en una habitación caliente.	*Argentum nitricum.*
Ojos fácilmente fatigados por el menor esfuerzo. Calor y ardor en los ojos al fijar la mirada. Dolores de cabeza; inflamación y dolor en el globo ocular. Los objetos lejanos se ven borrosos; la vista falla por momentos. Las imágenes persisten en la retina mucho tiempo después de verlas. Percepción de manchas blancas delante de los ojos.	Los síntomas se acompañan de vértigo y náusea cuando la persona se aprieta los ojos. Irritación por la luz artificial.	*Jaborandi.*
Fatiga ocular asociada con sequedad e inflamación. Parpadeos frecuentes al aire libre y al sol. Cuando la persona lee, las letras se confunden.	En caso de fatiga intensa de los ojos, inflamación de las conjuntivas, acompañada de pesadez de los párpados.	*Mercurialis perennis.*
Fatiga ocular seguida de dolor de cabeza. Trastornos de acomodación (la capacidad de enfocar). Sensación de presión en el fondo de las órbitas y arriba de las cejas. Los párpados parecen golpeados. Sensación de tensión de los músculos oculares.	La fatiga se acompaña de un intenso dolor al leer. Ojos rojos que arden y duelen con los esfuerzos intensos (lectura de letra pequeña, costura).	*Ruta graveolens.*
Sensación de magulladura ocular que se acompaña de dolor de cabeza por esfuerzos de concentración (sobre todo en los estudiantes). Pesadez de los párpados. Debilidad y tensión de los ojos, que están como golpeados. Las letras se confunden. Los objetos parecen rodeados de un halo de fuego zigzagueante. Las imágenes persisten mucho tiempo en la retina. Sensación de ardor en los ojos, que están brillantes y a veces llenos de lágrimas.	Los ojos se agotan con la escritura y la lectura. Duelen cuando la persona mira hacia abajo.	*Natrum muriaticum.*

Flores de Bach
Para la vista, en general se recomienda clemátide.

Aromaterapia
El aceite esencial de romero está recomendado para la debilidad de la vista en general.

Terapia nutricional
Se recomienda consumir productos que contengan los siguientes elementos:

- Vitaminas del grupo B: pueden encontrarse en los cereales integrales, frutos secos y verduras.
- Vitamina A: se encuentra especialmente en la zanahoria, pero también en las espinacas, berros, borrajas, albahaca, calabazas, tomates y espárragos.
- Vitamina C: presente en los cítricos y en los pimientos.
- Vitamina E: se encuentra en los espárragos, la lechuga, los guisantes, las nueces, el germen de trigo o las semillas de girasol.
- Ácidos grasos esenciales (omega 6 y omega 3): se encuentran en los aceites de soja, girasol, maíz, germen de trigo y lino.
- Zinc: presente en el apio, los espárragos, los higos, las patatas y las berenjenas.

Naturopatía
Se recomienda especialmente la vitamina A, cuya deficiencia puede incluso llegar a provocar la ceguera. Las dosis necesarias de esta vitamina son de 4.500 mg en hombres y 3.500 mg en mujeres.

CABELLO

Como descripción médica del pelo podemos indicar que es un filamento de queratina constituido por una raíz y un tallo que se forma en un folículo de la epidermis. El desarrollo del polo atraviesa dos estadios: el anagénico o fase de crecimiento activo y el telegénico o fase de reposo. El pelo del cuero cabelludo denominado cabello, crece por término medio 1 mm cada tres días, mientras que el vello corporal y las pestañas lo hacen con más lentitud.

EL CUIDADO DEL CABELLO

El cabello es uno de los factores más importantes de la belleza. Al margen del corte y del peinado que se utilice, hay que tener en cuenta que un pelo sano es normalmente sinónimo de un pelo bonito; por lo tanto, hay que aplicarle algunos cuidados para mantenerlo lleno de vitalidad. Antes de describir tratamientos más específicos, conviene dar algunos consejos para el cuidado diario del cabello, especialmente indicados para el pelo largo:

1. El pelo es muy vulnerable cuando está mojado, por lo que no es aconsejable cepillarlo antes de que se seque.
2. Antes de secarlo, exprimir el exceso de agua con las manos, para después envolverlo en una toalla para que absorba el agua.
3. Desenredarlo suavemente con un peine ancho que no sea de plástico o con los dedos.
4. Nunca usar el secador con temperaturas muy elevadas.
5. Cambiar con frecuencia de champú, ya que el pelo se acostumbra y por lo tanto brilla menos.
6. No abusar de acondicionadores, sobre todo de los que tienen productos químicos.

LA LIMPIEZA NATURAL DEL CABELLO

Para mantener el crecimiento continuo del cabello, es muy importante mantenerlo limpio y bien alimentado. La contaminación, el humo del tabaco, el polvo o incluso los fijadores ensucian diariamente el pelo, impidiendo que respire adecuadamente y volviéndolo débil y quebradizo. Por tanto, es imprescindible lavarlo con frecuencia, aunque ésta dependa en gran medida del tipo de cabello que se posea y de las actividades que se realicen.

Los champús que contienen productos químicos a menudo perjudican al cabello a largo plazo, por lo cual es recomendable utilizar siempre productos naturales. Algunos de ellos incluso pueden prepararse en casa.

Para el cabello seco, se recomienda la decocción de medio kilo de melocotones en medio litro de agua. Cuando los frutos estén casi deshechos, se filtra el preparado y se le añaden 50 g de jabón neutro rallado.

Para el cabello normal, se puede preparar una infusión de 100 g de manzanilla en medio litro de agua, y se añaden 50 g de jabón neutro rallado. Si se posee el pelo graso, se utilizará la mezcla de medio litro de agua hirviendo, dos vasos de zumo de fresa, cinco gotas de aceite esencial de fresa y 50 g de jabón neutro rallado.

Como champú ligero, para cabellos especialmente delicados, se puede utilizar media taza de la decocción de 10 g de raíz de saponaria triturada en un litro de agua. Si se trata de un pelo quebradizo, se recomienda la decocción de 10 g de raíz de saponaria triturada, 10 g de cola de caballo y 10 g de hojas de romero.

Para todo tipo de cabellos, se recomienda usar una o dos veces a la semana un champú al huevo, de muy sencilla elaboración casera. Se prepara batiendo una yema de huevo, y mezclándola con una decocción que variará según el tipo de pelo, aunque siempre llevará 10 g de raíz de saponaria triturada y una cucharada sopera de zumo de naranja. Para cabellos rubios se añadirán 15 g de manzanilla y caléndula; para los castaños, 15 g de aloe vera, milenrama y clavo; para pelirrojos, 15 g de corteza de avellano, caléndula, clavo e hibisco; para cabellos negros, 15 g de malva, salvia y romero; y para cabellos blancos, 15 g de raíz de consuelda menor. La decocción se preparará en un litro de agua y se dejará hervir durante 20 minutos. Se utilizará una taza de ella por cada yema de huevo.

ACONDICIONADOR NATURAL PARA EL CABELLO

Los acondicionadores se utilizan después del lavado, y su finalidad es suavizar el cabello, darle brillo y hacer que el cabello enredado sea más fácil de peinar. Sin embargo, el uso habitual de productos que contengan ingredientes químicos puede acarrear problemas futuros en el cabello, que se debilita, se hace más fino y quebradizo o volviéndolo más graso de lo debido.

Los acondicionadores naturales no tienen ninguno de estos peligros. Pueden comprarse en herbolarios o tiendas especializadas, pero también pueden prepararse en casa.

Para cabellos normales, se recomienda el vinagre de manzana en el último aclarado o bien la decocción de 50 g de bayas de saúco por litro de agua, hervidas durante 20 minutos. Si se trata de cabellos secos, se puede utilizar una cucharada de vinagre de manzana y seis gotas de aceite esencial de manzanilla disueltos en medio litro de agua. En el caso de cabellos grasos, se puede preparar la infusión de una cucharada de menta fresca picada, 5 g de romero y el zumo de un limón en medio litro de agua. Para cabellos débiles y quebradizos, se recomienda la infusión de una cucharada de romero en medio litro de agua, mezclada con el zumo de un limón y 30 mililitros de cerveza sin gas.

También se pueden preparar acondicionadores específicos para los distintos colores del cabello. Así, para pelos rubios se utilizará infusión de manzanilla o zumo de limón; para cabello oscuro una taza de infusión de café mezclada con el zumo de un limón; y para pelirrojos o castaños se enjuagará el pelo con vino tinto.

MASCARILLAS PARA EL CABELLO

A igual que ocurre con la piel, el cabello también necesita que se le nutra y que se le quiten las células muertas. Esto puede hacerse con mascarillas, que se aplicarán una vez cada semana. Estos cuidados son especialmente importantes para los cabellos secos o grasos.

Para el cabello seco, existen tres recetas para hacer mascarillas naturales y caseras. La primera de ellas es de muy sencilla elaboración: basta con batir un huevo con aceite de almendras; se aplica en el pelo con un pequeño masaje, se envuelve con una toalla y se deja que actúe durante 20 minutos. Igualmente efectivo resulta el aceite de ricino, que se utilizará de idéntica forma, aunque esperando 30 minutos antes de aclararlo. También se puede utilizar medio vaso de aceite de oliva mezclado con diez gotas de aceite esencial de sándalo.

Las mascarillas para el cabello graso ayudan a reducir la actividad de las glándulas sebáceas del cuero cabelludo. Una primera opción consistiría en utilizar medio vaso de yogur mezclado con dos cucharadas de miel y tres cucharadas de zumo de limón. También se pueden batir dos yemas de huevo con una cucharada de bicarbonato sódico y medio vaso de agua. Especialmente eficaz suele ser la mascarilla de 30 g de fresas machacadas, a la que se le añaden tres cucharadas de leche y tres de miel.

❑ ALOPECIA O CALVICIE

DESCRIPCIÓN DE LA ENFERMEDAD

Ausencia total o parcial de pelo debida al envejecimiento normal, a un trastorno endocrino, a una reacción por fármacos, a la medicación anticancerosa (sobre todo quimioterapia) o a una enfermedad dermatológica.

SÍNTOMAS

Los primeros síntomas de calvicie consisten en una caída excesiva del cabello.

TRATAMIENTOS

Fitoterapia occidental

Para prevenir la caída anormal del cabello, o cuando empiezan a notarse los primeros síntomas, puede seguirse una serie de consejos:

- Consumir alimentos ricos en vitaminas del grupo B y E, lecitina y ácidos grasos, o incluso tomar suplementos de estas sustancias.
- Vigilar el colesterol, ya que el endurecimiento de las venas conlleva una afluencia insuficiente de sangre al cuero cabelludo.
- Evitar todo tipo de tratamientos químicos para el cabello, como tintes, lacas o acondicionadores.
- No consumir alcohol ni tabaco.
- Cepillarse el pelo antes de bañarse cada día.
- Aplicar un masaje capilar con las yemas de los dedos cada noche.
- Existen también una serie de tratamientos naturales contra la alopecia que pueden prepararse en casa. El más sencillo consiste en aplicar dos veces por semana zumo de cebolla o de ajo y limón, dejando que actúe durante toda la noche. Para ello, se envolverá la cabeza con una toalla de modo que no manche las sábanas.
- La cola de caballo tomada todas las mañanas en infusión de 30 g de tallos secos por litro de agua, revitaliza el cabello y previene su caída.
- Puede prepararse una loción capilar con la infusión de 10 g de hojas de ortiga, 10 g de hojas de nogal y 10 g de abrótano macho, mezclada con media taza de vinagre de manzana y 30 gotas de aceite esencial de romero. Esta loción se aplicará con un suave masaje dos veces al día.
- Igualmente eficaz resulta la decocción de 20 g de capuchina y 20 g de romero por litro de agua.

Fitoterapia china

Puede recomendarse la decocción para nutrir la sangre. También se recomienda la pomada que se prepara con 50 g de cada una de las siguientes hierbas: Chuan Xiong, Dan Shen, He Shou Wu, Bai Shao y Sheng Jian. Trocear las hierbas y colocarlas en un frasco con 500 ml (unas dos tazas) de alcohol puro, como el vodka. Después de dos semanas, colar el alcohol con un colador fino y guardar en una botella. Verter unas dos cucharadas del líquido en el cuero cabelludo y masajearlo con vigor usando las yemas de los dedos. Dejar durante al menos 15 minutos (hasta una hora como máximo); después lavar y acondicionar el cabello. La tintura se puede usar hasta dos veces por semana.

Homeopatía

Además de eliminar cualquier causa externa tóxica, el homeópata prescribirá un remedio de fondo, de acción general. Pueden citarse por ejemplo *China officinalis*, indicado en ciertos casos para personas en quienes los cabellos se han vuelto dolorosos al contacto después de una enfermedad muy debilitante, o *Phosphoricum acidum*, en caso de caída del cabello después de una gran tristeza. Si se presenta alopecia seborreica, se prescribirá *Selenium*.

Aromaterapia

Los siguientes aceites esenciales ayudan a combatir la calvicie: laurel, lavanda, romero, salvia y tomillo.

Terapia nutricional

Para evitar la calvicie, se procurará consumir alimentos ricos en los siguientes elementos:

– Alimentos ricos en zinc: los apios, los espárragos, las borrajas, los higos, las patatas, los plátanos y las berenjenas.
– Alimentos ricos en cobre: frutos secos, legumbres y soja.
– Alimentos ricos en hierro: apio, maíz, nueces, guisantes, espinacas, zanahorias y pepinos.
– Alimentos ricos en sílice: el arroz integral.
– Alimentos ricos en piridoxina: el aguacate, el trigo, la avena o el maíz.

Curación espiritual o Reiki

Se seguirá el mismo tratamiento explicado en el apartado de la otitis.

❑ CASPA

Descripción de la enfermedad

Exfoliación seca del cuero cabelludo causada por un desorden de las glándulas sebáceas. Puede ser resultado de factores, psicológicos, hormonales o de alimentación.

Síntomas

La caspa es fácilmente detectable a simple vista a causa de las típicas escamas blancas que se acumulan en los hombros.

Tratamientos

Fitoterapia occidental

Resulta recomendable tomar dos tazas diarias de la infusión de 25 g de bardana y 10 g de ortiga seca por litro de agua. Para casos graves, se impone el uso de un tratamiento externo, a ser posible elaborado con productos naturales y no con fórmulas químicas que puedan dañar el cabello a largo plazo. Incluso hay algunas recetas de preparación casera.

Así mismo, resultan muy eficaces los masajes con decocción de 100 g de apio por litro de agua, o bien el aceite de oliva, dejándolo actuar durante una hora. También se puede preparar un tónico anticaspa mezclando la infusión de 25 g de ortiga seca en dos litros de agua con la decocción de 10 g de abedul en medio litro de agua.

Fitoterapia china
Se recomienda la misma pomada que para la alopecia (ver apartado).

Homeopatía
La *Thuya occidentalis* puede ser de utilidad, especialmente en individuos sensibles y con tendencia a engordar.

Aromaterapia
Los siguientes aceites esenciales ayudan a prevenir la caspa: bergamota, lavanda, romero y árbol de té.

Terapia nutricional
Para prevenir la caspa, se recomienda consumir alimentos que contengan vitaminas del grupo B como espinacas, coliflor, levadura de cerveza y huevos.

PIEL

Es la membrana cutánea resistente y flexible que recubre toda la superficie corporal. Es el mayor órgano del cuerpo humano: mide de 1,6 a 1,9 metros cuadrados y pesa unos dos kilos. Es una cubierta a prueba de agua que proporciona así mismo protección contra parásitos, bacterias y virus e interviene en la regulación de la temperatura del organismo. Está compuesta de cinco capas: estrato basa, estrato espinoso, estrato granuloso, estrato lúcido, estrato córneo.

EL CUIDADO DEL ROSTRO

De todos los cuidados de belleza posibles, el más importante sin lugar a dudas, tanto para la mujer como para el hombre, es el del rostro. Nuestra cara está expuesta a multitud de factores que pueden dañarla, como el Sol, el maquillaje, el polvo o la contaminación, y por tanto, se hace imprescindible cuidarlo. Esto no tiene por qué significar una gran complicación: teniendo la precaución de mantener el cutis limpio, hidratado y nutrido, el rostro estará siempre en óptimas condiciones de salud y de belleza.

LOS PASOS BÁSICOS

Antes de nada, hay que aclarar que el cuidado del rostro requiere una rigurosa disciplina. De nada sirve aplicarse en un solo día todas las cremas y mascarillas posibles, y después olvidarse del cutis durante semanas enteras. La belleza es un trabajo de cada día.

Sería conveniente, por tanto, fomentar una especie de rutina de cuidados de la cara que se repita cada mañana y cada noche. Esta rutina debe contener cuatro procesos:

– La limpieza: el rostro debe mantenerse libre de todo aquello que dificulte su adecuada transpiración y, por lo tanto, debe lavarse adecuadamente todas las mañanas y todas las noches.
– Hidratación: ya que el cuerpo humano, incluida la piel, contiene un elevadísimo porcentaje de agua, conviene mantener la epidermis debidamente hidratada. Estas lociones, además, eliminan los restos de suciedad que hayan podido quedar y cierran los poros.
– Nutrición: además de las sustancias alimenticias que llegan a la epidermis por medio del torrente sanguíneo, es conveniente aplicar nutrientes por vía tópica. Con ello se mejora la suavidad y el color de la piel, y de esta forma se ayuda a mantenerla sana.
– Aplicación de mascarillas, que sirven principalmente como exfoliantes: retiran las células muertas de la piel, la rejuvenecen y evitan la aparición de granos y puntos negros. No es necesaria utilizarlas diariamente, aunque sería conveniente aplicar una cada semana.

Antes de utilizar las mascarillas, conviene asegurarse de que los poros de la piel estén bien abiertos, ya sea mediante saunas o baños de vapor.

LOS DISTINTOS TIPOS DE PIEL

No todas las pieles son iguales y, por tanto, no todas requieren el mismo tipo de cuidados. A continuación, detallaremos las «rutinas» que se deben seguir según el tipo de cutis que se posea.

PIEL NORMAL

Es sin ninguna duda el tipo de rostro que todo el mundo desearía tener: terso, suave al tacto, con poros pequeños y sin propensión a espinillas ni sequedades. A pesar de todo, la piel normal también es susceptible de enfermar y de envejecer, por lo que hay que cuidarla a pesar de todo.

Lo más importante es la limpieza diaria, que como ya hemos dicho, debe realizarse dos veces al día. Existen varias recetas naturales de fácil elaboración que se pueden usar para este cometido. En primer lugar, se puede preparar un jabón derritiendo al baño María 100 g de jabón neutro rallado, añadiéndole 20 g de miel y una cucharadita de aceite de almendras dulces. Antes de que se enfríe, se le da forma al jabón y se deja secar. También se puede elaborar una leche limpiadora triturando tres fresas silvestres, a las cuales se les añade una cucharada de margarina y una cucharadita de agua de rosas.

La hidratación diaria de la piel normal es también un factor imprescindible, ya que en él se encuentra el secreto de retrasar la aparición de las arrugas. Se puede optar por un tónico floral, preparado con 150 ml de agua mineral, una cucharadita de vinagre de manzana y tres gotas de aceite esencial de lavanda: se agita enérgicamente y se aplica dos veces al día, después de la limpieza facial, con la ayuda de un algodón. También se puede preparar un tónico de manzanilla con 100 ml de cada uno de los siguientes ingredientes: agua de rosas, infusión de manzanilla y agua mineral. Su uso es idéntico al del tónico anterior.

La nutrición es el último paso de los cuidados faciales. Recomendamos la crema de pepino para utilizarla durante el día: en medio vaso de zumo de pepino, se disuelve al baño María una cápsula de vitamina E, 15 g de cera de abejas, 25 g de bálsamo de copaiba y 10 g de manteca de cacao. Como crema de noche, se pueden mezclar al baño María los siguientes ingredientes: 20 cápsulas de vitamina E, media cucharada de aceite esencial de naranja, un vaso de zumo de naranja, un vaso de aceite de almendras dulces y 20 cucharadas de cera de abeja.

Para la piel normal, recomendamos dos tipos distintos de mascarilla. Se aplicará una a la semana, de forma alterna, justo después del lavado del rostro. La primera es nutritiva: se bate una yema de huevo, y poco a poco, como si se tratara de una mayonesa, se van añadiendo 250 ml de aceite de oliva y una cucharadita de zumo de limón. La segunda es exfoliante, y consiste simplemente en frotar contra el cutis, durante tres minutos, la cáscara de una papaya.

PIEL SECA

El cutis seco tiene un aspecto ligeramente mate y por las mañanas puede presentar escamaciones, tirantez y poros cerrados. Este tipo de piel es excepcionalmente sensible a los cambios del tiempo, y requiere cuidados intensos para retrasar el envejecimiento.

Para la limpieza de este tipo de piel, hay que tener especial cuidado con el jabón que se utiliza, ya que si es demasiado fuerte podría dañarla con facilidad. Se recomienda un jabón de coco preparado al baño María con 50 g de jabón neutro rallado, 40 g de aceite de coco, medio vaso de aceite de almendras y una cucharadita de miel de abeja. También se puede preparar una crema limpiadora con dos cucharadas de aceite de almendras dulces, 50 g de manteca de cacao y 15 gotas de aceite esencial de manzanilla.

Para hidratar la piel seca, se recomienda un sencillo tónico preparado con medio litro de agua de rosas, 250 ml de infusión de azahar y ocho gotas de esencia de limón. Existe otro tónico también muy eficaz cuyos ingredientes son dos vasos de agua mineral, una cucharadita de vinagre de manzana, tres gotas de aceite esencial de sándalo y tres gotas de aceite esencial de manzanilla.

El último paso de la limpieza facial diaria, la nutrición, puede hacerse en el caso de la piel seca con una crema preparada al baño María con un vaso de lanolina (de venta en herbolarios y farmacias), 12 cucharadas de cera de abeja, tres cucharadas de aceite de almendras y un vaso de zumo de papaya. Como crema de noche, se recomienda mezclar dos cucharadas de aceite de almendras, dos cucharadas de aceite de aguacate, 60 g de manteca de cacao, dos cucharaditas de miel y diez gotas de aceite esencial de sándalo.

Las mascarillas revisten especial importancia para las pieles secas, y deben aplicarse sin falta todas las semanas. Se recomienda mezclar una cucharadita de mantequilla, dos cucharadas de zumo de fresa y una cucharadita de leche. Como reafirmante, se puede elaborar otra mascarilla con dos cucharadas de harina de arroz, una cucharada de miel y una clara de huevo.

PIEL GRASA

Este tipo de cutis se caracteriza por ser brillante, propenso al acné y a la formación de puntos negros y con los poros muy abiertos. Sin embargo, hay que decir que es el tipo de piel más resistente a la aparición de arrugas. En este caso, son de especial importancia las limpiezas y las mascarillas, ya que son la mejor forma de eliminar la grasa que produce la epidermis.

Para la limpieza del rostro, que si es posible se realizará tres veces al día, se recomienda la crema de fresa, la cual se elabora mezclando un frasco de crema hidratante neutra, media taza de zumo de fresas, dos cucharaditas de miel de abeja líquida y una cucharadita de aceite de almendras. También es posible preparar un gel compuesto por dos cucharadas de aceite de almendras dulces, 50 g de manteca de cacao, 15 gotas de aceite esencial de manzanilla y dos cucharaditas de avena molida.

Para hidratar la piel grasa, se recomienda sencillamente aplicar con un algodón la decocción de 100 g de lechuga en medio litro de agua. Cuando hace mucho calor, se puede utilizar la mezcla de medio vaso de agua mineral, una cucharadita de vinagre de manzana, cinco gotas de zumo de limón y tres gotas de aceite esencial de lavanda.

En cuanto a la nutrición de la piel grasa, se recomienda usar diariamente una crema elaborada con 250 ml de crema neutra, medio vaso de zumo de naranja y medio vaso de aceite de almendras. Existe otro preparado que debe aplicarse solamente tres veces a la semana y que consiste en medio vaso de zumo de limón, diez cucharadas de aceite de coco, una cucharadita de esencia de limón y medio vaso de decocción de cincoenrama.

Como mascarilla, se recomienda preparar una infusión de 50 g de hojas de menta en medio litro de agua, a la cual se va añadiendo poco a poco avena molida hasta que quede una pasta más o menos densa. También se puede aplicar medio vaso de zumo de pepino mezclado con una cucharada de miel y 3 g de azufre. Resultan igualmente eficaces las rodajas de naranja aplicadas directamente sobre la cara durante 20 minutos.

PIEL MIXTA

Generalmente, este tipo de cutis es graso en la frente, la nariz y la barbilla, y seco en el resto de la cara. Requiere cuidados que tengan la doble función de hidratar la piel y controlar el exceso de grasa.

Para la limpieza diaria, se recomienda enérgicamente utilizar yogur natural, ya que es apto para todos los tipos de piel. También se puede elaborar una leche limpiadora con una taza de crema neutra, media taza de zumo de pepino, una cucharadita de miel y medio vaso de aceite de almendras.

Como hidratante, se utiliza la infusión de 30 g de semillas de lino en medio litro de agua, a la que se le agregará una cucharadita de agua de rosas y otra de glicerina. Como tónico para poros abiertos, se recomienda aplicar vodka con un algodón sobre la frente, la nariz y la barbilla.

Como crema nutritiva para el día, podemos mezclar al baño María 25 cucharadas de cera de abejas, diez cápsulas de vitamina A, un vaso de zumo de naranja y un vaso de aceite de oliva. Para la noche, se recomienda la crema de rosas preparada con un vaso de lanolina, 12 cucharadas de cera de abejas, un vaso de agua de rosas y diez cucharadas de aceite de almendras.

Como mascarilla (que debe utilizarse incluso dos veces a la semana), se recomienda mezclar una manzana rallada, una cucharada de yogur, dos cucharaditas de zumo de limón y una cucharada de miel. También resulta muy eficaz masajear el rostro con tres cucharadas de semillas de avena trituradas disueltas en seis cucharadas de leche fresca.

PIEL SENSIBLE

Este tipo de cutis es muy difícil de tratar, ya que se muestra muy susceptible a los cosméticos, al Sol o a los cambios de clima. Suele aparecer unida a la tez muy blanca o a la abundancia de pecas.

Los cuidados para este tipo de piel deben ser especialmente suaves, de modo que no se corran riesgos de irritación o urticarias.

Para la limpieza diaria, se recomienda mezclar al baño María 100 g de jabón neutro rallado y 200 ml de infusión de manzanilla. También puede utilizarse la leche limpiadora elaborada con 50 g de almendras trituradas hasta formar una pasta, dos cucharadas de agua y 25 g de azúcar moreno.

Como hidratante de la piel sensible, se recomienda mezclar 250 ml de agua de rosas con 100 ml de glicerina. También está muy recomendado aplicar a modo de tónico, con un algodón, una infusión muy concentrada de manzanilla.

Como crema nutritiva de día, se pueden mezclar los siguientes ingredientes hasta formar una pasta: un vaso de zumo de uva, un vaso de nata y medio de glicerina. En cuanto a mascarillas, existen tres recetas de muy sencilla elaboración. La primera lleva un tercio de zumo de pepino y tres cucharadas de miel; la segunda, una manzana rallada, tres cucharadas de miel y un vaso de leche; y la tercera, un melocotón triturado, tres cucharadas de miel y un vaso de leche.

CONSEJOS NATURALES PARA EL AFEITADO

El afeitado es una rutina que la mayoría de los hombres tiene que repetir cada día; en total, se calcula que el hombre promedio pasa unas 3.000 horas de su vida afeitándose. Una actividad tan importante (al menos en tiempo) requiere unos consejos que puedan hacerla más fácil, agradable y eficaz.

– Conviene afeitarse después de la ducha, ya que los poros están más abiertos y por tanto el cutis sufre en menor medida. Para pieles especialmente sensibles, se recomienda aplicar una toalla caliente sobre la cara durante uno o dos minutos.

- Se utilizará la cantidad justa de jabón: la cantidad en este caso no tiene ninguna relación con la calidad. Se aplicará sobre la piel en pequeños movimientos circulares.
- Se esperará un minuto a que el jabón actúe, reblandeciendo la barba de modo que el afeitado resulte más cómodo y apurado.
- Para obtener un afeitado realmente apurado, conviene hacerlo dos veces: la primera hacia abajo y después hacia arriba. Por supuesto, hay que volver a aplicar el jabón antes de afeitarse por segunda vez.
- Una vez terminado el proceso, es muy importante que se cierren los poros, sobre todo para prevenir posibles infecciones. Se hará primero con agua templada, y después con fría. Si se sangra un poco, se puede aplicar una toalla con agua muy fría durante unos segundos.
- Una vez secada la piel cuidadosamente, es muy importante hidratarla. En ningún caso se utilizará una loción con alcohol, que daña e irrita el cutis. Se empleará una crema hidratante específica para nuestro tipo de piel (sensible, grasa, seca, etc.). También se puede optar por una receta natural: se mezcla vinagre de manzana con salvia y romero y se deja macerar durante nueve días.

EL CUIDADO DE LAS MANOS

Tener unas manos cuidadas es una de las primeras señales de la belleza. Esto es particularmente difícil, teniendo en cuenta que éstas están siendo constantemente utilizadas y sometidas a todo tipo de agresiones externas.

Entre los cuidados básicos de las manos, hay dos que debemos destacar:

- Limpieza: después de realizar cualquier actividad, es muy conveniente lavarse las manos. Esto debería hacerse con un jabón suave que no dañe ni reseque la piel, como el que se prepara con la decocción de 50 g de saponaria y 25 g de copos de avena en medio litro de agua.
- Hidratación: la piel de las manos se seca con muchísima facilidad, de modo que es importante hidratarla al menos dos veces al día y cada vez que se laven las manos. Para uso diario, se puede preparar una mezcla de 20 g de aceite de oliva, 20 g de aceite de prímula y 10 gotas de aceite esencial de sándalo.

Al margen de estos cuidados diarios, una vez a la semana conviene realizar un tratamiento especial para las manos: la manicura.

Obviamente, ésta puede ser profesional y siempre dará muy buenos resultados, pero también puede hacerse en casa utilizando productos naturales:

1. Si se llevan las uñas pintadas, eliminar cualquier residuo de esmalte que se pudiera tener.
2. Limarse las uñas hasta que adquieran la forma y el tamaño deseados. Esto es en todo caso preferible a utilizar la tijera o el llamado cortaúñas.
3. Sumergir la punta de los dedos durante 15 minutos en la crema suavizante que se prepara con media taza de mantequilla, media taza de agua tibia y una cucharadita de aceite de almendra u oliva.
4. Se sacan las manos, y se aplica con un suave masaje la crema de cutículas que resulta de la mezcla de una cucharada de aceite de oliva y una cucharadita de vitamina E en aceite.
5. Se empujan las cutículas con un instrumento adecuado.
6. Se aplica la mascarilla de manos. Se recomienda la que se prepara con media taza de pulpa de melocotón, media taza de yogur y una cucharadita de miel. Una vez distribuida uniformemente sobre las manos, éstas se cubrirán con guantes o bolsas de plástico durante 10 minutos.
7. Se limpian las manos y las uñas con agua tibia y se aplica una crema hidratante (por ejemplo, la de aceites de prímula, olivo y sándalo que se describió anteriormente).
8. Si se desea, es el momento de pintarse las uñas.

UÑAS REBLANDECIDAS

El contacto constante con el agua y la falta de vitaminas suelen llevar a tener unas uñas reblandecidas y débiles. Para conseguir unas uñas bonitas que cumplan con su misión de proteger a los dedos, es necesario cumplir una regla de oro: ser constante en el cuidado semanal de las manos y uñas. Además es muy recomendable utilizar guantes para tareas que requieran mojar las manos y llevar una alimentación sana. Si el problema ya existe, se puede utilizar la mascarilla preparada con una yema de huevo, una cucharada de miel, una cucharada de aceite de aguacate y un gramo de miso. Se aplica sobre las uñas una vez a la semana, se deja que actúe durante 30 minutos y se aclara con agua templada.

MANCHAS EN LAS MANOS

Las manchas que aparecen en la piel de las manos obedecen a los mismos motivos que las manchas del cutis, y por tanto, pueden ser tratas de idéntica manera. Se recomiendan especialmente las mascarillas de yogur natural o las fricciones con vinagre de manzana y zumo de limón.

Para prevenir las manchas de las manos, es conveniente mantenerlas siempre en condiciones óptimas de limpieza e hidratación.

EL CUIDADO DE LOS PIES

Los pies son una de las partes más olvidadas del cuerpo desde el punto de vista de la belleza. Apenas reciben cuidados, pero su estructura es tan fuerte y resistente que se puede abusar de ellos durante años antes de sufrir el primer malestar. A pesar de ello, prestarles un mínimo de atención puede reportar muchos beneficios futuros, y por supuesto ayuda a que estén más sanos y bonitos.

Los cuidados recomendados se reducen a hacerse la pedicura una vez a la semana: lo ideal sería acudir a un podólogo profesional, pero también puede realizarse en casa con productos totalmente naturales y fáciles de encontrar.

Los pasos a seguir son los siguientes:

1. Si se llevan las uñas de los pies pintadas, hay que quitar el esmalte en primer lugar.
2. Se pone el suavizante de mantequilla descrito para la manicura en una bandeja donde se puedan sumergir los pies, y se dejan reposar allí durante 10 minutos.
3. Se secan los pies y se aplica el líquido de cutículas anteriormente mencionado. Del mismo modo que con las manos, se empujan las cutículas.
4. Se aplica, con movimientos circulares, un exfoliante preparado con cuatro cucharadas de aceite de oliva, tres cucharadas de arena y cuatro gotas de aceite esencial de romero. Esto servirá para eliminar las células muertas, pero en ningún caso acabará con los callos, que deben ser tratados por un especialista para evitar que se infecten. Sin embargo, si hay durezas se puede ayudar al exfoliante con una piedra pómez.
5. Se lavan los pies con agua tibia.
6. En caso necesario, se cortan y liman las uñas.
7. Utilizando aceite de sésamo, se da un masaje profundo en los pies que los revitalice y mejore la circulación de todo el cuerpo.
8. Se limpian las uñas de nuevo con agua, se secan y, si se desea, se aplica esmalte de uñas.

PROBLEMAS COMUNES EN LOS PIES

- Mal olor en los pies: puede combatirse dejándolos cada día en remojo, durante 10 minutos, en medio litro de vinagre de manzana por dos litros de agua. Este tratamiento se puede complementar con aceite de aloe vera, que se aplicará todas las mañanas después de la ducha.
- Hongos o bacterias: el remedio preventivo más eficaz consiste en cortar las uñas al borde de los dedos; ésta es la longitud ideal para impedir que las invadan los

parásitos. También es importante asegurarse de que los pies estén bien secos antes de ponerse las medias o calcetas. Los zapatos demasiado apretados contribuyen a la aparición de hongos. Cuando la infección ya está presente, hay que acudir a un podólogo para que la elimine.

- Pies hinchados: si la parte hinchada se reduce a los tobillos, se aplicarán compresas de agua tibia y salada. Cuando la molestia es en todo el pie, se sumergirán ambos en agua tibia con bicarbonato durante media hora. Antes de dormir, se recomienda acostarse en la cama, elevar las piernas y hacer movimientos circulares únicamente con los pies. Hay que tener en cuenta que los pies hinchados pueden deberse a muchos factores, el más común de los cuales es la retención de líquidos: cada uno de esos factores habrá que atenderlo de forma específica.

- Juanetes: el juanete está producido por una angulación indebida del dedo gordo del pie, el cual se ve obligado con el paso del tiempo a inclinarse sobre los dedos adyacentes atrofiándose él mismo y los dedos vecinos. Se puede corregir esa desviación manualmente atrayendo el dedo gordo del pie hacia afuera y el metatarso hacia dentro, aunque conviene que esta operación la realice un especialista. Para evitar los juanetes: para ello, se recomienda utilizar calzado cómodo y anatómico, y en ningún caso tacones excesivos. Andar descalzo en la playa y darse masajes regularmente en los pies también impide la aparición de juanetes.

❑ ACNÉ

DESCRIPCIÓN DE LA ENFERMEDAD

Erupción cutánea inflamatoria papulopustulosa que suele darse en la cara, cuello, hombros y parte superior de la espalda. Su causa se desconoce, pero un factor que interviene es la degradación bacteriana del sebo con producción de sustancias grasas que irritan el tejido subcutáneo circundante.

SÍNTOMAS

Se forman en la piel puntos rojos de aspecto inflamado, y también se manifiesta en la formación de puntos negros, puntos blancos, pústulas y quistes con pus.

TRATAMIENTOS

Fitoterapia occidental

Antes de proponer ninguna receta para curar el acné, es conveniente reflejar algunos consejos que pueden ayudar a prevenirlo o incluso a eliminarlo:

1. Evitar el café, azúcar blanco, chocolate, pasteles, grasas animales, alcohol y tabaco.
2. Consumir frutas, verduras y hortalizas frescas.
3. Evitar a toda costa el estreñimiento.
4. Realizar ejercicio físico a diario.
5. No utilizar cosméticos ni cremas grasas, así como medicamentos con bromuro o yoduro.

Si a pesar de estos consejos, el acné persiste, existen una serie de preparados que se pueden aplicar sobre las zonas afectadas y que ayudan a combatirlo. El primero de ellos consiste en hervir 75 g de bardana en medio litro de agua durante 20 minutos: se utilizará entre dos y tres veces diarias. También se puede emplear el zumo de col fresco, aplicado sobre la cara con un algodón.

La decocción de 20 g de hojas de nogal y otros 20 g de flores de manzanilla y tomillo en medio litro de agua hervida durante 20 minutos a fuego lento, también puede resultar eficaz.

Para los casos más graves, se recomienda una loción preparada con cinco gramos de cada uno de los siguientes aceites esenciales: romero, tomillo, ajedrea y clavo, disueltos en 300 g de alcohol de 96°.

Para complementar cualquiera de los tratamientos por vía tópica, conviene tomar tres tazas diarias de la infusión de 10 g de cola de caballo, 10 g de ortiga, 15 g de diente de león y 15 g de fumaria en un litro de agua.

Fitoterapia china

Suele utilizarse la decocción para eliminar las toxinas de la piel. También puede utilizarse la solución preparada con 20 g de Jin Yin Hua, 20 g de Ju Hua, 20 g de Pu Gong Ying y 30 g de Huang Qing. Añadir las hierbas a un cazo con 600 ml de agua, dejar en remojo algunos minutos, hervir y dejar a fuego lento durante 20-30 minutos. Colar, dejar enfriar y embotellar. Guardar en la nevera hasta una semana. Lavar la cara o la zona afectada con la solución limpiadora antes de ir a dormir. Por la mañana, aclarar bien con agua fresca. Se puede usar una o dos veces por semana.

Homeopatía

El tratamiento estará encaminado a reducir la producción de sebo y evitar así la obstrucción del conducto de la glándula. Entre los numerosos remedios homeopáticos que se prescriben contra el acné pueden citarse *Carboneum sulphuratum*, *Fluoricum acidum* y *Rhododendron chrysanthum*. Otros remedios más específicos son los siguientes:

- *Iodum* (yodo): se recomienda para el siguiente tipo constitucional de persona delgada, con piel cetrina, morena, ojos castaños luminosos. Se cansa con facilidad y tiene que ingerir alimentos para recuperarse; aún así no consigue engordar. Suda tras los esfuerzos, tolera mal el calor, suele ser depresivo y siente ansiedad cuando está quieta, por lo que necesita estar continuamente haciendo algo. El acné mejora ante la exposición al Sol y al aire libre, y empeora cuando se pasa mucho tiempo encerrada en sitios calurosos.
- *Natrum muriaticum*: se recomienda para el siguiente tipo constitucional de niño o adolescente flaco, aunque come bien y suele estar sediento. Es friolero y se agota con el mínimo esfuerzo físico. Tiene acné sobre todo en el cuello, y psíquicamente tiende a ser depresivo, solitario y propenso a distraerse. La enfermedad empeora cerca del mar, pero mejora en otros lugares al aire libre. Puede haber aversión al pan.
- *Sulfur*: se recomienda para el tipo constitucional de personas delgadas, con buen apetito, activas, optimistas y desordenadas. En la cama, suele destaparse los pies para refrescarse, y suele acostarse sobre el lado derecho. Le gustan los dulces y los platos muy condimentados.
- *Thuya occidentalis*: tipo constitucional corpulento o incluso obeso, friolero, con cutis graso, impaciente, sensible e impresionable. En general, el calor le hace sentir mejor, y le gusta el té.

Oligoterapia
Se recomiendan los complementos de azufre y zinc.

Sales de Schüessler
Se administrará cloruro potásico y cloruro sódico.

Acupuntura
Se estimularán los acupuntos zhizheng, quchi y zusanli.

Flores de Bach
Se recomienda tomar brote de castaño, manzana silvestre y nogal.

Aromaterapia
Se podrá elegir una de las siguientes esencias: laurel, cayeputi, cedro, enebro, lavanda, pachulí y sándalo. Resultan muy eficaces los masajes faciales y los baños, aunque también son efectivas las inhalaciones.

Naturopatía
Se recomienda aplicar própolis a modo de ungüento sobre la zona afectada.

Terapia nutricional
Seguir una dieta pobre en grasas y rica en zinc y en vitamina A.

❑ CALLOS

DESCRIPCIÓN DE LA ENFERMEDAD

Engrosamiento generalmente indoloro y frecuente de la epidermis que se forma en zonas de presión externa o fricción. Aparecen generalmente en los pies, aunque también pueden estar presentes en las manos o en las rodillas.

SÍNTOMAS

La piel se vuelve dura, gruesa, ligeramente elevada e insensible.

TRATAMIENTOS

Fitoterapia occidental
Se puede preparar un ungüento con tres dientes de ajo, una rodaja de piña fresca y 50 ml de jugo de hoja de higuera, que se aplicará sobre el callo por las noches.

Naturopatía
Un remedio natural muy sencillo consiste en caminar descalzo sobre la arena de la playa y remojar los pies en agua de mar al menos durante 15 mintos al día. Las personas que viven lejos de la costa pueden sustituir el tratamiento anterior por frotamientos con piedra pómez y pediluvios con agua y sal marina.

❑ CELULITIS

DESCRIPCIÓN DE LA ENFERMEDAD

El término celulitis se utiliza para describir un defecto estético que causa gran insatisfacción a millones de mujeres en todo el mundo, y también a unos cuantos hombres, aunque en mucha menor medida. El tejido subcutáneo contiene cierto número de células grasas que varían de persona a persona: son las alteraciones de estas células a lo que normalmente llamamos celulitis. Puede deberse a la simple predisposición genética, a una mala dieta, al estrés, a los problemas vasculares o a la falta de ejercicio. Hay que tener en cuenta que el equilibrio hormonal es uno de los factores más importantes, por lo que, a partir de la menopausia, las mujeres suelen ver agravado este problema.

SÍNTOMAS

Para comprobar si existe este problema, basta con realizar la «prueba del pellizco»: al pellizcar la piel de los muslos, se produce el fenómeno de colchón, es decir, la aparición de hoyuelos, abultamientos y deformación de la piel.

La celulitis aparece en regiones diferentes en hombres y en mujeres. Estas últimas suelen padecerla en los muslos y nalgas , en los brazos y en el vientre. Por su parte, en los hombres suele aparecer (aunque con mucha menor frecuencia) en la nuca, en la parte inferior del abdomen y en los brazos.

Según la gravedad de la celulitis, se puede clasificar en varios grados:

- Grado 0. Es la fase en la que la piel de piernas y muslos presenta una superficie lisa cuando el sujeto está de pie o tumbado. Si se pellizca la piel, ésta se pliega y arruga, pero no aparecen hoyuelos ni bultos. Es el estado normal de la mayoría de hombres y mujeres jóvenes.
- Grado 1. La que la superficie de la piel permanece lisa mientras el sujeto esté de pie o tumbado, pero la prueba del pellizco es claramente positiva para el fenómeno del colchón. Es el estado normal de la mayoría de las mujeres, pero en los hombres puede ser un signo de deficiencia de hormonas andrógenas.
- Grado 2. La superficie de la piel es lisa cuando el sujeto está tumbado, aunque aparece el fenómeno de colchón cuando está de pie.
- Grado 3. El fenómeno de colchón es evidente cuando el sujeto está tumbado o de pie. Es muy habitual después de la menopausia y en personas con sobrepeso.
  La celulitis suele estar presente, al menos en el grado 1, en la mayor parte de las mujeres con más de 25 años.

TRATAMIENTOS

Fitoterapia occidental

La mejor medida para combatir la celulitis, como viene siendo habitual, es la prevención. Lo ideal es combinar una dieta equilibrada con la práctica regular de algún deporte: mantener el cuerpo sano y en forma es la mejor garantía contra la celulitis. Se recomienda evitar, en la medida de lo posible, tanto el alcohol y el tabaco como las bebidas gaseosas. Por el contrario, es muy conveniente tomar mucha agua.

Los masajes también son muy adecuados para este trastorno, especialmente el automasaje con las manos o con un guante de crin y en movimientos circulares, ya que ayuda a mejorar la circulación sanguínea y linfática. El masaje debe empezarse desde las extremidades y en dirección al corazón. Puede realizarse con los aceites esenciales de ciprés y enebro, que están especialmente recomendados para tratar la celulitis.

Por otro lado, existen tratamientos de plantas medicinales que ayudan a prevenir o a eliminar la celulitis. Se recomienda especialmente el aceite esencial de castaño de indias, tanto por vía interna como tópica. También resultan muy eficaces las infusiones de plantas diuréticas, como la grama, el diente de león o el abedul. Están igualmente recomendadas las fricciones con decocción de fumaria y milenrama.

Homeopatía

Podrían recomendarse los siguientes remedios:

- *Thuya occidentalis*: tipo constitucional corpulento o incluso obeso, friolero, con el cutis graso. Impaciente, sensible e impresionable, pero de ideas fijas y obsesión por la enfermedad. Puede haber intolerancia a las cebollas.
- *Kalium muriaticum*: remedio general que debería ser eficaz para cualquier tipo constitucional.

Aromaterapia

La celulitis se combatirá con los siguientes aceites esenciales: enebro, geranio, hinojo, pimienta negra, romero y salvia, que se aplicarán preferiblemente en forma de masajes, aunque también resultan eficaces en duchas.

❑ DERMATITIS

DESCRIPCIÓN DE LA ENFERMEDAD

La dermatitis es una inflamación de la piel. Las variedades más comunes:

- Dermatitis primaria irritante, causada por productos químicos irritantes que resecan la piel.
- Dermatitis alérgica de contacto, que es una reacción inmunológica de la piel contra productos químicos a los cuales el organismo se ha sensibilizado.
- Dermatitis asteótica, que se da en personas ancianas a causa de la sequedad de la piel.
- Fotodermatitis, también conocida como alergia al Sol.

SÍNTOMAS

La dermatitis se caracteriza básicamente por rojez, ampollas, inflamación, supuración y costras.

TRATAMIENTOS

Fitoterapia occidental

Para tratar los distintos tipos de dermatitis, se recomiendan especialmente las compresas de diente de león (60 g por litro de agua), o bien las fricciones con aceite de llantén menor (250 g de planta calentados durante tres horas al baño María en medio litro de aceite de girasol). La pulpa de aloe vera también proporciona excelentes resultados.

Fitoterapia china

Se recomienda la decocción para eliminar las toxinas de la piel.

Aromaterapia

Se recomiendan las siguientes esencias: benjuí, enebro, geranio, lavanda, manzanilla, pachulí y salvia.

❏ ECZEMA

DESCRIPCIÓN DE LA ENFERMEDAD

Se trata de una inflamación de la piel que causa picor e incomodidad. Hay muchas formas de eczema, pero las más corrientes son:

- Eczema de contacto, producido por una alergia.
- Eczema atópico, que se produce en niños pequeños con tendencia hereditaria al asma, al eczema o a la fiebre del heno. Los síntomas pueden verse agravados por el contacto con tejidos como la lana, por efecto del calor y el frío o por el propio sudor.
- Eczema ponfoliz, que afecta generalmente a las manos y a los pies. Se debe a una sudoración excesiva a causa del estrés o de la ansiedad.
- Eczema numular, que se encuentra en adultos formando zonas circulares y escamosas en la piel. La causa permanece desconocida, pero parece haber una gran influencia de factores psicológicos.
- Eczema varicoso, que ocurre en personas que sufren de varices graves. Aunque el sarpullido pica mucho, simplemente refleja una mala circulación.

SÍNTOMAS

Un eczema puede llegar a ser muy doloroso, causando una piel seca, roja y escamosa en la que pueden formarse ampollas que estallan y se abren para formar llagas.

TRATAMIENTOS

Fitoterapia occidental

Hay muchos remedios naturales para tratar el eczema. Se recomienda tomar la infusión de 15 g de espliego, 15 g de violeta, 10 g de árnica y 10 g de salvia por litro de agua; una taza cada ocho horas. También son muy recomendables los maniluvios y pediluvios con un puñado de hojas de alcachofa, otro de flores de helenio, otro de hojas de celidonia y otro de hojas de col en dos litros de agua. También resulta eficaz el jugo de ortiga común aplicado a modo de loción.

Prepare una pasta mezclando una cucharadita de raíces de malvavisco molidas (o de olmo americano) y agua caliente. Extiéndala sobre la zona afectada y déjela actuar durante unos 20 minutos, luego limpie con una infusión de consuelda. Las hojas de consuelda también constituyen un maravilloso limpiador facial y promueven la regeneración de la piel.

Prepare una cataplasma con harina de arroz y aplíquela caliente sobre la zona afectada.

El diente de león es purificador del hígado, los riñones, la sangre y los tejidos. Para aliviar el eczema y el acné, puede aplicar una tintura de raíces de diente de león.

Fitoterapia china

Cuando un eczema presenta piel seca, áspera y agrietada y erupciones secas y que producen picor, o rotas, y se ve acompañado por una lengua pálida y seca y un pulso débil, se recomienda tomar la decocción para nutrir la sangre.

Sin embargo, los eczemas más graves, en los cuales la piel que está más que seca, escamada o con ronchas irritadas que dan picor, con lengua roja y pulso variable, se puede sustituir por la decocción para nutrir y refrescar la sangre. Ahora bien, esta última receta no se utilizará en caso de llagas o supuración.

Homeopatía

El tratamiento intentará atenuar la predisposición del paciente a la alergia, en lugar de limitarse a combatir el eczema en sí. De este modo no sólo se evita la recaída del eczema, sino también se evita que la reacción alérgica se manifieste en un lugar diferente a la piel donde no encuentre obstáculo (por ejemplo, en forma de una crisis de asma). Los remedios recomendados varían mucho:

- *Graphites*: corresponde al tipo constitucional de persona obesa, friolera, anémica, con malas digestiones y estreñimiento. Pálido de rostro, es indeciso, depresivo, melancólico e hipersensible e impresionable. El eczema a tratar suele ser húmedo con una secreción amarillenta; la piel es seca, cuarteada o áspera.
- *Petroleum*: corresponde a personas delgadas, frioleras, nerviosas, de piel seca y oscura. Tienen buen apetito pero no engordan, y temen a la muerte. El eczema es húmedo, con piel áspera, roja y con picor.
- *Sulfur* (ver Acné): se recomienda especialmente para el eczema seco que es áspero, rojo y con picores.

Oligoterapia

Se recomienda tomar manganeso, así como azufre en dosis bajas.

Sales de Schüessler

El cloruro sódico, así como el sulfato cálcico y el sulfato potásico, han demostrado su utilidad.

Flores de Bach

Existen varios remedios que pueden funcionar contra el eczema, según los síntomas específicos y el estado de ánimo del paciente; sin embargo, algunos de los más usados son violeta de agua, manzana silvestre, olmo, acebo, heliantemo, clemátide, impaciencia, mímulo y remedio de urgencia.

Aromaterapia

Se utilizarán esencias de bergamota, enebro, geranio y lavanda.

Terapia nutricional

Algunos alimentos pueden resultar útiles para prevenir o tratar los eczemas:

- Los espárragos ayudan a expulsar toxinas a través de la orina y tienen un efecto tónico sobre el hígado.
- La col y los berros pueden contribuir gracias a sus propiedades bactericidas.

Naturopatía

Para tratar los eczemas se emplearán complementos de onagra, de equinácea y de vitamina A.

Acupuntura

Desde el punto de vista de la Acupuntura, los eczemas suelen estar provocados por una exposición a la humedad, al calor y al viento; por lo tanto, habrá que equilibrar estos efectos cuidando también de correr deficiencias energéticas y en la sangre. Se recomienda, por tanto, trabajar los siguientes acupuntos: xuehai, ligou y quchi.

Cromoterapia

Se recomiendan los colores verde y rosa pálido, tanto para prevenir la aparición como eczemas como para acelerar su curación.

Hipnoterapia

Por medio de la terapia de sugestión, se puede condicionar al paciente para que su organismo cambie su reacción ante los factores desencadenantes del eczema.

❏ FURÚNCULOS

DESCRIPCIÓN DE LA ENFERMEDAD

Infección cutánea producida por estafilococos. Tiene carácter localizado y supurativo, y se origina en una glándula o folículo piloso.

SÍNTOMAS

Dolor, enrojecimiento e hinchazón. La necrosis profunda en el centro del área inflamada forma un núcleo de tejido muerto (clavo) que es expulsado.

TRATAMIENTOS

Fitoterapia occidental

Se recomienda tomar tres tazas diarias de la infusión de 15 g de cola de caballo, 15 g de llantén y 15 g de alholva por litro de agua. Esto se combinará con apósitos de aceite de linaza o de decocción de alholva.

Fitoterapia china

Se administrará la decocción para eliminar las toxinas de la piel.

Homeopatía

Las afecciones que se caracterizan por la presencia de un depósito de pus reaccionan muy bien a los remedios homeopáticos, que al estimular y acelerar las defensas del organismo, permiten que se expulse el pus. Por tanto, pueden indicarse remedios como:

- *Calcarea sulphurica*: en líneas generales, suele acelerar la salida del pus que ya está formado.
- *Hepar sulphur:* es útil en todas las personas, pero sobre todo en el tipo constitucional fofo, linfático, muy friolero, hipersensible al dolor, hipersensible, irritable y provocador. Por ejemplo, estaría recomendado para un paciente que presenta un furúnculo, se ha vuelto muy friolento y se muestra hipersensible cuando lo tocan o le hablan, al punto de ser violento.
- *Silícea*: tipo constitucional delgado, débil y friolero. Las uñas presentan manchas blancas y le sudan mucho la cabeza y los pies. Se trata de personas despiertas, pero tímidas, con falta de confianza en sí mismas y miedo al fracaso en el terreno intelectual. Les falta energía, pero son muy nerviosas y testarudas.

No obstante, pueden indicarse muchos otros remedios, como *Ammonium carbonicum, Nitricum acidum, Mercurius solubilis*, etc., dependiendo del paciente.

Aromaterapia

Se puede aplicar la mezcla de árbol de té y tomillo sobre la superficie afectada.

Terapia nutricional

Se procurará ingerir alimentos ricos en vitaminas del grupo B, como cereales integrales, frutos secos y verduras.

❑ IMPÉTIGO

DESCRIPCIÓN DE LA ENFERMEDAD

Infección de la piel producida por estreptococos o por estafilococos, que comienza por una inflamación superficial de la piel, caracterizada por manchas rojas, que evoluciona hacia la formación de ampollas que forman costras amarillentas cuando se secan. El impétigo es altamente contagioso, tanto hacia otras partes del cuerpo como hacia otras personas.

SÍNTOMAS

Los pacientes con impétigo no se sienten enfermos, pero en raras ocasiones puede desarrollarse una inflamación renal o septicemia.

TRATAMIENTOS

Fitoterapia occidental

El tratamiento se basa en fuertes remedios antisépticos. Pueden ser aconsejables aplicaciones de hierbas antisépticas como infusiones o tinturas de tomillo, mirra o caléndula.

El tratamiento interno para luchar contra la infección y limpiar los tejidos puede ser en forma de infusiones de bardana o echinacea. Tal vez sea preciso impulsar el sistema inmunológico. Se recomienda hidroterapia y cataplasmas de arcilla.

Fitoterapia china

La decocción para eliminar las toxinas de la piel puede ser de mucha utilidad, sobre todo si el impétigo viene acompañado por una lengua que presenta una saburra grasa y gruesa y un pulso variable.

Homeopatía

El tratamiento homeopático puede complementar a los antibióticos convencionales, mejorando el estado general del organismo:

- *Antimonium crudum:* tipo constitucional gordo y glotón, con mal humor, irritable, tendencia a protestar y que no soporta que le toquen o le miren. En el caso de ancianos, presentan somnolencia. A veces ha tenido un desengaño amoroso cercano.
- *Arsenicum iodatum:* individuos pálidos, delgados y ligeramente frioleros. Suelen ser nerviosos e impacientes.

Aromaterapia

Se recomiendan los aceites de tomillo y de ajedrea.

Hipnoterapia

A través de la terapia de sugestión, se puede en muchos casos llegar a condicionar al organismo del paciente para que acelere el proceso de reemplazo celular que, según indican algunos estudios, renueva todas las células de la epidermis en el plazo de un mes.

Naturopatía

Se recomiendan los suplementos de ajo debido a sus propiedades antibióticas naturales, así como de vitaminas A, B y C, que pueden ayudar a impulsar la curación y evitar que la infección vuelva a brotar.

❑ PSORIASIS

DESCRIPCIÓN DE LA ENFERMEDAD

Las psoriasis es una afección de la piel caracterizada por la aparición de placas de color rosa salmón cubiertas por escamosidades plateadas. Suele ser una condición hereditaria, pero no es contagiosa, aunque parece que los problemas psicológicos contribuyen a agravarla.

SÍNTOMAS

La psoriasis puede producir cierto dolor y algo de picor, pero es frecuente que no vaya acompañada de ningún malestar.

TRATAMIENTOS

Fitoterapia occidental
Para tratarla, se recomienda tomar dos tazas diarias de una infusión de hipérico, tila, manzanilla, hierba luisa y cola de caballo. También se aconseja tomar un baño de asiento a la semana con cola de caballo, romero, salvia y zarzaparrilla. La pulpa de aloe vera, aplicada externamente en las zonas afectadas, puede resultar de mucha ayuda, así como el bálsamo de copaiba.

Homeopatía
Desde el punto de vista homeopático, hay que tratar al paciente en su globalidad para curar la psoriasis en sí y evitar un tratamiento local que permita a la enfermedad volver a surgir con otros síntomas diferentes.

Los remedios más habituales serán *Clematis erecta, Phytolacca decandra* o *Sarsaparilla officinalis*. Otros medicamentos más específicos podrían ser:

- *Sepia*: recomendado para tipos constitucionales débiles, histéricos, introvertidos e irritables, con una cierta tendencia al llanto y mala memoria. Con frecuencia sufren estreñimiento, así como oleadas súbitas de calor. Los síntomas de la psoriasis suelen empeorar con el reposo y por lo general antes de las tormentas, y mejorar en general al aire libre.
- *Arsenicum album*: el tipo constitucional es de individuos agitados, débiles, delgados, frioleros, miedosos y muy ordenados. Suelen ser pálidos, con frecuente miedo a la muerte y una sensación recurrente de sed de agua fría. Son hipersensibles al frío y cambian de ánimo con mucha frecuencia.

– *Kalium sulfuricum:* individuos irritables cuyos síntomas empeoran en habitaciones cerradas y mejoran al aire libre.

Aromaterapia

Son especialmente útiles las esencias de bergamota y de lavanda.

Terapia nutricional

Las deficiencias de zinc y de ácidos grasos esenciales pueden contribuir a la psoriasis, por lo que se procurará consumir alimentos ricos en estos elementos, como el apio, los espárragos, los higos, las patatas y las berenjenas para el zinc y los aceites de soja, girasol, maíz, germen de trigo y lino para los ácidos grasos.

❑ SARNA

DESCRIPCIÓN DE LA ENFERMEDAD

Enfermedad contagiosa producida por un ácaro (*Sarcoptes scabei*) que se transmite por contacto directo o a través de utensilios contaminados por huevecillos. La sensibilización aparece a los dos o tres meses de la infección, apareciendo comezón y erupción papular entre los dedos de las manos, la superficie de flexión de las muñecas y los muslos.

SÍNTOMAS

Se caracteriza por un intenso picor en la piel y excoriaciones sucesivas al rascado.

TRATAMIENTOS

Fitoterapia occidental

Para tratar la sarna, se recomienda la decocción de 50 g de corteza de nogal, 20 g de copos de avena y 30 g de hojas de salvia en un litro de agua, que se aplicará a modo de tónico tres veces al día. También se recomienda frotar la zona afectada con ajo macerado en aceite de oliva.

Fitoterapia china

En el caso de que la sarna venga acompañada de una lengua pálida y seca y un pulso débil, podría funcionar la decocción para nutrir la sangre. Si por el contrario la lengua aparece roja y el pulso variable, se podría recomendar decocción para nutrir y refrescar la sangre, aunque recordemos que ésta no se debe utilizar en caso de llagas o supuración.

Homeopatía

El remedio más eficaz suele ser el *Psorinum*, derivado del propio ácaro de la sarna. Es espacialmente eficaz con individuos delgados e introvertidos. La *Cina* puede ser útil para individuos más caprichosos e irritables.

Aromaterapia

Se utilizarán los aceites de bergamota, canela, lavanda, limón, menta y romero.

❏ TIÑA

DESCRIPCIÓN DE LA ENFERMEDAD

Grupo de enfermedades de la piel producidas por hongos. Entre las distintas variedades, hay que citar la tiña corporal (afecta a las partes del cuerpo desprovistas de pelo), tiña inguinal (cara interna de los muslos, ingles y genitales), podal o «pie de atleta», tonsurante (afecta al cuero cabelludo y produce alopecia), ungular (afecta a las uñas) y versicolor (se caracteriza por placas descamativas pálidas).

SÍNTOMAS

Se caracteriza por picor, descamación y en ocasiones, lesiones dolorosas.

TRATAMIENTOS

Fitoterapia occidental

Contra la tiña, se recomienda especialmente el alcohol de bardana, así como las fricciones con zumo de borraja, diente de león y berro a partes iguales. En caso de pie de atleta, se recomienda la mezcla de la decocción de 30 g de trébol rojo, salvia, caléndula y agrimonia en medio litro de agua con 100 ml de vinagre de mancena.

Fitoterapia china

La tiña suele responder bien a la decocción para nutrir la sangre.

Homeopatía

El remedio más habitual es *Sulphur*.

Aromaterapia

Los aceites de geranio, lavanda, menta y árbol de té son los más indicados en el tratamiento de la tiña.

Naturopatía

Para el pie de atleta, se recomienda aplicar la mezcla de propóleo y vitamina C a modo de ungüento.

❏ URTICARIA

DESCRIPCIÓN DE LA ENFERMEDAD

Se trata de una erupción cutánea causada por una reacción alérgica, que produce la liberación de histamina. Existen diferentes tipos de urticaria en función del factor desencadenante (alergia por contacto, frío, calor, estrés, ejercicio físico intenso, medicamentos, alimentos o infecciones).

SÍNTOMAS

Se caracteriza por la aparición de ronchas de formas y tamaños diferentes, blancas o amarillas y rodeadas por un área de inflamación rojiza, acompañadas de intenso picor.

TRATAMIENTOS

Fitoterapia occidental

Para aliviar los picores y bajar la hinchazón, se recomiendan cataplasmas de ácoro, saúco y manzanilla. También resulta útil tomar tres veces al día una taza de la infusión de 10 g de manzanilla, 10 g de agrimonia, 5 g de ortiga y 5 g de pensamiento silvestre en medio litro de agua.

Homeopatía

Cuando se conoce la causa, el tratamiento se basa sobre todo en la supresión inmediata de la misma, aunque como siempre ocurre con la Homeopatía, el remedio dependerá del tipo constitucional y de los factores de mejoría y agravación:

Síntomas	Factores de mejoría y de agravamiento	Remedios
Lesiones en relieve, pálidas, que aparecen por los cambios de tiempo a veces sólo por la noche. Comezón (picor) y sensación ardorosa. Causa desencadenante: transpiración, ejercicio, calentamiento, calor, fiebre.	Mejoría con el frío.	*Apis melifica.*

Síntomas	Factores de mejoría y de agravamiento	Remedios
Lesiones con aspecto de nódulos rojos realzados, que aparecen con el aire frío, cada primavera o después de mojarse. Causa desencadenante: fase de escalofríos de la fiebre, transpiración, después de rascarse.	Mejoría con el movimiento.	*Rhus toxicodendron.*
Placas rosadas que aparecen en invierno o por el frío, en las áreas descubiertas. Causa desencadenante: paso de una actividad intensa al reposo (fin de semana, inicio de vacaciones).	Mejoría durante la actividad mental o física y por el calor.	*Sepia officinalis.*
Lesiones con un ligero relieve, a menudo pálidas, que aparecen sobre todo en primavera. Causa desencadenante: después de tomar un baño, por el ejercicio (deporte), por calentamiento, por efecto del calor.	Mejoría al estar acostado.	*Urtica urens.*
Lesiones en relieve, casi siempre rojas, que aparecen al enfriarse por el tiempo húmedo. Causa desencadenante: antes de la menstruación o regla, después de rascarse, en caso de ejercicio o de calentamiento, por efecto del calor.	Mejoría por el aire frío.	*Dulcamara.*

Se administrarán tres glóbulos en dilución tres veces al día, durante 48 horas. En cuanto se perciba alguna mejoría, se interrumpirá el tratamiento.

Naturopatía

Se recomiendan los complementos de vitaminas E y C.

Terapia nutricional

Ya que las urticarias se relacionan a menudo con alergias alimentarias, conviene buscar los elementos concretos que producen reacciones alérgicas para eliminarlos de la dieta.

Flores de Bach

Para la urticaria, se recomienda en la mayoría de los casos remedio de urgencia en crema, la cual se aplicará sobre la zona afectada mientras persistan los síntomas de la enfermedad.

Cromoterapia
El verde pálido ha demostrado ser efectivo para combatir los síntomas de la urticaria.

❑ VERRUGAS

DESCRIPCIÓN DE LA ENFERMEDAD

Lesión cutánea exocítica de superficie rugosa y papilomatosa. Suelen estar producidas por un virus, por lo que suelen ser contagiosas.

SÍNTOMAS

Las verrugas suelen ser asintomáticas al margen de su aspecto físico, aunque en algunos casos pueden producir picor o molestias.

TRATAMIENTOS

Fitoterapia occidental
Uno de los más eficaces consiste en aplicar sobre la verruga, dos veces al día, jugo fresco de celidonia. También resulta extremadamente eficaz el ajo fresco machacado y utilizado a modo de cataplasma sobre la verruga: se tapa con una gasa y se deja actuar durante 24 horas.

Como ocurre en todo lo relacionado con la salud y la belleza, lo más importante es la prevención, de modo que se recomienda seguir los siguientes consejos:

- Evitar la exposición frecuente al Sol, y utilizando siempre protección solar.
- Vigilar las manchas del cuerpo, como los lunares, con frecuencia para apreciar los posibles cambios. Se consultará al médico ante cualquier alteración.
- Cuidar la piel diariamente, manteniéndola limpia, hidratada y libre de células muertas.

Homeopatía
El tratamiento estará dirigido a restablecer la inmunidad del paciente, ya que sólo un remedio elegido en función de la globalidad de la persona logrará que las verrugas desaparezcan de manera definitiva. En cualquier caso, algunas opciones podrían ser:

- *Medorrhinum*: para un tipo constitucional de individuos débiles, agitados y nerviosos, con frecuente deseo de tomar alcohol, café y también alimentos salados.

Las verrugas tienden a desaparecer cuando se está junto al mar o cuando se hace mucho ejercicio.

– *Natrum muriaticum*: individuos agitados, débiles, delgados, depresivos, fatigados y frioleros, con tendencia al estreñimiento y al agotamiento intelectual. Suelen tener problemas para dormir, y presentan cambios bruscos de humor. Las verrugas tienden a mejorar al aire libre.
– *Nitricum acidum:* individuos depresivos e irritables con tendencia al llanto, cuyas verrugas empeoran con el frío.
– *Sabina*: ataques violentos de verrugas que empeoran con el calor o al estar mucho tiempo encerrado en una habituación cerrada.

Flores de Bach
Para combatir las verrugas, se recomienda scleranthus.

Aromaterapia
Se recomiendan los aceites de limón y árbol de té, que se aplicarán directamente soibre la verruga.

Hipnoterapia
Se puede intentar ayudar al tratamiento con terapia de regeneración celular.

Cromoterapia
Los colores más adecuados para combatir las verrugas son el violeta y el índigo.

APÉNDICES

ENFERMEDADES INFANTILES

❑ ACNÉ

DESCRIPCIÓN DE LA ENFERMEDAD

Es una erupción cutánea inflamatoria papulopustulosa que suele asentarse en cara, cuello, hombros y parte superior de la espalda. Su causa se desconoce, pero un factor que interviene es la degradación bacteriana del sebo subcutáneo.

Existe un acné neonatal que afecta al recién nacido y es debido a hiperplasia de las glándulas sebáceas.

SÍNTOMAS

Este acné infantil se caracteriza por la formación de comedones, de nódulos y quistes sobre la nariz, las mejillas y la frente.

Por otra parte, durante la pubertad y prepubertad el acné es efecto de las hormonas andróginas y su aspecto es de pequeñas pústulas.

TRATAMIENTOS

Terapia nutricional

Como hemos indicado en la base de la formación del acné se encuentra un exceso de sebo en la piel. Desde la terapia nutricional pueden indicarse cambios en nuestra alimentación que a su vez producirán efectos significativos en esta enfermedad, pues se ha demostrado que la reducción de la cantidad de acné gracias a un buen control de los alimentos es muy elevada:

- Debe tomarse gran cantidad de productos integrales, verdura y fruta han de ser la base de la alimentación diaria.
- Los lácteos ácidos como yogur, kefir o quark son adecuados.
- En la otra vertiente se prohibirán los dulces, la carne de cerdo y el chocolate.

Homeopatía

En las farmacias, herbolarios y otros centros de venta de productos homeopáticos es fácil que encontremos ya los dos preparados que aquí se recomiendan: el agua de acné para su uso tópico así como las cápsulas de acné para su ingestión, ambos preparados muy eficaces para el tipo de acné que aquí nos ocupa.

❏ AFTA (CANDIDIASIS)

DESCRIPCIÓN DE LA ENFERMEDAD

Se trata de una infección producida por una especie de cándida, por lo general *Candida albicans*, que se caracteriza por prurito, un exudado blanco, erosión cutánea y sangrado fácil.

SÍNTOMAS

Una erupción fuerte en blanco. Es también conocida como la erupción de los pañales.

TRATAMIENTOS

Aromaterapia

Un buen tratamiento para cuando la candidiasis se produce en la boca es preparar una solución para enjuagues, la cual se deberá de aplicar tres veces al día con espliego y limón.

Si el bebé sufre erupción debido al uso de los pañales, se procederá a aplicar un aceite de albaricoque con una única gota de aceite de árbol de té.

Fitoterapia occidental

Las propiedades que se necesitan son las de un antifungal. En la Fitoterapia occidental lo encontramos en el aloe vera que se preparará diluido para los enjuagues bucales y en aceite para el uso tópico.

❏ ALERGIAS

DESCRIPCIÓN DE LA ENFERMEDAD

Las alergias, muy frecuentes en las edades infantiles, son reacciones de hipersensibilidad frente a ciertos antígenos inocuos en sí mismos, la mayoría de ellos de origen ambiental.

SÍNTOMAS

Las erupciones cutáneas, la rinitis, así como inflamaciones locales son los efectos principales de las alergias.

TRATAMIENTOS

Terapia nutricional

Sustituir la leche de vaca por leche de soja o almendras, sobre todo en casos de asma con expectoración húmeda y eczemas húmedos. Consumir quark o requesón (no yogur). Reducir el consumo de azúcar y alimentos que lo contengan, y a la vez sustituirlo por miel, pasas, higos, dátiles y frutos secos de cáscara.

Naturopatía

Mantener los pies calientes. Los niños predispuestos a las alergias a menudo tienen los pies fríos. Practicar baños calientes de pies por la noche, añadiendo dos cucharadas de harina de mostaza. Este baño de pies puede tener un efecto descongestionante y antiespasmódico en caso de un ataque de asma. El cambio de clima es bueno: conviene ir al mar o a alta montaña.

Lo mejor es una estancia en el Atlántico de por lo menos seis semanas. La estación del año no tiene importancia. Las reacciones a la estancia en un clima marítimo pueden ser muy variadas, desde un deterioro del estado (pocas veces), hasta una curación completa. No es posible predecir el efecto, pero en la mayoría de casos es positivo, de manera que siempre es aconsejable hacer un intento. Las curas climáticas en la montaña también deberían durar seis u ocho semanas. El efecto casi siempre es extraordinariamente positivo si la cura se lleva a cabo en una región con roca silícica, preferentemente granítica.

❏ ALTERACIÓN CRÓNICA DEL SUEÑO

DESCRIPCIÓN DE LA ENFERMEDAD

El insomnio es una dificultad para conciliar el sueño o permanecer dormido toda la noche. Puede deberse a multitud de factores físicos y psíquicos, ya sea estrés emocional, dolor físico, alteraciones de la función cerebral o bien intoxicación con delirio, abuso de medicamentos, ansiedad, miedos irracionales…

Según los últimos estudios, durante el primer año de vida el bebé ha de dormir 16 horas, que irán reduciéndose a 14 en los siguientes dos años y bajarán a 11-12 horas entre los 5 y los 10 años.

En la actualidad se están descubriendo nuevos factores sociales que están alterando el sueño en los grupos de niños entre 7 y 12 años, como la televisión, el ordenador o las videoconsolas que les excitan su función cerebral y luego esa tensión es difícil de rebajar y les cuesta conciliar el sueño o hacerlo de la manera adecuada. No son desdeñables tampoco, especialmente en los niños de corta edad, los factores ambientales como el excesivo frío o calor de una determinada habitación o las alergias a la ropa de la cama.

SÍNTOMAS

El insomnio produce fatiga diurna, irritabilidad, llanto y dolores de cabeza.

TRATAMIENTOS

Aromaterapia

Los aceites de melisa y palisandro administrados en un baño a baja concentración ayudan a la relajación de los niños pequeños.

En los mayores, la esencia de manzanilla romana en la habitación ayuda a crear una sensación de calidez y relax muy agradable.

Homeopatía

La Homeopatía se acerca a este problema de dos formas distintas:

– Por una parte, los remedios profesionales adaptados a cada niño que se mantendrán en tratamiento durante un tiempo bastante prolongado.
– Por otra parte tenemos actuaciones puntuales genéricas como la que nos proporciona *Nux vomica* para los niños irritables y *Coffea cruda* cuando los niños son muy pequeños y les cuesta mucho tiempo conciliar el sueño. Un medicamento homeopático muy eficaz en estos casos es el *Acidum phosphoricum* (DH 12), del que se darán cinco gotas al día.

Flores de Bach

La filosofía de las Flores de Bach nos lleva a indicar un compuesto u otro dependiendo del origen de la inestabilidad a la hora de dormir del niño. Si se produce por pesadillas, lo recomendable es helianteno; si por el contrario el niño simplemente no duerme, se administrará remedio de urgencia para tranquilizarlo.

Terapia nutricional

Todas las recomendaciones que se hacen desde las instancias médicas nos animan a cuidar la alimentación, especialmente de los niños. Las comidas copiosas no son beneficiosas a la hora de conciliar el sueño. La cena ha de ser ligera, con preferencia por las verduras; las proteínas deben ser obtenidas del pescado. Se recomienda un vaso de leche caliente antes de ir a la cama.

Fitoterapia occidental
Encontramos varias infusiones muy eficaces:

- Si el niño es hipersensible, entonces se le administrará, antes de cenar, una taza de la infusión realizada con hojas de melisa, raíz de valeriana, flores de espliego, y la mitad de las medidas de las anteriores de flores de malva y flores de azahar.
- Cuando el niño es obeso y la causa de sus trastornos es más que probable que sea la digestión, administraremos una taza caliente de infusión con flores de espliego, hojas de melisa, raíz de valeriana, planta entera de hinojo, semillas de hinojo y semillas de comino (estas dos últimas en una medida que será la mitad de las anteriores).

❑ AMIGDALITIS

Descripción de la enfermedad

Infección o inflamación de una amígdala. La aguda suele deberse a infección por estreptococos.

Síntomas

La amigdalitis se caracteriza sobre todo por un intenso dolor de garganta, fiebre, cefalea, malestar general y dificultad para deglutir. Puede haber dolor de oídos.

Tratamiento

Fitoterapia occidental
Podemos dar al niño una infusión de salvia con la que procederá a realizar gargarismo al menos tres veces al día.

Homeopatía
- *Belladona*: para las que se presentan junto a una fiebre muy alta y las amígdalas muy inflamadas y de color bastante rojo. Serán 50 gotas en un vaso de agua y se dará un sorbo cada hora.
- *Mercurius solubilis:* cuando encontremos pus en las amígdalas, conviene tomar una pastilla cada hora.

❏ ASMA ALÉRGICA

DESCRIPCIÓN DE LA ENFERMEDAD

El asma es un trastorno respiratorio obstructivo caracterizado por la aparición de episodios repetidos de disnea parxística, espiración prolongada y tos irritativa.

SÍNTOMAS

Las crisis asmáticas se producen por constricción de las vías respiratorias por un espasmo, por edema o por la producción excesiva de mucosidad.

Fitoterapia occidental

Una buena infusión, bastante efectiva en estos casos, se prepara con 25 gramos de flores de saúco, 20 gramos de liquen de Islandia y 5 gramos de semillas de hinojo. Con medio litro de agua hirviendo sobre una cucharadita de hierbas, entonces dejaremos reposar 10 minutos, colaremos y endulzaremos con miel. Se tomará a lo largo de todo el día y cada cuarto de hora un sorbo de infusión caliente. En caso de tendencia a ataques asmáticos muy frecuentes es beneficioso tomar, incluso en ausencia de la enfermedad, una taza de esta mezcla dos veces al día.

Aromaterapia

Es muy eficaz tomar un baño de pies con esencia de mostaza.

❏ CISTITIS Y NEFRITIS

DESCRIPCIÓN DE LA ENFERMEDAD

La cistitis es un trastorno inflamatorio de la vejiga urinaria y de lo uréteres que se manifiesta por dolor, micción frecuente, urgencia miccional y hematuria. Puede ser debida a una infección bacteriana, cálculo o tumor.

Las nefritis por su parte son un grupo de enfermedades renales que se caracterizan por la inflación o alteración de la función principal del riñón.

SÍNTOMAS

En ambos casos, los principales síntomas son dolor, deseos frecuentes de orinar, sangre en la orina, fiebre y debilidad.

TRATAMIENTO

Homeopatía

En caso de un inicio impetuoso puede recurrir a estos dos medicamentos como primera medida:

- *Aconitum napellus:* 50 gotas en un vaso de agua del que se dará un sorbo cada cuarto de hora.
- *Belladona*: 50 gotas en un vaso de agua del que se dará un sorbo cada cuarto o media hora.

Si hay fiebre fiebre repentina y existen dolores punzantes, se procederá a administrar *Cantharis*, cinco gotas o una pastilla cinco veces al día.

Fitoterapia occidental

El compuesto cystinol tres veces al día es un buen remedio que se puede acompañar de una infusión de gayuba o uvaursi.

Naturopatía

Hay niños que tienen predisposición a la cistitis. En estos casos hay determinadas medidas que puede ayudar notablemente a espaciar las infecciones e incluso erradicarlas: el niño no debe tener nunca frío; no se limite a procurar que lleve ropa interior caliente, hay que considerar también las manos y los pies.

Terapia nutricional

Una dieta rica en ajo y el consumo de mucho líquido ayudan a mejorar la función renal y a limpiar el aparato urinario del niño.

❑ CÓLICO

DESCRIPCIÓN DE LA ENFERMEDAD

Es un dolor visceral agudo producido por la torsión, obstrucción o espasmo de la fibra muscular lisa de un órgano huevo.

SÍNTOMAS

El dolor que se produce es muy agudo y suele irradiar a amplias zonas. Cuando se produce en niños que no han desarrollado el habla encontramos fuertes accesos de llanto incontrolado que no es explicable y no se calma con las medidas normales. El bebe suele encoger las piernas hacia el abdomen y expulsar fuertes ventosidades.

TRATAMIENTOS

Homeopatía
- *Colocynthis:* será el medicamento indicado cuando al presionar el abdomen del bebé, veamos que su dolor mejora.
- *Chamomilla:* será administrada si el bebe responde a los movimientos, y mejora cuando se le balancea suavemente.
- *Bryonia alba:* se administra cuando ocurre lo contrario, es decir, que empeora ante cualquier movimiento.

Fitoterapia occidental
Una infusión de café con manzanilla, eneldo y semillas de hinojo; se le dará una pequeña cucharita al menos tres veces al día.

Quiromasaje
Las técnicas suaves de Quiromasaje abdominal son muy eficientes en los niños que mejoran puntualmente con la presión en esa zona.

Osteopatía
Se han investigado casos en niños pequeños que respondían al tratamiento osteopático craneal. Éste ha de ser practicado por un profesional.

❑ DENTICIÓN

DESCRIPCIÓN DE LA ENFERMEDAD

La dentición es el proceso que los humanos sufren durante la infancia por el cual los primeros dientes comienzan a salir en las encías. El primer conjunto de 20 dientes primarios empieza a aparecer entre los cuatro meses y los tres años. La sustitución por los dientes permanentes empieza a aparecer desde los seis años, más o menos.

SÍNTOMAS

Para muchos bebés, los síntomas de la dentición incluyen babeo, morderse los puños, una mancha roja en una o ambas mejillas, irritabilidad y a veces ligera diarrea, que puede dar como resultado escaldaduras. Otros bebés desarrollan pocos o incluso ningún síntoma.

TRATAMIENTOS

Homeopatía

La dentición es un proceso natural que no afecta a todos los niños por igual. Cualquier madre que tenga varios hijos seguramente pude recordar cómo esta época ha sido muy distinta en cada uno de sus vástagos.

La irritabilidad es uno de los síntomas que tienen muchos niños, pues se encuentran incómodos y molestos. Para tratar esta irritabilidad podemos suministrarles dosis de *Chamomilla*.

En los casos habituales de excesivo babeo y en los que se aprecia unas encías muy irritadas, la solución será *Mercurius solubilis*.

El *Aconitum napellum* es también recetado pero éste es aplicado sólo en casos de fiebre o fuerte dolor.

Aromaterapia

Podemos preparar una esencia a base de aceite de manzanilla al 2 por ciento y aceite de almendra dulce que aplicaremos en las mejillas para de esta forma calmar la inflamación que padezca el bebé.

Fitoterapia occidental

Lo más recomendable son las infusiones tibias de manzanilla, las cuales el bebé puede tomar a discreción con su biberón.

❑ DERMATITIS SEBORREICA

DESCRIPCIÓN DE LA ENFERMEDAD

La dermatitis seborreica es una enfermedad inflamatoria de la piel bastante frecuente, que se caracteriza por la formación de escamas grasas secas o húmedas y costras amarillentas. Las localizaciones más frecuentes de este tipo de dermatitis afectan sobre todo al cuero cabelludo, los párpados, las ingles, las mamas o los pliegues glúteos del niño o el bebé. Sin embargo, pueden aparecer en otras partes del cuerpo.

SÍNTOMAS

En las fases agudas puede producirse exudado e infección con forunculosis secundaria y en casos aislados se desarrolla también exfoliación generalizada.

En los bebés encontramos como una característica muy común de esta dermatitis el que presenten costras en el cuero cabelludo con escamas gruesas y amarillentas, las cuales aparecen formando manchas.

TRATAMIENTOS

Aromaterapia
Tenemos dos remedios muy efectivos:

- Ungüento con aceite de albaricoque al que se añadirá una gota de aceite de palisandro.
- Aceite para ungüento de espliego en mezcla con aceite de melocotón.

Homeopatía
Al producirse una dermatitis seborreica típica lo trataremos con ungüento de caléndula. Una vez que el proceso avanza y la piel se va volviendo seca y con escamación, el *Lycopodium clavatum* está recomendado.

❑ DIFTERIA

DESCRIPCIÓN DE LA ENFERMEDAD

Se trata de una enfermedad contagiosa aguda producida por la bacteria *Corynebacterium diphteriae* que se caracteriza por la producción de una toxina sistémica y una falsa membrana que recubre las mucosas faríngeas. La toxina es particularmente lesiva para los tejidos cardíacos y del sistema nervioso central, y la densa membrana que se forma puede interferir con la ingestión de alimentos, bebidas y con la respiración.

SÍNTOMAS

Además de la aparición de la membrana, con la difteria los ganglios linfáticos del cuello se hinchan y se produce edema a ese nivel. La difteria no tratada, suele tener una evolución fatal produciendo insuficiencia cardíaca y renal.

TRATAMIENTOS

Homeopatía

Aunque nos encontramos con una enfermedad grave, también es una enfermedad que a día de hoy rara vez se da en sociedades desarrolladas. Los niños son vacunados y es difícil encontrar casos de difteria. Aun así, la Homeopatía puede ayudarnos a tratar los síntomas de la enfermedad. Una infusión de de corteza y de fárfara aliviará la sensación de no poder respirar y la inflamación glandular.

❑ DISTROFIA MUSCULAR

DESCRIPCIÓN DE LA ENFERMEDAD

Grupo de enfermedades genéticas caracterizadas por atrofia progresiva de los músculos esqueléticos simétricos.

- DISTROFIA MUSCULAR DE DUCHENNE. Se produce en aproximadamente uno de cada 3.000 niños varones. Los niños afectados son normales al nacer, y se alcanzan los primeros progresos motores como sentarse. Sin embargo, el andar se ve retrasado. Casi un 10 por ciento tienen un retraso en el habla. Los primeros signos suelen hacerse evidentes antes de los tres años, y puede haber un incremento en la masa muscular en los gemelos, pese a la debilidad. Los músculos de las piernas y la espalda se ven afectados, proporcionando al niño un característico andar inseguro. Puede haber dificultad en levantarse del suelo. A los 12 años, la mayoría de los niños ya no puede andar, y muy pocos sobreviven hasta alcanzar los 20 años. Si la madre es portadora de la distrofia muscular de Duchenne, su hijo tiene un 50 por ciento de probabilidades de desarrollarla.

- DISTROFIA MUSCULAR DEL ANILLO DE LAS EXTREMIDADES. Empieza al final de la infancia o al principio de la edad adulta, y afecta a los músculos de las caderas y hombros. La progresión es más lenta que en la de Duchenne. El afectado resulta en general severamente incapacitado a los 20 años.

- DISTROFIA MUSCULAR FACIOESCAPULOHUMERAL. Afecta a los músculos del rostro, parte superior de la espalda y brazo superior. Su progresión es muy lenta y no causa necesariamente incapacidad.

- DISTROFIA MUSCULAR DE BECKER. Es muy parecida a la distrofia muscular de Duchenne, pero empieza mucho más tarde en la infancia y es de progreso mucho más lento. Los afectados sobreviven a menudo hasta los 50 años de edad o incluso más.

- DISTROFIA MIOTÓNICA. Afecta a los músculos de las manos y los pies, y puede desarrollarse en la infancia. Se asocia con cataratas en la edad madura, así como con incapacidad mental.

SÍNTOMAS

En toda distrofia existe una pérdida insidiosa de fuerza con incapacidad y deformidad progresiva, aunque cada tipo de distrofia muscular difiere en los grupos musculares que se ven afectados, en la edad de comienzo de la enfermedad o en la rapidez de progresión de la misma.

TRATAMIENTOS

Quiromasaje

Aunque en este caso la terapia no curará la enfermedad, sí que mejorará considerablemente la calidad de vida. Su objetivo es tonificar y mejorar el riego sanguíneo muscular.

Terapia nutricional

Según los estudios científicos, la distrofia muscular puede estar relacionada con deficiencias de vitamina E y selenio. Se han investigado casos en los que ha habido reacción positiva a una suplementación con coenzima Q10.

No debemos de obviar el hecho de que algunas alergias o intoxicaciones con alimentos pueden generar durante un corto periodo de tiempo unos síntomas similares a los de la distrofia muscular.

Aromaterapia

Desde esta terapia se recomiendan como beneficiosos los masajes corporales completos (haciendo especial hincapié en las zonas dañadas), a base de aceites de romero y enebro.

Hidroterapia

Se ha demostrado con estudios recientes que la combinación de masaje y chorros de agua con impacto térmico facilita la circulación sanguínea y, por tanto, quienes padecen disfrofia muscular experimentan fuertes mejorías si se someten a este tipo de tratamiento natural.

❑ ECZEMA ALÉRGICO

DESCRIPCIÓN DE LA ENFERMEDAD

Inflamación maculopapulosa, intesamete pruriginosa y con fecuencia escoriada que se observa comúnmente en la cara y los brazos en personas con tendencia alérgica.

SÍNTOMAS

Un eczema puede llegar a ser muy doloroso, provocando que se tenga una piel seca, roja y escamosa en la que pueden formarse ampollas que estallan y se abren para formar llagas.

TRATAMIENTO

Fitoterapia occidental

Se recomienda la aplicación de compresas húmedas de infusión de corteza de roble al 5 por ciento. La aplicación será con líquido caliente y no hay que dejar que se enfríe el cuerpo, por lo que la renovación será frecuente.

En los casos en los que haya inflamación, se aplicará con un pincel o algodón una mezcla de caléndula al 5 por ciento y cinc.

Homeopatía

Es muy efectiva la aplicación de ungüento de Ekzevowen.

❑ ESCALDADURAS

DESCRIPCIÓN DE LA ENFERMEDAD

Una escaldadura es una irritación roja y sensible de la piel, que si bien puede desarrollarse por todo el cuerpo, las zonas más comunes son la zonas genital y anal como consecuencia de la acumulación de sustancias que los pañales retienen, de ahí que sean frecuentes en la primera infancia.

Las escaldaduras están causadas por el contacto de la piel con la orina o las heces o por exceso de humedad en la pie; y es que demasiada humedad elimina la protección natural que tiene la piel, y hace que ésta sea mucho más propensa al daño mecánico por fricción.

Síntomas

Irritación roja de la piel.

Tratamientos

Fitoterapia occidental
Las inflamaciones de las escaldaduras rara vez son molestas en exceso para el bebé. Desde esta terapia se nos propone la realización de un ungüento que aplicaremos con suave masaje. Éste calmará la irritación y ayudará a recuperar las defensas naturales de la epidermis. Se realiza con caléndula y álsine.

Homeopatía
Cuando la escaldadura empieza a ser ampolla y la irritación es más fuerte de lo habitual, para evitar que el niño se rasque instintivamente usaremos *Rhus toxicondenron*. Si por el contrario la piel presenta escamaciones rojo fuerte y se encuentra reseca, el remedio será *Sulphur*.

Flores de Bach
El remedio de urgenciaformulado en crema se ha demostrado de gran utilidad en estos procesos de irritación leve de la piel.

Terapia nutricional
Para ayudar a la conservación de las defensas naturales de nuestra piel, hemos de dar al niño una alimentación supletoria de alimentos con vitamina a y zinc.

Aromaterapia
Como medida de prevención y durante el periodo en el que el niño lleva pañales podemos aplicarle un aceite del uno por ciento de espliego y hueso de albaricoque.

Naturopatía
Un kinesiólogo puede sugerir que el niño beba más agua y tome vitamina A y zinc.

❑ ESCARLATINA

Descripción de la enfermedad

Enfermedad muy contagiosa y aguda causada por un estreptococo hemolítico A productor de eritrotoxinas.

SÍNTOMAS

Se caracteriza por dolor de garganta, fiebre, engrosamiento de los ganglios linfáticos del cuello, postración y erupción roja brillante y difusa.

TRATAMIENTOS

Homeopatía
A menudo se obtienen buenos resultados dando cinco gotas de *Ferrum iodatum* dos veces al día durante el reposo en cama. Para fortalecer al pequeño, ya que la escarlatina puede consumir el cuerpo intensamente, se receta *Vaucheria*, cinco gotas tres veces al día (medicamento elaborado a partir de algas ricas en minerales y vitaminas).

Terapia nutricional
La alimentación debería ser pobre en sal y proteínas, pero no tendría que estar exenta de ellas. Durante el periodo febril, debería tomarse abundante líquido.

❑ ESTOMATITIS ULCEROSA

DESCRIPCIÓN DE LA ENFERMEDAD

La estomatitis es un trastorno inflamatorio de la boca producido por una infección bacteriana, vírica o fúngica, por la exposición a ciertas sustancias químicas o fármacos o por deficiencias vitamínicas.

SÍNTOMAS

Los principales síntomas de la estomatitis ulcerosa son puntos o manchas blancas dentro de la boca y la lengua de quien la padece, que pueden verse acompañados de fiebre e inflamación glandular.

TRATAMIENTOS

Homeopatía
Como remedio homeopático se tomarán cinco gotas antes de cada comida de *Mercurius cyanatus* y *Borax*. También se puede ayudar de un gel balsámico hecho a base de Wala cuyo preparado es fácil de encontrar en las distintas tiendas especializadas.

❏ ESTREÑIMIENTO

DESCRIPCIÓN DE LA ENFERMEDAD

Llamamos así a la dificultad que se tiene en la eliminación de las heces o a la emisión incompleta e incluso infrecuente de heces anormalmente duras.

El estreñimiento obedece a múltiples causas tanto orgánicas como funcionales. Desde la obstrucción intestinal a la diverticulitis. En los lactantes en concreto, un estreñimiento puede deberse, entre otras causas, al hecho de que la madre no tenga leche suficiente.

TRATAMIENTOS

Terapia nutricional
- Si los niños son pequeños, para ayudarles a aliviar el estreñimiento lo que ha de hacerse es aumentar la cantidad de zumos cítricos, la de azúcar y la miel, al igual que se duplicará la dosis de lactosa.
- Cuando los niños son ya más mayores, lo más recomendable es aumentar las dosis de frutas en su dieta diaria, preferentemente ciruelas, higos y peras.

❏ FLATULENCIAS

DESCRIPCIÓN DE LA ENFERMEDAD

Se denomina flatulencia a la deglución de aire que da lugar a eructos, molestias gástricas y expulsiones anales.

TRATAMIENTOS

Homeopatía
Los principales consejos homeopáticos a este respecto son:

- *Carbo vegetabilis:* se dará al niño cuando los eructos son muy retardados, hay síntomas de inquietud y existe palidez.
- *Chamomilla*: cinco gotas diluidas en infusión, cuando la irritabilidad del niño sea extrema.
- *Lycopodium clavatum*: es usado en lactantes que sufren flatulencias y se cansan con facilidad de mamar.

Terapia nutricional

El ritmo en las comidas también es tratado por la terapia nutricional, que aconseja para los lactantes que sean alimentados de forma rítmica, pausada y cada cuatro horas.

Fitoterapia occidental

Cuando los niños lloran a causa de las flatulencias, se ven estresados en su necesidad de expulsarlas, se ha de dar una infusión de hinojo y calor en manos o pies.

❏ FURUNCULOSIS

Descripción de la enfermedad

Enfermedad cutánea aguda caracterizada por furúnculos simultáneos o en brotes sucesivos que se deben a infecciones por estafilococos o estreptococos

Síntomas

Produce dolor, enrojecimiento e hinchazón. La necrosis profunda en el centro del área inflamada forma un núcleo de tejido muerto que puede ser expulsado, reabsorberse o eliminarse quirúrgicamente.

Tratamientos

Homeopatía

Esta terapia nos propone un tratamiento que ayuda a que se acorten los plazos de la necrosis y que exista mayor facilidad a la hora de la expulsión de este tejido muerto. Debemos aplicar un ungüento de *Mercurilis perennis* al 10 por ciento.

❏ HIPERACTIVIDAD

Descripción de la enfermedad

Cuando hablamos de grupos de enfermedades, se corre el riesgo de generalizar y tratar casos más graves de forma ligera. En los niños tiene unas bases físicas y psíquicas.

Síntomas

El niño tiene energía en exceso, se muestra inquieto, exigente y nervioso. Estos niños tienen un corto margen de atención, se distraen a menudo, son excitables e impredecibles. Cuando empiezan a caminar, se muestran fácilmente frustrados y son propensos a las rabietas. Son comunes los problemas con el habla, la audición y el equilibrio. Aunque son tan inteligentes como los demás niños, tienden a no desenvolverse bien en la escuela y a menudo no pueden concentrarse. En bebés, los signos de hiperactividad incluyen cólico, gritos prolongados, golpearse la cabeza e inquietud general

TRATAMIENTOS

Terapia nutricional

Resulta de las más efectivas cuando se hace un seguimiento intensivo del niño. Los aspectos nutricionales (excitantes, azúcares, falta de vitaminas, etc.) son los más comunes en los casos de hiperactividad. Se recomienda acudir a un profesional para que realice un buen estudio que determine los alimentos a suprimir, y cree al niño un buen hábito de ingestión que incluya horas concretas y fijas para cada comida.

Musicoterapia

La música se ha ido abriendo paso como una de las terapias menos invasivas. Se ha experimentado con música *new age* a base de flauta y cuerda que a un volumen medio bajo ayuda al niño a relajarse.

Flores de Bach

- El remedio más usado tanto en niños como en adultos es impaciencia.
- Especialmente indicado para bebés será verbena.

Homeopatía.

Tarentula cubensis y Veratrum alba, tomados de forma habitual, ayudan al niño a controlar la hiperactividad.

Naturopatía

Cataplasmas de arcilla roja en el vientre.

❑ IMPÉTIGO

DESCRIPCIÓN DE LA ENFERMEDAD

Es una infección estreptocócica o estafilocócica de la piel que comienza por un eritema focal y progresa hasta producir vesículas pruriginosas, erosiones y costras melicéricas.

SÍNTOMAS

Las citadas vesículas aparecen en la cara y se extienden localmente. Las secreciones de la lesión son altamente contagiosas por contacto.

TRATAMIENTOS

Fitoterapia occidental

Los fitoterapeutas occidentales intentarán impulsar el sistema inmunológico y usar tinturas como caléndula y mirra.

Aromaterapia

Los aromaterapeutas pueden frotar una mezcla de aceites esenciales como ajedrea o árbol del té

❏ LEUCEMIA INFANTIL

DESCRIPCIÓN DE LA ENFERMEDAD

Enfermedad maligna y progresiva de los tejidos hematopoyéticos que se caracteriza por la proliferación incontrolada de leucocitos inmaduros y sus precursores, particularmente en la medula ósea, el bazo y los ganglios linfáticos. Es el cáncer que más se da en los niños, con una mayor frecuencia de aparición entre 2 y 5 años.

SÍNTOMAS

Entre los síntomas iniciales de la enfermedad destacan fiebre, palidez, fatigabilidad, anorexia, infecciones secundarias, dolor óseo y articular, hemorragias subdérmicas o submucosas y aumento del tamaño del bazo, hígado y ganglios linfáticos. El comienzo puede ser brusco o seguir una evolución gradual y progresiva. La afectación del sistema nervioso central puede dar lugar a meningitis leucémica. Típicamente en la extensión de sangre periférica se observan muchos leucocitos inmaduros. El diagnóstico se confirma mediante aspiración de médula ósea o biopsia medular.

TRATAMIENTOS

Aromaterapia

La aromaterapia es un coadyudante en los casos de cáncer. Su principal función es la liberación de estrés, crear un entorno cálido y agradable que estimule la producción de defensas naturales del organismo. Estos aceites esenciales han de dispersarse por medio de un humidificador. El niaouli ayuda a fortalecer el sistema inmunológico. La naranja dulce aporta tranquilidad.

Quiromasaje

En este tipo de cáncer nunca debe hacerse un tratamiento con Quiromasaje, pues al mejorar la función circulatoria y linfática «ayuda» a extender el cáncer por el resto del cuerpo.

Flores de Bach

Olmo se prescribe para aquellos niños que ya son conscientes de tener una enfermedad grave, pues les saca sus temores. En una primera fase irá acompañado de remedio de urgencia para ayudar a sobrellevar ese primer impacto.

Los padres también pueden servirse de este mismo remedio en los primeros momentos y de mímulo para paliar el miedo a la pérdida de un ser querido.

Terapia nutricional

La alimentación es el centro de investigación de los médicos en cuanto a terapias alternativas y cáncer.

Unos suplementos vitamínicos de vitamina C y la ingestión en grandes cantidades de verduras, cítricos y plátanos ayudan a un mayor fortalecimiento del niño, y también durante la pesada carga del fuerte tratamiento al que son sometidos.

❏ LINFATISMO

DESCRIPCIÓN DE LA ENFERMEDAD

Los ganglios linfáticos son las estructuras ovales de pequeño tamaño que filtran la linfa y contribuyen a la defensa contra las infecciones y en las cuales se forman linfocitos, monolitos y células plasmáticas. Los ganglios linfáticos tienen un tamaño muy variable, algunos son tan pequeños como una cabeza de alfiler y otros tienen el volumen de una nuez.

SÍNTOMAS

Los síntomas más llamativos del linfatismo son los pólipos nasales, una boca siempre abierta (también por la noche), catarro nasal crónico, roncar y un habla gangosa. Además, los ganglios linfáticos del cuello están más o menos hinchados.

Tratamientos

Naturopatía

Es muy aconsejable cada noche el lavado con agua fría y por la mañana, lavado nasal con agua salada.

Fitoterapia occidental

Daremos al niño una taza tres veces al día durante cuatro o seis semanas de una infusión preparada con tila, hojas de salvia y flores de árnica a partes iguales. Preparación y aplicación: verter medio litro de agua hirviendo sobre una cucharadita de hierbas, dejar reposar cinco minutos y colar a continuación.

Homeopatía

- *Barium iodatum:* 15 gotas por la noche diariamente.
- *Calcium yodatum:* si están muy predispuestos a los catarro nasales, deben tomar una pastilla cada noche.
- *Calcium phosphoricum:* los niños delgados con poco apetito, inquietud nerviosa y predisposición a los dolores de cabeza y de vientre, tomarán cinco gotas por la mañana y antes de desayunar diariamente.
- *Barium carbonicum:* en los niños gorditos, bajitos y torpes con glándulas blandas, serán cinco gotas por la noche diariamente.

Terapia nutricional

El consumo de azúcar, productos lácteos y productos de harina blanca debe reducirse necesariamente.

❑ LOMBRICES

Descripción de la enfermedad

Enterobius vermicularis o lombriz común es una infección parasitaria. Las lombrices infectan el intestino grueso y las hembras depositan sus huevos en la región perianal.

Síntomas

Se produce prurito e insomnio. Es frecuente la reinfección por transferencia de los huevos a la boca a través de los dedos contaminados (debe extremarse la limpieza y el aseo personal). También es posible la infección aérea, puesto que los huevos se mantienen viables durante unos dos o tres días en la ropa de cama contaminada.

TRATAMIENTOS

Homeopatía

La indicación general es el *Zincum metallicum*, el *Teucrium* y el *Santonium*.

Terapia nutricional

Han de evitarse los dulces durante el periodo de infección, especialmente los azúcares, de manera que se procederá a tomar sucedáneos del azúcar.

Los alimentos más recomendables por su ayuda a la limpieza de la infección son las semillas de calabaza, el ajo y las zanahorias.

❑ LLOROS CONSTANTES

DESCRIPCIÓN DE LA ENFERMEDAD

Si hay algo inexacto y difícil de escudriñar es el llanto de un niño. ¿Qué padre no daría toda su fortuna a cambio de saber qué es lo que le hace llorar tan persistentemente a su hijo? Todos los bebés lloran, puesto que es su forma de comunicarse, pero cuando estos lloros se vuelven persistentes, especialmente fuertes y con ataques, estamos ante los llamados lloros constantes. Las causas de estos lloros son innumerables; a modo de ejemplo nos encontramos con las más comunes, a saber: hambre, sed, sentirse solos, aburridos, demasiado calientes, demasiado fríos, mojados o sucios.

SÍNTOMAS

El lloro constante es un síntoma en sí mismo.

TRATAMIENTOS

Homeopatía

Según la causa, remedios homeopáticos como *Colocynthis, Bryonia alba, Veratrum album* pueden resolver el llanto. No obstante, debemos tener en cuenta que algunos niños nacen llorones, pues parece que despedirse del calor y de la envoltura de líquido del seno materno les resulta desagradable.

Si el parto duró mucho tiempo o fue necesario ayudarlo con medicamentos o con la intervención del médico, puede administrarse inmediatamente una dosis única de

Arnica montana y *Cuprum metallicum*, cinco glóbulos de cada uno, pues es un primer intento de tranquilizar al neonato que muchas veces da buenos resultados.

Flores de Bach

Achicoria se indica a los niños que requieren atención constante, y mímulo para los que son muy miedosos.

Fitoterapia occidental

Las reconocidas infusiones de manzanilla son siempre un buen calmante para un niño en estado de irritabilidad por el llanto. Como bebida para todos los días se recomiendan infusiones de plantas medicinales como melisa, hypericum, valeriana, flores de malva y, a veces, también de manzanilla e hinojo, por separado o las dos a la vez a partes iguales

Terapia nutricional

Una alimentación adecuada no demasiado abundante pero de alta calidad ayuda al niño a estar menos irritado además de disminuir el riesgo de padecer enfermedades gástricas.

También es muy recomendable añadir preparados de levadura de cerveza a las sopas, verduras y productos para untar pan, y, por supuesto, no dar bebidas estimulantes como café, té o cola.

❑ MOJAR LA CAMA

DESCRIPCIÓN DE LA ENFERMEDAD

Llamamos así a la incontinencia urinaria durante la noche o periodos en los que el niño se encuentra en la cama (como pueden ser los momentos en que se encuentra enfermo). Normalmente está causada por inmadurez del sistema nervioso en su control de la vejiga, pero no hay que olvidar otras posibles causas como diabetes, infección urinaria o una anomalía estructural del aparato urinario. Cuando ocurre después de «haber aprendido» a controlarse, suele ser por estrés postraumático, social o emocional. La mejor ayuda es la de un psicólogo.

SÍNTOMAS

Mojar la cama es sin duda un síntoma de otros problemas que lo mismo pueden ser físicos que psicológicos.

TRATAMIENTOS

Homeopatía

Se requiere un análisis de las causas por medio de un homeópata, pero la base de las medicaciones que se tomen será el *Equisetum hiemale* administrado de manera continua.

Fitoterapia occidental

Se recomienda aplicar cada noche un ungüento de aceite de *hypericum* en los lados internos de los muslos, para así aumentar la sensibilidad de la musculatura de cierre de la vejiga. Con este ingrediente se puede realizar también una infusión que además se acompañará de melisa y flor de azahar; tras cocer, hay que dejar reposar un cuarto de hora y colar. Lo mejor es una taza de infusión por la mañana y al mediodía, a lo largo de un periodo prolongado; sin endulzar es más eficaz.

Medicina ayurvédica

Lo fundamental será encontrar el equilibrio de las tridoshas.

Hipnoterapia

En situaciones en las que el diagnóstico médico se ha inclinado hacia una enuresis psíquica o emocional, se ha demostrado muy eficaz la hipnoterapia para hacer que el niño programe en su mente el deseo de despertarse y así poder ir al baño.

Naturopatía

Cataplasmas de arcilla e infusiones de melisa y tila ayudan a que el niño se relaje.

❏ NEUMONÍA INFANTIL

DESCRIPCIÓN DE LA ENFERMEDAD

La neumonía infantil es un término general para designar todos los cambios patológicos inflamatorios que se producen en los pulmones.

Según las características clínicas y de anatomía patológica, se divide en neumonía primaria y secundaria, y neumonía bronquial y lobular.

SÍNTOMAS

Generalmente se presenta una súbita fiebre alta de unos 40°, acompañada de tos, respiración acelerada, etc. Normalmente la tos es intensa, a veces con vómitos.

También pueden presentarse fenómenos como una palidez facial y labios de un color púrpura azulado. Puede haber somnolencia, inquietud, irritabilidad o incluso inconsciencia.

TRATAMIENTOS

Masaje terapéutico chino

- Con el niño tumbado, se presionan las líneas pitu y sanguan. Después aplicar una presión divergente en las palmas y en las caras dorsales de cada mano y el amasamiento en el punto wailogang.

- Descubrir el pecho y la espalda del paciente. Primero aplicar el masaje de presión en los puntos fengchi, fengfu, dazhui y feshu de la espalda. Después aplicar el de presión en los puntos rupong, rugen y shanzhong.

- Masaje de acupuntos distantes: por ejemplo, presionar y amasar los acupuntos jiexi, yongquan y zusani en la parte inferior de las piernas y los pies.

- Terminar el masaje presionando los puntos yintang, taiyin y taiyang.

- Si hay fiebre alta, presionar también el punto tianheshui.

- Si hay fiebre pero sin transpiración, presionar a lo largo de la línea sanguan y aplicar un masaje de agarrón en los acupuntos jianging y neilaogong.

- Si hay una respiración rápida, agitación e hipoxia, presionar los acupuntos fengchi, fengfu, fengmen, dazhui, feishu y rangu.

❑ OÍDO PEGAJOSO

DESCRIPCIÓN DE LA ENFERMEDAD

Es una condición crónica en la que el oído medio se llena de una supuración densa que dificulta la audición normal. Empieza con una repentina inflamación del oído medio. Puede ser una complicación de una infección de nariz o garganta.

En numerosas ocasiones está asociado a amigdalitis, inflamación de las glándulas linfáticas del cuello, y así mismo, puede incluso llegar a bloquear las trompas de Eustaquio.

SÍNTOMAS

El síntoma principal es la supuración densa del oído.

TRATAMIENTOS

Homeopatía
- *Calcarea carbonica:* cuando haya supuración en el oído.
- *Kalium bichromicum:* está indicado cuando la mucosidad es densa en la parte de atrás de la garganta.
- *Graphites*: para la supuración color miel del oído y ruidos crepitantes.

Terapia nutricional
Abundancia de líquidos, gran cantidad de verduras y durante los días de máxima infección es preferible que las proteínas se aporten por medio de pescado hervido. Si el niño tiene dificultad a la hora de mover la mandíbula por el dolor del oído, puede realizarse la alimentación con puré durante dos o tres días.

❑ OJOS LEGAÑOSOS

DESCRIPCIÓN DE LA ENFERMEDAD

Se habla de ojos legañosos cuando la presencia de legañas es crónica o excesivamente abundante. El motivo suele ser un exceso de actividad de las glándulas lacrimógenas, provocado por algún tipo de infección o de irritación.

SÍNTOMAS

En general, los ojos legañosos son síntoma de algún otro trastorno.

TRATAMIENTOS

Homeopatía
Cuando son niños de más de nueve años podemos administrarles *Pulsatilla*. La *Euphrasia* está indicada para las secreciones muy abundantes.

Fitoterapia occidental
Cuando al despertar encontramos los ojos del niño con un exceso de legañas, ojos pegajosos, podemos acudir a la aplicación directa de una infusión de caléndula,

salicaria, geranio americano, malvavisco y manzanilla. Se dejará enfriar y se procederá a lavar los ojos con ella.

❏ OTITIS

DESCRIPCIÓN DE LA ENFERMEDAD

La otitis, o inflamación de oído medio, es un proceso común en la infancia. Suele estar producida por el *Haemophilus influenzae* o el *Streptococcus pneumoniae*, mientras que la forma crónica suele ser causada por bacterias gramnegativas. En algunas ocasiones su origen es alérgico o está producido por infecciones de las vías respiratorias superiores.

SÍNTOMAS

Los microorganismos penetran en el oído medio a través del conducto de Eustaquio. El pequeño diámetro y la orientación horizontal del conducto en los niños los predispone a la infección. La obstrucción del conducto y la acumulación de exudado pueden aumentar la presión en el oído medio, lo que da paso a la infección del hueso mastoides o a la rotura de la membrana del tímpano. Sus síntomas son variados y comprenden la sensación de cuerpo extraño en el oído, disminución de la audición, dolor y fiebre.

TRATAMIENTOS

Homeopatía

Cuando la infección es leve combinaremos *Hepar sulphur* y a la vez que calor en la zona *Chamomilla*. Cuando la infección es mayor y el niño está tan incómodo que grita, llora fuertemente y sufre de irritabilidad extrema, se recomienda combinar tres medicamentos: *Silicea compositum* (Wala), siete glóbulos y alternándolo cada hora con *Apis* DH3/*Levisticum* DH4 (Wala), otros siete glóbulos y *Ferrum phosphoricum* DH6, cada hora una pastilla.

Acupuntura

La Acupuntura se orientará a los puntos correspondientes a las glándulas pituitaria, pineal y suprarrenales, timo, oído y bazo.

Naturopatía

La envoltura en cebolla resulta muy calmante del dolor y relajante para el niño.

❏ PAPERAS

Descripción de la enfermedad

Enfermedad viral aguda caracterizada por hinchazón de la glándula parótida y debida a un paramixovirus. Suele afectar a los niños de edades comprendidas entre 5 y 15 años pero puede encontrase a cualquier edad. La inmunidad pasiva proporcionada por la madre suele evitar la enfermedad en los lactantes menores de 12 meses.

Síntomas

Los síntomas comunes de las paperas suelen durar 24 horas e incluyen anorexia, cefaleas, malestar general y febrícula. Más adelante aparecen otalgia, tumefacción parotidea y fiebre alta. El paciente experimenta dolor al masticar o beber líquidos ácidos. También pueden verse afectadas las glándulas salivales.

Tratamientos

Homeopatía
- Para tratar la inflamación glandular daremos al niño *Phytolaca decandra*, acompañado de *Belladona* cuando la fiebre sea alta.
- Una cataplasma de *Archangelica* al 10 por ciento ayudará al niño a la hora de tragar.

Fitoterapia occidental
Como en otras enfermedades, se recomiendan las infusiones de flores de saúco para bajar la fiebre; para la inflamación glandular administraremos infusión de caléndula.

Naturopatía
Cataplasmas arcillosas en el área del cuello han demostrado su eficacia a la hora de la mitigación de los síntomas inflamatorios.

❏ PARÁLISIS INFANTIL O POLIOMIELITIS

Descripción de la enfermedad

La parálisis infantil o poliomielitis es una enfermedad infecciosa infantil que se debe a una especie de infección vírica filtrable. Es común en niños de 1 a 6 años. Los excrementos y las secreciones nasofaríngeas del enfermo contienen grandes cantidades del virus que se transmite principalmente por una infección en los alimentos. Aparte de esto, la infección también puede producirse a través de la saliva o una herida. La enfermedad aparece principalmente a finales de verano y principios de otoño.

SÍNTOMAS

El curso de la enfermedad se divide en tres fases:

- FASE PREMONITORIA. Fiebre de 38-40°, malestar general, dolor de cabeza y dolor de faringe acompañado de síntomas en el aparato digestivo, tales como anorexia, dolor abdominal, diarrea y vómitos.

- FASE PREPARALÍTICA. De uno a seis días después de la desaparición de la fiebre del periodo premonitorio, ésta vuelve a aparecer. El dolor y la excitación aparecen por todo el cuerpo o en los miembros. Los músculos de la parte posterior del cuello están espasmódicos.

- FASE PARALÍTICA. Los síntomas mencionados anteriormente persisten durante un intervalo de tres a diez días. A continuación empieza a subir la fiebre. Durante el periodo febril o después de él, aparece la parálisis fláccida, que se acentúa de forma gradual.

TRATAMIENTOS

Masaje terapéutico chino
- Con el paciente tumbado boca arriba, se sujeta el talón del niño con la mano derecha, con el pulgar y el medio de la izquierda se pellizca y tuerce el dedo gordo del pie desde los bordes hasta la punta. A continuación, con el pulgar se presiona a lo largo de los tendones del dorso del pie. La misma operación se repetirá con cada dedo, en el mismo orden, diez veces.

- Con la yema del pulgar, rodear el cóndilo lateral de la articulación del tobillo y aplicar un movimiento circular de fricción durante 1 minuto. Repetir lo mismo en el cóndilo medio también durante 1 minuto.

- Con la mano izquierda, sujetar el talón del niño y apoyar la mano derecha firmemente contra las puntas de los dedos del pie. A continuación, efectuar una manipulación pasiva en la articulación del tobillo, doblándolo y extendiéndolo cuidadosamente.

- Con la rodilla afectada doblada, amasar el acupunto. A continuación, friccionar alrededor de la rodilla con los pulpejos de ambas manos.

- Dar un masaje de presión con pulgar en los músculos de la cara anterior de la tibia.

- Alternando ambas manos, aplicar presión en los grupos de músculos mediales y laterales del muslo y en los músculos de la cara anterior del muslo.

- Sujetando la pantorrilla del niño con la mano izquierda, aplicar con la otra mano un masaje de presión en toda la pierna.

- Con el paciente tendido boca abajo, aplicar el método de amasamiento digital con los pulgares a lo largo de ambos lados de la columna vertebral, recorriendo la columna unas diez veces. Luego presionar con ambos pulgares hacia afuera de ambos lados de la columna.

- Aplicar el método de pellizco en dirección ascendente en ambos lados de la columna, y luego practicar el método de hurgamiento en los dos acupuntos huontiao y en la zona del trocánter mayor.

- Utilizar el método de palmoteo con ambas palmas, golpeando suavemente durante un minuto desde la columna vertebral hasta el talón. A continuación, presionar con las palmas a lo largo de toda la espalda y el muslo.

- Pellizcar con tres dedos la parte posterior de la pierna subiendo y bajando varias docenas de veces.

- Con el pulgar y el índice, aplicar el método de agarrón en el tendón de Aquiles durante l-2 minutos. Aplicar de nuevo con el pulgar el método de hurgamiento en los acupuntos chengshan, weizhong, zusanli y yinlingquan.

- Finalmente, presionar con suavidad de arriba abajo la cara posterior del muslo.

❑ RESFRIADOS Y GRIPE

DESCRIPCIÓN DE LA ENFERMEDAD

El resfriado común es una infección vírica de las vías respiratorias superiores, mientras que la gripe es una infección sistémica que afecta sobre todo al aparato respiratorio, es muy contagiosa, está causada por un mixovirus y es transmitida por vía aérea a través de las gotitas de saliva.

SÍNTOMAS

El resfriado se caracteriza por rinitis, lagrimeo, febrícula y malestar general, mientras que los síntomas de la gripe por su parte incluyen tos, dolor de garganta, fiebre y malestar general.

La diferencia fundamental entre los dos estados es la fiebre y la peor sensación de malestar general que se produce durante la gripe.

TRATAMIENTOS

Homeopatía

En las primeras fases de cualquiera de los dos estados es altamente efectivo el *Aconitum napellus*. Los accesos febriles acompañados de algo de deshidratación podrán ser tratados con *Bryonia alba*. Si el malestar es muy persistente, e incluye irritabilidad se suministrará *Nux vomica*. Para los niños a los que el resfriado les llega con una gran cantidad de mucosidad y encuentran problemas a la hora de la expulsión, podemos indicar *Mercurius solubilis* o *Pulsatilla*.

Si la fiebre ha ido aumentando de manera suave pero constante, el mejor remedio es el *Ferrum phosphoricum*. Si la fiebre es de 38-38,5 °C, puede darle *Eupatorium perforatum*, en casos en los que la fiebre es más alta por la mañana que por la noche y se acompaña de sensación de fatiga, cansancio y sensibilidad al dolor, también más intensa por la mañana que por la noche.

El catarro nasal y la tos aparecen juntos y el niño pide bebidas frescas, pudiendo ser que aparezcan vómitos cuando el niño empieza a sentirse mejor. Adminístrele 50 gotas en un vaso de agua, y dele un sorbo cada media hora. *Gelsemium semprevirens*. En casos en los que llama la atención el embotamiento sensorial del niño, tiene mucha necesidad de dormir, le duelen los miembros, tiene frío y tirita se administrará cada dos horas: dele un sorbo de agua con cinco gotas. El molesto catarro nasal ha de ser vigilado, pues siempre se presenta el riesgo de una derivación hacia otras vías respiratorias que lo compliquen. *Sambucus nigra* se administrará cuando la nariz esté muy taponada, especialmente durante las noches. *Luffa* sirve de efectivo comodín cuando comienza cualquier tipo de catarro. Para las fuertes rinitis *Allium cepa*. Si la secreción nasal se torna verdosa es el momento de *Natrum sulfuricum*.

Terapia nutricional

Es fundamental la continua y abundante hidratación del niño, tanto con agua como con abundantes zumos naturales. El azúcar, los huevos y otros lácteos han de ser vigilados, pues producen mucosidad. La ingesta de gran cantidad de vitamina c junto a preparados ricos en cebolla, puerro y ajo, son muy recomendables.

Aromaterapia

- Si disponemos en casa de un humidificador, añadiremos a éste esencia concentrada de eucalipto que ayuda a abrir las vías respiratorias.
- Baños con aceite de eucalipto y espliego conjuntamente con árbol del té ayudarán a la hora de la fiebre.

❑ RUBÉOLA

DESCRIPCIÓN DE LA ENFERMEDAD

Se trata de una enfermedad de origen vírico caracterizada por fiebre, síntomas de enfermedad del tracto respiratorio superior, engrosamiento de los ganglios linfáticos, artralgias y erupción difusa. El virus causante de la misma se disemina por las gotitas de saliva.

SÍNTOMAS

Su periodo de incubación oscila entre 12 y 23 días. Los síntomas no suelen durar más de dos a tres días salvo la artralgia, que puede durar más o ser recurrente. La primera infección confiere inmunidad de por vida, y si la contagiada es una mujer embarazada en el primer trimestre de gestación, pueden producirse anomalías fetales.

TRATAMIENTO

Aromaterapia

Para el tratamiento de las erupciones cutáneas, procuraremos unos baños acompañados de ligeros masajes con una base de aceites de árbol del té, manzanilla romana y espliego al 2,5 por ciento.

Homeopatía

Contra el enrojecimiento de la piel se tomará *Pulsatilla*, que podremos acompañar durante los días de máxima infección con *Phytolaca decandra* para aliviar la inflamación glandular.

❑ SARAMPIÓN

DESCRIPCIÓN DE LA ENFERMEDAD

Enfermedad vírica aguda que afecta a las vías respiratorias y se caracteriza por la aparición de una erupción cutánea maculopapilar muy extensa. Afecta, principalmente a niños pequeños no vacunados.

El sarampión está producido por un paramixovirus y se transmite por contacto directo por gotitas que parten de la nariz, la garganta y la boca de las personas infectadas, por lo general en la fase prodrómica de la enfermedad. Es rara la transmisión indirecta por objetos.

El diagnóstico se confirma por la identificación de machas de koplik en la mucosa oral.

SÍNTOMAS

Tras un periodo de incubación de 7 a 14 días, sigue una fase prodrómica caracterizada por fiebre, malestar general, coriza, tos, conjuntivitis, fotofobia, anorexia y machas de koplik, y aparecen uno o dos días antes de la erupción que se distribuye de manera irregular en torno a la línea de inserción del cabello, orejas y cuello, extendiéndose en apenas 24 horas al resto del tronco y extremidades.

TRATAMIENTOS

Homeopatía
Las recomendaciones, al igual que en la varicela, son para tratar cada uno de los síntomas que aquejarán al niño durante todo el proceso vírico:

– *Aconitum napellus* o *Belladona*: para fiebre o frío.
– *Pulsatilla*: estados febriles y producción de mucosidades verdes y fotofobia.   -
– *Bryonia alba* o *Sulphur*: cuando aparezca el sarpullido.

Aromaterapia
Su tratamiento va dirigido al alivio de las molestias del sarpullido, baños con aceite de árbol de té o manzanilla romana al 2,5 por ciento.

Fitoterapia occidental
Una infusión preparada con 10 g de milenrama, 20 g de flores de saúco y 20 g de manzanilla en un litro de agua ayudará tanto a aliviar la fiebre como a tonificar los

músculos dañados por el malestar. Se beberá una taza bien caliente cada ocho horas.

Reflexología

Como en el caso de otras enfermedades infecciosas, se recomiendan tratamientos suaves y directos para la recuperación del sistema inmunológico del niño.

Terapia nutricional

Es muy recomendable la ingesta de líquidos, zumos así como gran cantidad de verduras.

❑ SUPURACIONES DE LA PIEL

DESCRIPCIÓN DE LA ENFERMEDAD

El pus es un líquido de exudado, cremoso, viscoso y de color amarillo pálido o verde amarillento que se produce en las necrosis. Se compone principalmente de leucocitos. La causa más frecuente es la infección bacteriana.

SÍNTOMAS

La supuración puede venir acompañada de dolor intenso y fiebre.

TRATAMIENTOS

Homeopatía

En los pequeños es habitual que tras una herida en la piel, por motivo de una caída o cualquier contusión leve, se produzcan infecciones que contengan pus. El remedio es una pastilla diaria de *Hepar sulfur*.

Fitoterapia occidental

Para limpiar las heridas, usar compresas de caléndula.

❑ TERRORES NOCTURNOS

DESCRIPCIÓN DE LA ENFERMEDAD

Los terrores nocturnos se dan especialmente en los niños de cuatro a nueve años, y se pueden definir como alteraciones temporales del sistema nervioso. Además de producirse algunos por causas psicológicas de mayor enjundia, los terrores nocturnos más habituales son los considerados leves, los cuales son transitorios.

Síntomas

El niño se levanta casi inconsciente, gritando y agitando las extremidades. Es difícil confortarlo, sufre amnesia en la mañana siguiente con respecto a lo sucedido.

Tratamientos

Cromoterapia

La Cromoterapia aplicada a la habitación donde duermen los niños no sólo es una terapia que nos ayuda en cuestiones como los miedos nocturnos. Es una terapia que crea un ambiente de bienestar que beneficia al niño en múltiples aspectos. En este que nos ocupa ahora, tenemos que saber que los tonos pastel, amarillos pálidos o azules muy suaves ayudan a mantener la concentración a la hora de dormirse. Crean calidez y relajación. Evite colores estridentes, rojo fuerte, ropas de cama llamativas...

Aromaterapia

Usaremos esta terapia de manera continua. En la habitación dispondremos un humidificador o un sistema dispensador de aromas que nos permita «cargar» a nosotros mismos el aceite que necesitemos. En este caso los más habituales es esencia de rosas y naranja amarga.

Homeopatía

Antimonium crudum y *Calcarea carbonica* son los más adecuados. Se tomarán de manera prolongada.

Flores de Bach

Si la situación es crítica se comenzará por el remedio de urgencia. Cuando nos encontramos ante accesos frecuentes de terrores nocturnos pero no excesivamente violentos, se tomará heliantemo y álamo.

❑ TOS

Descripción de la enfermedad

La tos es una expulsión súbita y sonora de aire procedente de los pulmones, precedida de inspiración. Con la glotis parcialmente cerrada, los músculos accesorios de la espiración se contraen y expelen el aire a través de las vías respiratorias. Es un mecanismo de defensa fundamental que sirve para eliminar agentes irritantes y secreciones de los pulmones, bronquios y tráquea.

SÍNTOMAS

La tos es un síntoma de otros trastornos.

TRATAMIENTOS

Aromaterapia
Dependiendo del grado de irritación, y de la cantidad de tos que el niño tenga, procederemos a «cargar» el humidificador o con eucalipto si es fuerte o con la variedad más suave de éste llamada *Eucpaliptus smithii*, pues si el niño es de muy corta edad o si la irritación de la tos es leve, sería más el perjuicio que le haría el eucaplito que el beneficio que se deriva.

Homeopatía
La Homeopatía es una de las más prolijas proveedoras de remedios naturales contra la tos; podemos elegir entre alguno de los siguientes medicamentos: *Aconitum napellus, Belladona, Bryonia alba, Ipecacuana, Drosera rotundifolia, Spongia tosta, Hepar sulfur, Phosphorus, Chamomilla, Kalium bichromicum, Nux vomica, Pulsatilla, Rumex crispus, Arsenicum album, Antimonium tartaricum, Causticum, Stannum, Sticta pulmonaria* y *Kalium carbonicum*. El tratamiento externo comenzará con envolturas de patata. La tos irritativa se alivia con infusión de *Sytra* (weleda), pues facilita la expectoración de las mucosidades. Según los síntomas, puede elegir entre los siguientes medicamentos: *Sticta pulmonaria* para las ocasiones en las que la tos empezó con un catarro nasal se administrarán diez gotas tres veces al día. Cuando la tos es seca y dolorosa *Bryonia alba*, cinco gotas cinco veces al día. *Tartarus stibiatus* se administrará cuando la expectoración es dificultosa. *Rumex crispus*, en caso de tos casi ininterrumpida y que es especialmente grave por la noche, la dosis es de cinco gotas cada hora.

Fitoterapia occidental
Altamente calmantes de la irritación que la tos produce son las infusiones de fárfara y verbena.

Curación espiritual
Se han demostrado casos de imposiciones que han conseguido elevar los niveles de defensas del organismo así como calmar la angustia durante los ataques de tos.

❏ TOS FERINA

DESCRIPCIÓN DE LA ENFERMEDAD.

La tos ferina es una enfermedad respiratoria aguda muy contagiosa que se caracteriza por accesos de los paroxísticos que terminan en una inspiración a modo de «silbido» muy sonoro. Afecta, habitualmente, a lactantes y niños de menos de cuatro años. La transmisión se produce directamente por contacto o inhalación de partículas infecciosas diseminadas a partir de la tos o el estornudo.

SÍNTOMAS

Los estados iniciales de la enfermedad son difíciles de distinguir de la bronquitis o la gripe, pero puede hacerse un diagnóstico precoz preciso mediante una técnica de tinción de anticuerpos fluorescentes específicos.

El periodo de incubación es por término medio de siete a 14 días, seguidos de un periodo de estado de seis a ocho semanas que se dividen en tres fases distintas:

- Una primera catarral: el comienzo de la fase catarral es gradual y empieza por lo general con estornudos, tos seca, febrícula, apatía, irritabilidad.
- Una segunda fase paroxística: la tos se hace parxística al cabo de diez a catorce días y se produce en forma de una serie de accesos rápidos y cortos durante la espiración. Después de la tos, el niño suele vomitar por acumulación de mucosidad
- Una fase de convalecencia: durante la fase de convalecencia es frecuente la existencia de una tos persistente.

TRATAMIENTO

Homeopatía

Cuando la tos es dura y seca en la fase central de la enfermedad, administraremos *Kaliun carbonicum*. En la fase de convalecencia y en la parte final de la segunda fase podremos ayudar a la recuperación con *Cuprum carbonicum*, que atenuará los efectos de los espasmos de tos.

Se ha encontrado también efectividad en los siguientes preparados: cinco a diez gotas de *Pertudoron* cinco veces al día y administradas con un sorbo de infusión *Sytra*; además, de una a cinco gotas de *Pertudoron* tres veces al día, así mismo en un sorbo de infusión *Sytra*. También puede optar por el tratamiento con *Drosera oligoplex*, de siete a diez gotas cinco veces al día, junto con una o dos pastillas de

Corallium oligoplex tres veces al día; ambos medicamentos igualmente en infusión *Sytra*.

Fitoterapia occidental

Durante los accesos de tos hemos visto cómo se acumula gran cantidad de mucosidad en las vías respiratorias, pasando incluso al aparato digestivo y produciéndose después el vómito. Esta terapia nos proporciona varios expectorantes que ayudarán a eliminar toda esta mucosidad de una manera menos desagradable: son el marrubio blanco y las flores de gordolobo con tomillo.

Terapia nutricional

Los alimentos deben ser muy ligeros, hasta el punto de que debe incluso diluir la leche, por ejemplo, con infusión *Sytra* (weleda), todo ello porque la función gástrica, al igual que la respiratoria, puede perder su ritmo, de manera que los ataques pueden venir acompañados de vómitos.

❏ TRASTORNOS DEL APETITO

DESCRIPCIÓN DE LA ENFERMEDAD

En la sociedad actual los trastornos del apetito son un problema creciente entre los adolescentes, y aunque todavía no hay datos que demuestren que durante la infancia estos trastornos se deban a cuestiones estéticas, todos los psicólogos y médicos especialistas coinciden en que de seguir así, en poco tiempo estos casos aparecerán de manera significativa.

A día de hoy podemos convenir que las causas de la falta de apetito en niños de edades entre 1 y 10 años se pueden clasificar en tres grupos:

– Consecuencias de la sociedad de consumo: abundancia de oferta de comida.
– Consecuencias de hablar demasiado sobre la comida: un niño pierde el apetito sólo con pensar en la comida o si los padres no dejan de hablar de ella y de preocuparse por si él come o no.
– Consecuencias de una enfermedad y predisposición constitucional.

SÍNTOMAS

Los trastornos del apetito pueden producir desde adelgazamiento, lloros hasta irritabilidad.

TRATAMIENTOS

Terapia nutricional

En caso de un trastorno del apetito que se deba al hecho de que se critiquen continuamente las costumbres alimenticias del niño, ayuda sólo una cosa: ¡no se hable más de ello! Además, póngale muy poca comida en el plato (dos cucharaditas) sin hacer ningún comentario. Si el niño se come esta pequeña cantidad, no se le pregunta si quiere más. Si pide más, se le vuelve a poner una cantidad pequeña sin comentarios. La terapia nutricional también recomienda el cumplimiento severo de los horarios de comida así como los horarios en los que no se come nada, para dar tiempo al estómago a descansar y para que el niño reciba de nuevo la sensación de hambre. Una alimentación equilibrada, libre de grasas industriales, en la que los refrescos y zumos no frutales estén muy medidos, las comidas entre horas estén regladas, etc., ayuda a que el régimen de comidas sea estable y el niño cree un hábito saludable.

Masaje terapéutico chino

- Después de impregnar los pulgares con jugo de jengibre, presionar con ellos a lo largo de las líneas pitu y sangran de los dos brazos y en dirección opuesta, a lo largo de la línea liufu. Luego amasar y presionar con los pulgares en los acupuntos zusanli de ambas piernas.

- Tratar otros puntos de acuerdo con los diferentes síntomas de cada paciente. En presencia de hinchazón abdominal o diarrea, presionar en ambos lados de la zona umbilical, en el ombligo y el cóccix. Si hay un poco de fiebre, aplicar un masaje de presión en los puntos ahengcuen de las manos, amasar el punto neilaogong de las palmas y presionar en el punto tionheshui del codo. Si el pequeño tiene escalofríos, tos o fiebre, presionar el punto feishu y a lo largo de los dos lados de la columna vertebral, y aplicar un masaje de hurgamiento en los puntos ershanmen, errenshangma y yiwofeng de las manos.

Homeopatía

Disponemos de algunos medicamentos probados que pueden administrarse en estos casos: Piscin, un cuarto de cucharadita tres veces al día; Nährkraftquell, una pastilla tres veces al día; o Jecorol, una cucharadita tres veces al día.

Puesto que a causa de la falta de apetito a veces se observa una producción insuficiente de jugos gástricos, será útil una combinación de jugos de plantas medicinales para estimular las glándulas digestivas: *Gentiana* D1 (25 g) y *Abrotanum* D1 (25 g), diez gotas tres veces al día, a ser posible un cuarto de hora antes de comer.

❑ VARICELA

Descripción de la enfermedad

Se trata de una enfermedad vírica aguda, muy contagiosa y producida por un herpes denominado varicela-zoster.

Afecta principalmente a niños pequeños (aunque también se da en adultos y con mayor virulencia) y se caracteriza por la aparición de una erupción vesicular pruriginosa en la piel; se contagia por contacto directo con lesiones cutáneas o, con mayor frecuencia, por las gotas desprendidas de las vías respiratorias.

Síntomas

El periodo de incubación de la varicela dura por término medio de dos a tres semanas, al cabo de las cuales el paciente empieza a presentar febrícula, cefalea leve y malestar general. Unas 24 a 36 horas después, aparecerán las lesiones cutáneas.

Tratamientos

Homeopatía

Como es una enfermedad que muestra varios síntomas, desde esta terapia se recomiendan los siguientes remedios:

– *Aconitum napellus* o *Belladona:* para la fiebre y los síntomas de malestar que preceden a la aparición de la erupción.
– *Rhus toxicodendron:* calmará la inquietud así como las fiebres altas.
– *Sulphur*: cuando nos centramos en las lesiones cutáneas, las rebajará y ayudará a una recuperación más rápida.

Fitoterapia occidental

Para mejorar la elasticidad de la piel y prevenir que queden marcas (puesto que los niños muchas veces no atienden a las indicaciones de los adultos para que no toquen las lesiones) aplicaremos aceite de espliego. Una infusión de saúco o una tintura de consuelda son también remedios aceptados.

Reflexología

En esta ocasión su cometido será el de, tras la enfermedad, ayudar al sistema inmunológico del niño a reponerse de la dura «batalla» librada. Los tratamientos de extrema suavidad y corta intensidad son los más indicados en estos casos.

Flores de Bach

Cuando un niño sufre una enfermedad como la varicela, siempre lo más molesto son los picores que acompañan a las lesiones cutáneas. Estos picores crean estados de ansiedad y extrema irritabilidad; desde las flores de Bach se nos recomienda el uso de impaciencia para calmar esta tensión al igual que achicoria o hojarazo o para aliviar los picores.

Aromaterapia

Siempre que no lo desaconseje el médico, se pueden usar aceites al 2,5 por ciento en baño de árbol de té, manzanilla romana y espliego.

❏ VÓMITOS Y DIARREA

DEFINICIÓN DE LA ENFERMEDAD

La diarrea es la eliminación muy frecuente de heces sueltas y acuosas, generalmente debido al aumento de la motilidad del colon. La diarrea siempre es síntoma de alguna enfermedad subyacente como puede ser la disentería, síndrome de mala absorción, intolerancia a la lactosa, síndrome de colon irritable, enfermedades inflamatorias intestinales…

SÍNTOMAS

Las heces en algunos casos pueden contener moco, pus, sangre o una cantidad excesiva de grasa. También se presentan espasmos abdominales y debilidad generalizada.

TRATAMIENTOS

Masaje terapéutico chino

- El paciente ha de mantenerse en posición sentada. Se prepara jugo de jengibre para usar como medio. Sosteniendo la mano del niño con la mano izquierda, impregnar el pulgar derecho con el jugo de jengibre. Lo primero que hay que hacer es presionar a lo largo de la línea del pifu; después, hacer presión hacia arriba a lo largo de la línea sanguan.

- Aplicar el método de presión o el pellizco de la columna vertebral hacia abajo a lo largo de ambos lados de la columna vertebral, desde la séptima vértebra cervical, hasta las lumbares. Cuando la diarrea es relativamente frecuente, se añade el método de presión con el pulgar y el de amasamiento para tratar el cóccix.

- Aplicar con los pulgares el método de presión divergente a ambos lados de la zona costal. A continuación, presionar a ambos lados del ombligo. Si la frecuencia de la diarrea acuosa es excesiva, amasar el área umbilical con la palma después de haberse frotado las manos para calentarlas.

- Para terminar, lo que se debe hacer es aplicar los métodos de hurgamiento digital y de presión usando para ello la yema del pulgar en los acupuntos zusanli de ambas piernas.

Aromaterapia

Cuando se producen vómitos, éstos van acompañados de náuseas y malestar. Este malestar puede verse severamente disminuido si al niño le damos para inhalar pequeñas cantidades de aceite de menta, espliego, naranja dulce o limón.

Homeopatía

Como hemos indicado, la diarrea es siempre un síntoma de otra enfermedad, por lo tanto los remedios que la Homeopatía nos ofrece únicamente van dirigidos a controlar los estados agudos de diarrea, pero no inciden sobre el verdadero causante de ésta.

Por ello es recomendable además de tratar la diarrea, preocuparse por averiguar qué enfermedad se esconde detrás:

- Si la diarrea se ve acompañada de espasmos abdominales se recetará *Colocynthis.ç*
- Si no hay espasmos abdominales y lo que encontramos son heces grisáceas, muy diluidas y con abundantes gases entre deposición y deposición, el tratamiento lo realizaremos con *Podophyllum peltatum*.
- Si la causa es también una comida demasiado abundante o el haber comido muchas cosas revueltas, las heces son blandas unas veces y duras otras, y el niño está de mal humor, en extremo irritable y tiene la lengua cubierta de una saburra blancuzca, administrar entonces una pastilla de *Antimonium crudum* DH6 durante tres o cinco veces al día.
- Si la causa de los vómitos es una comida demasiado abundante tomada precipitadamente, como es frecuente en niños nerviosos, y la lengua está cubierta de saburra amarilla, puede administrarle cinco gotas de *Nux vomica* DH6 tres o cinco veces al día.

Terapia nutricional

Al producirse una diarrea notamos que el cuerpo está defendiéndose de algún tipo de amenaza. Si ésta es leve y apenas dura un día o dos, lo más probable es que la infección haya sido producida por algún elemento en mal estado o por algún tipo de empacho del niño. Cuando esto ocurre, desde la terapia nutricional, se nos aconseja someter al cuerpo a una «purga» para así restaurar todos nuestros niveles. En este tiempo, no más de tres días, se tomará abundante agua; durante el primer día es recomendable únicamente tomar suero alcalino y ya en el segundo día añadir comida sólida liviana.

Fitoterapia occidental

Las infusiones astringentes de menta y zarzamora son muy efectivas.

Acupuntura

Se han descrito resultados muy positivos contra los vómitos en la terapia auricular de la Acupuntura.

PRIMEROS AUXILIOS

❏ MORDEDURAS Y PICADURAS

Cuando estamos en la playa, el campo, o en cualquier instante en la ciudad, las picaduras de insectos, reptiles o las mordeduras de perros y otros animales pueden ser un inconveniente bastante molesto y en ocasiones doloroso para quien sufre ese percance. En este apartado vamos a recomendar toda una serie de remedios que, recurriendo a medicinas alternativas, nos proporcionarán una alivio rápido, efectivo y, sobre todo, natural.

MORDEDURAS

Cuando se produce una mordedura o picadura, sea del tipo que sea, a parte del dolor, los primeros efectos serán la hinchazón, el enrojecimiento y la aparición de infecciones locales.

La Homeopatía nos recomienda que toda mordedura, independientemente de lo que nos la haya producido, se limpie con tintura de *Hypericum* y luego ya se apliquen remedios más específicos.

MORDEDURA DE SERPIENTE

Contrariamente a lo que podemos pensar, las serpientes que suelen picar en zonas no tropicales son pequeños reptiles cuya carga venenosa es mínima e incluso en ocasiones hasta es inexistente. Aun así a un reducido grupo de ellas que pueden originarnos problemas severos y bastantes inconvenientes, algunos de ellos de larga duración y complicado tratamiento.

La Fitoterapia occidental por su parte, recomienda tratarlas con el zumo de la raíz del hinojo y aceite de espliego. No obstante, no se debe olvidar en ningún momento que este remedio es circunstancial y que se debe acudir a un hospital para recibir el antídoto correspondiente.

MORDEDURA DE PERRO

Para la mordedura producida por un perro, lo aconsejable es una decocción de romero, salvia, hinojo espliego, cola de caballo y nogal, pues nos ayuda en un primer momento, y puede curar la herida; pero, como señalamos con anterioridad, siempre hay que acudir al centro sanitario, pues allí nos suministrarán las vacunas antitetánica y antirrábica, ya que no sabemos las enfermedades que el perro en cuestión nos pudiera transmitir.

MORDEDURA DE HORMIGA

Aunque más infrecuente que las anteriores, la mordedura de hormigas también se da y puede ser muy molesta y causar irritación. Para paliarla, es muy efectivo el remedio de Fitoterapia que se realiza con una decocción de romero, nogal, manzanilla y flores de lavanda.

PICADURAS

De forma general, podemos ayudarnos del rescue de las flores de Bach para realizar una cura de toxinas, y recuperarnos de cualquier picadura o infección producida por éstas.

También la Homeopatía nos recomienda unos remedios «base» para cualquier tipo de picadura:

– Tintura de *Pyrethrum*.
– *Ledum* si la zona está hinchada y dolorida.
– *Apis* si la piel arde, está roja e hinchada.

Como remedio general, y sobre todo ante las situaciones en las que no podemos identificar al insecto porque no lo conocemos o porque no hemos visto cómo nos picaba, aplicaremos agua fría y *Hamamelis*.

PICADURA DE ABEJA

Cuando de la picadura de una abeja se trata, deberemos seguir los pasos que se exponen a continuación:

- Extraiga el aguijón de la abeja con unas pinzas (sujete el aguijón por debajo de la bolsa de veneno).
- Aplique sobre la picadura una pasta confeccionada con bicarbonato sódico y agua fría. También pueden aliviar la irritación una mezcla de jugo de perejil y miel; para extraer el jugo, machaque las hojas y los tallos de perejil.
- Una bolsa de té fría es una cataplasma estupenda para aliviar las picaduras de insectos, puesto que el té contiene ácido tánico, lo que contribuye a reducir la inflamación.

PICADURA DE AVISPAS

El vinagre de sidra o el limón le ayudarán a detener la irritación y el picor. Si nos encontrásemos en el rarísimo (pero no por ello imposible) caso de tragarnos una avispa, beba enseguida un vaso de agua fría con una cucharadita de sal. Si la picadura es en los labios, aplique un cubito de hielo hasta que el dolor haya pasado. Mezcle vinagre de sidra y bicarbonato sódico y aplique este ungüento directamente sobre la picadura. Tal y como dijimos en el apartado anterior, una bolsa de té fría como cataplasma puede ser un remedio fantástico (puesto que el ácido tánico del té reduce la inflamación). Una pasta hecha con tréboles y agua fría también puede ser de gran ayuda a la hora de aliviar este tipo de picadura.

PICADURA DE PULGA

La picadura de pulga produce un intenso picor. Para aliviarlo, se recomienda aplicar una mezcla de sal, vinagre, jugo de cebolla y zumo de limón. También resulta efectiva la infusión de ajenjo, ruda, romero y cáscara de limón.

PICADURA DE MOSQUITO

Las picaduras de mosquito, a diferencia de otras, pueden en muchos casos evitarse, de manera que recomendamos el ajo crudo como excelente repelente del mosquito (y además es una estupenda ayuda para rebajar la hinchazón de la picadura si ésta se produce). Otro efectivo repelente de mosquitos consiste en atar plantas secas de lavanda, menta y nébeda con un trozo de alambre fino, y a continuación, quemar el ramillete. Cuando queramos evitar ataques de estos insectos, también podemos repartir lavanda seca en el alféizar de la ventana: el olor de lavanda es un repelente muy eficaz para estos animales.

Todo el mundo ha sufrido la típica situación de levantarse una mañana con varias picaduras de mosquitos, o tras un intenso día de campo volver a casa con muchas picaduras, lo que nos queda por hacer entonces, es eliminar las toxinas del cuerpo para lo que se puede tomar una infusión hecha con raíces de diente de león, trébol rojo o bardana. Haga una tintura con media taza de raíces de rábanos picantes rallados y 600 ml de alcohol para fricciones: deje las raíces en remojo durante unos dos o tres días, agitando la mezcla a diario dos veces; puede utilizar esta tintura para la mayoría de picaduras, pequeñas heridas de la piel e infecciones superficiales. Aceites de espliego, limón o eucalipto también son muy recomendables para tratar las picaduras.

PICADURA DE TÁBANO Y OTROS INSECTOS

Las picaduras de tábanos y otros insectos se alivian con aceite de ajo y bicarbonato sódico.

PICADURA DE MEDUSA

Las picaduras de medusa producen un dolor muy agudo e intenso, que puede calmarse aplicando compresas empapadas en una decocción de romero, cáscaras de limón, bardana, flores de espliego, flores de caléndula, hojas de llantén y cola de caballo. Si no puede realizar toda esta decocción, puede vertir agua de mar sobre la zona afectada durante unos 10 minutos, puesto que el agua se lleva las toxinas que aún no han sido absorbidas por la piel. El vinagre de sidra frío, el hielo, el alcohol o el amoníaco diluido, aplicados en la zona afectada, son también muy efectivos para paliar los efectos de esta dolorosa picadura, para la cual no está de más que en casos agudos (y sobre todo cuando se ha producido en niños pequeños), acudamos a un centro de salud.

ORTIGAS

Para aliviar la fuerte y molesta irritación que produce el haberse rozado accidentalmente con estas plantas, aplique el jugo de los propios tallos de las ortigas.

Como remedio más inmediato, podemos acudir a las hojas de romaza, que crecen cerca de las ortigas, puesto que calman bastante el dolor si se cubre con ellas la zona afectada.

❏ MAGULLADURAS

¿Qué niño pequeño no llega a casa con algún golpe, raspadura o magulladura de una pequeña caída en el colegio? ¿Cuántas veces no nos hemos arañado, raspado, magullado con cualquier objeto puntiagudo, arbusto…? Las magulladuras son la forma más común de «herir» nuestro cuerpo, y éstas se producen y aparecen tras un golpe.

A la vista se distinguen por su color rojo en la parte que la sangre ha salido de la epidermis y amoratada en las que los capilares se han roto pero no ha llegado a salir a la superficie por falta de una herida abierta.

Tratamientos

Homeopatía
El remedio más eficaz es la arnica, cuya posología será doble:

– Como tratamiento tópico en ungüento sobre la zona de la lesión.
– Como tratamiento tomado por vía oral para ayudar al cuerpo a superar las lesiones internas.

Naturopatía
Lo que podemos hacer es aplicar una compresa mojada en wakame que llevaremos durante 12 horas.

Fitoterapia occidental
Las compresas de romero, aplicadas de forma local, nos van a ayudar a dinamizar la circulación sanguínea de la zona, con lo que el proceso de curación será más rápido. Aplicaremos estas compresas cada seis horas.

Aromaterapia
Esencia de rosas y el aceite de almendra dulce en una base de crema de cera natural ayudarán a rebajar la inflamación.

❏ AMPOLLAS

Son vesículas que se forman por acumulación de líquidos entre la epidermis (capa exterior de la piel) y la dermis (capa interior de la piel). Las causas más frecuentes son las quemaduras y las rozaduras.

TRATAMIENTOS

Homeopatía

Dependiendo del tipo de ampolla, el remedio a aplicar será distinto. Así pues:

- Si la ampolla pica, *Cantharis* será el elegido.
- Si está hinchada y roja aplicaremos *Rhus tox*.
- Una vez que han explotado, la *Calendula* y el *Hypericum* ayudan a calmar el escozor. Es aconsejable *Cantharis* si la ampolla pica o *Rhus tox* si pica, está hinchada y roja.
- Así mismo, también puede untarse una solución de *Calendula* e *Hypericum* sobre las ampollas reventadas.

Fitoterapia occidental

Decocción de caléndula, las cataplasmas de consuelda y los apósitos de equinácea, son lo ideal para estos casos. Otro remedio a tener en cuenta es una solución de aceite de árbol del té con aceite de espliego.

Naturopatía

Muy acertado es el remedio de compresas de decocción de 150 gramos de col en un litro de leche. También es recomendable una solución de aceite de árbol del té con aceite de espliego.

Flores de Bach

El remedio rescue podemos aplicarlo directamente, ya sea bien en tintura o bien en crema, de ambas formas será efectivo.

❑ GOLPES

Naturopatía

Aplicación de agua helada sobre la zona del golpe: es preferible ésta al hielo, pues al circular el agua sobre la piel también activa la circulación sanguínea en los capilares de la zona afectada.

Un método algo más suave que el anterior consiste en aplicar sobre la zona golpeada una compresa tibia, a la vez que se imprime un suave masaje para estimular la circulación. Aplique, así mismo, compresas calientes o frías de vinagre, en especial del elaborado a partir de frutos astringentes tales como las zarzamoras, las frambuesas o las rosas, puesto que de esta forma conseguirá reducir la inflamación más fácil y rápidamente.

Flores de Bach

Remedio de urgencia aplicada como tintura sobre la zona afectada.

Fitoterapia occidental

Un ojo morado, por ejemplo, puede curarse de forma «milagrosa» con una bolsa fría de té aplicada directamente sobre la zona afectada. El *Hamamelis* también le ayudará a reducir la inflamación así como la hemorragia, pues su uso es muy efectivo para estos casos.

❑ TORCEDURAS

Naturopatía

Sumerja la zona donde ha sufrido la torcedura en agua tibia con sal, cebolla y patata rallada. Para que se vaya enfriando paulatinamente, vaya incorporando a esta mezcla cubitos de hielo. Si lo que buscamos es un alivio rápido que nos calme antes de que podamos preparar el remedio que se aconseja, podemos encontrarlo frotando media cebolla sobre la zona afectada.

Otro remedio muy eficaz pero algo más lento a la hora de prepararse es mezclar perejil con mantequilla o copos de avena en agua hirviendo hasta formar una pasta que luego será aplicada con un paño sobre la zona afectada.

❑ *SHOCKS*

Aromaterapia

Colocar esencia de espliego o menta bajo la nariz del desmayado hasta que se recupere.

Naturopatía

Una rápida infusión de manzanilla y salvia aceleran la recuperación tras un *shock*. Al igual que un té fuerte, caliente y dulce, es mejor endulzarlo con miel. Ésta por sí sola puede servir de reconstituyente tras un *shock* con cualquier tipo de bebida caliente. Si lo que ha ocurrido es un desmayo, miel y canela con unas gotitas de limón ayudarán a despertar de éste a la persona desfallecida.

Homeopatía

Se recomienda *Aconite* y *Ignatia*, se tomarán en pequeñas dosis cada cinco minutos hasta que el *shock* pase.

Fitoterapia occidental

Cuando el *shock* ha sido producido tras un cuadro de ansiedad, flor del naranjo en agua caliente tanto bebido como aplicado en paños sobre la frente es un remedio excelente. La canela y la miel disueltas en agua hirviendo pueden reanimar a la persona tras un desmayo.

❑ DOLOR DE MUELAS

El dolor de muelas es una afección muy común, y se debe al escaso interés que hay en el cuidado de boca y dientes, que aparentemente en la actualidad parece que se empieza a corregir. La mayoría de dolores de muelas son resultado de caries dental, gingivitis, sensibilidad dental, inflamación de la pulpa del diente y neuralgia. Los remedios que vamos a enumerar a continuación no eximen en muchas ocasiones de la visita al dentista para tratar las caries o para que se produzca la extracción de las piezas dentales afectadas.

TRATAMIENTOS

Naturopatía

Procederemos a frotar suavemente aceite de clave sobre la encía y la pieza dental que nos duela; si el dolor es muy intenso puede mascarlos (sin tragar) (se cuenta que los nativos americanos mascaban raíces de sauce para aliviar el dolor de muelas). En muchas ocasiones al dolor de muelas le acompaña una ligera infección en la zona, la cual podemos tratar con enjugues de vinagre y sal después de cada comida. Es también muy reconocido el remedio de poner en la pieza dental afectada una rodaja de manzana.

Homeopatía

La tintura de caléndula alivia el dolor de muelas y de encías, pero además, podemos aplicar los siguientes remedios, dependiendo del tipo de dolor que uno tenga:

- Si es lacinante y severo aplicaremos *Coffea*.
- La *Chamomilla* está indicada para los dolores muy agudos.
- La *Belladona* por su parte, se recomienda cuando las encías también se encuentran afectadas.

Fitoterapia occidental

El tratamiento con tintura de Echinac mirra reduce las posibilidades de que el dolor se torne en infección en la boca.

Flores de Bach
Se puede aplicar directamente remedio de urgencia en el diente.

❏ CORTES Y ROZADURAS

En los primeros auxilios, una de las indicaciones que nunca puede faltar es cómo actuar en caso de cortes. La mayoría de éstos son menores, y son los que trataremos para darles remedios desde las terapias alternativas; si éstos fueran mayores o la hemorragia muy intensa, acudiremos de urgencia a un centro sanitario.

En cuanto a las rozaduras, que resultan muy incómodas e incluso extremadamente dolorosas, lo más importante es siempre limpiar bien la zona antes de aplicar cualquier remedio.

Fitoterapia occidental
Para las heridas, hay un remedio general que consiste en aplicar milenrama fresca, o bien un vendaje impregnado en una decocción de milenrama. Limpiar los cortes y las rozaduras con *Hamamelis* puede prevenir la infección al igual que el bálsamo de benjuí.

Naturopatía
Cuando no encontramos remedios preparados para aplicar sobre la herida y limpiarla, podemos hacerlo muy fácilmente con agua jabonosa y una gotas de limón o una cucharada de sal. El zumo del perejil o la nata espesa se pueden aplicar de forma directa sobre la herida, que luego se cubre con una gasa, la cual deberá ser renovada cada dos horas. El ajo, poderoso antiséptico, lo podemos aplicar directamente y luego cubrir la herida con miel y tapar con un pequeño vendaje.

Si lo que vamos a limpiar es un rasguño que se ha producido por roce con arena, asfalto, etc., por lo que puede tener granitos todavía, entonces podemos limpiarlo con una pasta hecha de pan, yema de huevo y leche tibia y una vez limpiado el rasguño con este preparado, aplicaremos un aguacate machacado y lo cubriremos con un apósito.

Fitoterapia china
Ungüento de caléndula para lavar el corte. Y luego volver a poner caléndula con un apósito.

Flores de Bach
Remedio de urgencia aplicado sobre la herida.

Aromaterapia

Aceite de espliego vaporizado.

Homeopatía

La Homeopatía recomienda en estos casos una solución de *Calendula* e *Hypericum* si vemos que está muy enrojecido. Además, usaremos la *Arnica* si también existe abrasión y el *Ledum* cuando la herida esté ya fría.

❑ ESGUINCES

DESCRIPCIÓN DE LA ENFERMEDAD

Lesión traumática de los tendones, músculos o ligamentos que rodean una articulación.

SÍNTOMAS

Se caracteriza por dolor, hinchazón y cambio de color de la piel suprayacente. La duración y gravedad de los síntomas varía con el grado de lesión de los tejidos de sostén.

TRATAMIENTOS

Aromaterapia

Riego con espliego de la zona afectada.

Flores de Bach

Remedio de urgencia en uso tópico y por vía oral.

Naturopatía

La Naturopatía aconseja en estos casos realizar unas compresas para poner sobre la zona, primero que sean calientes y luego frías, y finalmente un vendaje con tofú.

Osteopatía

Es una de las técnicas más usadas por su alta especialización en este tipo de lesiones. El masaje de los tejidos blandos ayudará, empezando muy levemente y en varias sesiones, tanto a una curación más rápida como a una perfecta recuperación, sin dolor y, lo que es más importante, con plena funcionalidad del miembro que ha sufrido el esguince.

Quiromasaje

Existen varias medidas de tratamiento para estas lesiones dependiendo de su gravedad. Para los casos leves o moderados, en los que no se espera gran inflamación, bastan las tobilleras elásticas, usadas por los deportistas. Éstas no deben ser demasiado ajustadas, pues producirían edema (aumento de volumen por cúmulo de líquido) del antepié y dolor. Es conveniente alternar con periodos de reposo, manteniendo el pie afectado en alto y con hielo local las primeras 24 horas posteriores a la lesión. Pasado el primer día, el complemento de dos o tres baños diarios con agua moderadamente caliente y sal, no más de 15 minutos, goza de una gran aceptación general.

Otra alternativa de tratamiento en esguinces leves o moderados es la venda elástica, que debe ser de buena calidad y debe colocarse en forma ascendente, dejando los dedos libres y a moderada tensión. Este vendaje no debe mantenerse durante más de cuatro horas, pues es inevitable que comprima más en ciertos puntos, ocasionando pequeñas lesiones de la piel. Este vendaje debe removerse en la noche y la pierna debe permanecer en posición horizontal.

Homeopatía

Las compresas de tintura de *Arnica* gozan de gran predicamento entre los homeópatas al igual que la *Ruta* aplicada directamente sobre la zona dolorida.

❏ FRACTURA DE HUESOS

DESCRIPCIÓN DE LA ENFERMEDAD

La fractura es una lesión traumática de un hueso caracterizada por la interrupción de la continuidad del tejido óseo. Las fracturas se clasifican de acuerdo con el hueso afectado, la parte del hueso interesada y la naturaleza de la rotura. Los remedios que en las siguientes líneas se recomiendan son todos para tratar efectos colaterales de las fracturas, como el pánico, la inestabilidad, los dolores, inflamaciones, o para ayudar a su curación lentamente y a la rehabilitación. El consejo es siempre acudir a un centro hospitalario de manera inmediata al sufrir o creer haber sufrido una rotura de un hueso.

TRATAMIENTO

Aromaterapia

Se colocará bajo la nariz o en una zona muy cercana a ésta un pañuelito humedecido con menta o melisa para combatir la ansiedad de los primeros instantes.

Fitoterapia occidental

La hierba que más ayuda durante el proceso de rehabilitación será la consuelda. Tómela en infusión durante todo el tiempo que dure ésta.

Flores de Bach

Remedio de urgencia será aplicado de manera tópica sobre sienes y bajo la lengua para calmar los primeros momentos de angustia.

Terapia nutricional

Se hace muy importante durante todo el periodo postraumático y hasta bien pasada la rehabilitación el ingerir grandes cantidades de calcio, así como alimentos con suplementos en cinc y vitamina C.

❏ ASTILLAS

Se trata de lesiones menores, pero que son bastante molestas por su escozor y sobre todo porque en ocasiones crean una pequeña infección en la zona, que tarda en curarse.

Tratamientos

Aromaterapia

Tras retirar la astilla aplicaremos aceite de árbol del té.

Flores de Bach

Remedio de urgencia en tintura o crema sobre la herida tras extraer la astilla.

Homeopatía

Lo primero que haremos será retirar la astilla, para lo que nos ayudaremos de unas pinzas. Tras realizar esta acción tomaremos *Silicea* para combatir el dolor.

Naturopatía.

Compresas de agua tibia con sal.

❏ MAREO DE VIAJE

Un mareo es una anomalía causada por movimientos erráticos o rítmicos en cualquier combinación de direcciones, por ejemplo en el interior de un barco o en un automóvil, que son los casos más frecuentes que vamos a tratar en este apartado. Los casos intensos de mareo, por otra parte muy frecuentes en niños, se caracterizan por nauseas, vértigo, cefalea y vómito.

Se cree que la causa del mareo de viaje está conectada con los mecanismos del equilibrio dentro del oído que ayudan al cerebro a coordinar información sobre espacio y movimiento. Además de causas físicas, puede existir también una causa psicológica producida por el miedo a movimientos sobre los que la persona no tiene control.

Tratamientos

Acupuntura

El punto a presionar para aliviar y evitar los mareos en los viajes se encuentra a tres dedos del ancho por encima del hueco de la muñeca en su parte interior, en línea con el dedo medio.

Aromaterapia

Es aconsejable llevar un pequeño recipiente con esencia de menta que verteremos sobre un pañuelo e inhalaremos durante el viaje en periodos de cinco minutos cada dos horas.

Fitoterapia occidental

Este remedio genérico ha de ser consumido media hora antes de iniciar el viaje. Se trata de una infusión compuesta de 15 g de menta, 20 g de espliego, 25 g de rosa y 25 g de salvia en un litro de agua. Si el viaje es largo, se beberá una taza cada dos horas.

Homeopatía

Tabacum si únicamente sufrimos mareos y si éstos van acompañados de debilidad tomaremos *Nux*.

Masaje terapéutico chino

Es recomendable esperar a que se produzca el vómito y después, con el paciente tumbado boca arriba:

- Primero se aplica el método de presión digital con el pulgar en los puntos baihui, fengchi, yifeng, renzhong y detrás de la oreja, paralelamente al conducto auditivo.
- Luego y para terminar, friccionar con el pulgar los puntos zusanli y neiguan en las extremidades. Este tratamiento puede aplicarse sin ningún tipo de problema hasta dos veces al día.

❏ HEMORRAGIAS NASALES

Dependiendo de las personas que las padezcan, las hemorragias nasales son una leve enfermedad que se torna bastante común.

Las causas pueden ser varias, desde pequeñas heridas que los niños se hacen al introducirse los dedos en la nariz, a aumento de presión sanguínea, o golpes de calor; así mismo, también hay casos en los que se ha achacado a infecciones de la membrana mucosa.

TRATAMIENTOS

Aromaterapia
Se aplicará una pequeña compresa dentro de la nariz humedecida en una gota de aceite de espliego.

Homeopatía
Cuando la hemorragia es producto de una contusión aplicaremos *Phosphorus*, y si es causada por una herida el remedio será *Arnica*.

Naturopatía
Se colocará una bolsita de hielo envuelta en un trapo sobre la nariz y la cabeza estará echada hacia atrás. Mantenerse así durante unos minutos para que la hemorragia se detenga.

❏ QUEMADURAS Y ESCALDADURAS

Los remedios que a continuación detallamos son para quemaduras leves, de primer grado, pues las de segundo y tercer grado requieren «siempre» asistencia médica de urgencia. Independientemente del remedio que luego apliquemos, primero tenemos que enfriar la quemadura con agua corriente, de manera que pondremos la zona afecta bajo el chorro del agua bien fría al menos durante cinco minutos. Se retirará cualquier tipo resto que hubiese sobre la zona afectada.

TRATAMIENTO

Fitoterapia occidental
Se debe cubrir la zona con aloe vera, que es un producto altamente hidratante y calmante.

Homeopatía
- *Arnica*: indicada si hay ampollas en formación.
- *Urtica:* será indicada si vemos que el dolor persiste cuando hayan pasado unas cuantas horas.

Naturopatía
- Lo primero que haremos en caso de quemadura será enfriar la zona afectada con vinagre de sidra.
- Un buen remedio son las cataplasmas locales de una mezcla bien picada de zanahoria, col, pétalos de maravilla, espinaca y hojas de hiedra trepadora, todo ello humedecido con zumo de ortiga.
- Si se trata de una quemadura muy leve, bastará para aliviarla con utilizar hojas frescas de hiedra.
- El yogur natural por su parte, aplicado sobre la quemadura tiene un efecto refrescante, aunque también puede aplicarse una cataplasma calmante hecha a base de yogur y miel.
- El pepino machacado, y luego mezclado con glicerina, constituye un bálsamo de propiedades muy hidratantes que ayuda mucho a regenerar la piel de la zona quemada.
- El aceite de oliva proporciona un alivio inmediato para las dolorosas escaldaduras, a la vez que acelera la curación evitando además la aparición de molestas ampollas así como de las cicatrices que pueden quedar.

❑ QUEMADURAS DEL SOL E INSOLACIÓN

Una exposición prolongada a los rayos ultravioletas de la luz solar, sobre todo en las horas del mediodía, cuando el sol es más dañino, es posible que llegue a causar en la piel lesiones que pueden tener un carácter grave e incluso provocar, con el paso del tiempo, cáncer. Los síntomas se ven en la piel, la cual se torna roja o rosada, y más tarde comienza a descamarse; a veces incluso puede convertirse en una ampolla.

El sol no solamente causa lesiones en la piel, sino que también puede causar insolación. Es el más popularmente conocido como golpe de calor, por el que la temperatura corporal sube rápidamente; se caracteriza por cefaleas, sed, náuseas y mareos en general.

Más tarde puede sobrevenir el agotamiento por calor; aquí una alteración en los niveles de sales del cuerpo por un exceso de sudoración puede terminar con calambres, cefaleas, vómitos, colapso, e incluso, aunque en casos muy extremos, coma.

TRATAMIENTOS

Naturopatia

Llene una bolsa de muselina con copos de avena, ciérrela y sumérjala en un baño de agua fría o tibia. Luego, estruje la bolsa y aplíquela sobre la zona afectada varias veces al día para aliviar el dolor. De esta forma la piel agrietada y reseca ira tornándose hidratada y elástica. En el primer momento tras una quemadura aplique sobre la zona afectada una pizca de zumo de limón o un paño empapado con té frío. Si se encuentra en un lugar de playa y ha sufrido quemaduras leves por todo el cuerpo que le impiden dormir, llene la bañera con agua fría y añada dos cucharadas de bicarbonato sódico: esto producirá un efecto calmante. Si la quemadura es en la cara, podemos lavarla con suero de leche o aplicar patata rallada. La leche de magnesia ha demostrado ser muy efectiva en el tratamiento de quemaduras solares, mientras que el fango o la arcilla alivian el escozor.

Fitoterapia occidental

La caléndula y la consuelda mayor, tanto como uso tópico como en infusión. Si lo que queremos es aliviar el escozor usaremos ungüento de hipericón.

Terapia nutricional

Se recomienda beber mucha agua o en su defecto zumos. Éstos deben ser naturales o contener aportes suplementarios de vitaminas.

❏ INTOXICACIÓN ALIMENTARIA

La intoxicación por comida puede causar terribles vómitos, diarrea y calambres estomacales. Es la manera que tiene el organismo de deshacerse de la comida en mal estado o que no le ha sentado bien. Puede también ser creada por gérmenes que inflaman el revestimiento del estómago y de los intestinos. Hay que vigilar en cualquier caso la posibilidad de una deshidratación

TRATAMIENTOS

Fitoterapia occidental

Para los casos leves, de tres a cuatro cápsulas de ajo. La infusión de manzanilla por su parte, relaja el estómago.

Naturopatía
- Raíces de la zarzamora se utilizan para combatir la disentería.
- Para una intoxicación alimentaria leve, tome ajo crudo, que ayuda a combatir la infección en los intestinos.
- El hinojo cocido, las hojas del rábano picantes o una buena dosis de vinagre de sidra son remedios utilizados para eliminar del sistema digestivo los restos de comida en mal estado.
- Los plátanos maduros son antiácidos naturales que pueden aliviar la inflamación de estómago.

Terapia nutricional
Reponga los líquidos perdidos, bebiendo mucha agua y zumo de frutas.

Homeopatia
Si la intoxicación provoca diarrea, tomaremos aloe vera.

Flores de Bach
Inhalar unas cuantas gotas de remedio de urgencia sobre un pañuelo para hacer desaparecer las náuseas.

ÍNDICE DE ENFERMEDADES Y OTRAS PATOLOGÍAS

Los números que aparecen destacados en **negrita** se refieren a los principales apartados.

A

Aborto, **385-386**.

Absceso dental, 478, 480.

Abscesos, 167, 176.

Abscesos en las encías, 472.

Acidez, 108.

Acné, 34, 106, 110, 411, 514, **520-523**, 527, 528.

Acné infantil, **541**.

Acné neonatal, véase *Acné infantil.*

Acrocianosis, véase *Síndrome de Raynaud.*

Acromegalia, véase *Gigantismo.*

Accidente cerebrovascular, véase *Apoplejía.*

Aerofagia, **335-336**.

Afecciones periodontales, **472-474**.

Aflicción, **434-435**.

Afta, 109, **542**.

Afta oral, **474-475**.

Alcoholismo, 120.

Alergia, 179, 311, 318, 320, 321, 341, **380-383**, 441, 484, 486, 498, 525, 526, 527, 535, 536, **542-543**, 544, 552.

Alergia al sol, véase *Fotodermatitis.*

Alergias en la piel, 78 y véase también *Dermatitis.*

Alopecia, **508-510**, 511, 534.

Alteración crónica del sueño, **543-545** y véase también *Insomnio.*

Alucinaciones, 110, 122.

Amenorrea, 336, 403, 406, 407.

Amigdalitis, 310, **475-478**, 545, 565.

Ampollas, 553, **587-588**, 597.

Anemia, 107, 110, 235, **272-275**, 280, 293, 333, 369, 384, 403.

Aneurisma, 441.

Angina de pecho, **275-279**, 284, 300.

Angustia, 88, 91, 98, 113, 131, 134, 135, 138.

Anorexia, **336**, 345, 379, 384.

Ansiedad, 72, 98, 113, 120, 154, 269, 280, 286, 292, 297, 313, 314, 320, 323, 339, 345, 360, 375, 396, 398, 410, 411, 427, **435-440**, 441, 458, 463, 465, 479, 522, 526.

Apoplejía, 109, 403, **440-441**.

Arritmia cardíaca, **279-280**.

Arritmia real, 279 y véase también *Arritmia cardíaca.*

Arrugas, 21, 75, 106, 110.

Arteriosclerosis, 108, 240, 277, 278, **280-283**, 285, 288, 294, 297, 416, 440, 441, 446.

Artritis, 46, 90, 166, 221, **234-238**, 239, 248, 266, 363.

Artrosis, 166, 214, 221, 235, 236, 237.

Asma, 93, 107, 108, 109, 187, 310, **311-314**, 434, 526, 528, 543.

Asma alérgica, véase *Asma bronquial.*

Asma bronquial, 310, 434, **546**.

Astillas, **594**.

Ataque de pánico, 436.

Ataque cardíaco, 109 y
véase también *Infarto de
miocardio*.

Ataque epiléptico, 79, 80.

B

Blefaritis, **497**.

Bradicardia, 279 y véase también
Arritmia cardíaca.

Bronquitis, 74, 107, 108, 109, 310,
311, **314-316**, 325, 326, 357, 577.

Brucelosis, 432.

Bursitis, 214, **239**.

C

Calambres, 214, **240-241**, 243,
265, 266, 271, 350, 385, 401,
402, 406.

Cálculos biliares, 125, 334, **336-337**,
358, 360, 363.

Cálculos en la vesícula, 214.

Cálculos renales, 89, **422-423**.

Calvicie, véase *Alopecia*.

Callos, 519, **523**.

Cáncer, 27, 46, 89, 94, 98, 99, 108,
131, 176.

Cáncer de cérvix, **386-388**.

Cáncer de colon, **337-340**, 341.

Cáncer de esófago, **337-340**.

Cáncer de estómago, **337-340**,
370.

Cáncer de mama, **386-388**.

Cáncer de ovarios, **386-388**.

Cáncer de pene, **413-414**.

Cáncer de próstata, **413-414**, 420.

Cáncer de pulmón, **316-317**.

Cáncer de recto, **337-340**.

Cáncer de testículos, véase *Cáncer
testicular*.

Cáncer de útero, **386-388**.

Cáncer testicular, **413-414**.

Cáncer uterino, véase
Cáncer de útero.

Cánceres digestivos, véase *Cáncer
de colon, Cáncer de esófago,
Cáncer de estómago* y *Cáncer
de recto*.

Candidiasis, **388-389** y véase también
Afta.

Caries, 88, **478-481**, 590.

Caspa, 110, **510**.

Cataratas, 110, **497**, 498.

Catarro, 107, 167, 254, 315, **318-319**,
326, 327.

Cefalea, 73, 109, 292, 293, 325,
327, 342, 355, 384, 409, 433,
434, 436, **441-455**, 456, 457,
467, 470, 475, 486, 503.

Celulitis, 75, 106, 110, 474,
523-525.

Cera en los oídos, véase
Cerumen.

Cerumen, **490-491**.

Ciática, 110, 229, **241-245**.

Cicatrices, 46, 70, 217.

Cirrosis, 334, **340-341**, 355.

Cirrosis hepática, véase *Cirrosis*.

Cistitis 394, 415, 418, 420, **423-427**,
429, **546-547**.

Colesterol, 176, 276, 277, 278, 285,
286, 287, 288, 289, 290, 291, 295,
297, 509.

Cólico, 88, 109, 324, 370,
547-548.

Colitis, 333, 334, 341.

Conjuntivitis, 320, **497-500**.

Contractura, 75, 154, 214.

Contractura fisiológica, **245-246**.
Contusión, 215, 246-247.
Cortes, **591-592**.

D
Delirium tremens, 110.
Dentición, 109, 141, **548-549**.
Depresión, 69, 91, 92, 96, 98,
    107, 108, 114, 126, 131, 135,
    178, 322, 344, 375, 378, 389,
    396, 398, 410, 411, 416, 438,
    441, 449, **455-459**, 463, 465.
Depresión posparto, **389-390**.
Dermatitis, 75, 79, **525-526**.
Dermatitis seborreica, **549-550**.
Diabetes, 87, 91, 100, 108,
    176, 178, 276, 281, 333,
    371, 372, 374, **373-375**,
    440, 481.
Diabetes insípida, 372 y véase también
    Diabetes.
Diabetes mellitas, 373 y véase también
    Diabetes.
Diarrea, 47, 109, 176, 191, 236, 324,
    341-345, 347, 349, 350, 351, 352,
    361, 405, 406, 417, 425, 435, 446,
    447, 457, 548, 569, 579, 581-583,
    598, 599.
Difteria, **550-551**.
Disentería, 109, 202, 581, 599.
Disfunciones en la erección, **415-418**.
Dismenorrea, 402, 403, 405, 407.
Dispepsia, 108, 110 y véase también
    Indigestión.
Distrofia muscular, **551-552**.
Dolor de espalda, 195, 205,
    244, **247- 250**,
    391.
Dolor de muelas, 109, **590-591**.
Dolores menstruales, **402-407**.

E
Eczema, 108, **526-529**, 543.
Eczema alérgico, **553**.
Embarazo, 46, 77, 80, 175, 215, 305,
    346, 353, 372, 385, **390-392**, 402,
    410, 418.
Encefalitis, 431, 433.
Encefalitis letárgica de
    Von Ecónomo, 432.
Endocarditis estreptocócica, 432.
Enfermedad de Addison, 373.
Enfermedad de Crohn, **345**.
Enfermedad de Cushing, 373.
Enfermedad de Hodgkin, **384-385**.
Enfermedad de Menière, véase
    Vértigo.
Enfermedad de Parkinson, 94, 110,
    433, **459-460**.
Enfermedad pélvica inflamatoria,
    392-393.
Enfermedad renal, **427-428**.
Enfermedades femeninas de
    transmisión sexual, **393-394**.
Enfermedades masculinas de
    transmisión sexual, **414-415**.
Enfisema, 310, 311, **319-320**.
Enteritis, 333, 334.
Enterocolitis, 334.
Epilepsia, 77, 78, 94, 95, 108, 110,
    434, **460-461**.
Eritrosis, 106, 110.
Escaldaduras, 549, **553-554,**
    596-597.
Escarlatina, 104, **554-555**.
Escorbuto, 110.
Esguince 249-250, 253.
Esguince, 73, 246, **250-253**, **592-593**.
Espasmos, 23, 75, 87, 109, 183, 214,
    242,243.
Espondilitis anquilosante, **253-256**.

Esterilidad, véase *Infertilidad femenina y masculina*.

Estomatitis, 75.

Estomatitis ulcerosa, **555**.

Estreñimiento, 58, 62, 75, 108, 115, 214, 303, 319, 343, **346-349**, 353, 354, 375, 377, 390, 398, 399, 410, 417, 438, 445, 448, 457, 464, 465, 482, 521, 528, 532, 538, **556**.

Estrés, 75, 88, 91, 92, 106, 112, 145, 153, 154, 177, 204, 220, 351.

Estrías, 92, 98, 100, 106, 110.

Eyaculación precoz, **415**.

F

Faringitis, 310, **484-486**, 499.

Faringoamigdalitis, 476.

Fiebre del heno, véase *Rinitis alérgica*.

Fiebre tifoidea, 432.

Fisura anal, **349**.

Flatulencia, 108, 335, 370, **556-557**.

Flebitis, 214, **287**, 304.

Flemones, véase *Abcesos en las encías*.

Fotodermatitis, **525** y véase también *Dermatitis*.

Fractura de huesos, **593-594**.

Fracturas, 261, **267-268**, 308, 434.

Frigidez, 75.

Furúnculo 501, **529-530**.

Furunculosis, 109, **557**.

G

Gastritis, 333, 334, 341, **369-371**.

Gastritis aguda, véase *Gastritis*.

Gastritis crónica, véase *Gastritis*.

Gastroenteritis, **349-353**.

Gigantismo, 372.

Gingivitis, 75, 472, 474.

Glaucoma, **500-501**.

Golpes, **588-589**, 596.

Gonorrea, **393-394**, 414, 430.

Gota, 87, 108, **255-256**.

Gripe, 109, 194, 309, 318, **322-324**, 325, 327, 432, 442, 454, **570-572**, 577.

H

Halitosis, 370, 472, **481-482**.

Hemiplejía, **461-462**.

Hemorragia nasal, 110, **596**.

Hemorroides, 108, 257, 346, **353-355**, 391, 409, 422, 447, 485.

Hepatitis, 77 334, **355-357**, 393, 414, 432.

Hernia, 242, 250, **357-358**, 363.

Hernia de disco, véase *Hernia discal*.

Hernia discal, **256-258**.

Herpes, 27.

Herpes genital, 393, **414-415**.

Herpes labial, 463, **482-484**.

Herpes zoster, **462-463**, 468.

Hidrofobia, 109.

Hiperactividad, **557-558**.

Hiperactividad del tiroides, 372 y véase también *Hipertiroidismo*.

Hipercolesterolemia, **287-291** y véase también *Colesterol*.

Hiperexcitabilidad, 110.

Hiperfunciones del timo, 372.

Hipertensión, 75, 109, 215, 276, 278, 280-281, 285, 286, **291-298**, 299, 321, 363, 373, 391, 399, 416, 434, 436, 440, 441, 455.

Hipertiroidismo, 372, 375, 377.

Hipertrofia prostática, 420.

Hipocondría, 107, 110.

Hipotensión, **298-299**.

Hipotensión arterial, véase
Hipotensión.

Hipotiroidismo, 346, 372, 375,
378.

Histerectomía, **394-395**.

Histeria, 109, 110.

Hombro congelado, 262 y véase
también *Periartritis del hombro*.

I

Ictericia, 109, 158, 337,
358-359.

Impétigo, 343, **530-531**,
558-559.

Impotencia, 130, 132, 206, 273, 413,
415-418.

Incontinencia, 109 422, 424, **428-430**,
470.

Indigestión, 108, 115, **359-363**.

Infarto de miocardio, 277, **283-287**,
292.

Infecciones del oído,
véase *Otitis*.

Infertilidad, 413.

Infertilidad femenina, **395-396**.

Infertilidad masculina, **418-420**.

Inflamaciones genitales, 109.

Insolación, **597-598**.

Insomnio, 58, 75, 109, 110, 272,
292, 293, 331, 356, 396, 398, 417,
436, 437, 455, **463-467**, 543, 544,
561.

Insuficiencia cardíaca, **299-300**.

Intoxicación alimentaria, **598**.

J

Juanetes, **258**, 520.

L

Laceración muscular, véase
Rotura de ligamentos.

Ladillas, **393-394**, 414.

Laringitis, 109, 310,
484-486.

Laxitud, 107.

Lepra, 108.

Leucemia, 176, **301-302**.

Leucemia aguda, véase *Leucemia*.

Leucemia crónica, véase *Leucemia*.

Leucemia infantil, **559-560**.

Linfagitis, 214.

Linfatismo, **560-561**.

Litiasis, 108.

Lloros constantes, **562-563**.

Locura, 110, 172.

Lombrices, **561-562**.

Lumbago, 247, 250, 265, 447
y véase también *Dolor
de espalda*.

M

Magulladuras, **587**.

Mal aliento, véase *Halitosis*.

Malacia rotular, **260**.

Mareo de viaje, **594-595**.

Mastitis, **407-409**.

Melancolía, 75, 107, 110, 113, 131,
132.

Meningitis, 110, 431, 432, 433,
467-468.

Meningitis leucémica, 559.

Menopausia, 75, 109, 140, 394,
396-400, 403, 444, 445,
451, 524.

Menorragia, 403, 407.

Menstruación, 46, 77, 108, 109,
241, 306, 375, 394, 396, 397, 399,
402, 403, 405, 406, 411, 445,

449, 452, 464, 487, 500, 536 y
véase también *Dolores menstruales*.
Meteorismo, 75.
Migraña, 191, 204, 399,
441-455.
Mojar la cama, **563-564**.
Mononucleosis infecciosa,
383-384.
Mordedura de hormiga, **584**.
Mordedura de perro, **584**.
Mordedura de serpiente, **583**.
Mordeduras, **583-586**.

N
Nefritis, **546-547**.
Neumonía, 109, 110,
325-326.
Neumonía infantil, **564-565**.
Neuralgia, 88, 93, 108, 109, 433,
468-469.
Neurastenia, 107.

O
Obesidad, 58, 62, 120, 173,
220, 285, 286, 289, 290, 291,
363-369.
Oído pegajoso, **565-566**.
Ojos legañosos, **566-567**.
Orzuelo, **501-503**.
Osteoartritis, véase *Artrosis*.
Osteoporosis, 214, 221, **260-262**,
278, 396, 398.
Otitis, 204, 328, 432, 488,
491-494, 510.
Otitis infantil, **567**.

P
Paperas, 109, 432, **568**.
Parálisis, 16, 107, 108, 110,
209, 211, 214.

Parálisis espástica, 470.
Parálisis infantil, véase *Poliomielitis*.
Paraplejia, **469-470**.
Parásitos intestinales, **369**.
Parasitosis, 333, 334.
Parkinson, véase Enfermedad de
Parkinson.
Parotiditis, véase *Paperas*.
Parto, 75, 353, 371,
389, 391, **401-402**,
410, 433.
Periartritis del hombro,
262-264.
Periodontitis, 472.
Peritonitis, 333.
Picadura de abeja, **585**.
Picadura de avispa, **585**.
Picadura de medusa, **586**.
Picadura de mosquito, **585**.
Picadura de ortigas, **586**.
Picadura de pulga, **585**.
Picadura de tábano, **586**.
Picaduras, 109, **583-586**.
Piedras en la vesícula, 108.
Piel grasa, 106, 110, 514, 515.
Piel mixta, 515.
Piel normal, 512, 513.
Piel seca, 319, 421, 513, 514,
527,528.
Piel sensible, 516.
Pies planos, **264**.
Pirosis, 108.
Plaga bubónica, 109.
Pleuresía, **326**.
Pleuritis, véase *Pleuresía*.
Poliomielitis, **568-570**.
Posparto, 389 y véase también
Problemas posparto.
Premenstrual, 34 y véase también
Síndrome premenstrual.

Presión arterial alta, véase
　　Hipertensión.
Presión arterial baja, véase
　　Hipotensión.
Problemas con el período, véase
　　Dolores menstruales.
Problemas de espalda, 227.
Problemas de lactancia, **407-409**.
Problemas de piel, 108.
Problemas posparto, **410-412**.
Problemas de próstata, **420-422**.
Problemas de tiroides, **375**, 402,
　　403.
Psicopatías, 109.
Psoriasis, 497, **532-533**.

Q
Quemaduras del sol, **597-598**.
Quemaduras, 70, 79, 87, 109,
　　175, 214, 587, **596-597**,
　　598.
Quistes, 372, 520.

R
Resaca, **470-471**.
Resfriado, 107, 112, 309,
　　318, 322, 323, 324,
　　327-331, 442, 499, 500,
　　570-572.
Retención de gases, 214.
Reumatismo, 108, 109, 110,
　　212, **265-267**.
Rinitis alérgica, **320-322**,
　　499, 526.
Rinofaringitis, 484, 492.
Ronquera, 109.
Rotura de ligamentos, **258-260**.
Roturas, 267 y véase también
　　Fracturas.
Roturas musculares, 214.

Rozaduras, 587, **591-592**.
Rubéola, **572**.

S
Sabañones, **302-303**.
Sarampión, 109, **573-574**.
Sarna, 109, **533-534**.
Shock, 137, 138, 144, 145,
　　589, 590.
Sida, 27, **378-380**.
Sífilis, 108, 109, **393-394**,
　　414.
Síndrome, 120, 122, 174.
Síndrome de Down, 122.
Síndrome de Raynaud, **303-304**.
Síndrome del instestino irritable,
　　369 y véase también
　　Gastritis.
Síndrome del pánico, 120.
Síndrome premenstrual, **410-412**,
　　452.
Sinusitis, 309-310, 316,
　　318, 329, 432, 447,
　　486-488.
Sordera, 88, 110.
Supuraciones de la piel, 574.

T
Taquicardia, 215, 279 y véase
　　también *Arritmia cardíaca*.
Terrores nocturnos, 109,
　　574-575.
Tinnitus, **494-495**.
Tiña, **534-535**.
Torcedura, 73, **250-253**,
Torsión de los testículos, 373.
　　589.
Tortícolis, **271**, 442.
Tos, 546, 564, 571, 573,
　　575-576, 579.

Tos ferina, **577-578**.

Trastornos del apetito, **578-579**.

Tromboangeítis obliterante, **304-305**.

Tromboflebitis, véase *Flebitis*.

Trombosis, 214.

Tuberculosis, 432.

Tumor cerebral, 441.

Tumores, 242, 305, 372, 387, 434.

U

Ulceraciones, 27.

Úlceras, 90, 108, 176.

Úlceras bucales, **489-490**.

Uretritis, 393, 414, **430**.

Urticaria, 381, 477, **535-537**.

V

Varicela, 109, 432, 462, 573, **580-581**.

Varices, 46, 102, 242, 363, 526 y véase también *Varicosis*.

Varicosis, **305-307**.

Verrugas, 393, 414-415, **537-538**.

Vértigo, 204, 272, 281, 446-447, 470, **495-496**, 504.

Vigor sexual, 75.

VIH, véase *Sida*.

Viruela, 109.

Vista cansada, 441, 498, **503-505**.

Vómitos, **581-583**.

Z

Zumbido en los oídos, véase *Tinnitus*.

bottom front corner & top back corner peeling
AJ 12/7/11